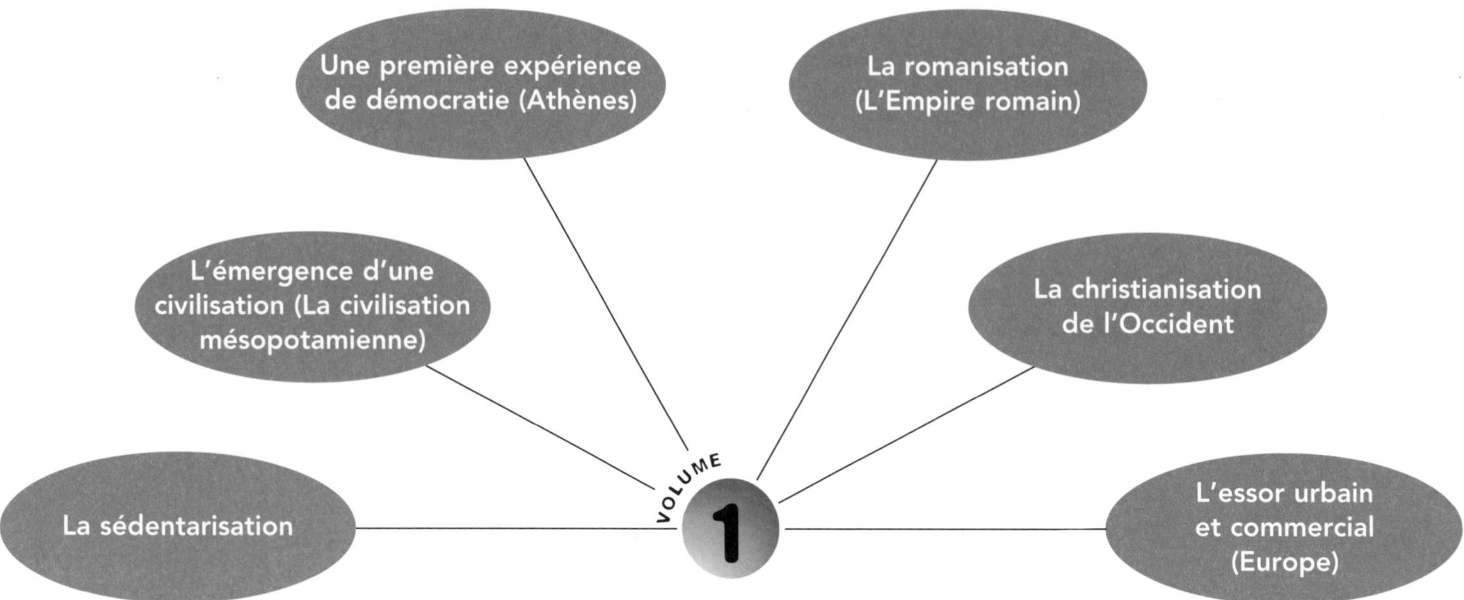
Une première expérience
de démocratie (Athènes)
La romanisation
(L'Empire romain)
L'émergence d'une
civilisation (La civilisation
mésopotamienne)
La christianisation
de l'Occident
La sédentarisation
VOLUME
1
L'essor urbain
et commercial
(Europe)

REGARDS sur les sociétés

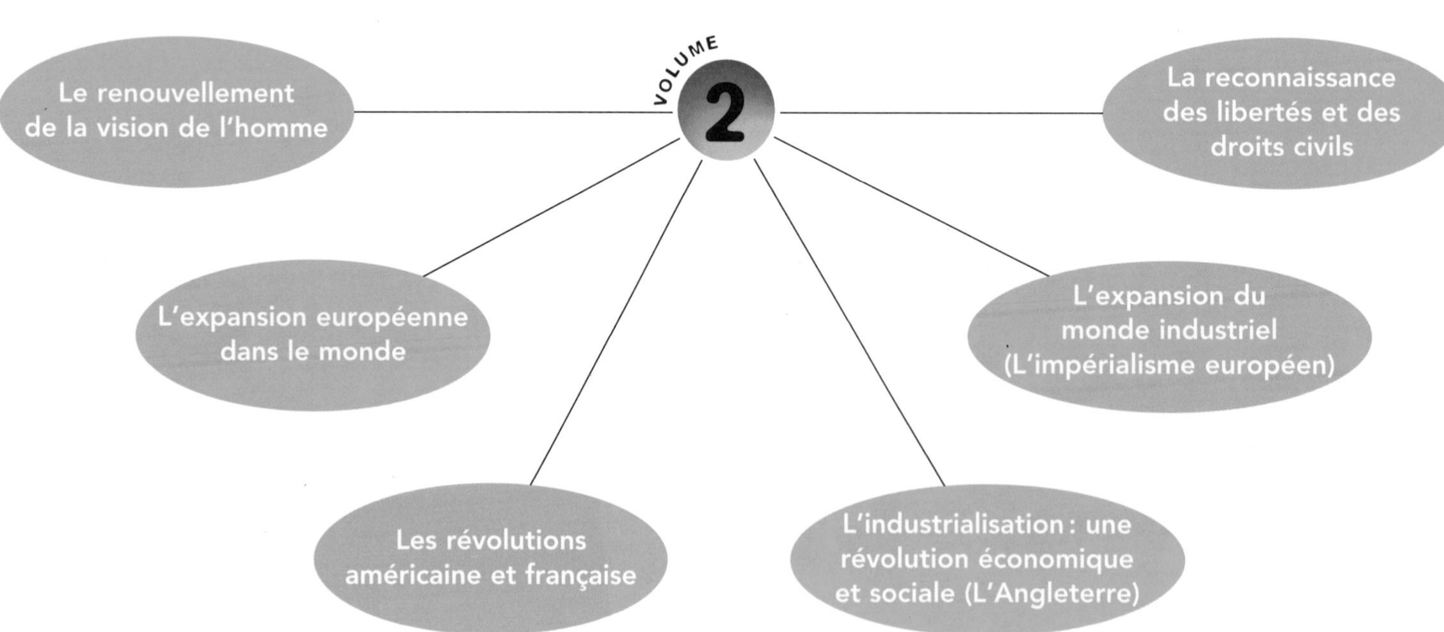
VOLUME
2
Le renouvellement
de la vision de l'homme
La reconnaissance
des libertés et des
droits civils
L'expansion européenne
dans le monde
L'expansion du
monde industriel
(L'impérialisme européen)
Les révolutions
américaine et française
L'industrialisation : une
révolution économique
et sociale (L'Angleterre)

L'histoire ne fait rien, c'est l'homme,
réel et vivant, qui fait tout.

Karl Marx

L'histoire est utile non pour y lire le passé,
mais pour y lire l'avenir.

Filippo Pananti

Direction de l'édition
Louise Roy

Direction de la production
Danielle Latendresse

Direction de la coordination
Sylvie Richard

Charge de projet
Monique Labrosse

Révision scientifique
Marc Lagana, Université du Québec à Montréal
Esther Lamontagne, Université du Québec à Montréal
Lyse Roy, Université du Québec à Montréal

Révision linguistique
Suzanne Delisle

Correction d'épreuves
Jacinthe Caron

Recherche
(Iconographie et droits des textes)
Carole Régimbald

Conception graphique
Cyril Berthou et Valérie Deltour

Production
Valérie Deltour

Cartographie
Philippe Audette

Illustration
Éric Thériault

Dans cet ouvrage, la féminisation des titres de fonctions et des textes est conforme aux règles d'écriture proposées par l'Office de la langue française dans le guide *Au féminin*, produit par Les Publications du Québec, 1991.

Gouvernement du Québec – Programme de crédit d'impôt pour l'édition de livres Gestion SODEC

Les Éditions CEC inc. remercient le gouvernement du Québec de l'aide financière accordée à l'édition de cet ouvrage par l'entremise du Programme de crédit d'impôt pour l'édition de livres, administré par la SODEC.

Regards sur les sociétés, volume 2, manuel de l'élève

8101, boul. Métropolitain Est
Anjou (Québec) H1J 1J9

Dépôt légal : 2006
Bibliothèque et Archives nationales du Québec
Bibliothèque et Archives Canada

ISBN 978-2-7617-2154-7
ISBN 2-7617-2154-3

Imprimé au Canada
2 3 4 5 10 09 08 07

HISTOIRE ET ÉDUCATION À LA CITOYENNETÉ

1er cycle du secondaire

REGARDS sur les sociétés

Collection dirigée par
Alain Dalongeville

Charles-Antoine Bachand
Patrick Poirier

avec la collaboration de
Philippe Audette

8101, boul. Métropolitain Est, Anjou (Québec) Canada H1J 1J9
Téléphone: (514) 351-6010 • Télécopieur: (514) 351-3534

TABLE DES MATIÈRES

POUR BIEN COMPRENDRE TON MANUEL

Le développement des compétences VII
Les lignes du temps VIII
Les pictogrammes IX
L'organisation de ton manuel X

CHAPITRE 7
LE RENOUVELLEMENT DE LA VISION DE L'HOMME 2

Le renouvellement de la vision de l'homme 4

L'humanisme
- Autour de toi 6
- Au passé 8

PISTES DE RECHERCHE
1. Comment l'être humain est-il représenté dans l'art de la Renaissance ? 10
2. L'homme peut-il s'élever par l'éducation ? 12
3. La Terre tourne-t-elle vraiment autour du Soleil ? 14
4. Quel est l'héritage de la pensée humaniste ? 16
5. Qu'est-ce que la Réforme ? 18

J'AI DÉCOUVERT... 20

SAVOIR
Le renouveau de la vision de l'homme, l'humanisme 22
L'art et la science 24
L'imprimerie typographique 26
La réforme protestante 28

JE FAIS LE POINT... 30

SAVOIR-FAIRE
Étudier l'architecture de la Renaissance 32

LES MÉTIERS DE L'HISTOIRE
Le restaurateur ou la restauratrice d'œuvres d'art 34

AILLEURS... 36
DOSSIER – Le Japon des shōguns 38

SYNTHÈSE ET COMPARAISON 44

ET AUJOURD'HUI...
Les valeurs humanistes aux XXe et XXIe siècles 46

L'Europe de la Renaissance
Le Japon des shōguns

CHAPITRE 8
L'EXPANSION EUROPÉENNE DANS LE MONDE 48

L'expansion européenne dans le monde 50

L'économie mondiale
- Autour de toi 52

De l'«économie-monde» à l'économie mondiale
- Au passé 54

PISTES DE RECHERCHE
1. Quelle est la route des Indes ? 56
2. Que faire des Amérindiens ? 58
3. Quels ont été les enjeux des grandes explorations ? 60
4. Quelles ont été les conséquences du passage à une économie mondiale ? 62

J'AI DÉCOUVERT... 64

SAVOIR
Le contexte économique 66
Le contexte scientifique et technologique 68
Les grandes découvertes 70
Les cultures amérindiennes 72
Les enjeux des explorations 74
Le développement d'une première forme d'économie mondiale 76

JE FAIS LE POINT... 78

SAVOIR-FAIRE
Analyser une bande dessinée historique à l'aide de documents 80

LES MÉTIERS DE L'HISTOIRE
L'archéologue 82

ET AUJOURD'HUI...
Les rapports économiques et culturels entre les sociétés 84

L'expansion européenne

CHAPITRE 9

LES RÉVOLUTIONS AMÉRICAINE ET FRANÇAISE **86**

Les révolutions américaine et française 88

Les droits
- Autour de toi 90
- Au passé 92

PISTES DE RECHERCHE
1. Les idées des Lumières étaient-elles révolutionnaires ? 94
2. Pourquoi faire une révolution ? 96
3. Après la révolution, quel régime politique choisir ? 98
4. Les mêmes droits pour tous et toutes ? . . 100

J'AI DÉCOUVERT... 102

SAVOIR
La révolution américaine 104
Les États-Unis après la révolution 106
La Révolution française 108
Les effets de la Révolution française 110

JE FAIS LE POINT... 112

SAVOIR-FAIRE
Étudier le symbolisme d'une œuvre d'art . . . 114

LES MÉTIERS DE L'HISTOIRE
Le professeur ou la professeure d'histoire . . 116

AILLEURS... 118
PROJET – La Russie tsariste 120

SYNTHÈSE ET COMPARAISON 126

ET AUJOURD'HUI...
Les droits 128

La révolution américaine
La Révolution française
La Russie tsariste

CHAPITRE 10

L'INDUSTRIALISATION : UNE RÉVOLUTION ÉCONOMIQUE ET SOCIALE **130**

L'industrialisation 132

Les classes sociales
- Autour de toi 134
- Au passé 136

PISTES DE RECHERCHE
1. A. Une révolution sociale chez les riches ? 138
   B. Une révolution sociale chez les pauvres ? 140
2. La vie dans les usines : les ouvriers s'organisent. 142
3. Le monde change ! Oui, mais comment ? . . 144

J'AI DÉCOUVERT... 146

SAVOIR
L'industrialisation en Angleterre 148
L'accélération de l'industrialisation 150
Une révolution sociale ! 152
Le travail et la lutte des femmes 154

JE FAIS LE POINT... 156

SAVOIR-FAIRE
Étudier une chanson 158

LES MÉTIERS DE L'HISTOIRE
Le ou la guide-interprète 160

AILLEURS... 162
PROJET – La France industrielle 164
DOSSIER – L'industrialisation aux États-Unis . . . 170
DOSSIER – L'industrialisation en Allemagne . . . 176

SYNTHÈSE ET COMPARAISON 182

ET AUJOURD'HUI...
Les conditions de travail 184

L'Angleterre
La France
Les États-Unis
L'Allemagne

CHAPITRE 11
L'EXPANSION DU MONDE INDUSTRIEL 186

L'expansion du monde industriel 188

L'impérialisme
- Autour de toi 190
- Au passé 192

PISTES DE RECHERCHE
1. La colonisation, une œuvre civilisatrice? .. 194
2. Les peuples africains inférieurs ? Vraiment ? 196
3. Quels étaient les enjeux de la colonisation? 198

J'AI DÉCOUVERT... 200

SAVOIR
Les fondements de la colonisation 202
Les civilisations africaines 204
L'exploration de l'Afrique 206

JE FAIS LE POINT... 208

SAVOIR-FAIRE
Analyser une affiche publicitaire 210

LES MÉTIERS DE L'HISTOIRE
L'archiviste 212

AILLEURS... 214
PROJET – L'impérialisme japonais 216

SYNTHÈSE ET COMPARAISON 222

ET AUJOURD'HUI...
L'expansion du monde industriel 224

L'impérialisme européen
L'impérialisme japonais

CHAPITRE 12
LA RECONNAISSANCE DES LIBERTÉS ET DES DROITS CIVILS 226

La reconnaissance des libertés et des droits civils 228

Les libertés et les droits civils
- Autour de toi 230
- Au passé 232

PISTES DE RECHERCHE
1. A. Les femmes ont-elles les mêmes libertés et les mêmes droits civils que les hommes ? 234
   B. Faut-il promulguer une loi pour assurer la parité entre les femmes et les hommes ? 236
2. A. L'Afrique du Sud, un régime égalitaire ? . 238
   B. Comment mettre fin à l'apartheid ? 240
3. Être décolonisé ou conquérir son indépendance ? 242

J'AI DÉCOUVERT... 244

SAVOIR
Le féminisme et le droit de vote des femmes .. 246
L'antiracisme et les mouvements d'émancipation des Noirs 248
La décolonisation et l'indépendance nationale . 250

JE FAIS LE POINT... 252

SAVOIR-FAIRE
Analyser des éditoriaux et un document historique 254

LES MÉTIERS DE L'HISTOIRE
Le technicien ou la technicienne en muséologie 256

AILLEURS... 258
DOSSIER – La privation des libertés et des droits civils sous le régime nazi 260

SYNTHÈSE ET COMPARAISON 266

ET AUJOURD'HUI...
La reconnaissance des libertés et des droits civils 268

Les libertés et les droits civils
Le régime nazi

GLOSSAIRE 270
INDEX DES REPÈRES CULTURELS 272
OUVRAGES DE RÉFÉRENCE 273
SOURCES ICONOGRAPHIQUES 274
MAPPEMONDE 276

Le développement des compétences

L'étude des différentes réalités sociales vise le développement de compétences en histoire et éducation à la citoyenneté, mais aussi de compétences transversales.

Les compétences disciplinaires

Toutes les activités de ton manuel visent le développement simultané de tes compétences en histoire et éducation à la citoyenneté.

1. Interroger les réalités sociales dans une perspective historique
2. Interpréter les réalités sociales à l'aide de la méthode historique
3. Construire sa conscience citoyenne à l'aide de l'histoire

Toutefois, certaines sections de ton manuel visent plus particulièrement le développement d'une compétence:

COMPÉTENCE 1
Interroger les réalités sociales dans une perspective historique

PISTES DE RECHERCHE
SAVOIR
PROJET
DOSSIER

COMPÉTENCE 2
Interpréter les réalités sociales à l'aide de la méthode historique

PISTES DE RECHERCHE
SAVOIR
JE FAIS LE POINT...
SAVOIR-FAIRE
PROJET

COMPÉTENCE 3
Construire sa conscience citoyenne à l'aide de l'histoire

PISTES DE RECHERCHE
ET AUJOURD'HUI...
L'ensemble des activités de ton manuel

Les compétences transversales

Certaines activités, plus que d'autres, favorisent le développement des compétences transversales, compétences qui sont utiles dans toutes les disciplines, mais aussi dans la vie courante. Ainsi, particulièrement dans les sections PISTES DE RECHERCHE et **PROJET**, tu devras faire appel à ces compétences pour réussir les activités proposées.

1. **Exploiter l'information**
2. **Résoudre des problèmes**
3. **Exercer son jugement critique**
4. **Mettre en œuvre sa pensée créatrice**
5. **Se donner des méthodes de travail efficaces**
6. **Exploiter les technologies de l'information et de la communication**
7. **Coopérer**
8. **Actualiser son potentiel**
9. **Communiquer de façon appropriée**

Les lignes du temps

Dans les premières pages des chapitres

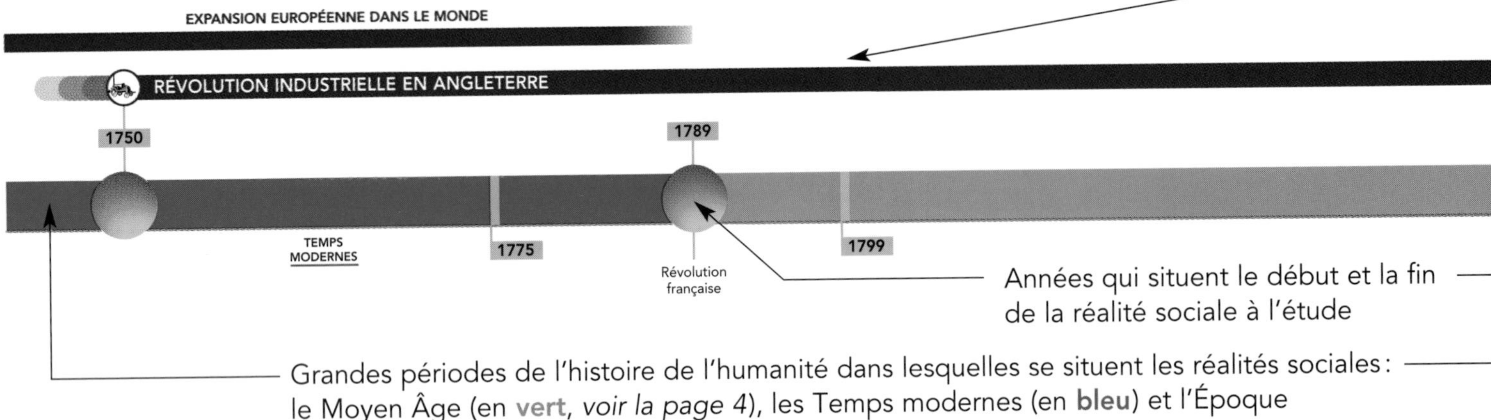

Grandes périodes de l'histoire de l'humanité dans lesquelles se situent les réalités sociales : le Moyen Âge (en **vert**, *voir la page 4*), les Temps modernes (en **bleu**) et l'Époque contemporaine (en **orange**).

Dans les sections JE FAIS LE POINT…

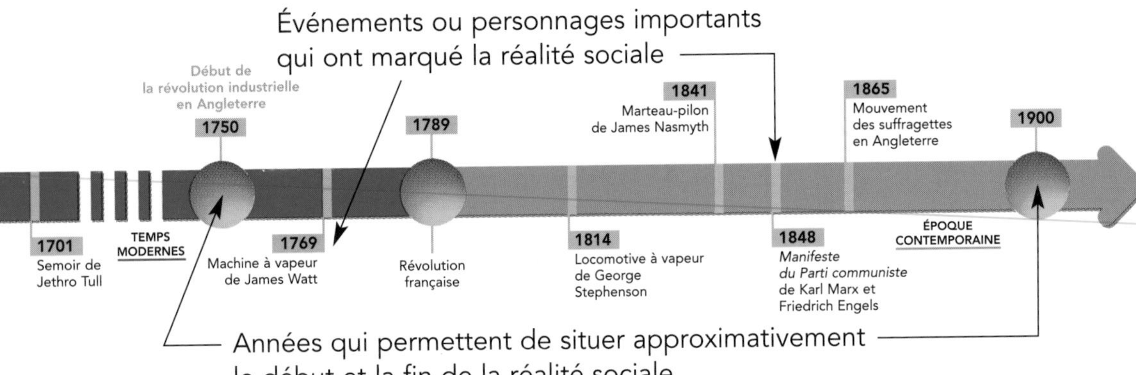

Années qui permettent de situer approximativement le début et la fin de la réalité sociale

Dans les pages d'ouverture des sections AILLEURS…

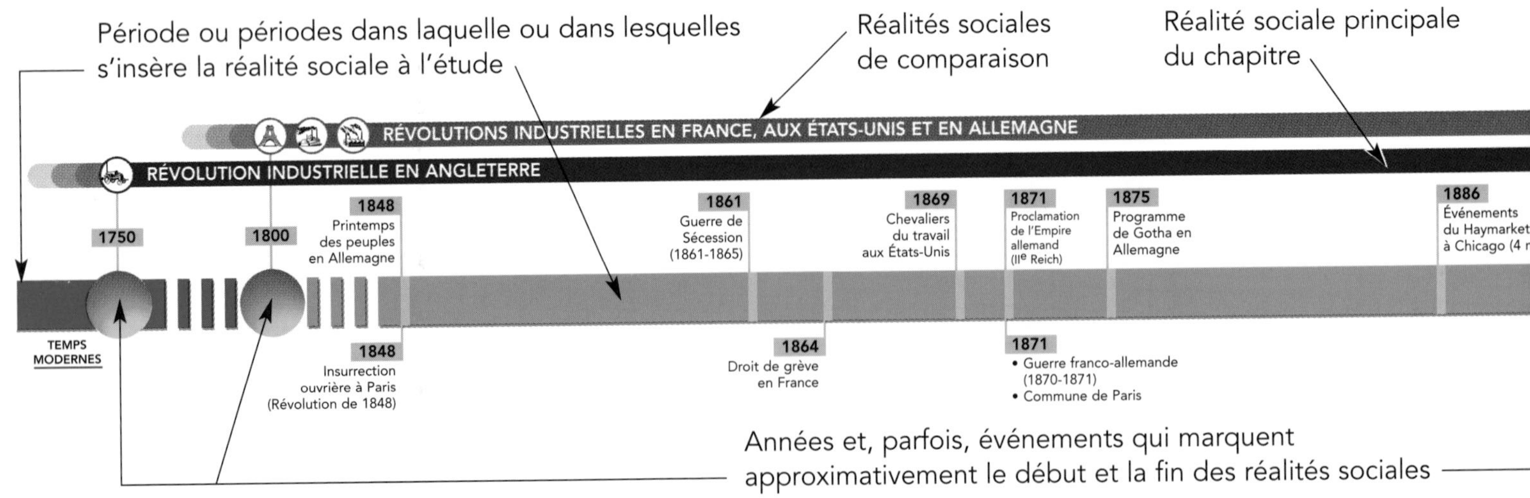

Années et, parfois, événements qui marquent approximativement le début et la fin des réalités sociales

Réalité sociale du chapitre. Les extrémités en couleurs décalées indiquent qu'on ne peut pas toujours situer avec certitude le début et la fin d'une réalité sociale.

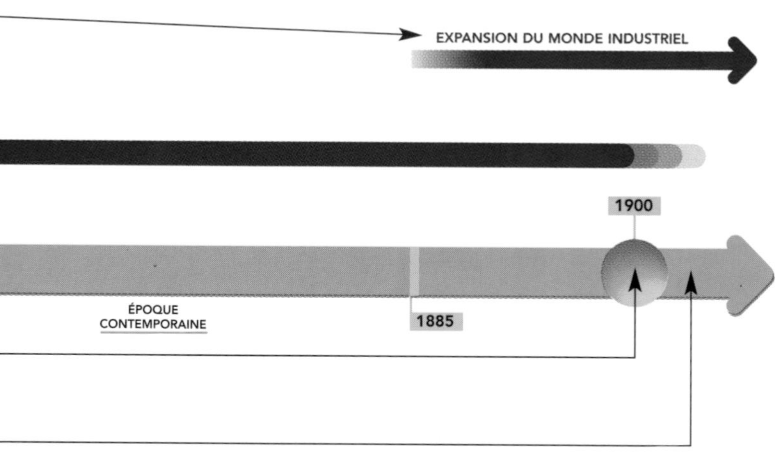

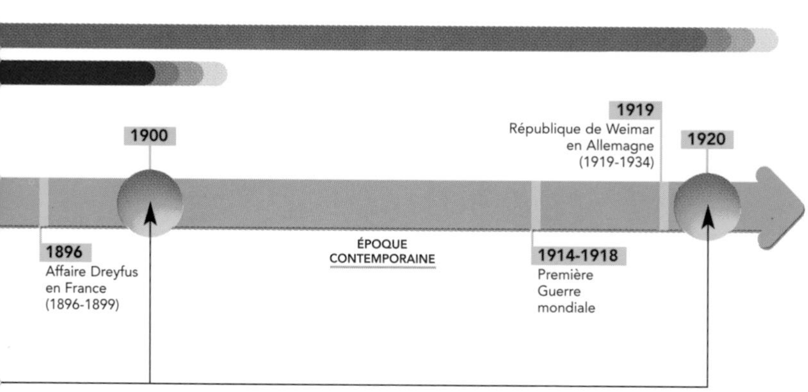

Les pictogrammes

Les pictogrammes liés à des activités

Cette flèche attire ton attention sur les lieux, les personnages, les œuvres littéraires, les artéfacts et les phénomènes qui ont été déclarés *repères culturels* dans le *Programme de formation de l'école québécoise*.

Activité de communication orale

Recherche dans des ouvrages imprimés

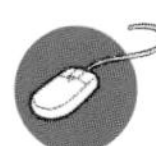

Recherche dans Internet à l'aide de mots clés

Activité d'écriture

Étape d'évaluation continue

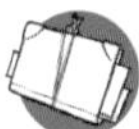

Portfolio des documents importants que tu dois conserver

G Renvoi au glossaire présenté à la fin de ton manuel

Les pictogrammes liés à la présentation graphique de ton manuel

Image qui évoque un aspect de la réalité sociale à l'étude

Dans les **PISTES DE RECHERCHE**, les flèches indiquent que tu dois explorer les documents afin de formuler des hypothèses.

Dans les sections **J'AI DÉCOUVERT...**, les points d'exclamation expriment la surprise, la joie d'avoir découvert les éléments qui sont résumés dans la double page.

Dans les sections **SAVOIR**, les signes d'addition signifient que tu feras un pas de plus dans la construction de tes savoirs en les consolidant ou en découvrant de nouvelles connaissances.

Dans les sections **JE FAIS LE POINT...**, le signe d'addition et le point indiquent que tu devrais, à cette étape, faire le point sur les savoirs et les concepts construits.

L'organisation de ton manuel

Les pages encadrées de la même couleur que la page d'ouverture du chapitre contiennent des activités qui te permettent de te **situer dans le temps et dans l'espace**, et d'**explorer les concepts que tu construiras tout au long du chapitre**.

Dans les pages **Synthèse et comparaison**, tu feras le résumé des concepts liés à la réalité sociale du chapitre et aux réalités sociales de comparaison choisies par ton enseignante ou ton enseignant.

Page d'ouverture du chapitre

Ton enseignante ou ton enseignant pourra privilégier l'un ou l'autre des itinéraires suivants :

Dans un **premier itinéraire**, on te propose des activités regroupées en PISTES DE RECHERCHE qui te permettent de construire des savoirs d'une manière dynamique et intéressante à l'aide de missions.

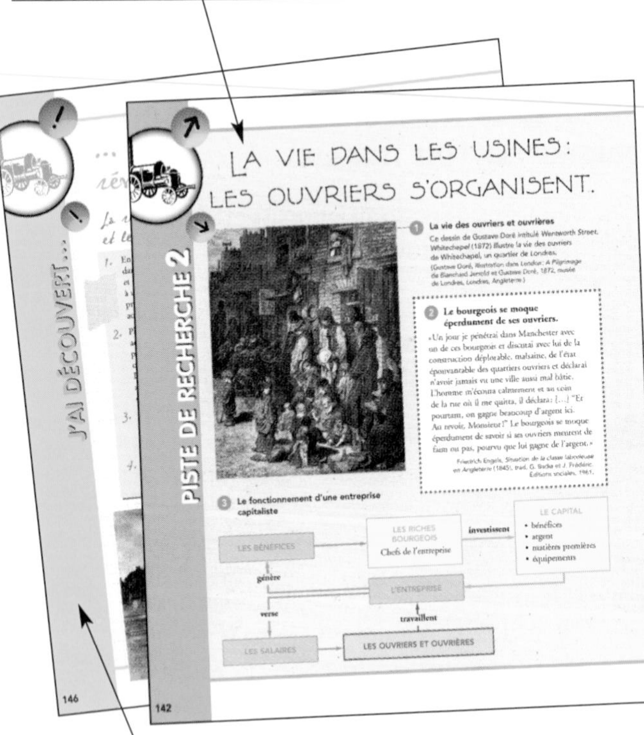

Après avoir accompli toutes les missions liées à la réalité sociale obligatoire à l'étude, les sections J'AI DÉCOUVERT… t'aident à faire le point sur tes découvertes.

OU

Dans un **deuxième itinéraire**, on te propose des sections SAVOIR contenant des connaissances et des activités portant sur la réalité sociale obligatoire à l'étude.

Dans les sections JE FAIS LE POINT…, on résume les concepts liés à la réalité sociale à l'étude et les notions essentielles à retenir.

Les sections **SAVOIR-FAIRE** proposent des activités liées à la démarche historique, plus particulièrement à l'analyse de documents et d'artéfacts.

Les sections **LES MÉTIERS DE L'HISTOIRE** t'informent sur des professions et des métiers reliés à l'histoire, et sur les études requises pour les exercer.

Les sections **AILLEURS…** contiennent des propositions d'étude de toutes les réalités sociales de comparaison proposées dans le Programme de formation.

Les **PROJETS** sont structurés à partir de la démarche de recherche scientifique et permettent la découverte d'une réalité sociale de comparaison.

Les **DOSSIERS** sont constitués d'un ensemble de documents qui te permettent d'interroger et d'interpréter une réalité sociale de comparaison.

Dans les rubriques **ET TOI ?** et *Selon moi…*, ainsi que dans la section **ET AUJOURD'HUI…** de ton manuel, on te propose des activités qui te permettront de construire ta conscience citoyenne à l'aide de l'histoire en te demandant d'analyser des éléments de la réalité sociale du chapitre dans un contexte plus actuel. Des documents et des activités sont proposés, mais ton enseignante ou ton enseignant pourra t'en proposer de nombreuses variantes.

ET TOI?

À cette étape-ci, comment définirais-tu une classe sociale?

ET TOI?

Parmi les concepts présentés dans cette page, lesquels te semblent encore utiles pour mieux comprendre la société québécoise d'aujourd'hui? Justifie tes choix.

Selon moi…

Rédige un court texte dans lequel tu expliqueras comment les individus et les institutions ont contribué à améliorer les conditions de vie et de travail dans la société.

7

LE RENOUVELLEMENT DE LA VISION DE L'HOMME

Saint Augustin dans son cabinet de travail

La vision de saint Augustin de Vittore Carpaccio.
(Vers 1502, Scuola di San Giorgio degli Schiavoni, Venise, Italie.)

Saint Augustin était un modèle pour les humanistes. Il soutenait que par la foi, mais également par la raison, l'homme a la possibilité de s'approcher de la vérité. Il est représenté en humaniste dans son cabinet de travail. De nombreux objets symboliques reflètent sa condition de clerc et d'écrivain. Ce tableau est représentatif de l'art de la Renaissance. Il est aussi un bel exercice de perspective.

SOMMAIRE

Le renouvellement de la vision de l'homme 4

L'humanisme
- Autour de toi 6
- Au passé 8

PISTES DE RECHERCHE
1. Comment l'être humain est-il représenté dans l'art de la Renaissance ? 10
2. L'homme peut-il s'élever par l'éducation ? 12
3. La Terre tourne-t-elle vraiment autour du Soleil ? 14
4. Quel est l'héritage de la pensée humaniste ? 16
5. Qu'est-ce que la Réforme ? 18

J'AI DÉCOUVERT... 20

SAVOIR 22

JE FAIS LE POINT... 30

SAVOIR-FAIRE
Étudier l'architecture de la Renaissance 32

LES MÉTIERS DE L'HISTOIRE
Le restaurateur ou la restauratrice d'œuvres d'art 34

AILLEURS... 36

DOSSIER – Le Japon des shōguns 38

SYNTHÈSE ET COMPARAISON 44

ET AUJOURD'HUI...
Les valeurs humanistes aux XXe et XXIe siècles 46

L'Europe de la Renaissance

Le Japon des shōguns

Le renouvellement de la vision de l'homme

L'humanisme est un mouvement intellectuel et culturel caractéristique de la Renaissance qui a pris naissance en Italie à la fin du XIVe et au XVe siècle, et qui s'est répandu dans toute l'Europe. Pour les humanistes, l'homme est au centre de l'Univers.

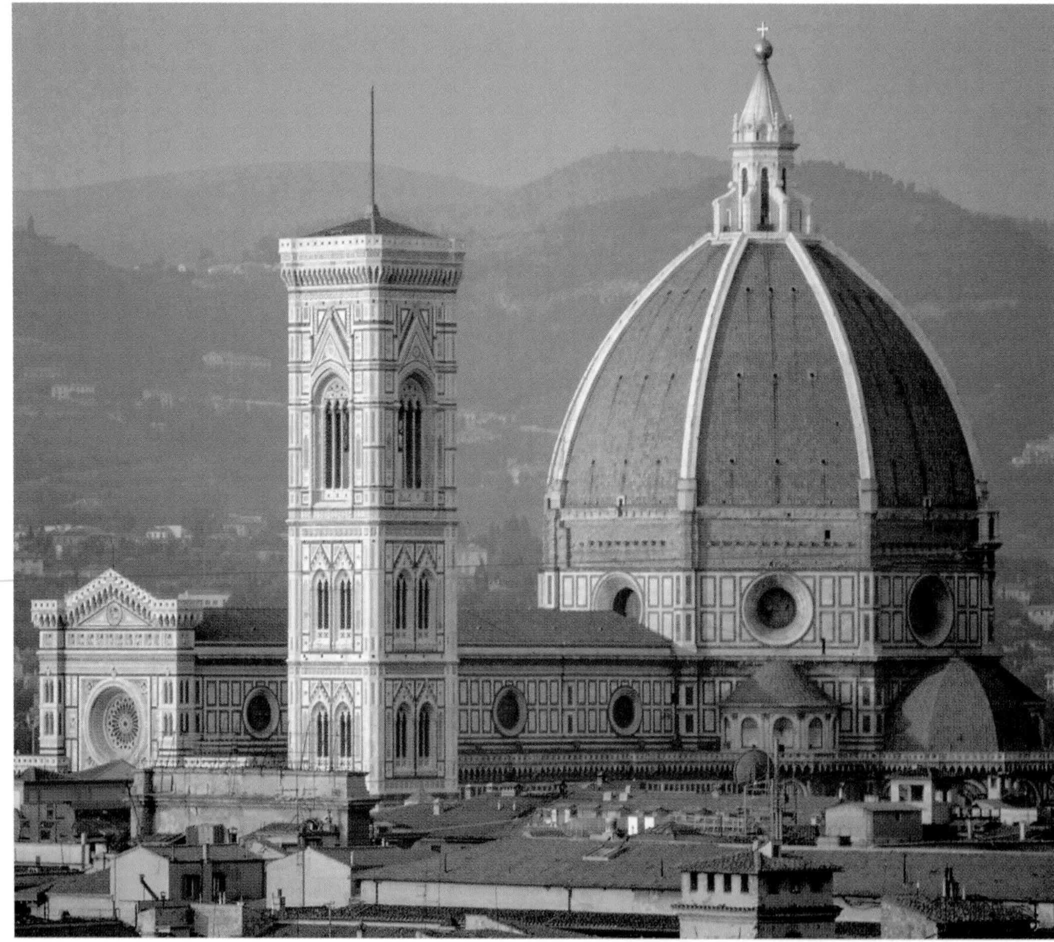

La cathédrale Santa Maria del Fiore à Florence en Italie

Le dôme de la cathédrale Santa Maria del Fiore est un chef-d'œuvre de l'architecture de la Renaissance. La construction de la cathédrale a été entreprise en 1296 et elle a été achevée par l'architecte Brunelleschi en 1436. La cathédrale est de style classique mais le dôme est d'un style nouveau pour l'époque.

ESSOR URBAIN ET COMMERCIAL

EXPANSION EUROPÉENNE DANS LE MONDE

RENOUVELLEMENT DE LA VISION DE L'HOMME

MOYEN ÂGE

1400

1423 — Brunelleschi construit le dôme de la cathédrale de Florence.

1492 — Christophe Colomb découvre l'Amérique.

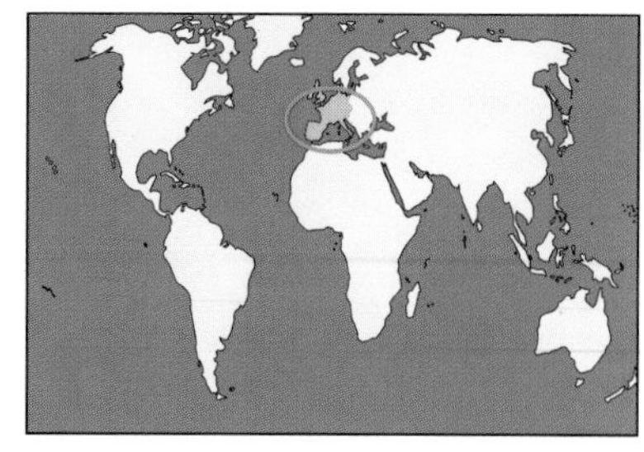

L'humanisme et la Renaissance en Europe (XVe–XVIe siècles)

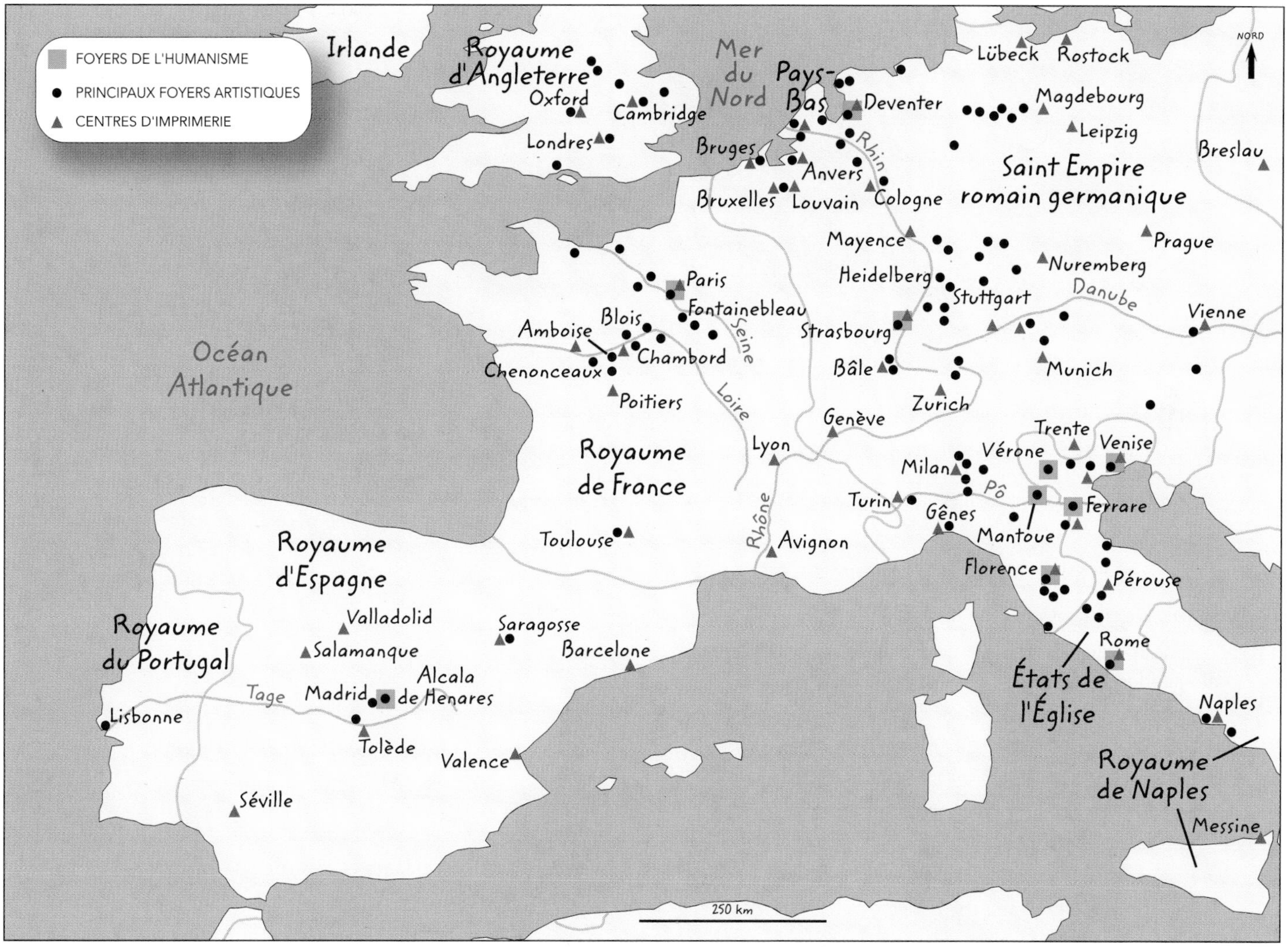

FOYERS DE L'HUMANISME
PRINCIPAUX FOYERS ARTISTIQUES
CENTRES D'IMPRIMERIE

NORD

Irlande
Royaume d'Angleterre
Oxford
Cambridge
Londres
Mer du Nord
Pays-Bas
Deventer
Bruges
Anvers
Bruxelles
Louvain
Cologne
Rhin
Lübeck
Rostock
Magdebourg
Leipzig
Breslau
Saint Empire romain germanique
Mayence
Prague
Nuremberg
Heidelberg
Stuttgart
Danube
Vienne
Strasbourg
Bâle
Munich
Zurich
Paris
Fontainebleau
Seine
Blois
Amboise
Chambord
Chenonceaux
Poitiers
Loire
Océan Atlantique
Royaume de France
Genève
Lyon
Rhône
Avignon
Toulouse
Trente
Vérone
Venise
Milan
Turin
Pô
Gênes
Mantoue
Ferrare
Florence
Pérouse
Rome
États de l'Église
Naples
Royaume de Naples
Messine
Royaume d'Espagne
Royaume du Portugal
Valladolid
Salamanque
Saragosse
Barcelone
Alcala de Henares
Madrid
Tage
Lisbonne
Tolède
Valence
Séville
250 km

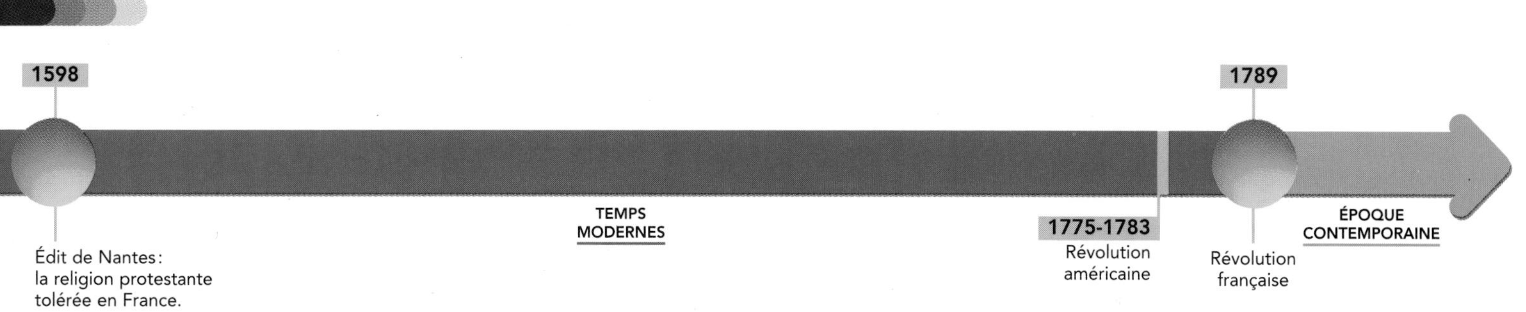

1 **La Croix-Rouge**

Le 29 décembre 2004, des centaines de Thaïlandais et de Thaïlandaises font la queue à Bangkok pour donner du sang à la Croix-Rouge afin de venir en aide aux victimes du raz de marée qui a dévasté la région le 26 décembre.

3 **Le père Emmett Johns**

Le père Johns est le fondateur de l'organisme Dans la rue qui aide les jeunes itinérants et itinérantes de Montréal.

2 **Gilles Kègle**

La Fondation Gilles-Kègle a pour but de redonner aux personnes seules ou malades la dignité qu'elles ont perdue.

«Si l'on vous confiait la mission de rendre visite à plus de 350 000 personnes seules au cours de votre vie, vous penseriez tout d'abord que cela est irréalisable.

C'est pourtant ce que la Fondation Gilles-Kègle a fait en 35 ans. Elle vient en aide à plus de 1 500 bénéficiaires, 1 300 desquels sont des personnes âgées dont la vie est menacée parce qu'elles souffrent de diabète, de malnutrition ou de cancer.

La Fondation permet de faire plus de 800 visites à domicile par semaine à Québec mais aussi dans les régions de Vanier, de Beaupré et de Charlesbourg.

Cet organisme va plus loin que les centres locaux de services communautaires (CLSC). Grâce à Gilles Kègle et à toute son équipe de valeureux bénévoles, la Fondation dispense des ***soins de l'âme*** en écoutant et en sécurisant les gens afin de les rendre autonomes et indépendants.»

Fondation Gilles-Kègle.

4 Deux définitions

Humanisme «Position philosophique qui met l'homme et les valeurs humaines au-dessus des autres valeurs.»

Humanitaire «Qui recherche le bien de l'humanité, lutte pour le respect de l'être humain.»

Petit Larousse illustré 2006,

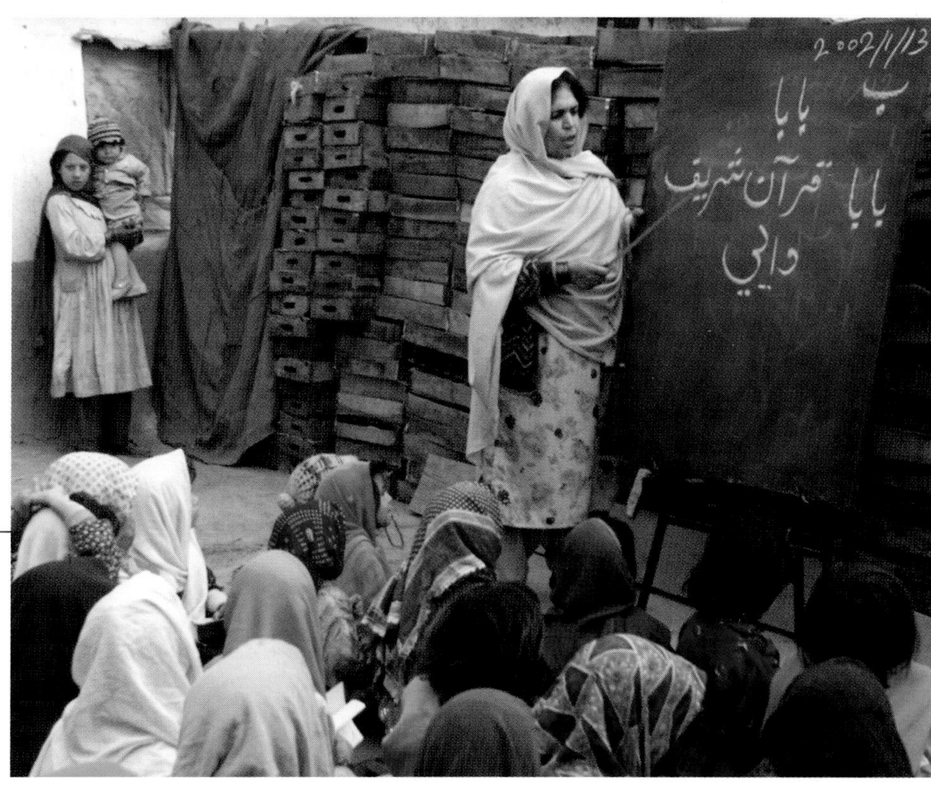

5 Un camp de réfugiés et de réfugiées au Pakistan

Des jeunes filles afghanes suivent un cours subventionné par l'UNESCO (l'Organisation des Nations Unies pour l'éducation, la science et la culture).

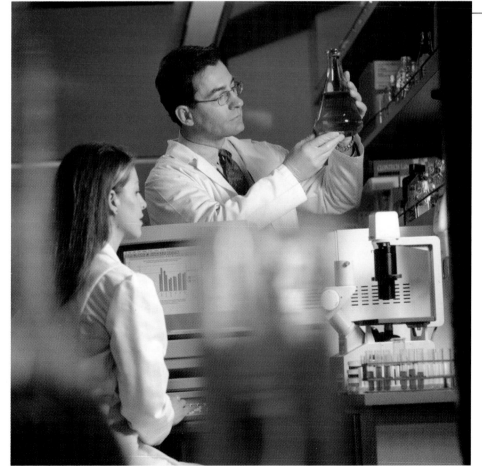

6 Un laboratoire de recherche

Deux scientifiques font de la recherche pour trouver un remède au cancer.

Activité de discussion

Associez les mots suivants aux documents présentés dans cette double page.

protection – bonté – fierté – grandeur – soutien – individu – entraide

Quel lien unit ces images et ces mots?

Trouvez d'autres mots qui pourraient être associés à ces documents.

1 Une «renaissance» de l'Antiquité

Dans leur quête du retour à l'Antiquité, les humanistes se sont inspirés des œuvres et des mythes antiques. Dans l'extrait ci-dessous Marsile Ficin (1433-1499), un philosophe et théologien humaniste du XVe siècle, fait intervenir Hermès Trismégiste, un personnage mythique de l'Antiquité. Identifié avec Thot, le dieu égyptien de l'écriture, Hermès Trismégiste («Trois fois le plus grand») était considéré comme le père de toutes les sciences.

«Ainsi l'homme ne veut pas de supérieur, ni d'égal. […] L'homme de son côté désire être partout. […] Il mesure la terre et le ciel, il sonde les profondeurs […], Hermès le dit: "Le ciel ne lui semble pas très élevé, ni le centre de la terre profond. […] Aucun obstacle ne gêne son regard. Aucune frontière ne le satisfait."»

Marsile Ficin, *Théologie platonicienne de l'immortalité des âmes* (1482), tome II, trad. R. Marcel, Les Belles-Lettres, 1964.

Hermès Trismégiste représenté en astrologue. (Portrait provenant d'un traité de J. de Boissard, *De Divinatione et Magicis*, 1605.)

2 Un philosophe grec de l'Antiquité

Protagoras a vécu au Ve siècle avant Jésus-Christ.

«Protagoras soutient que l'homme est la mesure de toutes choses, de toutes choses comme elles existent, non pas de toutes choses comme elles n'existent pas […]»

Sextus Empiricus (IIIe siècle apr. J.-C.), *Œuvres choisies*, trad. J. Grenier et G. Goron, Aubier Montaigne, 1948.

3 Un humaniste du XVIe siècle

«Les esprits des hommes qui auparavant étaient comme endormis et tenus en un profond sommeil d'ancienne ignorance ont commencé à s'éveiller et à sortir des ténèbres […]»

D'après Pierre Belon, *Les observations de plusieurs singularités et choses mémorables*, 1553.

4 L'humanisme selon un historien contemporain

«Liberté, bonheur, beauté, respect de soi-même, tels sont les fondements de cette **morale** individuelle qui débouche sur une morale collective basée sur la **tolérance** et la paix entre les hommes.»

François Lebrun, *L'Europe et le monde, XVIe, XVIIe, XVIIIe siècle*, Armand Colin, 1987.

5 Le libre arbitre de l'homme

Pic de La Mirandole (*doc. 6*) fait parler Dieu, qui s'adresse à l'homme.

«Si nous ne t'avons donné, Adam, ni une place déterminée, ni un aspect qui te soit propre, ni aucun don particulier, c'est afin que la place, l'aspect, les dons que toi-même aurais souhaités, tu les aies et les possèdes selon ton vœu, à ton idée. [...] Si je t'ai mis dans le monde en position intermédiaire, c'est pour que de là tu examines plus à ton aise tout ce qui se trouve dans le monde alentour.»

Pic de La Mirandole, *De la dignité de l'homme* (1486), trad. Y. Hersant, Éditions de l'Éclat, 1993.

6 Un grand esprit de la Renaissance

«Très vénérables Pères, j'ai lu dans les écrits des Arabes que le Sarrasin Abdallah, comme on lui demandait quel spectacle lui paraissait le plus digne d'admiration sur cette sorte de scène qu'est le monde, répondit qu'il n'y avait à ses yeux rien de plus admirable que l'homme.»

Pic de La Mirandole, *De la dignité de l'homme* (1486), trad. Y. Hersant, Éditions de l'Éclat, 1993.

(Anonyme, XVIe siècle, Galleria Palatina, Palazzo Pitti, Florence, Italie.)

Jean Pic de La Mirandole

(1463-1494)

Humaniste et homme de lettres italien, Pic de La Mirandole était un disciple de Marsile Ficin (*doc. 1*). Il parlait plusieurs langues, dont l'hébreu, le latin et le grec. Surnommé le «prince des érudits», il possédait l'une des plus importantes bibliothèques de son époque. On dit qu'il incarnait à la perfection l'idéal de l'humanisme.

À faire

1. (doc. 2) À quelle période de l'histoire Protagoras a-t-il vécu?
2. Parmi les documents présentés dans ces pages, lequel est une source de seconde main? Justifie ta réponse.
3. (doc. 6) Es-tu d'accord avec Abdallah le Sarrasin lorsqu'il dit que l'on ne peut observer rien de plus admirable que l'homme? Explique ta réponse.

Lexique

Morale Ensemble des règles de conduite universellement reconnues comme bonnes; théorie du bien et du mal.

Tolérance Fait de respecter des attitudes et des manières de penser différentes des nôtres.

ET TOI?

Rédige ta propre définition de l'humanisme à la lumière des documents que tu viens de lire.

PISTE DE RECHERCHE 1

Comment l'être humain est-il représenté dans l'art de la Renaissance ?

La période qui s'étend du début du XVe siècle à la fin du XVIe siècle s'appelle la Renaissance. S'inspirant des formes héritées de l'Antiquité grecque et romaine, les artistes italiens ont été les instigateurs de ce mouvement, qui s'est répandu à travers l'Europe. Ces artistes voulaient représenter dans leurs œuvres le réalisme de l'être humain, les sentiments, la nature, la beauté.

1 ***La Vierge et l'Enfant en majesté, entourés de six anges***
(Cimabue, peintre italien, vers 1260, Galerie des Offices, Florence, Italie.)

2 ***Dieu le Père***
(Jan van Eyck, peintre hollandais, *Retable de l'adoration de l'Agneau Mystique* [détail], 1432, cathédrale Saint-Bavon, Gand, Belgique.)

3 *La Vierge à l'Enfant avec le petit saint Jean-Baptiste, dite La Belle Jardinière*
(Raphaël, peintre italien, 1507, musée du Louvre, Paris, France.)

5 L'art d'un artiste de la Renaissance, Tommaso Masaccio

«À Masaccio [1401-1428] appartient l'honneur d'avoir ramené l'art de la peinture dans la bonne voie [...] Il donna à ses personnages de belles et nobles attitudes, du mouvement, de la fierté, de la vie et un relief vraiment propre et naturel, toutes choses que l'on ne rencontre chez aucun des peintres qui l'ont précédé.»

Giorgio Vasari (1511-1574), *Vie des peintres*, Belles-Lettres, 2000.

4 ***Le Christ pantocrator*** **(«tout-puissant»)**
(Maître de Sant Climent de Taüll, vers 1124, Musée national d'art de Catalogne, Barcelone, Espagne.)

MISSION

Examinez les œuvres présentées dans cette piste de recherche: deux œuvres sont de l'époque du Moyen Âge et deux sont de la Renaissance. Vous êtes des historiennes et des historiens de l'art. Vous avez pour mission de classer ces œuvres dans un tableau et de les comparer. Que remarquez-vous ? Notez vos observations dans un court texte.

L'HOMME PEUT-IL S'ÉLEVER PAR L'ÉDUCATION ?

Durant la période de la Renaissance, un nouveau type d'instruction et d'éducation a vu le jour. Les humanistes pensaient que les êtres humains pouvaient s'élever et devenir meilleurs par l'étude des humanités, c'est-à-dire de la poésie, de l'histoire, de l'éthique[G], de la rhétorique[G] et de la grammaire. Le respect des enfants et le dosage équilibré entre les exercices intellectuels et physiques étaient des principes humanistes importants.

RC

1 L'éducation idéale selon Montaigne

«[…] je voudrais aussi qu'on fût soigneux de lui choisir [un professeur] qui eût plutôt la tête bien faite que bien pleine […]. Qu'il ne lui demande pas seulement compte des mots de sa leçon, mais du sens et de la substance, et qu'il juge du profit qu'il aura fait, non par le témoignage de sa mémoire, mais de sa vie. […]

Savoir par cœur n'est pas savoir: c'est tenir ce qu'on a donné en garde à sa mémoire. Ce qu'on sait justement, on en dispose, sans regarder le modèle, sans tourner les yeux vers son livre.»

Michel de Montaigne, *Les Essais*, livre I, chap. 26 (1580), Claude Pinganaud (éd.), Arléa, 1992.

2 Un humaniste français

(Anonyme, XVIIe siècle, Châteaux de Versailles et de Trianon, Versailles, France.)

RC

Michel Eyquem de Montaigne

(1533–1592)

Montaigne était le fils d'un riche négociant anobli. Son père était un humaniste ouvert aux idées nouvelles. Le jeune Montaigne a été élevé par un précepteur[G] qui lui a enseigné le latin. Il a étudié le droit. Son œuvre *Les Essais* est un modèle de la pensée humaniste.

3 Un romancier humaniste

(Anonyme, XVIe siècle, Châteaux de Versailles et de Trianon, Versailles, France.)

François Rabelais

(1494–1553)

Rabelais était un penseur humaniste. Il a étudié le droit et la médecine et a été l'un des premiers auteurs à écrire des romans en français (avant cette époque, la plupart des ouvrages étaient rédigés en latin). Rabelais étudiait les écrits des penseurs grecs et romains. En 1524, la Sorbonne, l'université où il étudiait, a interdit l'étude du grec. On lui a donc confisqué ses livres.

4

«Maître Thubal Holoferne apprit à Gargantua son alphabet en cinq ans et trois mois si bien qu'il le disait par cœur et à rebours; puis des livres de vocabulaire et de grammaire en latin en treize ans et six mois.

Pendant ce temps, il lui apprenait à écrire en gothique, car l'imprimerie n'existait pas encore.

Puis il lui apprit un autre ouvrage de grammaire latine avec les commentaires de plusieurs auteurs en dix-huit ans et onze mois. Il le sut si bien qu'il le récitait par cœur à l'envers.

Puis maître Thubal lui apprit un calendrier en seize ans et deux mois, mais il mourut en 1420 de la vérole.

Son père s'aperçut que vraiment Gargantua étudiait très bien, mais que rien ne lui profitait, au contraire qu'il devenait fou, niais, tout rêveur et sot.»

D'après François Rabelais, *Gargantua*, chap. XIII et XIV, 1534.

5

«Avec Maître Ponocrates, son nouveau précepteur, Gargantua ne perdait aucune heure du jour et utilisait tout son temps en lectures et études. Il s'éveillait à quatre heures du matin. Pendant qu'on le lavait, on lui lisait une page de la divine Écriture avec la bonne prononciation.

Puis Maître Ponocrates répétait ce qui avait été lu et lui expliquait les points les plus difficiles.

Pendant qu'on l'habillait et le peignait, on lui répétait les leçons de la veille. Puis pendant trois bonnes heures, on lui faisait la lecture.

Ensuite, ils allaient dans le pré, et ils jouaient à la balle, s'exerçant le corps comme ils avaient exercé l'âme auparavant.

Au début du repas était lue quelque histoire plaisante. Puis on continuait la lecture ou on devisait joyeusement de la vertu des aliments. Gargantua apprit en peu de temps tous les passages concernés par la nourriture dans Pline et Galien. Après, ils rendaient grâce à Dieu par quelque beau cantique.»

Ibid., chap. XXIII.

Extraits du roman *Gargantua* de Rabelais

Dans son roman *Gargantua* publié en 1534, Rabelais critique l'éducation médiévale et propose une nouvelle éducation humaniste. Dans les extraits ci-dessus, il met en scène quatre personnages: Holoferne, Gargantua, Grangousier et Ponocrates. Après la mort de maître Holoferne, Grangousier décide de confier son fils à un nouveau précepteur du nom de Ponocrates.

• • MISSION • •

L'éducation était très importante pour les humanistes. Montaigne décrit bien ce qu'était l'éducation humaniste idéale (doc. 1).

Lequel des deux extraits du roman Gargantua de Rabelais (doc. 4 et 5) décrit une éducation humaniste? Expliquez votre réponse dans un court texte.

PISTE DE RECHERCHE 3

La Terre tourne-t-elle vraiment autour du Soleil ?

Les penseurs de la Renaissance ont redécouvert et traduit les ouvrages scientifiques des philosophes grecs de l'Antiquité. Par l'observation et l'étude des phénomènes naturels, ils ont porté un regard nouveau sur l'Univers.

1 Extrait de l'Ancien Testament

«Alors Josué parla à l'Éternel, […] et il dit en présence d'Israël:
Soleil, tiens-toi immobile sur Gabaon,
Et toi, lune, sur la vallée d'Ayalôn.
Et le soleil se tint immobile, et la lune s'arrêta,
Jusqu'à ce que la nation eût tiré vengeance de ses ennemis.
Cela est écrit dans le livre du Juste.
Le soleil s'arrêta au milieu du ciel et ne se hâta point de se coucher presque tout un jour.»

La Sainte Bible, Josué 10,12-13, Société biblique française, 1978.

2 Extrait du procès de Galilée, 22 juin 1633

«La proposition que le Soleil est au centre du monde et immobile est absurde, fausse et formellement **hérétique** parce qu'elle est expressément contraire à la Sainte Écriture.

La proposition que la Terre n'est pas au centre du monde ni immobile, [mais qu'elle tourne autour du Soleil et sur elle-même est également absurde et fausse, et considérée comme contraire à la foi catholique.]

Afin de supprimer complètement cette **doctrine** et d'éviter qu'elle se répande au détriment de la vérité catholique, [les livres qui traitent d'une telle doctrine ont été interdits.]»

Archives de la sentence du Saint-Office, 22 juin 1633, dans Émile Namer, *L'affaire Galilée*, Gallimard/Julliard, 1975.

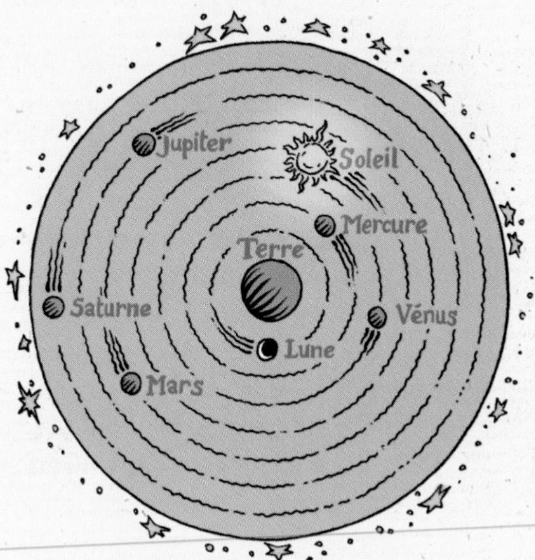

3 Modèle de l'Univers selon Ptolémée, IIe siècle

Dans le modèle de Ptolémée, un savant grec de l'Antiquité, la Terre est fixe au centre de l'Univers. Le Soleil et les planètes tournent autour d'elle.

4 La Bible, source du savoir au Moyen Âge selon un homme d'Église

«L'auteur de l'Écriture sainte est Dieu. […] dans le sens littéral de l'Écriture, il ne peut jamais y avoir de fausseté.»

Thomas d'Aquin (1228-1274), *Somme théologique*, tome I, Les Éditions du Cerf, 1984.

RC

5 Au XVe siècle, après plusieurs observations et calculs, un homme d'Église soumet l'hypothèse que la Terre est en mouvement.

«Je pense depuis longtemps que cette Terre n'est pas fixe mais qu'elle est en mouvement comme les autres étoiles. Selon moi, la Terre tourne autour de son propre axe une fois chaque vingt-quatre heures.»

Nicolas de Cusa, *La docte ignorance* (1440), dans Paolo Galluzzi *et al.*, *Galilée, l'expérience sensible*, Éditions Vilo, 1990.

Lexique

Doctrine Ensemble des idées, des croyances ou des opinions véhiculées par une religion, une philosophie, un régime politique ou un mouvement artistique.

Hérétique Qui ne suit pas la règle ou la doctrine officielle de l'Église.

6 Galilée a confirmé le modèle de Copernic.

Au XVIIe siècle, Galileo Galilei, dit Galilée, a observé le mouvement des planètes à l'aide d'un télescope. L'Église l'a condamné pour avoir avancé cette hypothèse.

«[…] il me semble que dans les disputes de questions naturelles on ne devrait pas commencer par les citations des autorités de l'Écriture sainte, mais par les expériences des sens et par les démonstrations […]. Je ne me sens pas obligé de croire que le même Dieu qui nous a dotés de sens, de parole et d'intelligence ait voulu en interdire l'usage.»

D'après Galileo Galilei, *À madame Christine de Lorraine, grande-duchesse de Toscane* (1615), dans Franco Lo Chiatto et Sergio Marconi, *Galilée, entre le pouvoir et le savoir*, trad. S. Matarasso-Gervais, Alinéa, 1988.

7 Modèle de l'Univers selon Nicolas Copernic, XVIe siècle

Ce modèle confirme l'hypothèse de Nicolas de Cusa (*doc. 5*). Le Soleil est fixe et la Terre est en mouvement. Copernic est le premier savant à avoir proposé ce modèle après avoir observé et calculé les mouvements des astres, du Soleil et des planètes.

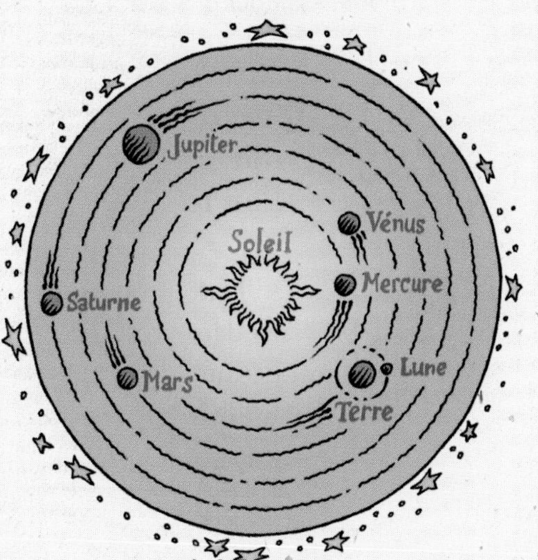

MISSION

Galilée a été convoqué devant le tribunal du pape. On l'accuse de remettre en question les enseignements de la Bible. Vous êtes les avocats et les avocates du pape. Vous devez préparer l'accusation de Galilée. Quels arguments allez-vous utiliser?

Vous êtes les avocats et les avocates de Galilée. Vous devez préparer sa défense. Quels arguments allez-vous utiliser?

Présentez vos arguments sur une affiche.

PISTE DE RECHERCHE 4

QUEL EST L'HÉRITAGE DE LA PENSÉE HUMANISTE ?

À la fin du Moyen Âge, les sociétés européennes étaient très inégalitaires. Chaque individu devait garder la place qui lui revenait dans la hiérarchie sociale. Des penseurs humanistes ont analysé et critiqué ces sociétés inégalitaires. Ils étaient pacifistes et luttaient contre l'obscurantisme[G]. Plusieurs humanistes ont été des conseillers des princes et des rois.

1 Les femmes savantes

«Pour beaucoup de personnes, les femmes savantes sont suspectes, comme si un savoir approfondi accroissait la malice naturelle de l'espèce humaine; mais alors, de la même façon, les hommes savants ne devraient-ils pas aussi être suspects […]? En revanche, l'instruction que, pour moi, je voudrais proposer à l'ensemble du genre humain est équilibrée et pure: c'est celle qui élève et qui rend meilleurs […].»

Jean-Louis Vivès, *De institutione christianæ feminæ*, I, 4 (1523), dans *Œuvres*, IV.

2 La guerre et la paix

RC «La guerre cause d'un seul coup le naufrage de tout ce qui est bon et fait déborder la mer de tous les maux réunis. Ensuite, aucune calamité n'est plus tenace. De la guerre naît la guerre. […] Si nous étions dans ces dispositions-là, il n'y aurait pour ainsi dire jamais de guerre entre les hommes. […] Nul souhait ne doit être plus précieux au cœur d'un prince que de conserver la vie de ses sujets et de les voir en pleine prospérité.»

D'après Érasme, *Institution du prince chrétien* (1516), dans Jean-Claude Margolin, *Guerre et paix dans la pensée d'Érasme de Rotterdam*, Aubier Montaigne, 1973.

3 Le «prince de l'humanisme»

RC

(Quentin Metsys, 1517, Galerie nationale d'art antique, palais Barberini, Rome, Italie.)

Didier Érasme

(1469–1536)
Érasme est né aux Pays-Bas en 1469. Il a parcouru l'Europe, de l'Angleterre à l'Italie, en prônant l'importance de connaître les langues et les textes de l'Antiquité. On le considère comme le prince de l'humanisme.

4 Extraits de la Déclaration des droits de l'enfant

«**Préambule**

Considérant que, dans la Charte, les peuples des Nations Unies ont proclamé à nouveau leur foi dans les droits fondamentaux de l'homme et dans la dignité et la valeur de la personne humaine, et qu'ils se sont déclarés résolus à favoriser le progrès social et à instaurer de meilleures conditions de vie dans une liberté plus grande,

L'Assemblée générale

Proclame la présente Déclaration des droits de l'enfant […]:

Principe 4

L'enfant doit bénéficier de la sécurité sociale, il doit pouvoir grandir et se développer d'une façon saine […]. L'enfant a droit à une alimentation, à un logement, à des loisirs et à des soins médicaux adéquats.

[…]

Principe 7

L'enfant a droit à une éducation qui doit être gratuite et obligatoire au moins aux niveaux élémentaires. Il doit bénéficier d'une éducation qui contribue à sa culture générale et lui permette, dans des conditions d'égalité de chances, de développer ses facultés, son jugement personnel et son sens des responsabilités morales et sociales, et de devenir un membre utile de la société.»

Extraits de la Déclaration des droits de l'enfant proclamée par l'Assemblée générale de l'Organisation des Nations Unies le 20 novembre 1959.

5 L'*Utopie*

«En **Utopie**, au contraire, où tout appartient à tous, personne ne peut manquer de rien, une fois que les greniers publics sont remplis. Car la fortune de l'État n'est jamais injustement distribuée en ce pays; l'on n'y voit ni pauvre ni mendiant, et quoique personne n'ait rien à soi, cependant tout le monde est riche. Est-il, en effet, de plus belle richesse que de vivre joyeux et tranquille, sans inquiétude ni souci? Est-il un sort plus heureux que celui de ne pas trembler pour son existence […]?»

Thomas More, *Utopie* (1516), trad. V. Stouvenel, 1842.

Lexique

Utopie Idéal, vue politique ou sociale qui ne tient pas compte de la réalité.

6 Un critique de la société anglaise

RC

(Hans Holbein le Jeune, XVIe siècle, Galerie des Offices, Florence, Italie.)

Sir Thomas More
(1478–1535)
Thomas More était un grand humaniste anglais. Il parlait très bien le grec et le latin. Dans sa première grande œuvre, l'*Utopie* (*doc. 5*), il critique la société anglaise et le roi Henri VIII, et présente une société idéale et imaginaire.

MISSION

La Déclaration des droits de l'enfant de 1959 (doc. 4) s'inspire de la pensée humaniste. Cependant, la pensée d'un des auteurs présentés dans cette piste de recherche n'a pas été prise en compte.

Vous devez rédiger un article (un principe) de la Déclaration des droits de l'enfant comme l'aurait fait cet auteur.

QU'EST-CE QUE LA RÉFORME ?

Au Moyen Âge, il était possible d'acheter le salut éternel par des indulgences. Les évêques vivaient comme des princes. Certains penseurs inspirés des idées humanistes ont critiqué ces pratiques de l'Église catholique.

1 Extraits des «95 thèses» de Luther (1517)

RC

Martin Luther a affiché sur les portes de l'église du château de Wittenberg, en Allemagne, 95 thèses dans lesquelles il critiquait les pratiques de l'Église catholique.

«**21.** C'est pourquoi les **prédicateurs** de l'indulgence sont dans l'erreur quand ils disent que les indulgences du pape délivrent l'homme de toutes les peines et le sauvent.

27. Ils prêchent des inventions humaines, ceux qui prétendent qu'aussitôt que l'argent résonne dans leur caisse, l'âme s'envole du Purgatoire.

43. Il faut apprendre aux chrétiens que celui qui donne aux pauvres ou prête à celui qui est dans le besoin fait mieux que s'il achetait des indulgences.»

Martin Luther, extraits des «95 thèses», dans Henri Strohl, *Luther jusqu'en 1520*, PUF, 1962.

2 Le père de la Réforme

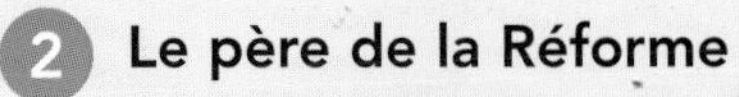

RC

(Lucas Cranach, dit l'Ancien, 1539, collection particulière.)

Martin Luther

(1483-1546)

Ce moine allemand a proposé une transformation de la religion catholique : la Réforme. D'après lui, les fidèles étaient suffisamment intelligents pour interpréter et comprendre la Bible sans l'intermédiaire d'un prêtre. Chaque père de famille avait donc la responsabilité d'enseigner la Bible à ses enfants.

3 *La Balance*

(R. Van den Hoye, XVIe siècle, gravure, Bibliothèque nationale de France, Paris, France.)

Les catholiques sont présentés à gauche et les protestants à droite. Cette caricature **propagandiste** montre la division entre les deux groupes. Les objets sur le plateau des catholiques représentent l'autorité du pape et des évêques. Le livre sur le plateau protestant est une bible.

4 **La basilique Saint-Pierre de Rome aujourd'hui**

La basilique Saint-Pierre de Rome est la plus grande église de Rome et l'église du pape depuis le IVe siècle.

En 1506, la basilique Saint-Pierre était très vieille et tombait en ruine. Le pape Jules II a alors décidé de la reconstruire. Pour financer la reconstruction, le pape a fait vendre des indulgences à travers l'Europe. Les fidèles qui donnaient beaucoup d'argent étaient assurés, selon l'Église catholique, d'aller au paradis. La collecte des dons a donné lieu à des abus partout en Europe. En Allemagne, Martin Luther (*doc. 1 et 2*) en a été scandalisé.

Lexique

Indulgence Pardon des péchés accordé aux fidèles par l'Église catholique en échange de dons.

Laïc, laïque Qui n'appartient pas à un ordre religieux.

Prédicateur, trice Personne qui prononce des discours religieux.

Propagandiste Qui diffuse de la propagande. La propagande est une action exercée en vue d'influencer les opinions politiques, religieuses, sociales, etc., d'un groupe de personnes.

5 Les principales décisions du concile de Trente: la réponse de l'Église catholique à Luther

Convoqué par le pape Paul III, le concile de Trente était une assemblée d'hommes d'Église qui s'est réunie en trois grandes sessions, la première dans la ville de Trente en 1545, et la dernière en 1563. L'Église catholique répondait, par le concile, à la réforme protestante et réaffirmait sa doctrine G.

«L'Église est placée sous l'autorité suprême du pape.

Le latin est la langue des cérémonies religieuses (notamment de la messe). La Bible est lue en latin et notamment par les prêtres seuls.

Les prêtres doivent rester célibataires.

Ils doivent être vêtus d'une soutane qui les distingue des **laïcs**.

Les dons à l'Église, les pèlerinages, les achats d'indulgences contribuent à faire son salut.»

D'après les *Actes* du concile de Trente, 1545-1563.

MISSION

Vous devez écrire une courte pièce de théâtre mettant en scène deux personnages: Martin Luther et le pape Paul III. Le pape explique à Martin Luther comment il réagit à la réforme protestante. Votre pièce doit avoir une introduction et comporter au moins 10 répliques.

Cette rencontre n'a jamais eu lieu; c'est une histoire fictive.

J'AI DÉCOUVERT...

... le renouvellement de la vision de l'homme.

1. L'art de la Renaissance

Les artistes de la Renaissance ont redécouvert l'art de l'Antiquité grecque et romaine. Ils ont inventé une nouvelle façon de représenter le monde et ont cherché à reproduire le plus fidèlement possible le réalisme de l'homme et de la nature, et à en montrer la beauté.

2. L'éducation

Les humanistes considéraient que l'être humain peut s'élever, se développer par l'éducation et la connaissance. À leurs yeux, l'éducation était très importante.

3. L'héritage de la pensée humaniste

La pensée humaniste a beaucoup influencé la pensée occidentale. Des valeurs comme la paix, la solidarité sociale, la liberté et l'égalité entre les êtres humains sont un héritage de cette pensée.

4. Le développement de la science

Selon les humanistes, la connaissance ne vient pas de l'apprentissage par cœur et de la croyance comme on le pensait au Moyen Âge, mais de l'observation, de la lecture et de la compréhension des phénomènes.

5. Les humanistes et la Réforme

Les penseurs humanistes remettaient en question certains aspects de leur société. Certains individus, comme le moine allemand Martin Luther, ont remis en question la religion catholique. Ils proposaient une réforme de l'Église. La Réforme a mené à la fondation d'une nouvelle religion, le protestantisme.

1 Un génie de la Renaissance

Autoportrait de Léonard de Vinci vers 1515.
(Biblioteca Reale, Turin, Italie.)

Léonard de Vinci
(1452–1519)
Léonard de Vinci (Leonardo da Vinci) s'est intéressé à toutes les disciplines artistiques (peinture, sculpture, architecture) et au domaine scientifique. Il a imaginé toutes sortes de machines et a peint plusieurs tableaux qui sont aujourd'hui des classiques de l'art de la Renaissance. Ses travaux en sciences et en art ont été une source d'inspiration au fil des siècles.

2 La *Pietà* de Michel-Ange

(1498-1500, marbre poli, basilique Saint-Pierre de Rome, Cité du Vatican.)

Cette œuvre du grand sculpteur et peintre italien Michel-Ange (Michelangelo Buonarroti) représente le Christ descendu de la croix dans les bras de la Vierge Marie. C'est un bel exemple de la volonté qu'avaient de nombreux artistes de la Renaissance de reproduire le plus fidèlement possible la réalité. Le thème de la Pietà était aussi très populaire chez les artistes du Moyen Âge. Par contre, les personnages étaient représentés différemment.

À faire

1. Explique comment la *Pietà* de Michel-Ange illustre l'idéal de la Renaissance.
2. (doc. 2 et 4) Décris les différences entre la *Pietà* de Michel-Ange et la Pietà du Moyen Âge.
3. Léonard de Vinci a-t-il vécu à la même époque que Vitruve ? Justifie ta réponse.
4. Pourquoi dit-on que Léonard de Vinci est un personnage important de la Renaissance ?

3 Un architecte de l'Antiquité inspire un grand maître.

Vitruve est un architecte romain qui a vécu au Ier siècle avant Jésus-Christ. D'après lui, les proportions du corps humain sont des proportions idéales et parfaites. Le cercle symbolise l'esprit et le carré symbolise la matière, soit la double nature de l'homme. Cette illustration de l'homme de Vitruve par Léonard de Vinci (*doc. 1*) représente l'idéal de la Renaissance.

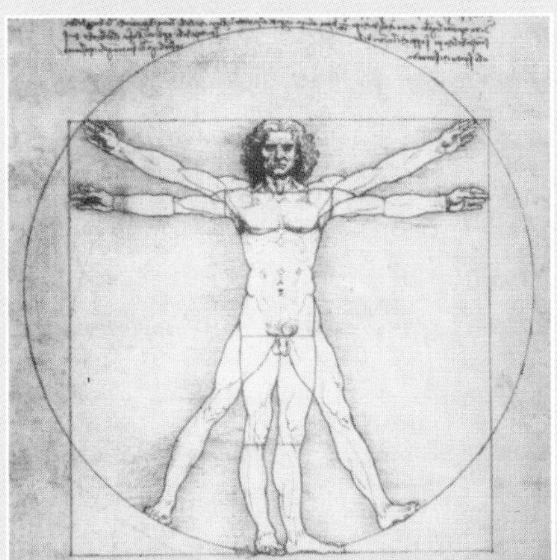

L'homme de Vitruve (*La divine proportion*) de Léonard de Vinci.
(Vers 1492, dans *De architectura* de Vitruve, Galerie de l'Académie, Venise, Italie.)

4 Une Pietà du Moyen Âge

(La *Pietà Roettgen*, vers 1300, Rheinisches Landesmuseum, Bonn, Allemagne.)

SAVOIR

Le renouveau de la vision de l'homme, l'humanisme

L'humanisme est apparu en Italie au XVe siècle et s'est répandu à travers l'Europe au cours du XVIe siècle. Les humanistes ont redécouvert des textes anciens écrits avant le début du christianisme et ont élaboré une nouvelle vision de l'homme et du monde.

Les humanistes et la renaissance de l'Antiquité

Les penseurs humanistes se passionnaient pour l'Antiquité. Pour bien comprendre les textes anciens, ils devaient connaître des langues telles que le grec, le latin et l'hébreu. Ils devaient aussi connaître le contexte historique, savoir comment les gens vivaient à cette époque, et être renseignés sur la littérature, l'art et l'architecture de cette période de l'histoire.

Les penseurs de la Renaissance étudiaient tout ce qui se rapportait à l'Antiquité. On faisait des fouilles en Italie pour découvrir des vestiges de l'architecture et de la sculpture gréco-romaines. On étudiait les œuvres pour comprendre les techniques utilisées par les artistes de l'Antiquité.

L'individu et la liberté

L'humanisme a innové en proposant une nouvelle conception de l'homme et de sa place dans l'Univers. Selon cette doctrine G, l'homme est la mesure de toutes choses. L'individu est libre et responsable. L'être humain peut s'élever par l'éducation, c'est-à-dire par l'observation et la compréhension des phénomènes naturels, et par la lecture et la connaissance des textes anciens.

Les humanistes remettaient en question certaines valeurs de leur société, ce qui ne plaisait pas toujours aux rois et à l'Église. Parce qu'ils critiquaient des institutions comme l'Église et les universités, ils avaient parfois des difficultés avec les autorités.

La philosophie et l'esprit critique

Les savants de la Renaissance ont redécouvert les travaux des philosophes grecs comme Pythagore et Platon. Leurs découvertes remettaient en question les enseignements de l'Église catholique. L'Église proclamait qu'il fallait croire sans voir; les humanistes disaient qu'ils voyaient et qu'ils observaient la réalité, qui ne correspondait pas toujours aux enseignements de l'Église. Ils devenaient donc critiques à l'égard de ces enseignements.

Les humanistes ont influencé les philosophes et les hommes et femmes de science des siècles suivants. Des penseurs comme Blaise Pascal et René Descartes (*doc. 1 et 2*) ont provoqué de grands bouleversements dans les sciences et dans la philosophie aux XVIIe et XVIIIe siècles.

1 Un penseur influencé par les humanistes RC

«L'homme n'est qu'un roseau, le plus faible des roseaux, mais c'est un roseau pensant. [...] Toute notre dignité consiste donc en la pensée.»

(Anonyme, XVIIe siècle, Châteaux de Versailles et de Trianon, Versailles, France.)

Blaise Pascal

(1623–1662)
Grand penseur français et précurseur de la science moderne, Blaise Pascal a contribué au développement des mathématiques et a inventé une machine à calculer, appelée «pascaline».

2 Un grand homme du XVIIe siècle applique la pensée humaniste. RC

«Et j'avais un extrême désir d'apprendre à distinguer le vrai d'avec le faux, pour voir clair en mes actions et marcher avec assurance en cette vie.»

René Descartes, *Discours de la méthode*, 1637.

(Frans Hals l'Ancien, XVIIe siècle, musée du Louvre, Paris, France.)

René Descartes

(1596–1650)

Philosophe et mathématicien français, Descartes est considéré comme le père de la philosophie et de la science modernes. Il a avancé l'idée que le relief de la Terre s'est constitué au cours des siècles et non au moment de la Création, comme le veut la Bible. Descartes est à l'origine du doute comme méthode d'investigation scientifique. Selon cette méthode, il ne faut rien tenir pour acquis *a priori*.

À faire

1. Pourquoi les humanistes étudiaient-ils les textes et l'art de l'Antiquité ?
2. Comment la pensée humaniste a-t-elle innové par rapport à celle du Moyen Âge ?
3. (doc. 3) Explique pourquoi Christine de Pisan et Marguerite d'Angoulême sont considérées comme des humanistes.

3 Deux femmes savantes de la Renaissance

Certaines femmes de la noblesse et de la bourgeoisie recevaient une éducation et ont contribué à l'avancement des arts et de la science.

Christine de Pisan (1364-1430), écrivaine

«Christine est née à Venise. [...] En 1404-1405, Christine poursuit sa lutte contre la misogynie G avec *La Cité des Dames*. Son ouvrage vise à réhabiliter les femmes et à faire reconnaître leurs mérites, mais ne cherche aucunement à modifier leur place dans la société ou à leur faire jouer des rôles d'hommes. [...] Elle s'élève aussi contre la façon dont les hommes traitent les femmes et prend le parti de celles qui sont abandonnées, battues...»

Jacques Marseille et Nadeije Laneyrie-Dager (dir.), *Les grands événements de l'histoire des femmes*, Larousse, 1993.

Marguerite d'Angoulême (1492-1549), reine de Navarre

Marguerite d'Angoulême était la sœur du roi de France François Ier. Femme très instruite et cultivée, elle a étudié avec les plus grands maîtres de l'époque et maîtrisait le latin et les langues anciennes. En 1527, elle a épousé Henri d'Albret, le roi de Navarre, et est devenue reine. Écrivaine et poète, elle accueillait à sa cour les gens de lettres, les humanistes et les réformateurs. Marguerite de Navarre est l'une des figures marquantes de la littérature française de la Renaissance.

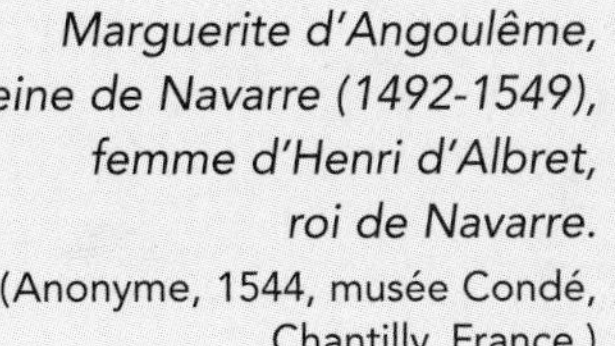

Marguerite d'Angoulême, reine de Navarre (1492-1549), femme d'Henri d'Albret, roi de Navarre.
(Anonyme, 1544, musée Condé, Chantilly, France.)

L'art et la science

La Renaissance est une période importante au cours de laquelle l'art et la science se sont développés en Occident. Les artistes et les savants ont été influencés par les humanistes et par la redécouverte des œuvres grecques et romaines de l'Antiquité.

L'art de la Renaissance

L'art de la Renaissance valorisait un idéal de beauté: l'art de l'Antiquité. Les artistes cherchaient à reproduire la perfection de l'art antique dans le dessin, la peinture, la sculpture et l'architecture. Ils jetaient un regard neuf sur la nature et cherchaient à en reproduire la splendeur dans leurs œuvres (*doc. 5*).

Les artistes de la Renaissance ont redécouvert un ouvrage écrit par Vitruve, un architecte romain qui vivait au temps d'Octave Auguste (*doc. 3, p. 21*), dans lequel celui-ci décrit les techniques qui étaient utilisées pour construire des édifices. Les architectes se sont inspirés de cet ouvrage pour construire des édifices, des églises, des châteaux et des résidences pour les riches bourgeois.

La science

Les humanistes privilégiaient la recherche de la vérité. Ils pensaient que l'être humain pouvait connaître la nature et l'Univers par l'observation et par les mathématiques. Les savants faisaient des recherches et des calculs, et étudiaient la nature afin d'en révéler les secrets. Ils valorisaient l'expérience et les techniques. Leurs découvertes les ont amenés à regarder l'Univers sous un angle nouveau.

2 Claudio Monteverdi (1567-1643) RC

(Bernardo Strozzi, vers 1640, Landesmuseum-Ferdinandeum, Innsbruck, Autriche.)

Certains artistes ont inventé de nouvelles formes d'art. En 1607, le compositeur italien Claudio Monteverdi a créé l'un des premiers opéras de l'histoire, *Orfeo*, dans lequel il met en scène un mythe de l'Antiquité grecque.

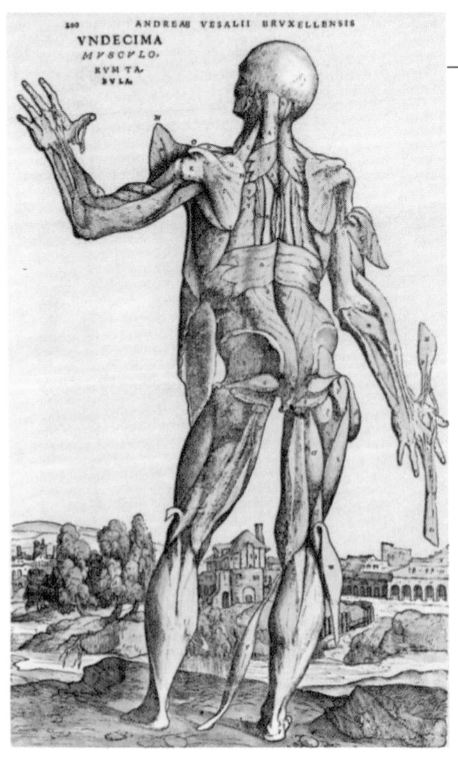

1 Les muscles

Planche tirée du traité *De Humani Corporis Fabrica libri septem* d'André Vésale (Vesalio).
(1543, Bâle, Suisse.)

RC

3 La *Joconde* (*Mona Lisa*) de Léonard de Vinci

(1503-1506, musée du Louvre, Paris, France.)

Cette toile est célèbre pour le sourire énigmatique de son sujet. C'est l'une des premières toiles où le personnage exprime un sentiment. Au second plan, on remarque l'utilisation de la perspective pour représenter le paysage. La perspective est l'une des grandes innovations de l'art de la Renaissance.

La médecine

Du IIIe siècle après Jésus-Christ jusqu'au XVIe siècle, la médecine n'a pas beaucoup évolué. Au début du XVIe siècle, les travaux d'un savant grec nommé Galien étaient la principale source de référence. Or, ce médecin n'avait jamais étudié l'anatomie du corps humain. Au XVIe siècle, des médecins comme Ambroise Paré, Vésale (*doc. 1*) et Paracelse ont effectué les premières études de l'anatomie du corps humain et de son fonctionnement. Ils **disséquaient** des cadavres pour en comprendre les différentes parties. Grâce à ces travaux, les connaissances en médecine ont beaucoup évolué. Jusqu'au XVIe siècle, l'Église interdisait la dissection de cadavres humains, car elle jugeait que c'était un sacrilège.

À faire

1. Comment la médecine s'est-elle développée à partir de la Renaissance ?
2. Quels étaient les points communs entre les artistes et les savants de la Renaissance ?
3. (doc. 5) D'après toi, les personnages de la toile de Botticelli ont-ils existé ? Explique ta réponse.

Lexique

Disséquer Couper, ouvrir les parties d'un corps (animal ou humain) pour en faire l'observation et en comprendre le fonctionnement.

Païen, païenne Adepte des religions anciennes polythéistes.

4 Léonard de Vinci explique sa méthode de travail.

« Mais j'ai voulu aussi passionnément connaître et comprendre la nature humaine, savoir ce qu'il y avait à l'intérieur de nos corps. Pour cela, des nuits entières, j'ai disséqué des cadavres, bravant ainsi l'interdiction du pape. Rien ne me rebutait. Tout, pour moi, était sujet d'étude. La lumière, par exemple, pour le peintre que j'étais, que de recherches passionnantes ! […] Ce que j'ai cherché finalement, à travers tous mes travaux, et particulièrement à travers ma peinture, ce que j'ai cherché toute ma vie, c'est à comprendre le mystère de la nature humaine. »

D'après Léonard de Vinci (1452-1519), *Carnets*, XVIe siècle.

RC

5 *La naissance de Vénus* de Botticelli

(Vers 1485, Galerie des Offices, Florence, Italie.)

Cette peinture représente un épisode de la mythologie gréco-romaine : la déesse Vénus (Aphrodite dans la mythologie grecque), née des vagues, est poussée par les Zéphyrs d'abord à Cythère, puis sur la côte de Chypre. Là, elle est accueillie par les saisons, les Grâces, vêtues de leurs plus beaux atours pour aller chez les Immortels. L'Église a fortement critiqué cette œuvre, car elle représente une déesse **païenne**.

Botticelli (Sandro di Mariano Filipepi, 1445-1510) est né à Florence en Italie. Il est l'un des peintres les plus importants de la Renaissance.

+

L'imprimerie typographique

Au XVe siècle, une nouvelle invention a transformé la civilisation occidentale et contribué à la diffusion des nouvelles idées de la Renaissance en Europe et dans le monde.

Le livre au Moyen Âge

Au Moyen Âge, les livres étaient manuscrits. Des moines copistes les recopiaient à la main, un procédé long et difficile (*doc. 1*). À partir du XIVe siècle, la demande pour les livres était si forte que la plupart des ouvrages étaient recopiés par des scribes professionnels. Les livres manuscrits demeuraient toutefois rares et très dispendieux. Seuls les savants, les personnes privilégiées, les personnes riches et les élites religieuses pouvaient se les procurer.

1 Un moine copiste dans un *scriptorium* (un cabinet de travail)

(*Vie et Miracles de Notre-Dame*, 1465, Bibliothèque nationale de France, Paris, France.)

Les copistes écrivaient les livres à la main. Les manuscrits contenaient souvent des erreurs que les copistes recopiaient.

L'imprimerie

RC Vers 1450, un imprimeur allemand, Johannes Gensfleich, dit Gutenberg, a inventé l'imprimerie typographique (*doc. 6*). Les Chinois connaissaient déjà l'imprimerie depuis plusieurs siècles. Ils utilisaient des plaques de bois ou de fer sculptées. Il fallait faire une nouvelle plaque pour chaque page. Gutenberg utilisait des caractères mobiles (*doc. 4*). Cette nouvelle technique permettait de composer un texte et de le reproduire en plusieurs exemplaires à l'aide d'une presse. Les caractères mobiles pouvaient être changés rapidement pour fabriquer une nouvelle plaque. Tous les exemplaires des livres imprimés étaient identiques (*doc. 2*).

L'imprimerie a contribué au développement et à la diffusion de la connaissance, des sciences et de l'art. Les écrits portant sur la peinture, la sculpture, l'architecture, les sciences et la philosophie étaient reproduits dans des livres qui étaient distribués à travers l'Europe.

RC

2 La Bible de Gutenberg

(Vers 1455, The Pierpont Morgan Library, New York, États-Unis.)

Le premier livre imprimé par Gutenberg était une bible. Aujourd'hui, il ne reste que 47 exemplaires de la Bible de Gutenberg.

3 Lettre d'un savant de la Renaissance sur les mérites de l'invention de l'imprimerie au XVᵉ siècle

«Tu viens de m'envoyer les savoureuses lettres de Gasparino de Bergame. Non seulement tu en as revu soigneusement le texte, mais il est nettement et correctement reproduit par les imprimeurs allemands. […] Les mauvais copistes ne sont-ils pas une des causes qui ont le plus contribué à précipiter pour ainsi dire dans la barbarie [les hommes savants] ! Aussi quelle est ma joie de voir que tu as eu la bonne idée de chasser enfin ce véritable fléau de la ville de Paris ! Ces industries du livre que, de ton pays d'Allemagne, tu as fait venir en cette cité produisent des livres très corrects et conformes à la copie qui leur est livrée. Tu fais, du reste, la plus grande attention à ce qu'ils n'impriment rien sans que le texte n'ait été confronté avec tous les manuscrits que tu réunis et corriges plusieurs fois.»

Guillaume Fichet (1433-v. 1480), docteur en théologie, *Lettre à Jean de la Pierre, prieur de la Sorbonne.*

À faire

1. Pourquoi l'invention de l'imprimerie typographique a-t-elle révolutionné les modes de diffusion des savoirs ?
2. (doc. 3)
   a) Explique pourquoi l'auteur de cette lettre est favorable à l'imprimerie.
   b) D'après toi, quel était le fléau qu'il fallait chasser de la ville de Paris ?

4 Les caractères d'imprimerie

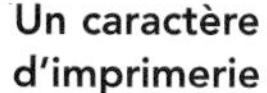
Un caractère d'imprimerie

Les styles de caractères

gothique

romain (après 1470)

italique (vers 1520)

5 La production des livres en Europe

Date	Production
Au Moyen Âge (jusqu'en 1450)	Quelques milliers
1450-1500	20 millions
1500-1600	200 millions

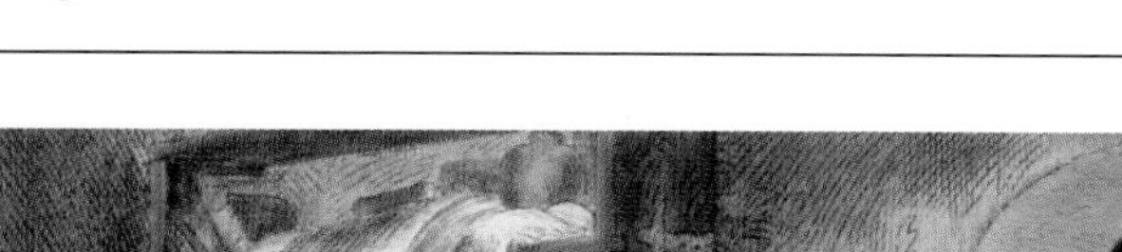

6 Gutenberg dans son imprimerie

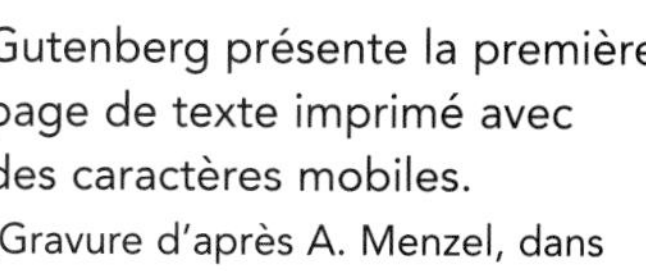
Gutenberg présente la première page de texte imprimé avec des caractères mobiles.
(Gravure d'après A. Menzel, dans F. Buelau, *Deutsche Geschichte in Bildern*, vol. 2, Dresden, 1862.)

RC

+

La réforme protestante

À la fin du Moyen Âge, des penseurs humanistes ont remis en question les dogmes de l'Église catholique. Ce questionnement a donné naissance à une nouvelle Église chrétienne, l'Église protestante.

Les abus de l'Église catholique

Au Moyen Âge et à la Renaissance, les évêques et le pape avaient un grand pouvoir dans la société. En 1506, le pape Jules II a décidé de faire reconstruire la basilique Saint-Pierre de Rome (*doc. 4, p. 19*). Ce projet nécessitait d'importantes sommes d'argent. Pour financer la construction, le Pape a fait vendre des indulgences G à travers l'Europe. Les gens croyaient qu'en achetant ces indulgences ils seraient pardonnés de leurs péchés et pourraient accéder au paradis.

La réforme de Luther

RC Au XVIe siècle, Martin Luther, un moine allemand, choqué par la vente des indulgences, a proposé une réforme afin d'épurer la religion (*doc. 1*). Il soutenait que le pape n'avait pas besoin de l'argent des fidèles et que l'accès au paradis était gratuit. Il affirmait aussi que chaque individu était libre d'interpréter la Bible et que, pour ce faire, il devait se libérer de l'emprise de l'Église catholique qui l'exploitait. Pour que tous les fidèles puissent comprendre le sens de la parole de Dieu, Luther a proposé que le latin dans la Bible et pendant les messes soit abandonné au profit des langues du peuple.

Luther a fondé l'Église protestante. Afin de faire connaître ses idées, il a rédigé 95 thèses qu'il a affichées sur les portes de l'église du château de Wittenberg, en Allemagne, en 1517 (*doc. 1, p. 18*).

1 Les commentaires d'un historien

RC

«Entre 1520 et 1521, Luther mit la dernière main à quatre traités qui jetaient les bases d'une nouvelle Église invisible dont l'essence était la réception de la parole de Dieu. Le premier d'entre eux s'intitulait *Appel à la noblesse chrétienne* […] [Le livre] présentait le pape comme l'**Antéchrist**, proposait de réformer le clergé (notamment d'autoriser le mariage des prêtres), d'épurer la piété en la débarrassant des superstitions […] et, en la fondant sur la Parole, d'insister sur l'enseignement et de bannir la **mendicité** en prenant en charge les pauvres.»

Pascal Brioist, *La Renaissance, 1470-1570*, Atlande, 2003.

2 Un réformateur français

RC

Portrait de Jean Calvin intitulé *Le portrait de Rotterdam*.
(XVIe siècle, musée Boymans Van Beuningen, Rotterdam, Pays-Bas.)

Jean Calvin
(1509–1564)
«La pire des pestes est la raison humaine.»

Jean Calvin a étudié à Paris, où il a découvert la pensée humaniste. En 1533, il a repris les idées de Martin Luther, puis il a élaboré sa propre religion protestante, le calvinisme. Il s'est exilé à Genève, en Suisse, où il a fondé une république. Calvin utilisait parfois la force pour éliminer ses adversaires, les condamnant à l'exil ou au bûcher.

La réforme de Calvin

Plusieurs personnes ont suivi les enseignements de Martin Luther. D'autres, comme le Français Jean Calvin (*doc. 2*), ont proposé leur propre réforme. Calvin a suggéré l'idée de la «prédestination» selon laquelle Dieu choisirait ceux et celles qui peuvent être sauvés. Ces élus seraient prédestinés au paradis.

L'anglicanisme

En 1534, le roi d'Angleterre, Henri VIII, était en conflit avec le pape Clément VII, qui refusait d'accepter son divorce. Le roi a alors fondé l'Église anglicane. Il a rejeté l'autorité du pape mais a conservé plusieurs éléments de la **liturgie** et du dogme catholiques.

La Contre-Réforme

Le pape Paul III et les évêques ont rapidement condamné le protestantisme et ses fidèles lors du concile de Trente (*doc. 5, p. 19*). Ce concile a proposé une contre-réforme catholique qui ne condamnait pas les indulgences, mais plutôt les trafics d'argent, et qui demandait aux évêques d'avoir une conduite exemplaire. Dorénavant, l'Europe serait divisée entre les catholiques et les protestants. Cette division a dégénéré en guerres de religion opposant les partisans des deux Églises.

3 L'Europe à la fin du XVIe siècle, après la réforme protestante

À faire

1. D'après toi, pourquoi le pape et les catholiques se sont-ils opposés à la Réforme ?
2. Pourquoi Martin Luther voulait-il que la Bible soit traduite dans toutes les langues ?
3. (doc. 3) Sur la carte, repère les pays ou les régions qui ont suivi la Réforme. Que remarques-tu ?

Lexique

Antéchrist D'après la Bible, ennemi du Christ.

Dogme Point fondamental d'une doctrine G qui est considéré comme indiscutable, qui ne peut pas être critiqué ou remis en question.

Liturgie Ensemble des règles et des cérémonies d'une religion ou d'un culte.

Mendicité État de pauvreté qui conduit à mendier, à demander la charité.

JE FAIS LE POINT...

... sur le renouvellement de la vision de l'homme.

Qui étaient les humanistes?

Les humanistes étaient des penseurs et des philosophes de la Renaissance. Ils ont jeté un regard neuf sur l'homme et sur l'Univers, inspirés par la redécouverte des textes de l'Antiquité grecque et romaine. Pour comprendre ces textes, ils devaient maîtriser la langue des auteurs: le grec, l'hébreu, le latin. Ils devaient aussi en connaître le contexte historique: le mode de vie, l'art, la pensée, la philosophie et l'architecture de l'époque. Les humanistes pensaient que l'être humain pouvait s'élever et s'épanouir par la connaissance et par l'éducation.

La pensée humaniste

Les humanistes proposaient une nouvelle interprétation des Écritures saintes. Selon eux, il était possible de mieux comprendre la réalité par l'étude de l'Univers et de la nature. Ils pensaient que l'Europe avait connu une longue période d'obscurantisme G et d'ignorance après la chute de l'Empire romain. À leurs yeux, en redécouvrant les textes antiques, il était possible de sortir de l'ignorance.

La Renaissance

On appelle «Renaissance» la période où les penseurs et les artistes ont redécouvert l'art et la littérature antiques. Ce mouvement s'est amorcé en Italie au XVe siècle et s'est répandu dans toute l'Europe au XVIe siècle. Les humanistes pensaient que l'art antique était plus beau que l'art médiéval. Les artistes étudiaient la nature et tentaient de la reproduire le plus fidèlement possible. Ils utilisaient de nouvelles techniques (la perspective), de nouveaux outils (les mathématiques) et de nouveaux matériaux pour peindre et sculpter. Selon eux, il était possible de connaître l'Univers en l'observant et en l'étudiant. Ils utilisaient la science et les mathématiques pour étudier l'homme et l'Univers.

Gutenberg et l'imprimerie typographique

L'invention de l'imprimerie typographique par Gutenberg en 1450 a contribué à la diffusion de nouvelles idées et de nouvelles découvertes scientifiques en Europe, et à la diffusion de la Bible chez les protestants. Les savants, les philosophes et les artistes avaient accès aux nouvelles techniques et aux nouvelles idées plus rapidement.

La Réforme

Au XVIe siècle, un moine humaniste, Martin Luther, a critiqué les pratiques de l'Église catholique. Il a fondé le mouvement de la Réforme, qui proposait un retour aux origines du christianisme, sans les abus des prêtres, des évêques et du pape. Il a défini une nouvelle religion, le protestantisme, et a inspiré plusieurs autres réformateurs, dont le Français Jean Calvin.

1423 Brunelleschi construit le dôme de la cathédrale de Florence.

1440 Nicolas de Cusa propose l'hypothèse que la Terre tourne autour du Soleil.

1450 Gutenberg invente l'imprimerie typographique.

MOYEN ÂGE

1492 Christophe Colomb découvre l'Amérique.

1509 Publication de *L'éloge de la folie* d'Érasme

1512 Michel-Ange finit de peindre le plafond de la chapelle Sixtine.

1517 «95 thèses» de Martin Luther

1545 Concile de Trente

TEMPS MODERNES

1598 Édit de Nantes: la religion protestante tolérée en France

… sur les concepts liés à l'humanisme.

Les concepts ci-dessous permettent de comprendre et d'étudier l'humanisme et de le comparer avec d'autres mouvements intellectuels et culturels.

Qu'est-ce que l'HUMANISME ?

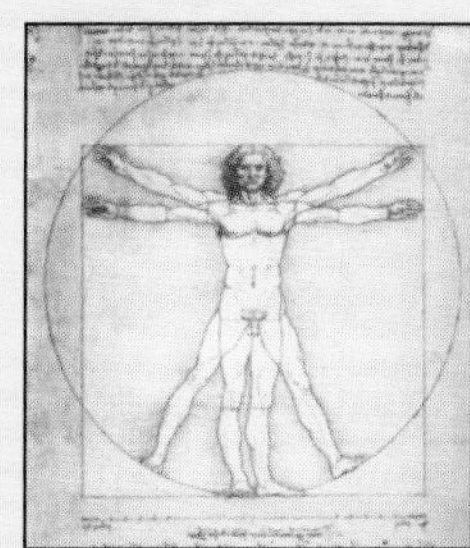

(Léonard de Vinci, *L'homme de Vitruve* [*La divine proportion*], vers 1492, Galerie de l'Académie, Venise, Italie.)

L'humanisme est un mouvement intellectuel qui jette un regard neuf sur l'être humain et sur l'Univers. Ce mouvement place l'être humain au-dessus de toutes les valeurs.

Quelle PHILOSOPHIE les humanistes ont-ils proposée ?

- L'être humain est au centre de l'Univers.
- Redécouverte de la philosophie des Grecs et des Romains de l'Antiquité.

Comment les humanistes ont-ils contribué au développement de la SCIENCE ?

Selon la pensée humaniste, l'être humain doit connaître et comprendre l'Univers par le questionnement et par l'observation.

Qu'est-ce que la RENAISSANCE ?

- XVe et XVIe siècles.
- Période caractérisée par la redécouverte, en Europe, des textes et de l'art grecs et romains de l'Antiquité.

Quelle est la place de la LIBERTÉ dans la pensée humaniste ?

Les êtres humains sont libres et peuvent choisir de s'élever par la connaissance et l'éducation.

Qu'est-ce que l'esprit CRITIQUE ?

Faculté de remettre en question des enseignements ou des dogmes G établis.

Pourquoi y a-t-il eu une RÉFORME de la religion ?

- Pour protester contre les abus de l'Église catholique.
- Martin Luther en Allemagne, Jean Calvin en France et Henri VIII en Angleterre ont fondé des religions protestantes.

Quelle est la place de l'INDIVIDU dans la pensée humaniste ?

L'individu est au centre de la pensée humaniste. L'humanisme est d'abord une morale G individuelle.

Quelle est la RESPONSABILITÉ de l'homme aux yeux des humanistes ?

L'homme est responsable de lui-même et de son destin. Il peut décider de son avenir et le changer.

Qu'est-ce qui caractérise l'ART de la Renaissance ?

- Redécouverte de l'art antique.
- Nouvelles techniques.
- Représentation de formes idéales; volonté de reproduire de façon réaliste la beauté de l'être humain et de la nature.

ET TOI ?

L'humanisme correspond à une vision de l'être humain qui n'existe plus aujourd'hui, mais qui a influencé la pensée contemporaine. À l'aide des concepts présentés dans cette page, trouve des traces de cette influence sur notre société.

Étudier l'architecture de la Renaissance

Quelques éléments de l'architecture de la Renaissance

L'architecture est une importante source de renseignements sur les sociétés du passé. L'architecture de la Renaissance rompt avec celle du Moyen Âge et présente certaines caractéristiques, dont les suivantes (*doc. 3*):

1. La **coupole** est un toit rond en forme de vase retourné.
2. Le **fronton** est un élément triangulaire situé au-dessus d'une porte et parfois supporté par des colonnes.
3. La **corniche** est une moulure en saillie qui couronne et protège une façade.
4. Le **chapiteau** est une pierre placée au sommet d'une colonne, d'un pilier ou d'un pilastre. Le chapiteau est plus large que la base de la colonne.
5. La **symétrie** est la disposition harmonieuse des formes et des objets. Deux formes sont disposées à la même distance d'un même point (par exemple des chaises disposées symétriquement autour d'une table se font face deux par deux).

1 Le Panthéon à Rome en Italie

Ce temple dédié à tous les dieux romains a été construit vers 118-128 après Jésus-Christ. Sa coupole s'appelle la «rotonde». C'est l'édifice le mieux conservé de l'Empire romain.

Étude du style architectural de la Renaissance

ÉTAPE 1 – Les objectifs de cette étude

Qu'est-ce que je cherche, qu'est-ce que j'espère découvrir en étudiant ce style architectural ?

ÉTAPE 2 – L'histoire de l'édifice

1. Quel nom donne-t-on à cet édifice ?
2. Où a-t-il été construit ?
3. Quand a-t-il été construit ?
4. Qui en est l'architecte ?

ÉTAPE 3 – La description de l'édifice

1. À quoi cet édifice servait-il ?
2. Quelles sont les caractéristiques de son architecture ?
3. Quelles ressemblances y a-t-il entre cet édifice et le Panthéon (*doc. 1*) ? L'architecte de la villa Capra s'est-il inspiré d'un autre style architectural ? Si oui, lequel ?
4. Dans le document 1 (le Panthéon), repère les éléments qui caractérisent l'architecture antique.

ÉTAPE 4 – L'interprétation de l'édifice

Quels renseignements cet édifice apporte-t-il sur l'architecture de la Renaissance ?

2 La recherche des techniques de l'Antiquité par un architecte de la Renaissance

«Il remarqua le mode de construction des anciens et sa symétrie: il crut y reconnaître une sorte d'ordre. [...] Ce type de construction le frappa comme très différent de celui qu'on employait alors. Il s'appliqua, tandis qu'il regardait les sculptures antiques, à ne pas être moins attentif à ce mode et à cet ordre [...] En y voyant tant de merveilles et de beautés [...], il se mit en tête de retrouver la manière antique de construire dans son excellence, son ingéniosité, ses proportions musicales, là où il était possible de le faire correctement, aisément et économiquement.»

A. Manetti et G. Vasari, *Filippo Brunelleschi, la naissance de l'architecture moderne*, trad. C. Lauriol, L'Équerre, 1980.

3 La villa Capra, dite la Rotonda, à Vicence en Italie

Située près de Vicence (Vicenza en italien), cette résidence a été construite pour un évêque par l'architecte Andrea Palladio de 1566 à 1571.
Elle a été achevée en 1620.

1 Coupole
2 Fronton
3 Corniche
4 Chapiteau
5 Axe de symétrie
6 Colonne
7 Statue à l'antique

Méthode

Étudier un style architectural

ÉTAPE 1 – Les objectifs de l'étude

Déterminer les raisons pour lesquelles on étudie le style architectural.

ÉTAPE 2 – L'histoire de l'édifice

1. **Indiquer le nom de l'édifice, s'il y a lieu.**
2. **Indiquer le lieu de sa construction.**
3. **Indiquer la date de sa construction.**
4. **Indiquer le nom de l'architecte ou de la personne qui l'a conçu, s'il y a lieu.**

ÉTAPE 3 – La description de l'édifice

1. **Préciser la fonction de l'édifice.**
2. **Fournir des renseignements sur les caractéristiques de cette construction, sa dimension, les matériaux utilisés.**
3. **Relever les ressemblances et les différences avec un autre style architectural.**
4. **Faire ressortir les éléments du style architectural de comparaison.**

ÉTAPE 4 – L'interprétation de l'édifice

Préciser les renseignements que l'édifice apporte sur le style architectural étudié.

Le restaurateur ou la restauratrice d'œuvres d'art

LA CHAPELLE SIXTINE EN 1999, APRÈS SA RESTAURATION
La restauration de la chapelle Sixtine a duré 18 ans. Il a fallu 12 années, de 1980 à 1992, pour restaurer les fresques de Michel-Ange. Après plus de 500 ans, les fresques étaient noircies par la fumée des cierges et par la poussière. Aujourd'hui, on peut admirer les couleurs vives et claires de ces fresques.

Madame Forest, vous êtes restauratrice d'œuvres d'art. Parlez-nous de votre profession.

É. F. – La restauration de peintures consiste à intervenir directement sur une œuvre d'art en mauvais état afin de stopper ou de ralentir la dégradation de l'œuvre et de révéler ses qualités esthétiques.

ÉLISABETH FOREST, RESTAURATRICE D'ŒUVRES D'ART

Comment vous y prenez-vous pour restaurer une toile ?

É. F. – Pour restaurer adéquatement une œuvre, je dois d'abord l'examiner attentivement pour identifier les matériaux dont elle est faite et déterminer la nature des dommages. Je dois choisir des méthodes et des produits de restauration qui ne sont pas dommageables et qui respectent la nature de l'œuvre. Les produits utilisés doivent être stables (bien vieillir) et réversibles (s'enlever facilement). Je ne repeins jamais une œuvre ! Je dois respecter les matériaux originaux et le travail de l'artiste : si la peinture est effacée à certains endroits, je retouche uniquement ces endroits sans déborder sur la peinture originale. Enfin, je dois documenter mes observations et mon travail en précisant la nature des traitements et des produits utilisés.

Décrivez-nous quelques aspects de votre travail.

É. F. – Le plus souvent, au Québec, les peintures sont faites sur de la toile. Les œuvres peuvent être anciennes (entre le XVIIe et le XIXe siècle) ou récentes (arts moderne et contemporain). Les opérations de restauration les plus courantes consistent à enlever des couches de saleté et d'anciens vernis jaunis, à fixer des couches de peinture qui s'écaille, à réparer des déchirures dans la toile et à retoucher les endroits où la peinture a disparu.

Quelles études faut-il faire pour devenir restaurateur ou restauratrice d'œuvres d'art ?

É. F. – Il faut faire une maîtrise en restauration d'œuvres d'art au cours de laquelle on doit choisir une spécialité : restauration des peintures, du papier ou des objets. Au Canada, seule l'Université Queen's à Kingston, en Ontario, offre cette maîtrise. Les cours sont en anglais. Cependant, il est aussi possible de faire une maîtrise à Paris.

Dans mon cas, il fallait préalablement avoir un baccalauréat en histoire de l'art ou en arts visuels et avoir suivi plusieurs cours de chimie au collégial ou à l'université. Les sciences sont importantes pour connaître la nature des matériaux dont sont faites les œuvres et pour bien choisir les produits et les méthodes de restauration.

Bien entendu, il faut aussi du doigté, de la minutie, de la patience et une bonne perception des couleurs !

Quels étaient vos rêves et vos ambitions lorsque vous étiez plus jeune ?

É. F. – Dès l'âge de 10 ans, je voulais être archéologue. J'aimais l'histoire, les antiquités, les sciences et le bricolage ; ce métier semblait tout désigné pour moi. À l'école secondaire, conseillée par mes professeurs, j'ai suivi tous les cours de sciences, d'histoire et de géographie.

Quel a été votre cheminement par la suite ?

É. F. – Au collégial, j'ai suivi un programme de trois ans en muséologie au cours duquel j'ai été initiée à la restauration. J'ai ensuite décidé de travailler comme technicienne au Musée de la civilisation tout en poursuivant mes études universitaires en ethnologie et en histoire de l'art. Mon intérêt grandissant pour l'histoire de l'art m'a enfin amenée à vouloir devenir restauratrice de peintures. Après avoir complété une formation de base en suivant quelques cours de dessin, de peinture et de chimie, j'ai fait ma maîtrise en restauration des peintures à Kingston. Ensuite, j'ai fait un stage de quatre mois aux Pays-Bas. Depuis, je travaille au Centre de conservation du Québec, à l'atelier de restauration des peintures.

SAINT AMBROISE, AVANT ET APRÈS LA RESTAURATION
(Peinture anonyme du XVIIe siècle, musée des Augustines de l'Hôtel-Dieu de Québec, Québec, Canada.)

Des restauratrices à l'œuvre dans l'atelier de restauration des peintures du Centre de conservation du Québec.

AILLEURS...

Le Japon des shōguns

Le Japon des shōguns au XVIIe siècle

RC

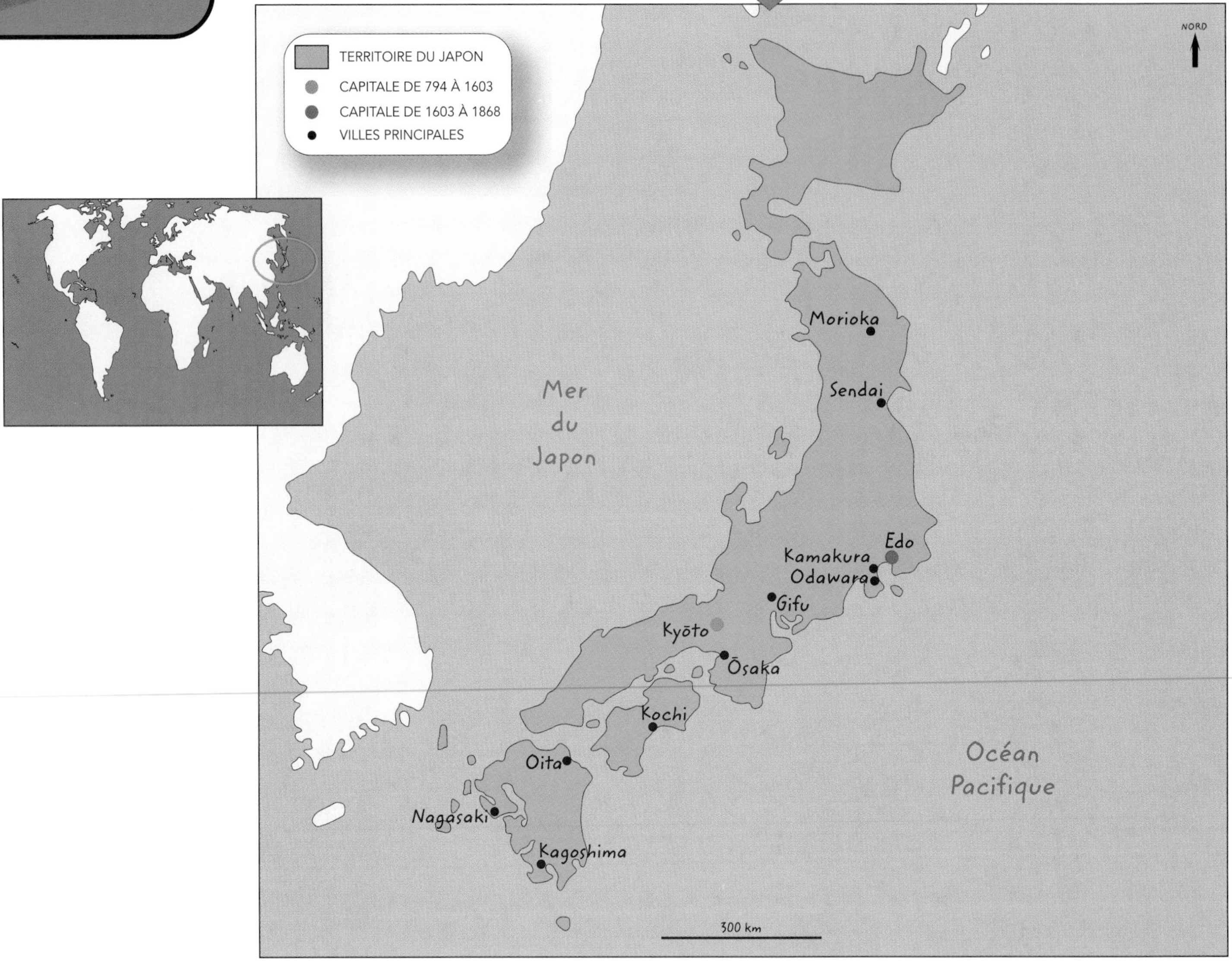

TERRITOIRE DU JAPON
CAPITALE DE 794 À 1603
CAPITALE DE 1603 À 1868
VILLES PRINCIPALES

NORD

Mer du Japon

Océan Pacifique

Morioka
Sendai
Edo
Kamakura
Odawara
Gifu
Kyōto
Ōsaka
Kochi
Oita
Nagasaki
Kagoshima

300 km

JAPON DES SHŌGUNS

DE LA VISION DE L'HOMME

MOYEN ÂGE

1423 Brunelleschi construit le dôme de la cathédrale de Florence.

1598 Édit de Nantes : la religion protestante tolérée en France

1603 Tokugawa Ieyasu devient shōgun et fonde la dynastie des Tokugawa au Japon.

TEMPS MODERNES

RC

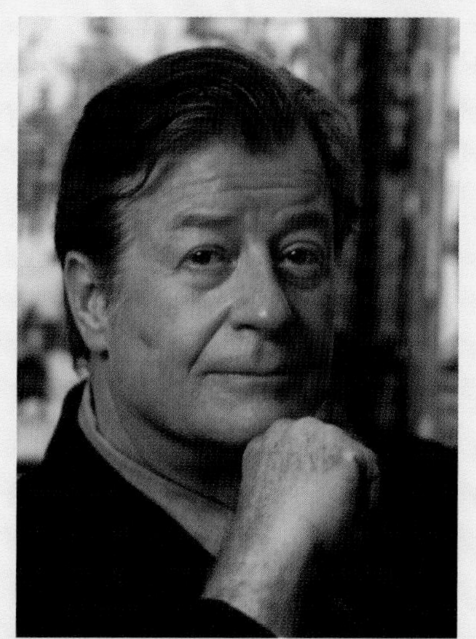

James Clavell

(1924-1994)

James Clavell est né à Sydney en Australie. Ce romancier très apprécié a écrit plusieurs romans. En 1975, il a publié *Shōgun*, un roman dont l'action se déroule dans le Japon du XVIIe siècle. Ce livre a été un franc succès partout dans le monde. On en a même tiré une série télévisée.

RC

Dans cette section sont présentés des extraits du roman *Shōgun* de James Clavell. L'histoire se passe en 1600. L'*Érasme*, un navire battant pavillon hollandais, conduit par le capitaine britannique John Blackthorne, sillonne des eaux inconnues depuis des semaines. Après une tempête, l'*Érasme* est projeté sur les côtes d'un archipel peu connu: le Japon.

À son réveil, Blackthorne est fait prisonnier. Considéré comme un barbare par le peuple de cette étrange contrée, le capitaine découvre une société féodale sans esclaves, un sens du devoir poussé à l'extrême, un raffinement de tous les instants… Les Japonais ont baptisé Blackthorne «Anjin-san», qui veut dire «pilote». Il devient un samouraï protégé du seigneur Toranaga. Blackthorne assiste à l'ascension de Toranaga jusqu'à ce qu'il devienne shōgun.

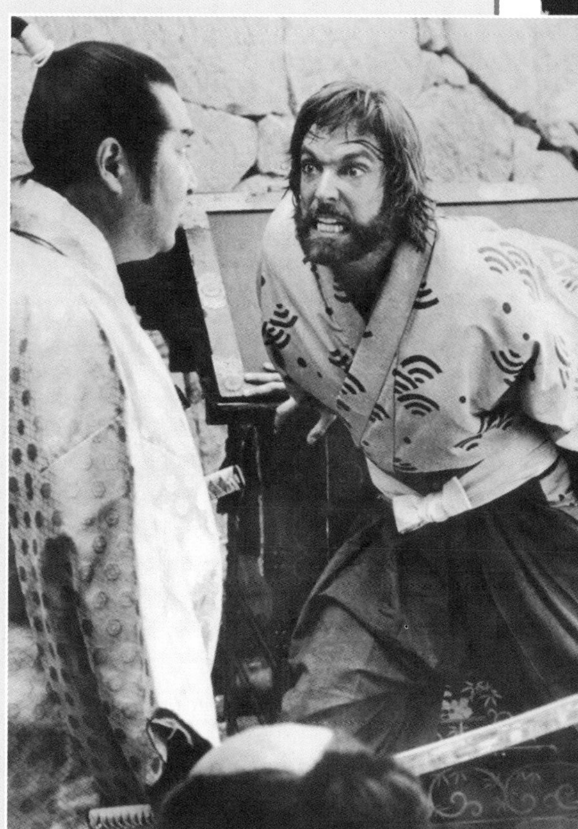

Scène de la série télévisée *Shōgun*. L'acteur américain Richard Chamberlain, incarnant le rôle du capitaine Blackthorne, prétend avoir perdu la raison pour échapper à un piège tendu par le cruel seigneur Ishido, joué par Nobuo Kaneko.

1789 — Révolution française

ÉPOQUE CONTEMPORAINE

1868 — Fin de la dynastie des Tokugawa, début de l'ère Meiji

DOSSIER

LE JAPON DES SHŌGUNS

Jusqu'en 1603, le Japon était divisé en plusieurs royaumes. Au XVIIe siècle, le pays est entré dans une ère de prospérité qui a duré de 1603 à 1868. Cette période s'appelle l'«époque d'Edo», la capitale des shōguns, aujourd'hui Tōkyō, ou l'«époque des Tokugawa», du nom de la dynastie qui a régné pendant cette période. La paix durable instaurée par le shōgunat a permis le développement d'une grande prospérité et un essor intellectuel et social important.

La dynastie des TOKUGAWA

1 Tokugawa Ieyasu

Tokugawa Ieyasu était l'un des seigneurs qui se battaient pour dominer le Japon. Lorsqu'il s'est emparé du pouvoir en 1603, il a pris le titre de premier shōgun et a unifié tous les royaumes. C'était l'homme le plus puissant du Japon. La domination des Tokugawa a mené à la fermeture du Japon à toute influence extérieure. C'est le fils d'Ieyasu qui a pris cette décision en 1636. Tous les étrangers ont été expulsés, sauf quelques Hollandais et quelques Portugais qui ont conservé le droit de commercer avec le pays, mais qui devaient rester sur l'île artificielle de Deshima.

(Pagode de bronze renfermant les cendres de Tokugawa Ieyasu, le premier shōgun, au temple Toshogu, à Nikko au Japon.)

2 Les grandes dates de l'ère des Tokugawa

1603: Tokugawa Ieyasu devient shōgun. Edo (Tōkyō) devient la capitale du Japon. Création du théâtre japonais, le kabuki.

1605-1623: Tokugawa Hidetada est shōgun.

1609: Établissement d'un comptoir hollandais sur l'île de Deshima.

1620: Un marchand de Yamada invente la première monnaie en papier (*yamada-hagari*).

1636: Fermeture des frontières du Japon.

1677-1769: Kamo no Mabuchi, grand savant japonais ayant contribué au développement des *kokugaku*, les «études nationales».

1680-1709: Tokugawa Tsunayoshi est shōgun.

1694: Mort de Bashō, poète japonais, maître du haïku.

1854: Un marin états-unien, le commodore Matthew Perry, force le shogun à ouvrir les ports du Japon au commerce mondial. Les Japonais se rendent compte de leur retard technologique, scientifique et militaire.

1858: Signature de traités avec les États-Unis, les Pays-Bas, la Russie, la Grande-Bretagne et la France. Fin de l'isolement japonais par le commerce avec l'Occident.

3 Blackthorne est rescapé de la tempête.

RC

« Blackthorne se réveilla brusquement. Il crut rêver pendant un moment, parce qu'il était à terre et qu'il ne reconnaissait absolument pas sa chambre. Elle était petite, très propre. Le sol était recouvert de nattes en tissu très doux. [...]

Cette maison est espagnole ou portugaise, pensa-t-il, stupéfait. Ce sont les Japons ? Cathay ?

Un des panneaux coulissa. Une femme d'âge moyen, lourde d'aspect, au visage rond, était à genoux près de la porte; elle s'inclina et sourit. Sa peau était bronzée, ses yeux noirs et bridés; ses longs cheveux bruns étaient savamment disposés sur sa tête. Elle portait un fourreau de soie grise, des getas et un large obi mauve autour de la taille (*doc. 5*).

"*Goshujinsama, gokibbun wa ikaga desu ka ?*" lui dit-elle. Elle attendit. Il la regarda fixement, déconcerté. Elle répéta sa phrase.

"Ce sont les Japons ? demanda-t-il, les Japons ou Cathay ?" »

James Clavell, *Shōgun, le roman des Samouraïs*, trad. R. Fouques-Duparc, Stock / Opera Mundi, 1977, p. 31.

Lexique

Aristocrate Personne qui appartient à l'aristocratie, un groupe social privilégié. L'aristocratie est une forme de gouvernement où le pouvoir appartient à un petit nombre de personnes.

Shōgun Titre japonais signifiant « général en chef contre les Barbares ».

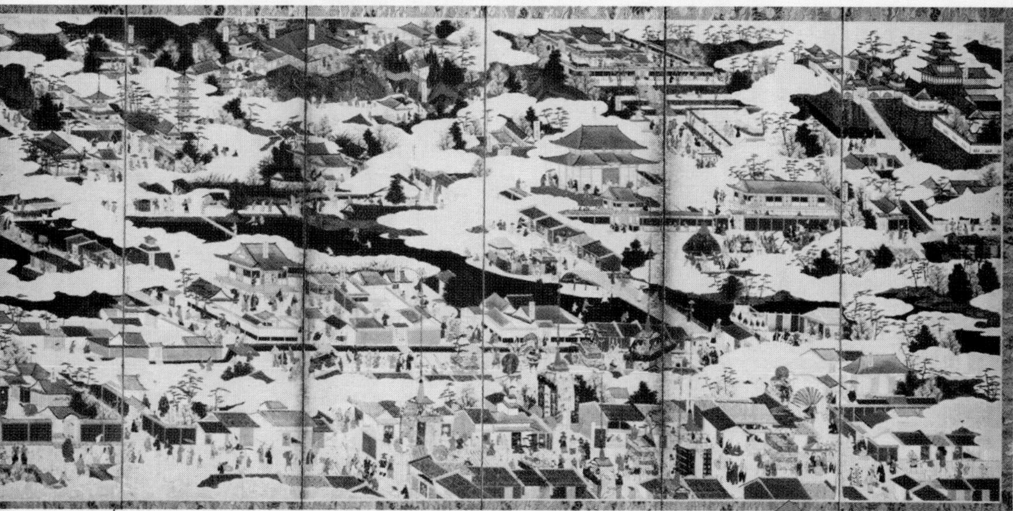

RC

4 La ville d'Edo, aujourd'hui Tōkyō

(*Scènes dans la ville d'Edo et ses environs*, vers 1625-1650.)

Avant l'ère des Tokugawa, la capitale du Japon était la ville de Kyōto (*voir la carte, p. 36*). L'empereur y résidait. Quand Tokugawa Ieyasu s'est emparé du pouvoir, il a choisi pour capitale la ville d'Edo, aujourd'hui Tōkyō, la capitale du Japon. En 1700, Edo était la plus grande ville du monde avec un million d'habitants. Sous les Tokugawa, la société japonaise était très rigide. Les **aristocrates** dominaient totalement les paysans et le reste de la population. L'individu n'occupait pas une place importante dans cette société.

5 Des femmes japonaises portant le vêtement traditionnel

(Suzuki Harunobu [1724-1770], période Edo.)

Les getas sont des sandales de bois. Le kimono est une tunique de soie très ample constituée d'une seule pièce croisée devant. L'obi est la large ceinture qui retient le kimono. Elle est nouée par une grosse boucle dans le dos.

D

La RELIGION et la PHILOSOPHIE

6 Le néoconfucianisme

Apparu en Chine au XIIe siècle, le néoconfucianisme est devenu la philosophie officielle du Japon sous la dynastie des Tokugawa. Cette école de pensée s'inspire du taoïsme chinois et du bouddhisme indien. Elle s'intéresse à la conduite éthique de l'être humain, c'est-à-dire à la façon dont l'individu devrait se comporter pour vivre une vie morale et être en harmonie avec son entourage. Elle se penche aussi sur les origines de l'Univers et de la nature.

Zhu Xi

(1130-1200)

Philosophe chinois, Zhu Xi a proposé une nouvelle voie pour le confucianisme: le néoconfucianisme. Sa philosophie s'est imposée pendant plusieurs siècles en Chine, en Corée et au Japon. Selon ce grand homme de culture, l'être humain peut s'élever par l'étude des classiques ainsi que par l'observation de la société et de la nature.

7 Le navire de Blackthorne suscite la convoitise.

RC

«Shōgun était, au Japon, le rang le plus élevé auquel un mortel puisse accéder. Shōgun impliquait la dictature militaire suprême. […] Le pouvoir absolu allait de pair avec le titre de shōgun: le shōgun régnait au nom de l'empereur. Tout pouvoir émanait de l'empereur, descendant direct des dieux. […] Seuls les descendants des grandes familles d'origine semi-divine, telles que les Minowara, Takashima et Fujimoto, possédaient un droit historique leur permettant de postuler au titre de shōgun.

Toranaga descendait des Minowara. Yabu pouvait prouver son appartenance à une branche cadette des Takashima, affiliation suffisante au cas où il accéderait au rang suprême.

"Bien sûr, madame…, dit-il, bien sûr Toranaga veut devenir shōgun mais il n'y parviendra jamais. Les autres régents le méprisent et le craignent. Ils vont donc tout faire pour le neutraliser, comme l'avait prévu le Taïko."

Il se pencha en avant et regarda sa femme intensément: "… Vous dites que Toranaga va perdre en faveur d'Ishido?

— Il va être isolé, oui. Mais, pour finir, je ne pense pas qu'il perde, Sire. Je vous en prie, ne désobéissez pas à sire Toranaga. Ne quittez pas Yedo pour aller inspecter ce navire barbare, aussi étrange qu'il soit d'après les descriptions d'Omi-san. Je vous en prie, envoyez Zukimoto à Anjiro.

— Et si le bateau contenait de l'argent? Ou de l'or? Feriez-vous alors confiance à Zukimoto? À l'un de nos officiers?

— Non.»

James Clavell, *Shōgun, le roman des Samouraïs*, trad. R. Fouques-Duparc, Stock / Opera Mundi, 1977, p. 76.

8 De jeunes enfants jouant au sumo

(Suzuki Harunobu [1724-1770], peinture sur papier, collection Takahashi, Japon.)

L'éducation s'est développée sous la dynastie des Tokugawa. On a instauré un véritable système scolaire qui accueillait toutes les couches de la population. Le sumo est pratiqué depuis des millénaires au Japon. Ce sport était à l'origine un art martial et une pratique religieuse. Selon la légende, deux esprits (*kami*) se seraient affrontés dans un combat de sumo pour la possession du Japon. Les règles du sumo tel qu'on le connaît aujourd'hui ont été inventées sous les Tokugawa.

9 Le mont Fuji Yama

Le nom de ce volcan japonais signifie «il n'y a pas d'autre montagne comme celle-ci». C'est le plus haut sommet du Japon (3 776 m d'altitude). Une quinzaine d'éruptions se seraient produites entre 781 et 1083 après Jésus-Christ, puis en 1511 et en 1560. Le volcan est encore actif, ce qui cause de fréquents tremblements de terre au Japon.

Lexique

Animiste Relatif à l'animisme, une croyance selon laquelle les animaux et les choses ont une âme humaine.

10 Le shintoïsme

Le shintoïsme, vieille religion **animiste** du Japon, a été réformé sous les Tokugawa. Des travaux de savants comme Kamo no Mabuchi (1677-1769) et son disciple Motoori Norinaga (1730-1801) sur des textes anciens ont permis de redécouvrir le shintoïsme originel. Une nouvelle forme de shintoïsme est alors apparue, le *fukko shinto* ou «shintoïsme ressuscité». Pratiqué encore aujourd'hui, ses rituels n'ont pas changé depuis l'ère des Tokugawa. Selon la religion shintoïste, tous les objets et les animaux sont habités par des esprits (*kami*). Le mont Fuji (*doc. 9*) représente la déesse des fleurs, Konohana Sakuya Hime.

La déesse du mont Fuji, Konohana Sakuya Hime.
(Période Edo, peinture sur papier, Musée national des arts asiatiques-Guimet, Paris, France.)

L'ART et la SCIENCE

11 **Le *cha-no-yu***

(Inoue Shinshinchi, XVIIIe siècle, peinture sur bois, Museum fuer Ostasiatische Kunst, Berlin, Allemagne.)

Le *cha-no-yu*, la cérémonie du thé, est l'une des plus anciennes traditions de la culture japonaise. Elle est encore pratiquée aujourd'hui au Japon.

12 Le haïku, une nouvelle forme de poésie

La période des Tokugawa a été un point tournant dans le développement de l'art et de la culture au Japon. De nouvelles formes d'art sont apparues. Les poètes et les romanciers étaient très appréciés, et l'art tenait une place très importante dans cette société.

Matsuo Bashō (1644-1694) est le créateur du haïku, une forme de poésie qui était très populaire au temps des Tokugawa. Le haïku est un poème de trois vers dans lequel le ou la poète exprime le plus souvent une grande émotion ou une réflexion. Bashō en est considéré comme le grand maître.

«Dussent blanchir mes os
jusques en mon cœur le vent
pénètre mon corps»

◆◆◆

«Après dix automnes
le nom de patrie désigne
Edo désormais»

Bashō, *Journaux de voyage*, trad. R. Sieffert, Publications orientalistes de France, © R. Sieffert, avril 1988.

13 La cérémonie du thé

RC

«Dans la tranquillité et le calme de la maisonnette, Buntaro ouvrit délicatement la petite boîte à thé en faïence d'époque T'ang et, avec tout autant de minutie, se saisit de la petite cuiller de bambou, entamant ainsi la dernière partie de la cérémonie. Il prit habilement la dose exacte de poudre verte et la versa dans la tasse de porcelaine dépourvue d'anses. Une ancienne bouilloire en fer chantait sur les charbons de bois. Avec la même grâce sereine et tranquille, Buntaro versa l'eau frémissante dans la tasse, remit la bouilloire sur son trépied puis mélangea doucement l'eau et la poudre avec une palette de bambou. Il ajouta une cuillerée d'eau fraîche, salua Mariko, agenouillée face à lui, et lui offrit la tasse. Elle le salua, prit la tasse avec tout autant de raffinement, admira le liquide vert, le but à trois reprises, s'arrêta, se remit à boire, le termina et rendit la tasse. Il refit la même cérémonie et lui tendit à nouveau la tasse. Elle le pria de goûter le thé lui-même, comme prévu par le cérémonial. Il but une gorgée, une autre encore et vida la tasse. Puis il fit une troisième et une quatrième tasse. La cinquième fut poliment refusée. Avec beaucoup de soin, il rinça rituellement la tasse qu'il essuya en utilisant un tissu de coton extrêmement fin. Il la salua. Le *cha-no-yu* était terminé.»

James Clavell, *Shōgun, le roman des Samouraïs*, trad. R. Fouques-Duparc, Stock / Opera Mundi, 1977, p. 620-621.

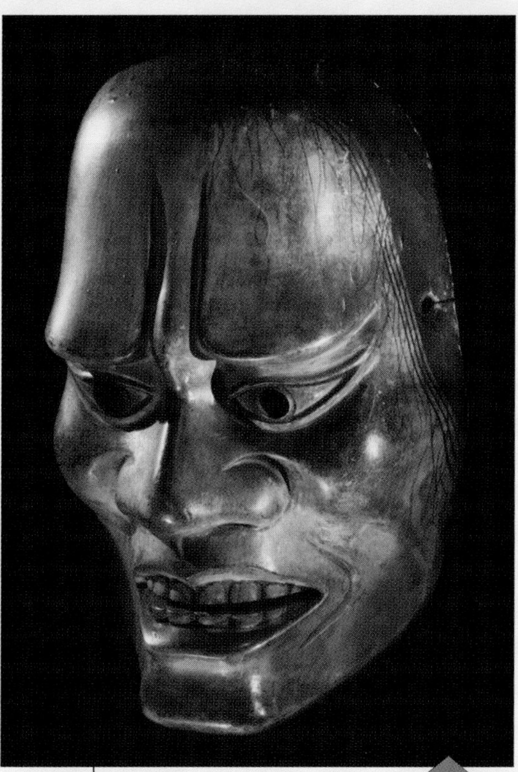

14 Un masque de théâtre nô

(Collection Shirley Day, Londres, Angleterre.)

Au XIVe siècle, une nouvelle forme de théâtre a été inventée : le théâtre nô. Cette forme théâtrale combine la danse, le chant, le drame et la comédie. Elle s'inspire d'une conception religieuse et aristocratique de la vie.

15 La science sous les shōguns

Le développement de l'éducation, notamment par les « études nationales » (*kokugaku*), a contribué à l'essor de la science. Les savants croyaient pouvoir découvrir l'âme du Japon en étudiant les textes anciens et l'histoire. Certaines connaissances scientifiques occidentales (en astronomie, en mathématiques et en cartographie, par exemple) ont été transmises au Japon au cours de rares échanges commerciaux avec les Hollandais et les Portugais.

16 Le kabuki

En 1603, une prêtresse shintoïste nommée Okuni a inventé une nouvelle forme de théâtre inspirée du théâtre nô (*doc. 14*), le kabuki. En 1629, le shōgun Tokugawa Ieyasu a interdit aux femmes de pratiquer cet art de la scène. Les personnages féminins étaient interprétés par des hommes costumés en femmes. Les acteurs ne portaient pas de masques comme au théâtre nô, mais ils peignaient leur visage. Les couleurs et les formes exprimaient le caractère des personnages, leurs émotions et leurs sentiments.

Un grand acteur de kabuki, Ichimura Uzaemon IX, jouant le rôle de Soga Gorō, l'artisan de flèches.
(Katsukawa Shunko, XVIIIe siècle.)

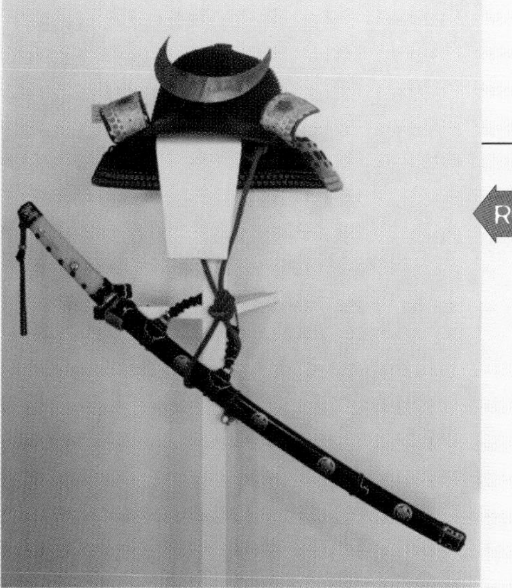

17 Le sabre shintō

Casque et sabre shintō d'une armure de samouraï. Le terme « shintō » veut ici dire « nouveau sabre ».
(XVIIe siècle, musée Chiossone, Gênes, Italie.)

Le sabre est l'arme des samouraïs, les guerriers japonais. Les techniques pour forger cette arme redoutable sont demeurées inchangées depuis le VIIIe siècle. À partir de 1600, on développe une nouvelle technique pour fondre le fer et forger le sabre. L'acquisition de nouvelles connaissances scientifiques en métallurgie a favorisé le développement de ces nouvelles techniques de forge.

Le renouvellement de la vision de l'homme

1 Le schéma ci-dessous présente les principales caractéristiques du renouvellement de la vision de l'homme.

HUMANISME

LE RENOUVELLEMENT DE LA VISION DE L'HOMME

SCIENCE

Selon la pensée humaniste, l'être humain doit connaître et comprendre l'Univers par le questionnement et par l'observation.

PHILOSOPHIE

- L'être humain est au centre de l'Univers.
- Redécouverte de la philosophie des Grecs et des Romains de l'Antiquité.

RENAISSANCE

- XVe et XVIe siècles.
- Période caractérisée par la redécouverte, en Europe, des textes et de l'art grecs et romains de l'Antiquité.

LIBERTÉ

Les êtres humains sont libres et peuvent choisir de s'élever par la connaissance et l'éducation.

CRITIQUE

Faculté de remettre en question des enseignements ou des dogmes G établis.

RÉFORME

- Pour protester contre les abus de l'Église catholique.
- Martin Luther en Allemagne, Jean Calvin en France et Henri VIII en Angleterre ont fondé des religions protestantes.

INDIVIDU

L'individu est au centre de la pensée humaniste. L'humanisme est d'abord une morale G individuelle.

RESPONSABILITÉ

L'homme est responsable de lui-même et de son destin. Il peut décider de son avenir et le changer.

ART

- Redécouverte de l'art antique.
- Nouvelles techniques.
- Représentation de formes idéales; volonté de reproduire de façon réaliste la beauté de l'être humain et de la nature.

Ailleurs

2 Montre que tu connais les principales caractéristiques du Japon des shōguns en reproduisant et en complétant le schéma ci-dessous.

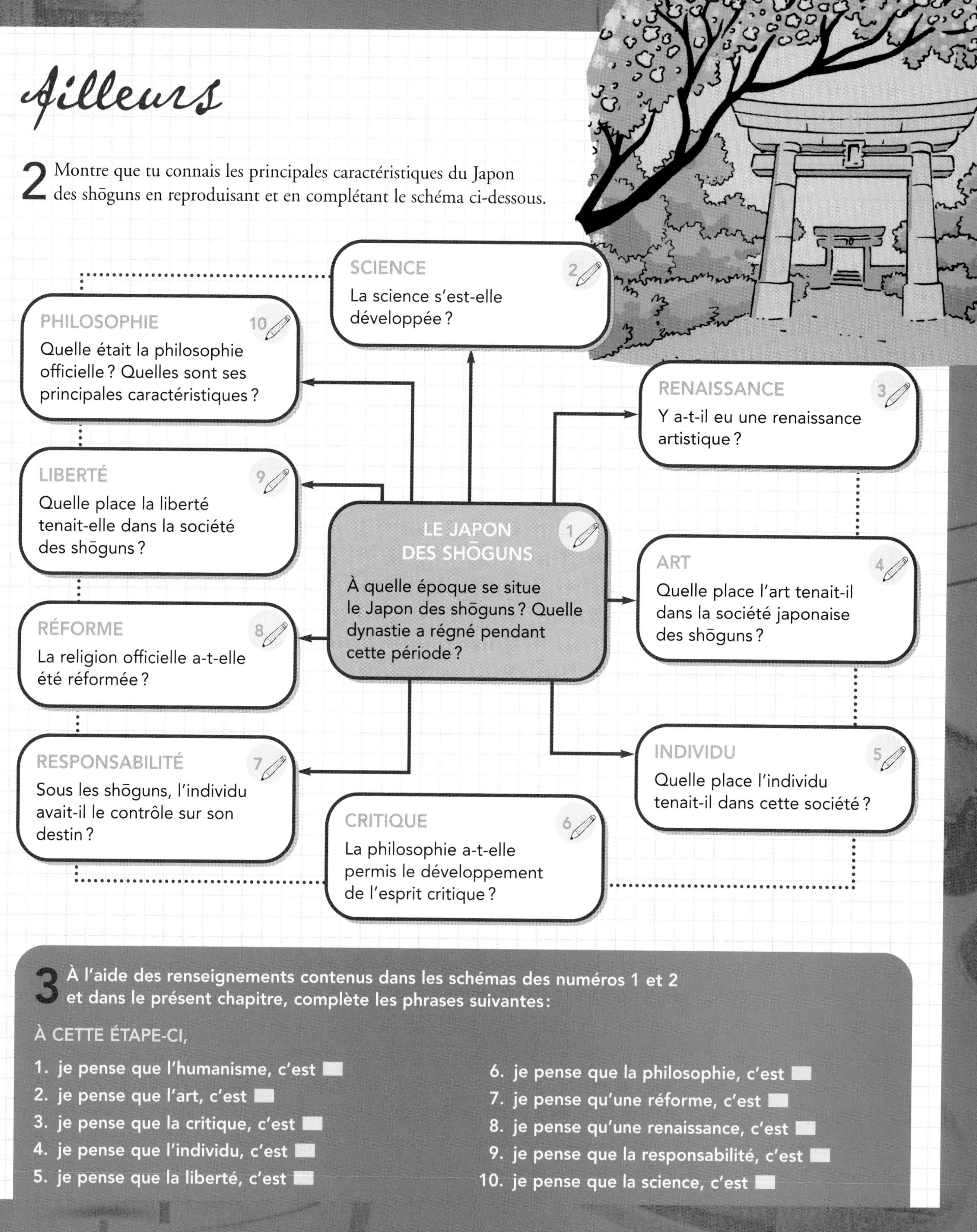

SCIENCE 2
La science s'est-elle développée ?
PHILOSOPHIE 10
Quelle était la philosophie officielle ? Quelles sont ses principales caractéristiques ?
RENAISSANCE 3
Y a-t-il eu une renaissance artistique ?
LIBERTÉ 9
Quelle place la liberté tenait-elle dans la société des shōguns ?
LE JAPON DES SHŌGUNS 1
À quelle époque se situe le Japon des shōguns ? Quelle dynastie a régné pendant cette période ?
ART 4
Quelle place l'art tenait-il dans la société japonaise des shōguns ?
RÉFORME 8
La religion officielle a-t-elle été réformée ?
INDIVIDU 5
Quelle place l'individu tenait-il dans cette société ?
RESPONSABILITÉ 7
Sous les shōguns, l'individu avait-il le contrôle sur son destin ?
CRITIQUE 6
La philosophie a-t-elle permis le développement de l'esprit critique ?

3 **À l'aide des renseignements contenus dans les schémas des numéros 1 et 2 et dans le présent chapitre, complète les phrases suivantes:**

À CETTE ÉTAPE-CI,

1. je pense que l'humanisme, c'est ▬
2. je pense que l'art, c'est ▬
3. je pense que la critique, c'est ▬
4. je pense que l'individu, c'est ▬
5. je pense que la liberté, c'est ▬
6. je pense que la philosophie, c'est ▬
7. je pense qu'une réforme, c'est ▬
8. je pense qu'une renaissance, c'est ▬
9. je pense que la responsabilité, c'est ▬
10. je pense que la science, c'est ▬

ET AUJOURD'HUI...

Les valeurs humanistes aux XXe et XXIe siècles

Les valeurs humanistes ont marqué la société occidentale. Encore aujourd'hui, on trouve des exemples d'actions et de pensées humanistes qui placent la considération de l'être humain au-dessus des autres valeurs et des autres principes.

1 Une vision occidentale ?

«[L'idéologie humanitaire] est une vision de certains hommes d'aujourd'hui – occidentaux – sur les hommes du monde en général et du monde global en particulier.»

Bernard Hours, *L'idéologie humanitaire ou le spectacle de l'altérité perdue*, L'Harmattan, 1998.

2 Les organisations d'aide humanitaire ont besoin de dons.

«Seule la **compassion** se vend. C'est la base de la récolte de fonds pour les organisations humanitaires. Il est impossible de s'en passer.»

Jean-François Vidal, dans David Rieff, *L'humanitaire en crise*, trad. S. Lamoine, Le Serpent à plumes, 2004.

3 Les sept principes fondamentaux

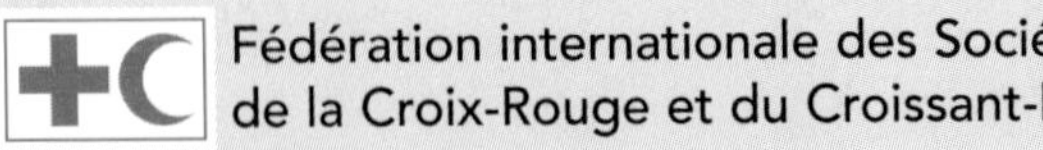

Il existe sept principes fondamentaux qui régissent les activités de la Croix-Rouge et du Croissant-Rouge à travers le monde. Adoptés en 1965, ces principes définissent le cadre de leur action humanitaire et servent de référence pour promouvoir leurs idéaux et leurs valeurs humanitaires.

Voici les principes fondamentaux de la Fédération internationale des Sociétés de la Croix-Rouge et du Croissant-Rouge:

- Humanité
- Impartialité
- Neutralité
- Indépendance
- Volontariat
- Unité
- Universalité

4 Un médecin humanitaire

«L'action humanitaire est celle qui vise, sans aucune discrimination et avec des moyens pacifiques, à préserver la vie dans le respect de la dignité, à restaurer l'homme dans ses capacités de choix. [...] L'aide humanitaire n'a pas pour ambition de transformer une société, mais d'aider ses membres à traverser une période de crise. [...] Compléter en invoquant les "principes d'humanité, du droit des gens et des exigences de la conscience publique", [...] c'est enraciner cette action dans une morale humaniste.»

Rony Brauman, *L'action humanitaire*, Flammarion, 2000.

Henri Dunant (1828-1901)

Riche **philanthrope** suisse, Henri Dunant a fondé le Comité international de la Croix-Rouge en 1863. Il a reçu le prix Nobel de la paix en 1901.

5 Notre mission

«Rassembler des bénévoles et amasser des fonds.
Dans quel but?
Promouvoir l'entraide, l'engagement social et la prise en charge, comme autant de moyens efficaces d'améliorer la qualité de vie de notre collectivité et de ses membres les plus vulnérables.
[...]
Centraide réunit les gens, sans distinction, autour...

- d'une valeur commune: l'entraide;
- d'une préoccupation commune: la qualité de vie des plus démunis de notre société;
- d'une conviction commune: la valeur et l'efficacité de l'action communautaire pour changer les choses.»

Centraide.

6 *Gîtes pour la nuit*

«On me dit qu'à New York
À l'angle de la 26e rue et de Broadway
Un homme chaque soir se tient les mois d'hiver:
Il procure aux sans-abri qui se rassemblent là
Un gîte pour la nuit, qu'il demande aux passants.

Le monde n'en est pas changé
Les rapports entre les hommes n'en deviennent pas meilleurs
L'ère de l'exploitation n'est pas abrégée pour autant
Mais quelques hommes ont un gîte pour la nuit:
Le vent toute une nuit sur eux ne soufflera
La neige qui était pour eux tombera dans la rue.

Ne pose pas ton livre encore, homme qui lit ces phrases.

Quelques-uns sont pourvus d'un gîte pour la nuit
Le vent toute une nuit sur eux ne soufflera
La neige qui était pour eux tombera dans la rue:
Mais le monde n'en est pas changé pour autant
Les rapports entre les hommes n'en deviennent pas meilleurs
L'ère de l'exploitation n'est pas abrégée pour autant.»

Bertolt Brecht, «Gîtes pour la nuit», trad. G. Badia et C. Duchet, *Poèmes*, tome III, © L'Arche Éditeur, 1966.

À faire

1. (doc. 3)
   a) En quel siècle la Croix-Rouge a-t-elle été fondée? Était-ce avant ou après la Renaissance?
   b) Comment les valeurs humanistes ont-elles influencé ce mouvement?
2. D'après toi, faut-il continuer à venir en aide aux gens en difficulté ici et dans les autres pays? Explique ta réponse.
3. D'après toi, les valeurs humanistes et humanitaires sont-elles universelles aujourd'hui ?

Lexique

Compassion Sentiment qui rend sensible au malheur et aux souffrances des autres.

Philanthrope Personne qui cherche à améliorer le sort des autres par des dons monétaires ou par son aide.

Selon moi...

1. D'après toi, reste-t-il un héritage de la pensée humaniste dans la société dans laquelle tu vis? Justifie ta réponse.
2. Explique et commente le poème de Bertolt Brecht (*doc. 6*).

8 L'EXPANSION EUROPÉENNE DANS LE MONDE

SOMMAIRE

L'expansion européenne dans le monde 50

L'économie mondiale
- Autour de toi 52

De l'«économie-monde» à l'économie mondiale
- Au passé 54

PISTES DE RECHERCHE
1. Quelle est la route des Indes? 56
2. Que faire des Amérindiens? 58
3. Quels ont été les enjeux des grandes explorations? 60
4. Quelles ont été les conséquences du passage à une économie mondiale? 62

J'AI DÉCOUVERT... 64

SAVOIR 66

JE FAIS LE POINT... 78

SAVOIR-FAIRE
Analyser une bande dessinée historique à l'aide de documents 80

LES MÉTIERS DE L'HISTOIRE
L'archéologue 82

ET AUJOURD'HUI...
Les rapports économiques et culturels entre les sociétés 84

L'expansion européenne

L'arrivée de Christophe Colomb en Amérique

Christophe Colomb recevant des offrandes des autochtones à son arrivée sur l'île de Guanahani.
(Gravure de Théodore de Bry, 1594, Bibliothèque nationale de France, Paris, France.)

RC Le 3 août 1492, Christophe Colomb et 90 hommes partent du port de Palos, en Espagne, à bord de trois navires: la *Pinta*, la *Niña* et la *Santa María*. Le 12 octobre, ils atteignent l'île de Guanahani, dans l'archipel des Bahamas, qu'ils baptisent «San Salvador». Colomb y fait planter une croix, symbolisant la prise de possession des terres au nom de l'Espagne.

L'expansion européenne dans le monde

Au XVe siècle, les Européens, plus particulièrement les Portugais et les Espagnols, se sont lancés dans l'exploration du monde. Les réseaux d'échanges économiques et culturels qu'ils ont développés ont eu des répercussions sur l'Europe et sur les peuples du Nouveau Monde.

RC

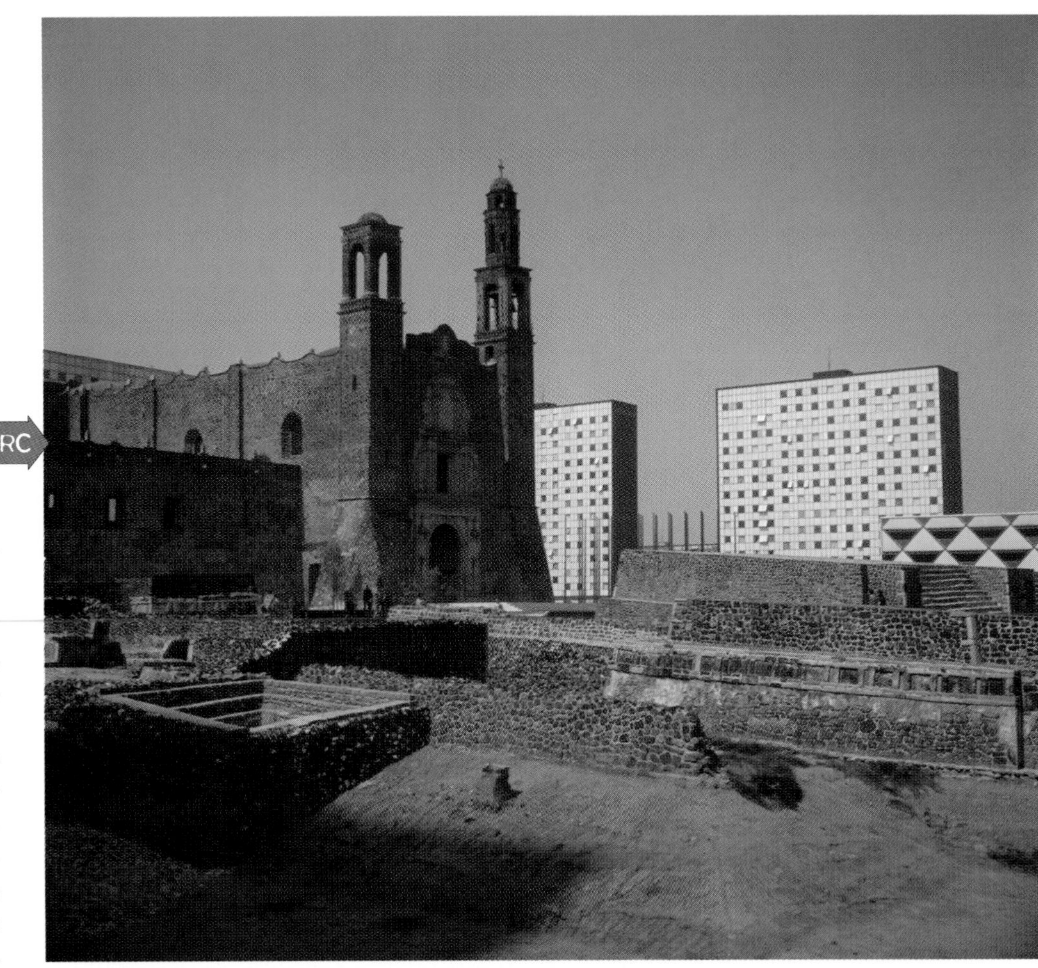

La Place des trois cultures (aztèque, espagnole et mexicaine) à Mexico

Au premier plan, les vestiges du temple aztèque de Tlatelolco (XIVe siècle); au second plan, le temple de Santiago, datant de l'époque coloniale espagnole (XVIe siècle) et à l'arrière-plan, des édifices modernes.

Fondée en 1365, l'ancienne capitale aztèque de Tenochtitlán est devenue la ville de Mexico.

RENOUVELLEMENT DE LA VISION DE L'HOMME

EXPANSION EUROPÉENNE DANS LE MONDE

MOYEN ÂGE

1423 Construction du dôme de la Cathédrale de Florence

1492 Christophe Colomb découvre l'Amérique.

1598

L'Europe et les empires autochtones au XVe siècle

NORD

Océan Atlantique

Océan Pacifique

Océan Pacifique

Océan Indien

Équateur

EUROPE

EMPIRE AZTÈQUE

EMPIRE MAYA

EMPIRE INCA

5 000 km à l'équateur

RÉVOLUTIONS AMÉRICAINE ET FRANÇAISE

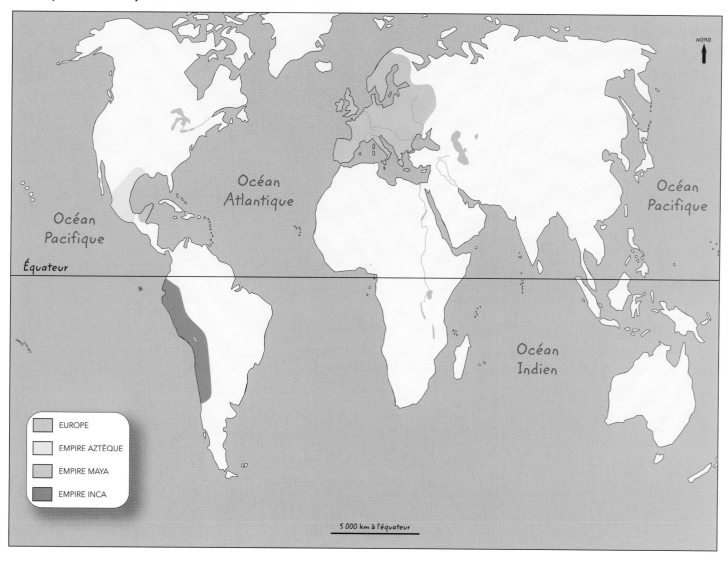

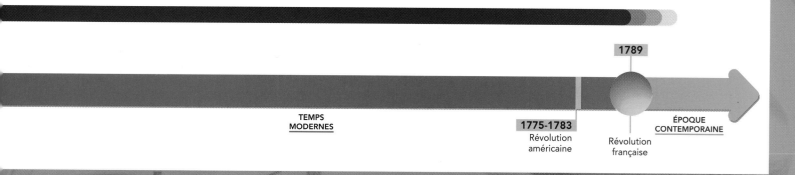

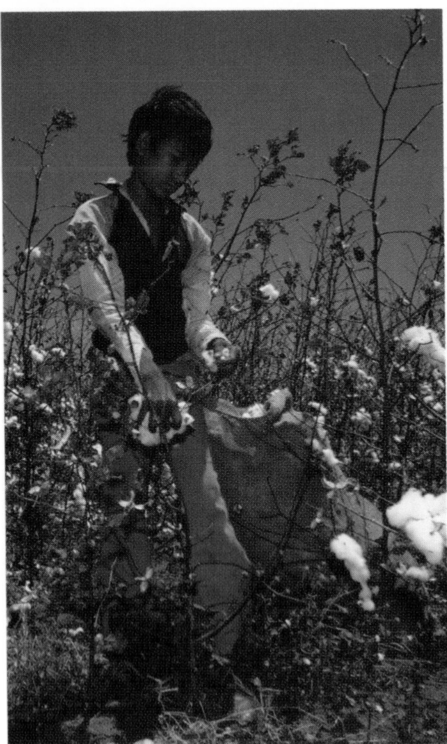

1 **Un enfant travaille dans une plantation de coton au Nicaragua.**

Dans plusieurs pays du monde, des enfants sont obligés de travailler pour vivre ou pour subvenir aux besoins de leur famille. Ces enfants sont souvent exploités et mal payés. Le coton que cet enfant doit récolter a peut-être servi à fabriquer des vêtements que nous portons.

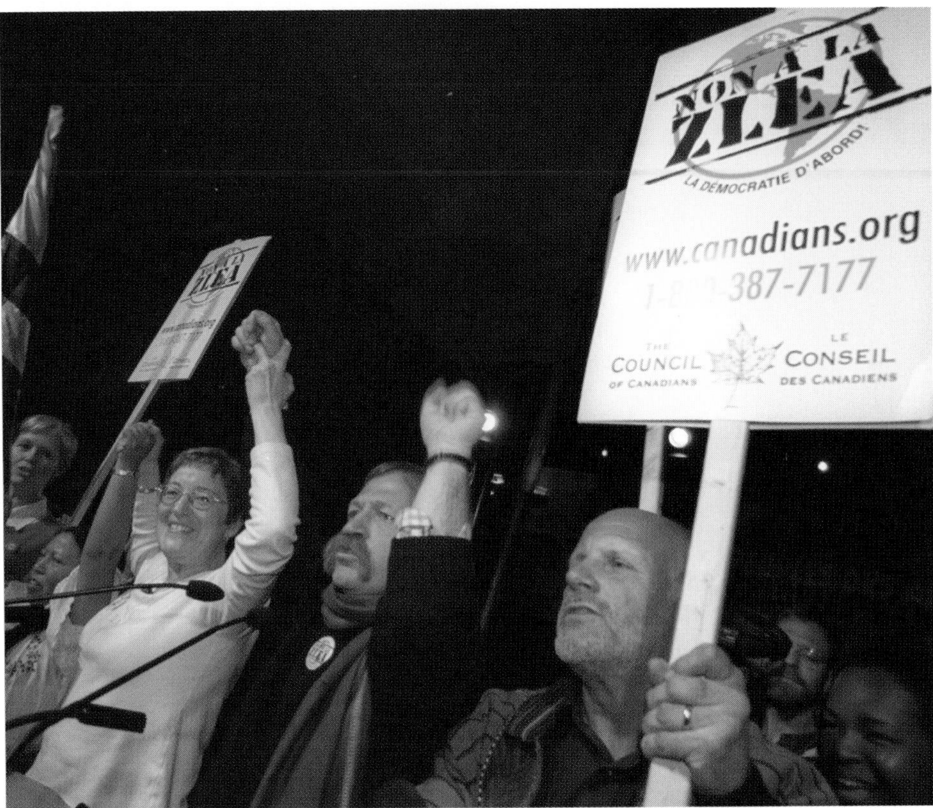

2 **Une manifestation dans la ville de Québec en 2001**

José Bové, agriculteur français cofondateur de la Confédération paysanne, s'est joint à des citoyens et des citoyennes du Québec pour protester contre la **mondialisation** des échanges économiques, à l'occasion du troisième Sommet des Amériques.

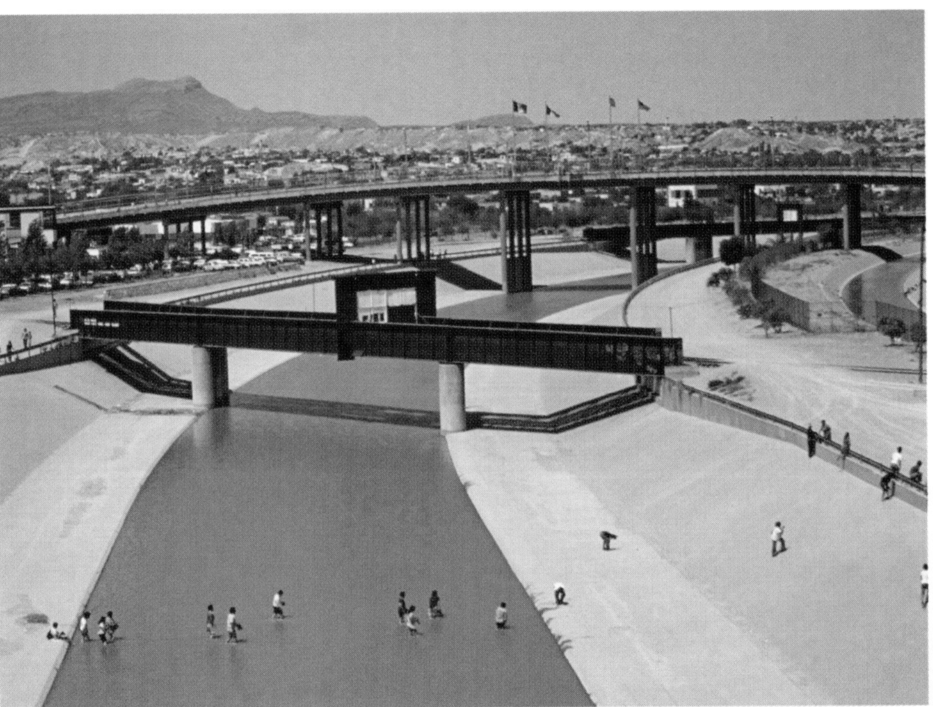

3 **Des travailleuses et des travailleurs du Mexique traversent la frontière à Tijuana.**

Chaque jour, des Mexicains et des Mexicaines tentent de traverser illégalement la frontière entre le Mexique et les États-Unis, cherchant du travail et une meilleure qualité de vie.

Lexique

Mondialisation Fait de devenir mondial, de s'étendre à l'ensemble du monde.

4 Le port de Montréal

Chaque année, près d'un million de conteneurs chargés de marchandises provenant de toutes les régions du monde sont transportés par bateau jusqu'au port de Montréal, au Québec. Ces marchandises sont ensuite acheminées par rail et par camion à travers le Canada et les États-Unis.

5 Le commerce mondial au XXIe siècle

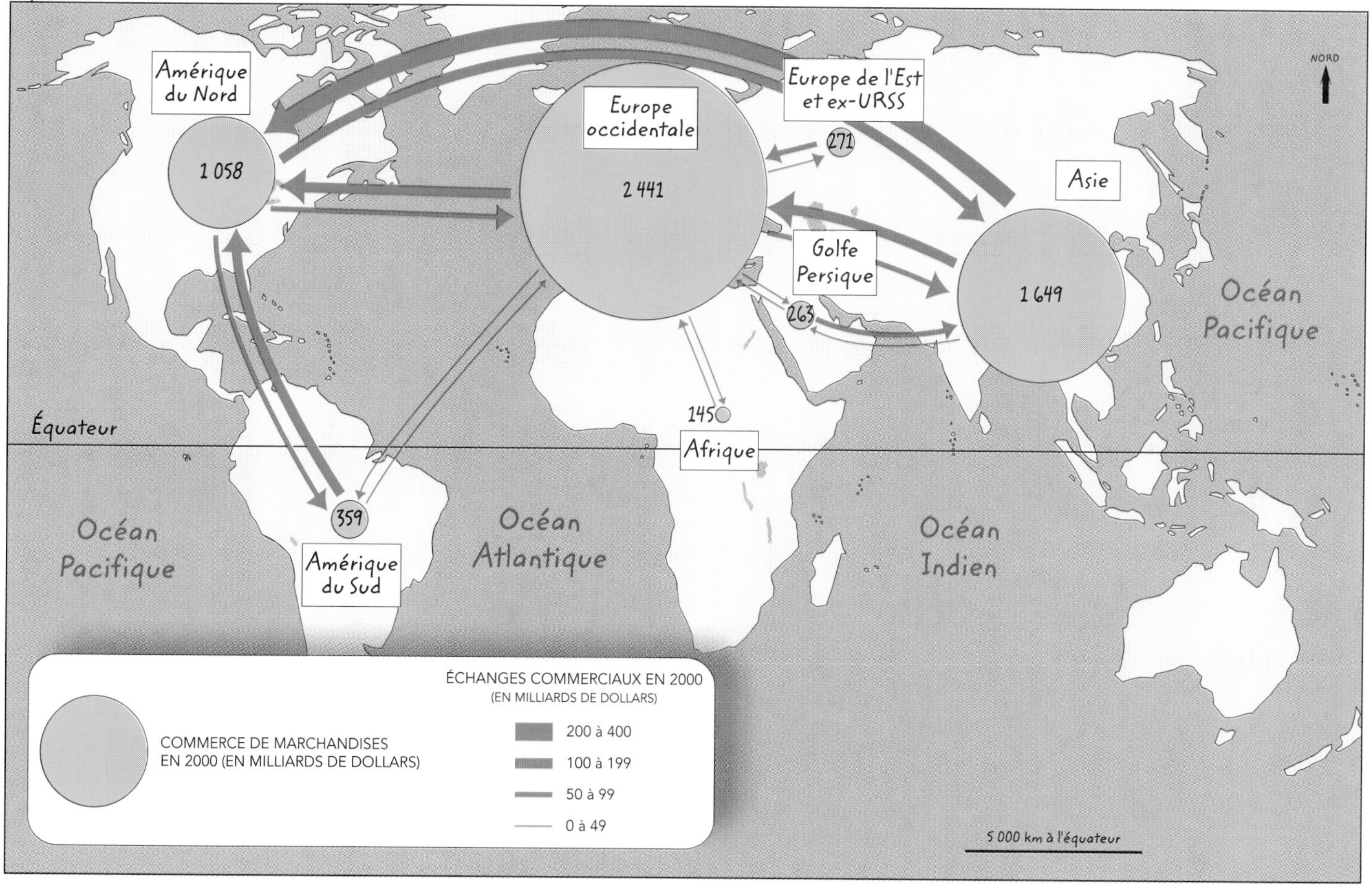

Activité de discussion

Comment l'économie mondiale influence-t-elle votre mode de vie ?

1 Les voies commerciales maritimes au XVIIe siècle

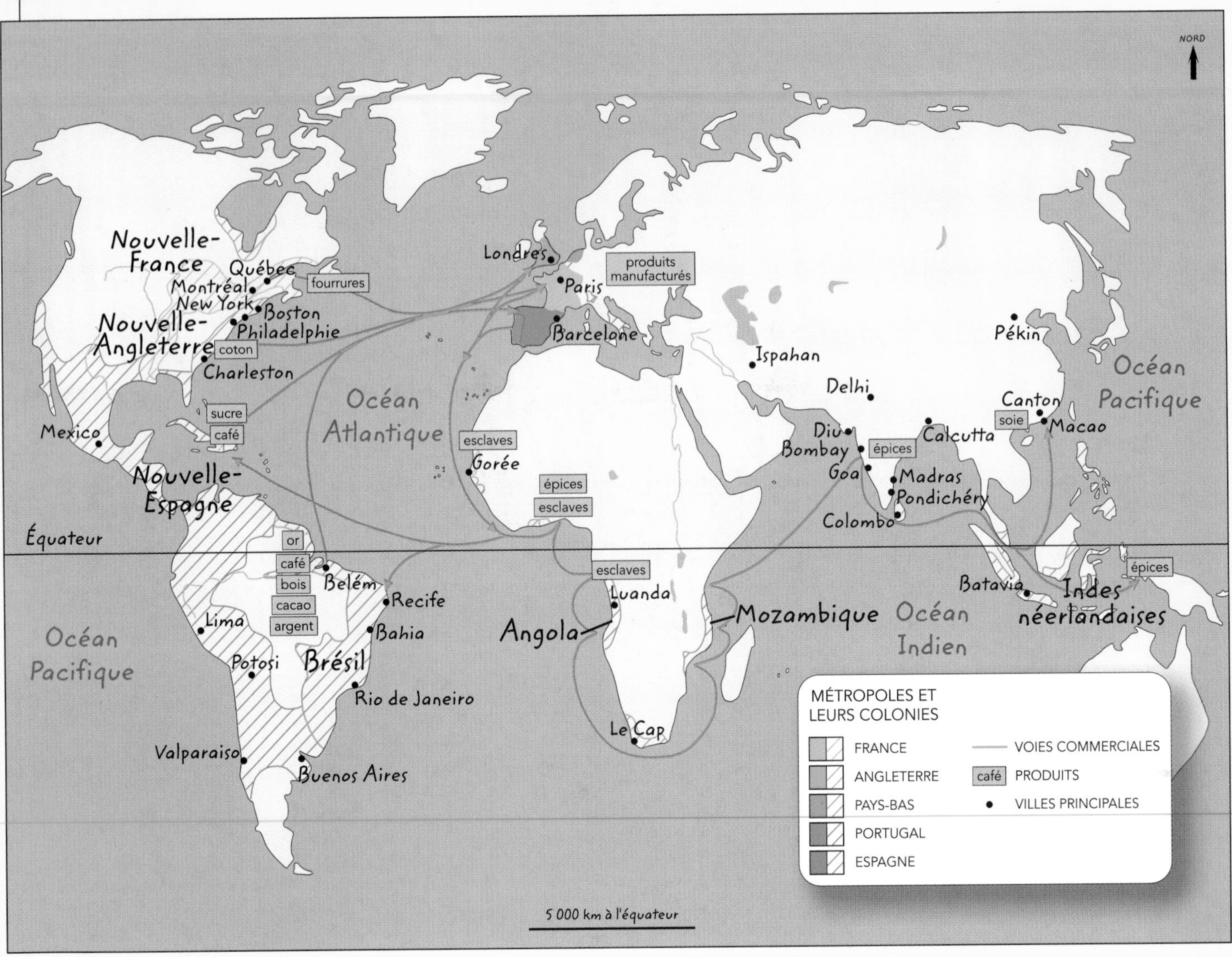

2 Le commerce transatlantique vu par un économiste du XVIIIe siècle

«L'Afrique dont on ne connaissait que quelques côtes, et l'Amérique furent découvertes. La plupart des nations commerçantes de l'Europe firent, sous ces climats éloignés, l'acquisition de nouvelles terres propres aux denrées qui leur manquaient. Les progrès de ces nouveaux établissements ont été extrêmement lents; [...] la plupart de ces contrées n'étaient habitées que par des nations sauvages ennemies du travail et de la peine, qui ne vivaient et s'habillaient que du produit de leur chasse: or, quel commerce pouvait-on faire avec des peuples qui n'avaient besoin de rien? Il a donc fallu commencer par transporter en Amérique des citoyens propres au **négoce** [...]. Ce n'était pas encore assez d'avoir créé une nation commerçante dans ces pays éloignés. [...] La chaleur accablante du climat des îles les plus fertiles de l'Amérique ne permet guère aux Européens de soutenir le poids du travail. On a donc encore été obligé de chercher, dans une autre partie du monde, des bras propres à ce travail, et c'est l'Afrique qui nous les a fournis.»

Anonyme, *Les progrès du commerce* (1760), dans Jean Breteau et Marcel Lancelin, *Des chaînes à la liberté*, Éditions Apogée, 1998.

3 Le commerce transatlantique a enrichi l'Europe, selon des historiens du XXIe siècle.

«Économiquement, l'Amérique a fourni à l'Espagne et à l'Europe des produits de luxe, perles, émeraudes et, plus que tout, de l'or et de l'argent: entre 1500 et 1650, plus de 181 tonnes d'or et 16 000 tonnes d'argent tirées du travail forcé des Indiens.»

Hugues Daussy, Patrick Gilli et Michel Nassiet, *La Renaissance (vers 1470 – vers 1560)*, Belin, 2003.

4 Un historien français du XXe siècle

Fernand Braudel en 1985.

Fernand Braudel

(1902–1985)

Fernand Braudel est l'auteur de l'ouvrage *La Méditerranée et le monde méditerranéen à l'époque de Philippe II*. Selon lui, l'histoire existe à travers le regard des historiens et des historiennes. Il a renouvelé le visage du monde en ouvrant l'histoire à l'étude des grands espaces et des phénomènes de longue durée. Fernand Braudel a défini le concept d'«économie-monde» (*doc. 5*).

5 L'économie-monde (XVe-XVIIIe siècle) selon Fernand Braudel

«Toute économie-monde est un emboîtement, une juxtaposition de zones liées ensemble […]. Sur le terrain, trois "aires", trois catégories *au moins*, se dessinent: un centre étroit, des régions secondes assez développées, et pour finir d'énormes marges extérieures. […]

Le centre, le "cœur", réunit tout ce qui existe de plus avancé et de plus diversifié. L'anneau suivant n'a qu'une partie de ces avantages, bien qu'il y participe: c'est la zone des "brillants seconds". L'immense **périphérie**, avec ses peuplements peu denses, c'est au contraire l'**archaïsme**, le retard, l'exploitation facile par autrui. Cette géographie discriminatoire, aujourd'hui encore, piège et explique l'histoire générale du monde […].»

Fernand Braudel, *Le temps du monde*, Armand Colin, coll. «Civilisation matérielle, économie et capitalisme, XVe-XVIIIe siècle», tome 3, 1979.

À faire

(doc. 2) D'après l'auteur de ce document, pourquoi des Européens ont-ils cherché en Afrique «des bras propres au travail» dans les îles de l'Amérique?

Lexique

Archaïsme Caractère de ce qui est très vieux, très ancien.

Négoce Activité commerciale.

Périphérie Surface autour d'un centre.

ET TOI?

À l'aide des documents présentés dans cette double page, détermine quels étaient le centre, la périphérie et les marges du système économique au début du XVIIIe siècle.

PISTE DE RECHERCHE 1

QUELLE EST LA ROUTE DES INDES ?

À la fin du Moyen Âge, les épices provenant de l'Inde et de la Chine occupaient une place importante dans le grand commerce. Toutefois, au XVe siècle, le contexte économique a changé et il est devenu très difficile pour les marchands européens de se procurer ces produits.

1 La route des épices au XVe siècle

«L'Europe avait besoin de nombreux produits asiatiques. En premier lieu les épices, bases de la pharmacie et indispensables pour la cuisine, à une époque où [...] la viande, mal conservée dans des couches de sel, exigeait beaucoup d'assaisonnement pour être consommée. [...] Aux épices s'ajoutaient les teintures pour les étoffes; les textiles, coton d'Égypte, soie de Perse, d'Irak, de Syrie; les étoffes, les verreries, les armes de Syrie; les perles du golfe Persique, les diamants de l'Inde, les seuls alors connus, les rubis de Ceylan, etc.»

Roland Mousnier, *Les XVIe et XVIIe siècles: les progrès de la civilisation européenne et le déclin de l'Orient (1492-1715)*, P.U.F., coll. «Histoire générale des civilisations», tome IV, 1967.

2 Christophe Colomb, un navigateur génois, évalue la distance entre l'Europe et l'Asie.

RC «De l'extrémité de l'Occident, c'est-à-dire du Portugal à l'extrémité de l'Orient, c'est-à-dire l'Inde, par voie de terre, la route est très longue.»

«Un bras de mer s'étend entre l'Inde et l'Espagne...»
«L'Inde est près de l'Espagne...»
«La fin des terres habitables vers l'Orient et le début et la fin des terres habitables vers l'Occident sont relativement proches et entre elles il y a une mer de petites dimensions.»

Christophe Colomb, dans Jacques Heers, *Christophe Colomb*, Hachette, 1981.

3 À la fin du Moyen Âge, de nouvelles technologies améliorent la navigation.

- L'ASTROLABE sert à s'orienter en mer. Il permet de déterminer l'emplacement précis d'un lieu géographique à l'aide des étoiles.
- La CARAVELLE et la CARAQUE sont des bateaux plus gros que les navires du Moyen Âge et qui peuvent sillonner les mers sur de plus grandes distances.
- Le GOUVERNAIL D'ÉTAMBOT permet de mieux manœuvrer le navire et de transporter une plus grande quantité de marchandises, par exemple des vivres pour les longs voyages en mer.
- La LUNETTE permet d'observer les étoiles et de voir plus loin.

- La BOUSSOLE permet de s'orienter en mer. Elle indique le nord à l'aide d'une aiguille magnétique.

(Elias Allen, 1617, Victoria and Albert Museum, Londres, Angleterre.)

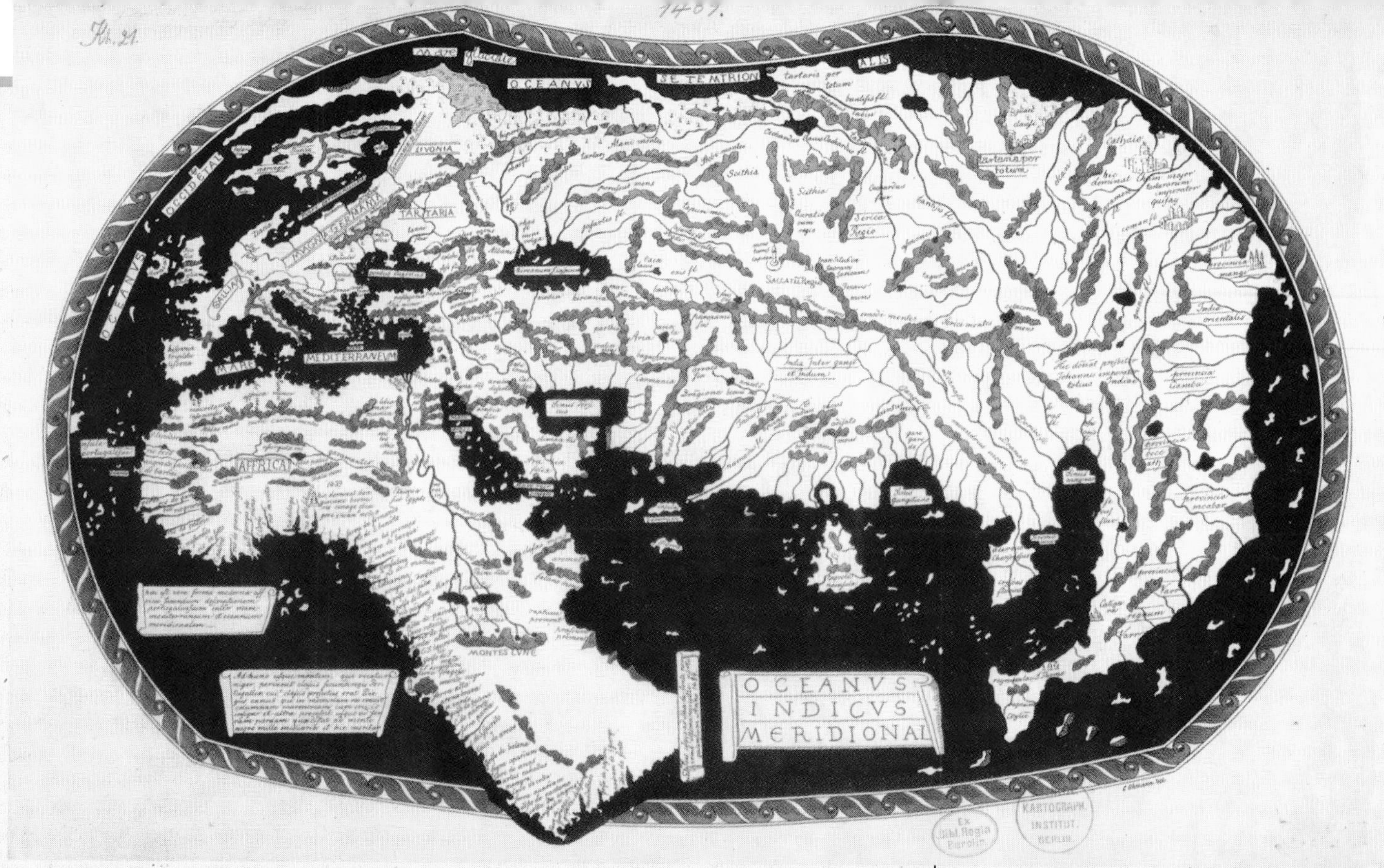

5 Le monde en 1489

Mappemonde d'Henricus Martellus.
(1489, British Library, Londres, Angleterre.)

Cette carte représente le monde tel que l'imaginaient les Européens à la fin du Moyen Âge. On y devine l'Afrique, l'Europe et l'Asie. On distingue aussi l'Italie au centre de la mer Méditerranée.

4 La fermeture de la route des épices au XVe siècle

«Depuis que les Turcs, en 1453, se sont emparés de Constantinople, la Méditerranée est verrouillée, le commerce est sous leur contrôle, les villes de l'Adriatique doivent aller à Alexandrie attendre et se disputer, à prix d'or, les soies et les épices, les pierres précieuses et les drogues [médicaments] d'Orient. On les achemine, à grand péril et à grands frais, par la longue route des caravanes, à travers les déserts (avec tous les risques d'attaques pillardes aux points d'eau) ou par la mer Rouge et le Nil, avec les retards et les dommages de maints transbordements. Si bien qu'un quintal [48,96 kg à l'époque] de girofle G, qui coûte aux Moluques 2 ducats G, en vaut 50 aux Indes et se vend à Londres 213 ducats.»

Suzanne Chantal, dans D. Moreau (dir.), *Le monde autour de 1492*, © Larousse, 1971.

MISSION

Vous êtes des marchands européens du XVIe siècle. Vous cherchez une nouvelle route vers l'Inde pour vous procurer de précieuses épices. Vous devez soumettre votre projet au roi pour qu'il vous aide à le financer.

Comment atteindrez-vous l'Asie ? Quelle route emprunterez-vous ?

Dressez la carte du trajet que vous prévoyez suivre.

PISTE DE RECHERCHE 2

QUE FAIRE DES AMÉRINDIENS ?

Vers 1484, le navigateur génois Christophe Colomb a conçu un projet pour atteindre l'Asie en naviguant vers l'ouest. En 1492, il a quitté l'Espagne aux commandes de trois navires, traversé l'océan Atlantique et accosté sur une île. Convaincu d'être arrivé en Inde, il a nommé «Indiens» les habitants de cette île.

1 Christophe Colomb décrit les autochtones de l'île d'Hispaniola (Haïti).

RC «*16 décembre 1492*

Ils n'ont pas d'armes et sont [...] sans aucune idée de l'art de la guerre et très peureux, au point que mille d'entre eux ne feraient pas face à trois des nôtres; ils sont donc bons pour être commandés et pour qu'on les fasse travailler, semer et qu'on leur fasse faire toute chose qui pourra être nécessaire; et qu'ils fassent des villes et qu'on leur apprenne à aller habillés et aussi nos coutumes.»

Christophe Colomb, *Journal de bord*, dans *Œuvres complètes*, trad. J.-P. Clément et J.-M. Saint-Lu, La Différence, 1989.

2 Selon un métis, les Indiens ne sont pas civilisés.

L'auteur de cet extrait était un Inca dont le père était un **conquistador** espagnol et la mère, une princesse inca.

«[Les Indiens] n'étaient pas moins barbares dans la façon de se loger et de construire leurs villes qu'en matière de dieux et de sacrifices. Les plus civilisés avaient des villes sans place publique ni arrangement de rues et de maisons; on eût dit plutôt des parcs à resserrer les bêtes. [...] n'ayant jamais été instruits, ils ne sont pas raisonnables, et c'est à peine s'ils ont une langue pour se comprendre les uns les autres entre gens d'une même nation; ils vivent comme des animaux de différentes espèces [...]»

Inca Garcilaso de la Vega, *Commentaires royaux sur le Pérou des Incas*, tome I (1609), trad. René L. F. Durand, Éditions La Découverte, 1982.

3 Les vestiges de Machu Picchu au Pérou

Les Incas ont construit de grandes cités et des pyramides impressionnantes. Cette cité a été construite vers le XVe siècle au sommet d'une montagne, à près de 2 500 m d'altitude.

Lexique

Amérindien, ienne Indien ou Indienne d'Amérique.

Conquistador De l'espagnol signifiant «conquérant», désigne un aventurier espagnol parti à la conquête de l'Amérique.

4 Tenochtitlán, la capitale des Aztèques

RC

Détail d'une fresque représentant la civilisation aztèque et sa capitale Tenochtitlán, fondée en 1365, aujourd'hui Mexico, la capitale du Mexique.

(Diego Rivera, 1945, Palais national, Mexico, Mexique. © Banco de Mexico Trust.)

Les Aztèques avaient développé un système d'écriture complexe et ils avaient de solides connaissances en mathématiques. Les savants connaissaient l'astronomie et la médecine. Les Aztèques construisaient de grandes cités et des pyramides imposantes. Leur organisation politique était très développée.

5 Les Indiens sont des esclaves par nature, selon Juan Ginés de Sepúlveda.

«[Les Indiens] demandent, de par leur nature et dans leur propre intérêt, à être placés sous l'autorité des princes ou d'États civilisés et vertueux dont la puissance, la sagesse et les institutions leur apprendront une morale plus haute et un mode de vie plus digne […]. Comment douter que des peuples aussi peu civilisés, aussi barbares, […] n'aient été justement conquis par un souverain aussi excellent, pieux et juste que l'était Ferdinand [roi d'Espagne].»

Juan Ginés de Sepúlveda, *Democrates alter* (1541), dans Lewis Hanke, *Colonisation et conscience chrétienne au XVIe siècle*, trad. F. Durif, Plon, 1957.

6 Les Indiens sont des hommes libres, selon Bartolomé de Las Casas.

RC

«Il est évident que ces gens, dans toutes les Indes, nous les avons trouvés installés dans des villages et de gros bourgs, ce qui est grandement signe et preuve de raison; nous les avons trouvés avec des seigneurs puissants qui les dirigeaient et gouvernaient; nous les avons trouvés pacifiques et organisés dans leurs républiques […]. Les signes, donc, qui montraient qu'ils étaient libres et non esclaves par *natura*, sont également clairs […]»

Bartolomé de Las Casas, *Histoire des Indes*, tome 3 (1552-1559), trad. J.-P. Clément et J.-M. Saint-Lu, Seuil, 2002.

• • MISSION • •

Ferdinand d'Aragon et Isabelle de Castille, le roi et la reine d'Espagne, vous reçoivent en audience pour que vous leur exposiez votre opinion sur la façon de traiter les Amérindiens.

Une partie de la classe partage le point de vue de Bartolomé de Las Casas et l'autre partie, celui de Juan Ginés de Sepúlveda.

PISTE DE RECHERCHE 3

QUELS ONT ÉTÉ LES ENJEUX DES GRANDES EXPLORATIONS ?

Les «grandes découvertes» ont eu d'importantes conséquences pour les Européens et les populations autochtones d'Amérique. À partir du XVIe siècle, les Européens ont conquis et colonisé le territoire américain pour y développer des empires. Ils se sont enrichis en exploitant les ressources de ces colonies, notamment l'or et l'argent.

1 Un historien contemporain de la nation des Hurons-Wendats décrit la disparition des Amérindiens.

«De 112 millions d'habitants en 1492, la population **aborigène** des Amériques est passée, en 400 ans, à environ 5,6 millions. Celle du Mexique, de 29,1 millions en 1519, ne se chiffrait plus qu'à un million en 1605. Quant à l'Amérique du Nord seule, les 18 millions d'Amérindiens qui l'habitaient au moment du contact avec les Européens ne comptaient plus, vers 1900, que 250 000 à 300 000 descendants.

[…] Ce sont les maladies épidémiques apportées par les nouveaux venus qui ont déterminé "l'apocalypse américaine". […]

Mise soudainement en contact avec l'héritage microbien de l'Ancien Monde, l'Amérique aura connu, en 1992, cinq siècles de destruction continue de ses populations humaines, animales et végétales et de son corps physique.»

Georges E. Sioui, *Pour une autohistoire amérindienne*, Les Presses de l'Université Laval, 1989.

2 Un défenseur des autochtones

(Gravure, Bibliothèque nationale de France, Paris, France.)

Bartolomé de Las Casas

(1474–1566)

Bartolomé de Las Casas était le fils d'un compagnon de Christophe Colomb. Il a été le premier prêtre ordonné en Amérique, en 1510. Il a d'abord contribué a l'asservissement des Amérindiens en étant propriétaire d'une *encomienda*, une grande ferme où les esclaves cultivaient la terre. Il est par la suite devenu un grand défenseur des autochtones (*doc.* 5).

3 Récit traditionnel amérindien de la conquête de l'Amérique

Ce récit fut recueilli en anglais, en 1911, sur la réserve d'Anderdon, dans le comté d'Essex en Ontario. Fille d'une mère unilingue wyandotte et d'un père métis wyandot-écossais, madame McKee était âgée de 73 ans.

«Au début, l'homme blanc vint parler à l'Indien qui était assis à l'extrémité d'un billot. "Fais-moi une place!" dit l'homme blanc. Alors l'Indien permit à l'étranger de s'asseoir sur le billot. Mais l'autre homme persistait à le pousser tout en répétant: "Fais-moi de la place! Fais-moi de la place!" jusqu'à ce que l'Indien se trouve à l'autre bout du billot. C'est alors que l'homme blanc lui dit: "Maintenant tout ce billot m'appartient."»

Récit wyandot raconté par Mary McKee et recueilli par Marius Barbeau (Amherstburg, Ontario, 1911), *Recherches amérindiennes au Québec*, vol. XXII, nos 2-3, 1992, p. 105.

Lexique

Aborigène Synonyme d'autochtone, qui habite depuis longtemps un territoire, qui est né ou née sur un territoire.

4 *Mishapan Nitassinan*

(*Que notre terre était grande*)

Coaticook Mazatlan Manitou Mégantic
Manouane Ivujivic Mascouche Maniwaki
Saskatchewan Shipshaw Matawin Windigo
Kamouraska Témiscamingue Copan Chibougamau

Mishapan mishapan
Nitassinan nitassinan

Québec Manicouagan Hushuai Matapédia
Tadoussac Guanahani Chicoutimi Arthabaska
Natashquan Magog Mexico Shawinigan
Matane Michigan Wyoming Nebraska

Mishapan mishapan
Nitassinan nitassinan

Mississipi Dakota Saglouc Oklahoma
Poenegamook Kuujjuak Acapulco Miguasha
Acadie Winnipeg Yucatan Manitoba
Outaouais Abitibi Massawapi Alaska

Mishapan mishapan
Nitassinan nitassinan

Saguenay Mistassini Chihuahua Paspébiac
Manhattan Milwaukee Watchiya Rimouski
Escuminac Chitchen Itza Caraquet Matagami
Squatec Tabousintac Ixtapa Tracadigache

Mishapan mishapan
Nitassinan nitassinan

Que notre terre était grande»

Paroles: Gilles Bélanger et Joséphine Bacon.
Musique: Gilles Bélanger.

RC

5 Bartolomé de Las Casas explique la disparition des Amérindiens.

«Au cours de ces quarante ans, plus de douze millions d'âmes, hommes, femmes et enfants, sont morts injustement à cause de la tyrannie et des œuvres infernales des chrétiens. C'est un chiffre sûr et véridique. Et en réalité je crois, et je ne pense pas me tromper, qu'il y en a plus de quinze millions.

[...]

Si les chrétiens ont tué et détruit tant et tant d'âmes et de telle qualité, c'est seulement dans le but d'avoir de l'or, de se gonfler de richesses en très peu de temps et de s'élever à de hautes positions disproportionnées à leur personne.»

Bartolomé de Las Casas, *Très brève relation de la destruction des Indes* (1542), trad. F. Gonzalez Batlle, Éditions La Découverte, 2004.

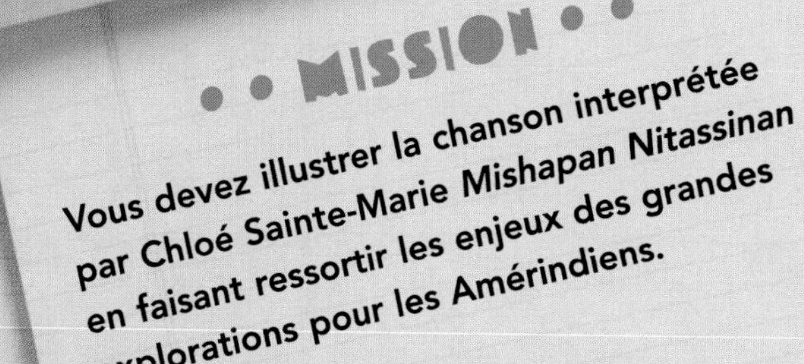

• • MISSION • •

Vous devez illustrer la chanson interprétée par Chloé Sainte-Marie Mishapan Nitassinan en faisant ressortir les enjeux des grandes explorations pour les Amérindiens.

QUELLES ONT ÉTÉ LES CONSÉQUENCES DU PASSAGE À UNE ÉCONOMIE MONDIALE ?

Au XVIe siècle, l'expansion européenne dans le monde a donné lieu à l'instauration d'une première forme d'économie mondiale dont le développement se poursuit encore aujourd'hui.

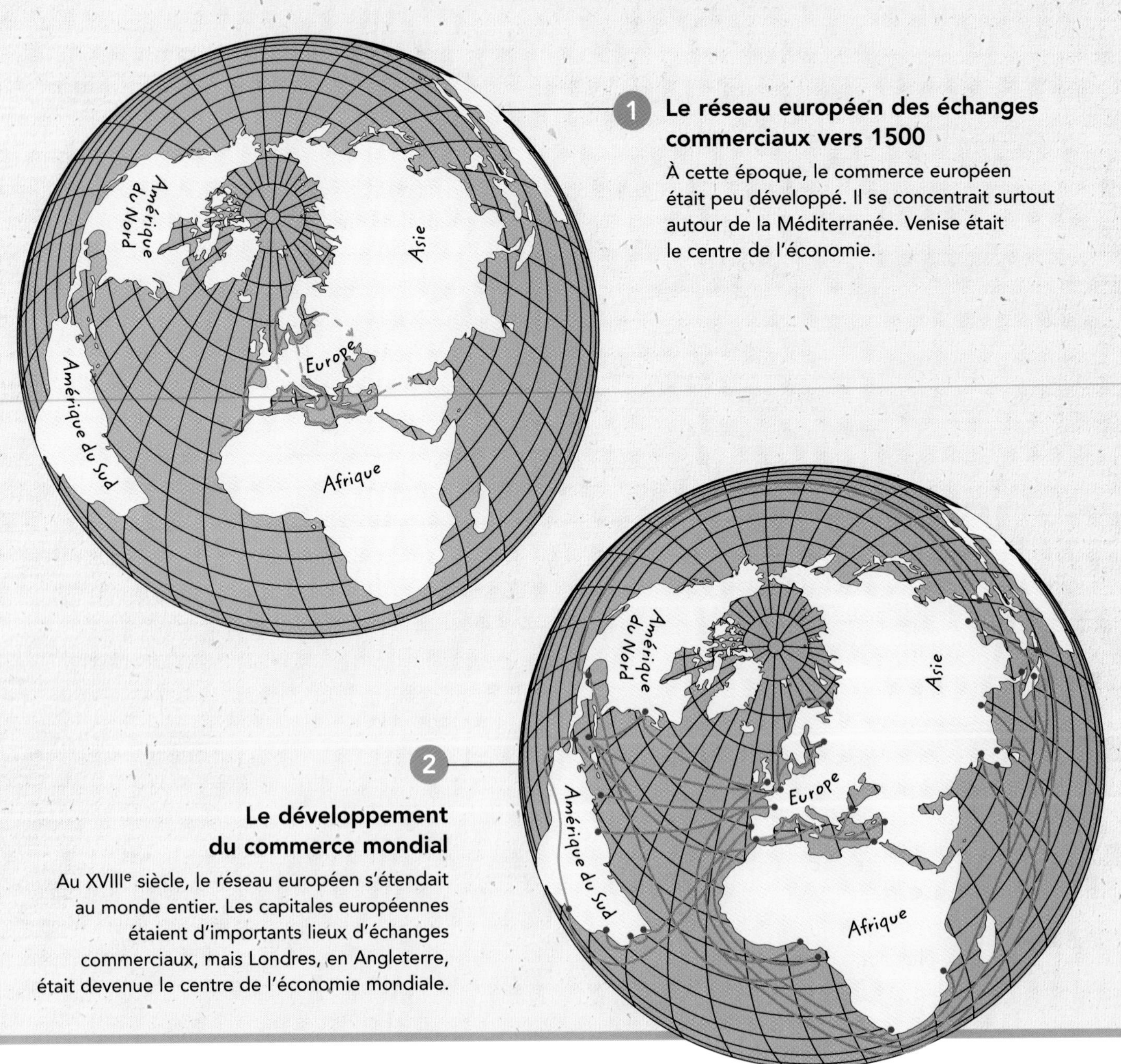

1 Le réseau européen des échanges commerciaux vers 1500

À cette époque, le commerce européen était peu développé. Il se concentrait surtout autour de la Méditerranée. Venise était le centre de l'économie.

2 Le développement du commerce mondial

Au XVIIIe siècle, le réseau européen s'étendait au monde entier. Les capitales européennes étaient d'importants lieux d'échanges commerciaux, mais Londres, en Angleterre, était devenue le centre de l'économie mondiale.

3 L'importation espagnole de métaux précieux (or et argent) en provenance de l'Amérique

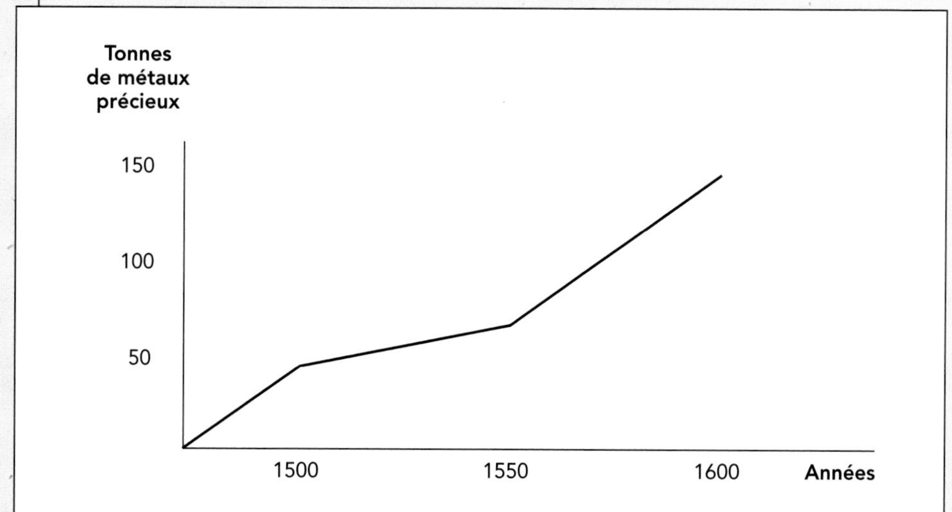

4 Les relations commerciales entre l'Europe et le monde au XVIe siècle

Les colons européens ont découvert de nouveaux produits en Amérique : des plantes comme le cacao, des fruits et des légumes comme la tomate, le maïs et la pomme de terre.

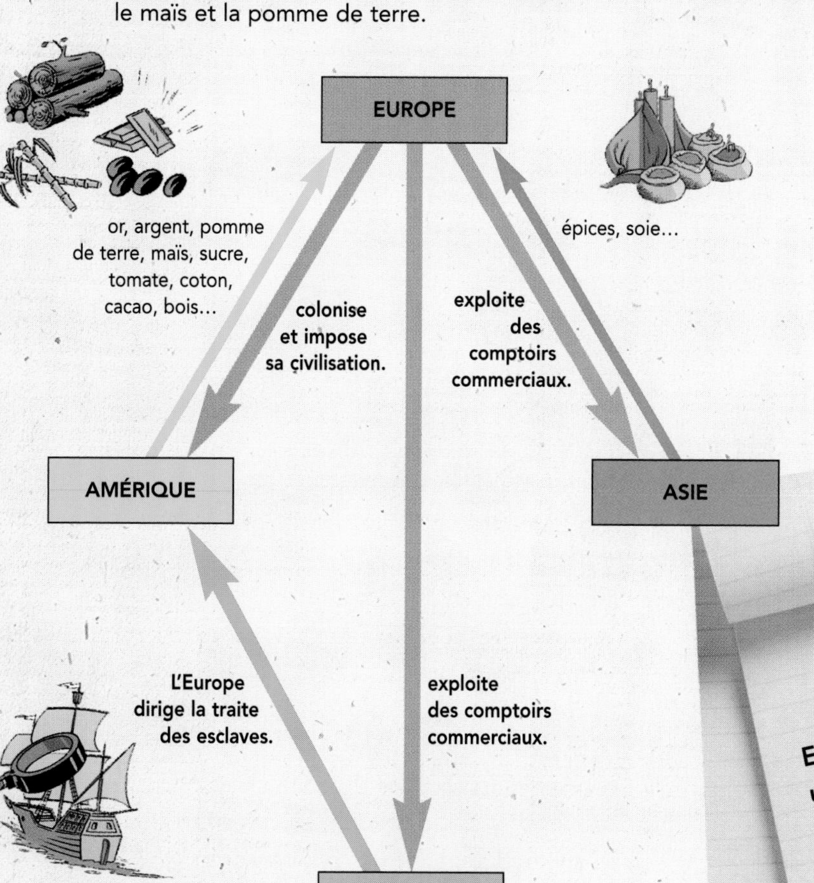

5 Le traitement des Amérindiens

« Tous les esclaves que les Espagnols capturent dans cette province [le Vénézuela] sont envoyés à Cubagua, car c'est là que résident les officiers de la Couronne chargés de collecter les impôts provenant des perles, de l'or, des esclaves et d'autres produits […] Les Espagnols vendent sans problèmes de conscience même les Indiennes enceintes de leurs œuvres. Les marchands les transportent vers d'autres régions pour les revendre. Certains sont conduits à l'Hispaniola sur des bateaux grands comme des caravelles, installés sous le pont ; comme la plupart sont de l'intérieur des terres, ils souffrent terriblement durant la traversée, maintenus sans pouvoir bouger comme des animaux […]. »

Girolamo Benzoni, *Histoire du Nouveau Monde* (1574), dans Thomas Gomez, *L'invention de l'Amérique. Rêve et réalité de la conquête*, Aubier, 1992.

• • MISSION • •

En équipe, créez un mime mettant en scène un personnage européen, un personnage amérindien et un personnage africain du XVIIe siècle. Vous devez représenter les nouvelles relations qui s'établissent entre ces personnages avec le passage à l'économie mondiale.

J'AI DÉCOUVERT...

... l'expansion européenne dans le monde.

1. De nouvelles voies maritimes

Au XVe siècle, le besoin de nouvelles routes pour le commerce des épices a incité des explorateurs européens à chercher des façons d'atteindre l'Inde par la mer. Les routes terrestres étaient sous le contrôle des Turcs. Les nouvelles découvertes technologiques en navigation et en construction navale ont permis la navigation hauturière (la navigation en haute mer).

2. Le contact avec de nouvelles civilisations

En 1492, Christophe Colomb, navigateur génois, a entrepris une expédition à la tête de trois navires, la *Niña*, la *Pinta* et la *Santa María*. Il a atteint l'archipel des Bahamas. Ces terres, inconnues des Européens, étaient habitées depuis des milliers d'années. En Amérique centrale et en Amérique du Sud, les Aztèques, les Mayas et les Incas construisaient de grandes cités. Ils avaient développé des systèmes d'écriture et ils avaient des connaissances en mathématiques et en astronomie. L'Amérique du Nord abritait des populations nomades et des populations sédentaires qui vivaient de l'agriculture, de la chasse et de la pêche.

3. Les conséquences de la colonisation

Les Européens ont colonisé ces territoires. Ils ont construit des empires en Amérique. Les Amérindiens ont été victimes des maladies apportées par les colons et des mauvais traitements engendrés par les guerres et l'esclavage. Avant l'arrivée des Européens, le continent américain comptait près de 100 millions de personnes. Les nouveaux colons ont imposé aux Amérindiens leur culture, leur religion (le christianisme) et leur philosophie. Ils ont découvert de nouveaux produits comme la pomme de terre, la tomate et le maïs.

4. Une première forme d'économie mondiale

Les Européens ont instauré le commerce triangulaire, un système d'échange entre l'Europe, l'Afrique et l'Amérique. Les marchands quittaient l'Europe par bateau pour aller échanger leurs produits contre des esclaves africains. Ils vendaient ensuite ces esclaves dans les colonies d'Amérique et des Antilles et rapportaient en Europe des métaux précieux et des matières premières pour les industries et les artisans. Cette première forme d'économie mondiale a contribué à l'enrichissement des royaumes au centre du système, soit la France, l'Espagne, le Portugal et l'Angleterre, et des royaumes européens en périphérie. Ce système a aussi contribué à l'appauvrissement des populations africaines et amérindiennes.

… certains enjeux de la colonisation.

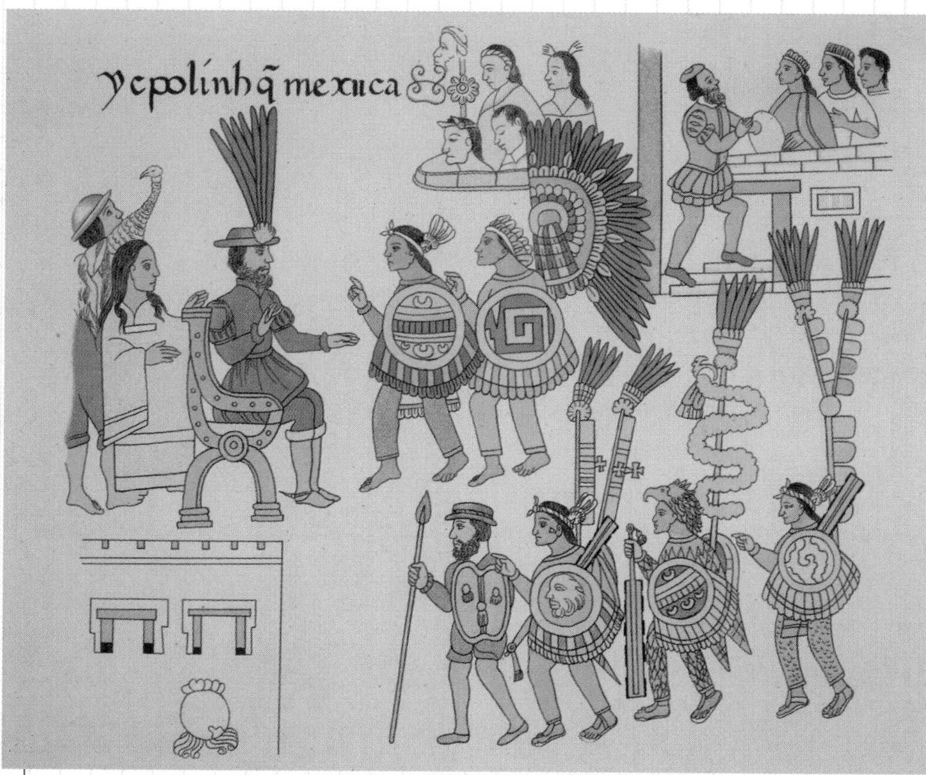

1 Une rencontre entre Espagnols et Aztèques

Au XVIe siècle, après la victoire des Espagnols, des émissaires aztèques rencontrent les conquistadors.

(Illustration tirée d'un recueil écrit par des autochtones mexicains, XIXe siècle, British Library, Londres, Angleterre.)

2 Machiavel explique la meilleure manière de contrôler un peuple conquis.

RC

«Quand les États conquis sont, comme je l'ai dit, accoutumés à vivre libres sous leurs propres lois, le conquérant peut s'y prendre de trois manières pour s'y maintenir: la première est de les détruire; la seconde, d'aller y résider en personne; la troisième, de leur laisser leurs lois, se bornant à exiger un tribut, et à y établir un gouvernement peu nombreux qui les contiendra dans l'obéissance et la fidélité: ce qu'un tel gouvernement fera sans doute; car, tenant toute son existence du conquérant, il sait qu'il ne peut la conserver sans son appui et sans sa protection; d'ailleurs, un État accoutumé à la liberté est plus aisément gouverné par ses propres citoyens que par d'autres.»

Nicolas Machiavel, *Le Prince* (1515), trad. J.-V. Périès (1825), Union Générale d'Éditions, coll. «Le monde en 10-18», 1962.

À faire

1. Que cherchaient les grands explorateurs de la Renaissance?
2. (doc. 2) Explique l'extrait du *Prince* de Machiavel. Qui étaient les peuples conquis et les peuples conquérants au XVIe siècle?
3. (doc. 3) Machiavel a-t-il vécu au temps des grandes explorations?

3 Un humaniste italien

(Santi di Tito, XVIe siècle, palais Vecchio, Florence, Italie.)

Nicolas Machiavel

(1469-1527)

Homme politique, écrivain et philosophe italien de la Renaissance, Nicolas Machiavel (Nicoló Machiavelli) a écrit de nombreux livres. Dans son œuvre la plus importante, *Le Prince*, il expose sa philosophie sur les meilleures façons de gouverner. Il a écrit ce livre pour Laurent II de Médicis, qui a exercé le pouvoir à Florence au XVe siècle.

Le contexte économique

Au XVe siècle, le contexte économique favorisait les grandes explorations. Des explorateurs se sont aventurés en mer à la recherche de nouvelles routes commerciales pour se procurer des épices.

Le commerce

Au XVe siècle, les grands royaumes d'Europe faisaient déjà du commerce avec les pays d'Asie et du Moyen-Orient depuis plusieurs siècles. Les épices et de nombreux autres produits en provenance de l'Inde et de la Chine étaient très en demande en Europe. Ces produits étaient acheminés par terre et par mer : par la route de la soie et par la route des épices. Le contrôle du commerce des épices assurait à un État richesse et pouvoir.

En 1453, les Turcs ont conquis la ville de Constantinople, qui est devenue Istanbul. Cette ville était au centre des grandes routes commerciales. Les Turcs ont alors pris le contrôle des routes et du commerce.

1 La récolte du poivre au pays de Coilum, sur les côtes de l'Inde

RC Enluminure du *Livre des merveilles* de Marco Polo.
(Maître de la Mazarine, vers 1410, Bibliothèque nationale de France, Paris, France.)

Près de deux siècles avant les grandes explorations, Marco Polo (1254-1324), un aventurier et explorateur vénitien, aurait fait une expédition de 24 ans en Chine et en Inde. Il raconte ses aventures dans le *Livre des merveilles*, un ouvrage très diffusé en Europe. Certaines personnes sont de l'avis que le récit de Polo est imaginaire.

2 Un grand explorateur RC

(Ridolfo Ghirlandaio, XVIe siècle, Museo Civico, Côme, Italie.)

Christophe Colomb

(1451–1506)

Navigateur italien, Christophe Colomb (Cristoforo Colombo) commandait en 1492 une flotte de trois navires : deux caravelles, la *Pinta* et la *Niña*, et une caraque, la *Santa María*. Colomb et son équipage sont arrivés sur les côtes d'une île de l'archipel des Bahamas en octobre. Ces terres étaient habitées depuis des milliers d'années. Christophe Colomb a documenté ses expéditions dans son *Journal de bord*, qui est encore aujourd'hui une source de connaissances sur l'Amérique précolombienne (*doc. 1, p. 58*).

Les principales routes commerciales en Méditerranée étant fermées, les commerçants européens ont cherché d'autres routes pour se rendre en Asie. On savait d'où provenaient les épices et on avait entendu les récits de voyageurs comme Marco Polo (*doc. 1*) qui s'étaient probablement rendus en Asie.

Un explorateur veut traverser l'Atlantique.

Christophe Colomb (*doc. 2*) était convaincu qu'il était possible d'arriver en Asie en naviguant vers l'ouest. Ses calculs étaient fondés sur le texte *Géographie* de Ptolémée, un savant grec de l'Antiquité, sur les récits des pêcheurs basques et bretons et sur les récits de Marco Polo.

Les monarques de l'Espagne, Ferdinand d'Aragon et Isabelle de Castille, ont accepté de commanditer son voyage. Les banquiers génois l'ont financé. Le 17 avril 1492, Colomb a signé les *Capitulations de Santa Fe* qui lui donnaient le titre d'amiral des terres et des îles qu'il découvrirait. Il obtenait ainsi le droit d'exercer la justice et de percevoir des impôts au nom des souverains d'Espagne.

3 Gênes, reine de la mer et centre économique au XVe siècle

«Marins dans l'âme et commerçants éprouvés, ils [les Génois] eurent tôt fait de montrer leur talent dans la construction de navires et leur sens des affaires en sillonnant la Méditerranée, vendant les produits locaux aux habitants des pays visités puis en établissant bientôt des comptoirs[G] en des lieux stratégiques qu'ils finirent par coloniser. Gênes, grâce à l'activité fébrile de ses hommes de mer, pilotes et marchands, connut une croissance économique très forte. Elle prit une telle ampleur sur le plan territorial et devint si influente qu'elle fut le point de mire de l'Europe entière, concurrençant même VENISE, "La Cité des Doges" qu'elle ne put jamais, hélas! surpasser en magnificence, en beauté et en opulence.»

Victor-Emmanuel Roberto Wilson, *L'extraordinaire odyssée*, Les éditions Quisqueya-Québec, 1991.

À faire

1. (doc. 4) Sur la carte du monde, situe l'Europe, l'Afrique, l'Asie et l'Amérique. Compare ces continents avec ceux qui sont représentés sur la mappemonde à la fin de ton manuel. Quelles régions du monde les Européens connaissaient-ils le mieux au début du XVIe siècle?
2. Qu'est-ce qui motivait les premiers explorateurs comme Christophe Colomb?
3. Sur une ligne du temps, situe la naissance et la mort de Christophe Colomb. À quelle période de l'histoire a-t-il vécu?

4 Le monde vers 1502

(Mappemonde «Cantino», vers 1502, Biblioteca Estense, Modène, Italie.)

Les explorations de Christophe Colomb et des autres grands découvreurs ont permis de tracer des cartes et de mieux connaître le monde.

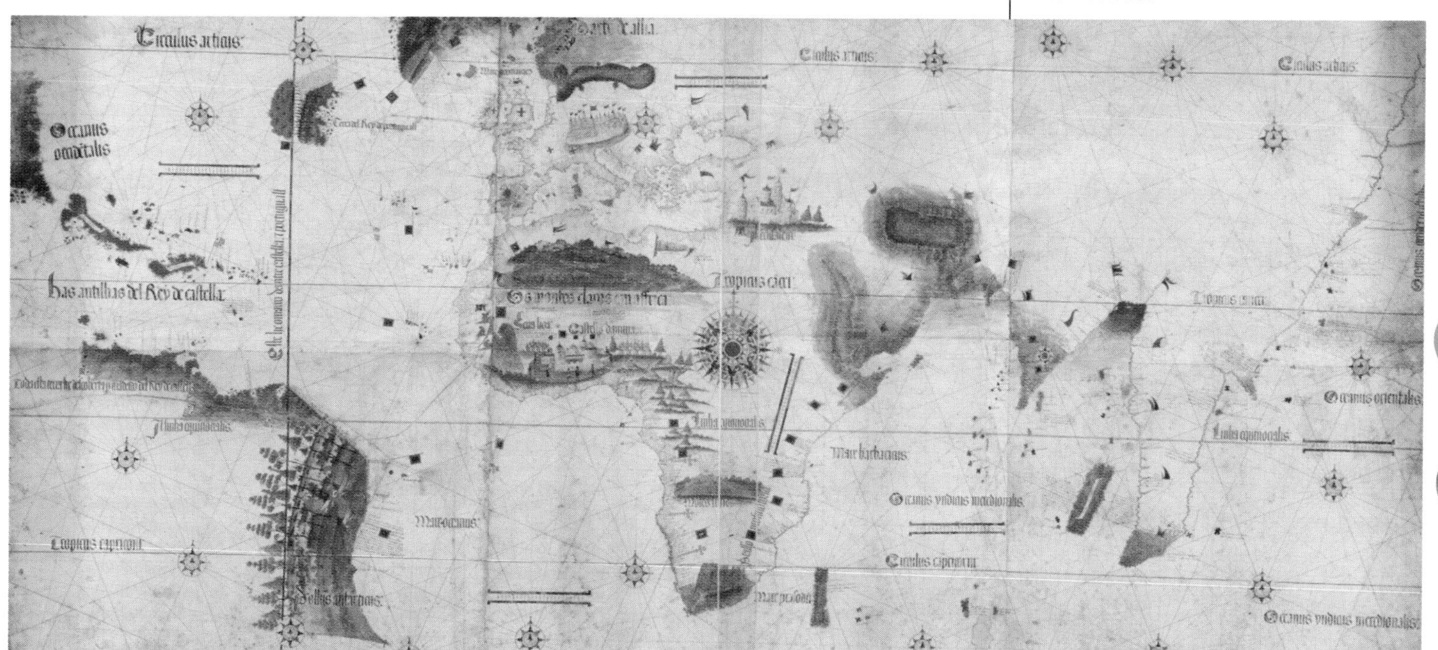

Le contexte scientifique et technologique

Aux XVe et XVIe siècles, plusieurs explorateurs européens ont découvert des terres inconnues des Anciens (des Grecs et des Romains de l'Antiquité) et des gens de leur époque. Le contexte scientifique et philosophique de la Renaissance favorisait ces grandes explorations.

Les explorateurs et les savants

Les nouvelles idées et le contexte intellectuel de la Renaissance ont inspiré et motivé plusieurs explorateurs à se lancer à la découverte du monde. Il était dorénavant possible d'explorer et de découvrir l'Univers par l'observation et par l'expérience. Comme la Terre est ronde, on supposait qu'il était possible d'en faire le tour et d'aller en Asie par l'ouest, en naviguant sur l'océan Atlantique. Certains explorateurs avaient déjà essayé de calculer la distance d'un tel voyage.

De nouvelles technologies favorisent les explorations.

Il était difficile de naviguer en haute mer avec les navires du Moyen Âge. De plus, on ne disposait pas des instruments de navigation nécessaires pour s'orienter en mer. À partir du XVe siècle, de nouvelles technologies dont la boussole (*doc. 3, p. 56*), une invention chinoise adoptée par les Européens, l'astrolabe (*doc. 2*), une invention des Arabes perfectionnée par les Portugais, la lunette et le **compas** (*doc. 3*) permettaient la navigation transatlantique.

1 La voile latine et le gouvernail d'étambot

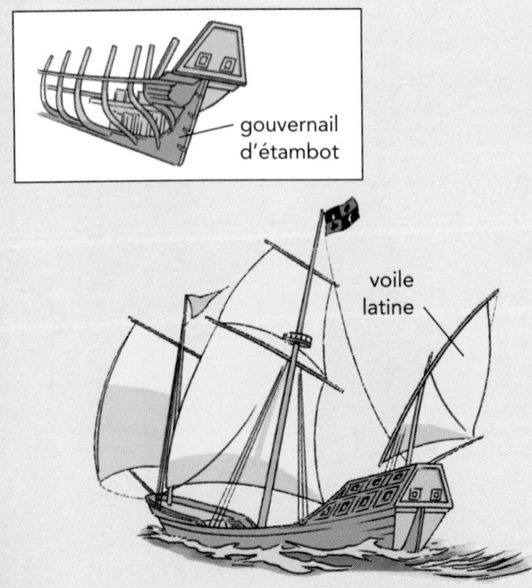

Inventée par les Arabes au VIe siècle, la voile latine, une voile triangulaire fixée à l'arrière du navire, a été réintroduite par les Européens au XVe siècle. Elle permettait de naviguer contre le vent, une manœuvre impossible avec les bateaux médiévaux.

La forme de la coque du navire lui assurait plus de stabilité en haute mer. Le gouvernail d'étambot, inventé au XVe siècle par les Portugais, permettait une meilleure manœuvrabilité.

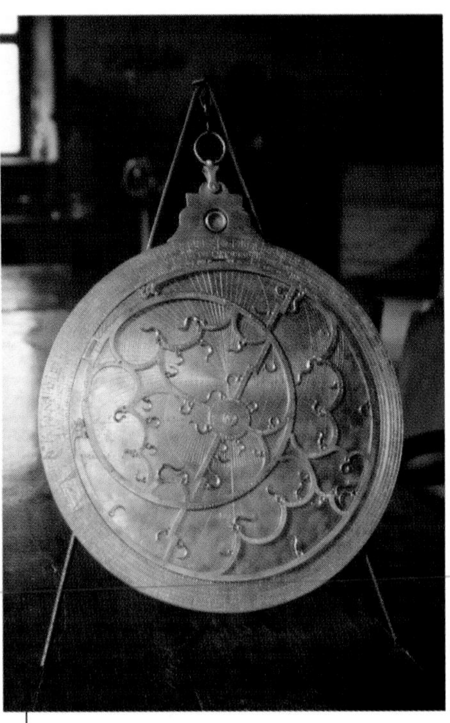

2 Un astrolabe utilisé par Nicolas Copernic

Astrolabe utilisé par Copernic lorsqu'il étudiait au collège Maius, à Cracovie en Pologne.

(Vers 1500, musée de l'Amérique, Madrid, Espagne.)

Dans son *Traité de la révolution des astres*, le savant polonais Nicolas Copernic (1473-1543) a proposé une théorie sur le mouvement des étoiles et des planètes (*doc. 7, p. 15*). Il a démontré que les planètes tournent autour du Soleil. L'astrolabe est un instrument qui sert à observer les étoiles. Il permet de calculer l'emplacement précis d'un lieu géographique. Les marins s'en servaient pour s'orienter en mer.

À cette époque, les Portugais ont inventé de nouveaux bateaux: les caraques, d'énormes navires capables de transporter beaucoup de marchandises (des vivres pour un long voyage, par exemple) et les caravelles (*doc. 1*), plus petites et facilement manœuvrables. Ces navires pouvaient parcourir de longues distances en mer. Une autre invention, le gouvernail d'étambot (*doc. 1*), était très utile pour ce type de navigation. Il permettait de mieux contrôler le navire. Ce gouvernail, fixé à l'arrière du navire, était plus gros que les gouvernails traditionnels. On le contrôlait avec une roue. Au Moyen Âge, le gouvernail n'était qu'une grande rame que le marin tenait sur le côté du bateau.

Les grandes découvertes et l'essor de la science au XVIIe siècle

Les explorations de l'époque de la Renaissance et une meilleure connaissance du monde ont stimulé la curiosité des savants des siècles suivants et entraîné d'autres RC progrès techniques. L'astronome allemand Johannes Kepler (1571-1630) a confirmé les observations de Nicolas Copernic (*doc. 2*) sur le mouvement des astres. En 1594, il a publié un premier traité intitulé *Le Secret du monde*. On dit qu'il est RC le fondateur de l'astronomie moderne. Sir Isaac Newton (1642-1727), un savant anglais, a perfectionné le télescope, une invention de Galilée (*doc. 3*). En 1687, il a publié son œuvre maîtresse, *Principes mathématiques de philosophie naturelle*. Il est aussi l'auteur de l'ouvrage intitulé *De la gravitation*, publié vers 1665.

À faire

1. Quel mouvement intellectuel de la Renaissance a influencé les explorateurs?
2. Explique le sens de l'expression «grandes découvertes».
3. Quelle théorie Copernic a-t-il avancée pour expliquer le mouvement des planètes?

Lexique

Compas Instrument de navigation qui indique le nord.

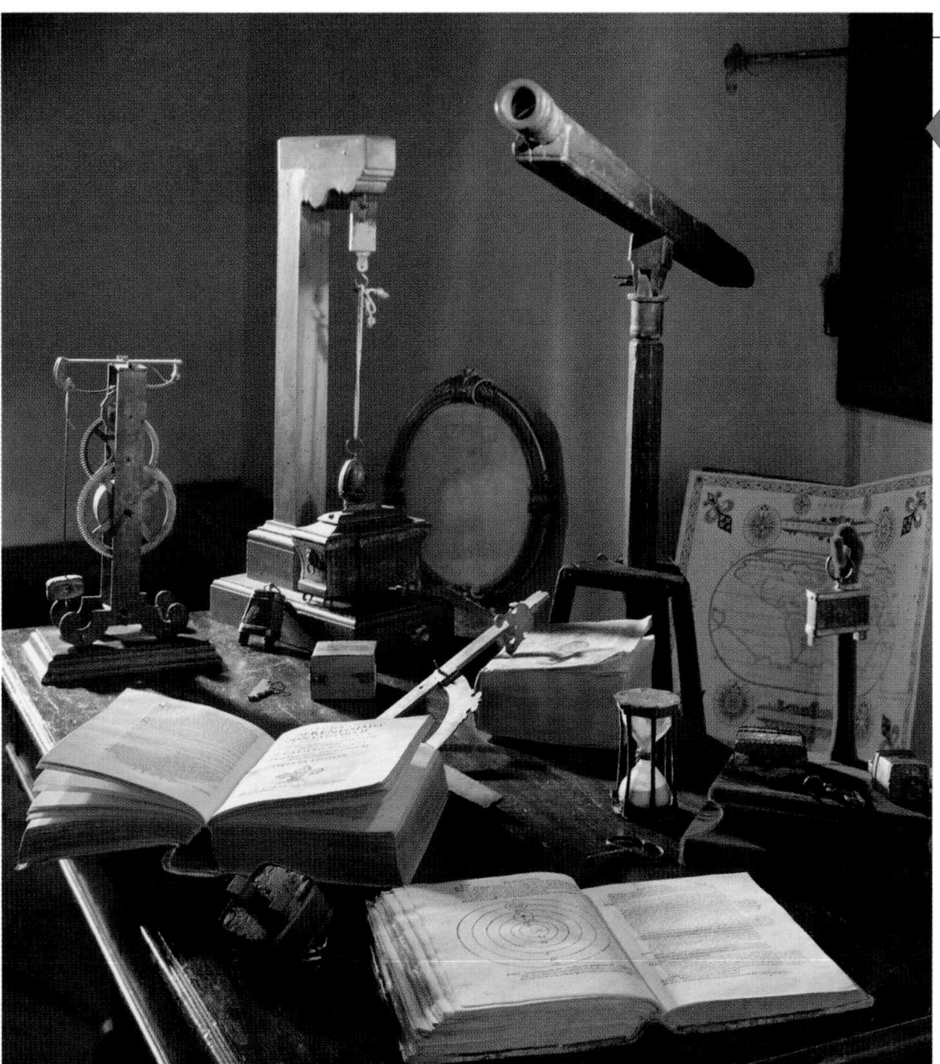

RC

3 De nouveaux instruments d'astronomie et de navigation

Un télescope, un compas et divers autres instruments utilisés par Galilée.

(XVIIe siècle, Musée des sciences, Florence, Italie.)

L'astronome italien Galileo Galilei, dit Galilée (1564-1642), est l'inventeur de la lunette télescopique. Cette invention lui a permis de confirmer les observations de Copernic (*doc. 2*). Ses découvertes sont décrites dans *Le messager céleste* (1610) et dans le *Dialogue sur les deux principaux systèmes du monde* (1632).

Les grandes découvertes

D'autres explorateurs ont poursuivi les recherches pour trouver un passage vers l'Asie. Un Italien du nom d'Amerigo Vespucci était l'un d'eux. On a donné son nom au Nouveau Continent «découvert» par Colomb: «Amérique».

Les Européens explorent le monde.

Les Portugais ont tenté les premiers de se rendre en Inde en contournant l'Afrique. En 1487, le navigateur portugais Bartolomeu Dias a atteint la pointe sud de l'Afrique. Vasco de Gama (*doc. 2*) a été le premier explorateur à réussir à contourner l'Afrique et à atteindre l'Inde.

RC Après le retour de Christophe Colomb, d'autres nations européennes ont cherché à s'approprier une part de territoire en Amérique. Un Italien, Giovanni Caboto (Jean Cabot), qui naviguait au service des Anglais, a accosté à Terre-Neuve et a longé la côte orientale de l'Amérique du Nord en 1498. Le navigateur français RC Jacques Cartier (*doc. 3*) a pris possession du territoire qui deviendra la Nouvelle-France en plantant une croix à l'emplacement actuel de Gaspé le 24 juillet 1534.

Toutefois, aucun de ces explorateurs n'a trouvé le passage occidental vers l'Inde et la Chine. Pour y arriver, il fallait contourner le continent américain. Sur terre, d'autres explorateurs ont parcouru ce continent. Les Espagnols ont réussi à traverser l'Amérique centrale et à atteindre l'océan Pacifique. On pensait alors qu'il était possible de se rendre en Asie par cette route.

RC Fernand de Magellan

C'est un navigateur portugais au service de l'Espagne, Fernand de Magellan (*doc. 1*), qui a réussi le premier tour du monde. L'expédition a quitté l'Espagne en 1519. Un an plus tard, l'explorateur a découvert un passage vers l'ouest en contournant l'Amérique par le sud (*doc. 4*). Il a traversé un détroit qui porte aujourd'hui son nom à l'extrémité de l'Amérique du Sud.

1 Le premier voyage autour du monde RC

(Anonyme, XVIe siècle, Galerie des Offices, Florence, Italie.)

Fernand de Magellan

(1480–1521)

L'explorateur portugais Fernand de Magellan a été l'amiral d'une expédition qui a fait le tour du monde. Cette expédition a permis de développer des routes commerciales entre le Nouveau Monde, le Mexique et des colonies d'Asie comme les îles Moluques.

2 Un explorateur portugais RC

(Portrait de Vasco de Gama dans le *Livro do Estado da India Oriental* de Barretto de Resende, 1646, British Library, Londres, Angleterre.)

Vasco de Gama

(1469–1524)

Vasco de Gama a été le premier à contourner l'Afrique et à se rendre en Inde en 1497-1499. Il a contribué à l'établissement de comptoirs commerciaux en Inde et a concurrencé les commerçants arabes qui y contrôlaient le commerce des épices depuis 1453.

Magellan a poursuivi son périple vers l'ouest. En 1520, il a atteint les Philippines au milieu de l'océan Pacifique. L'explorateur est mort sur ces îles. L'un de ses marins, Sebastián Elcano, et son équipage ont contourné l'Afrique en juin 1522 et sont revenus à Séville, en Espagne, en septembre. C'était le premier voyage autour du monde. L'expédition de Magellan a prouvé que la Terre est ronde et qu'il est possible de se rendre en Asie en naviguant vers l'ouest et en contournant le continent américain par le sud.

À faire

1. Pourquoi les Européens avaient-ils de la difficulté à trouver une route occidentale vers l'Inde ?
2. (doc. 4) Calcule la distance du voyage de Jacques Cartier sur la carte.
3. Calcule la durée de l'expédition de Magellan.

3 Un explorateur français

RC

(Théophile Hamel, vers 1844, Archives nationales du Canada, Ottawa, Canada.)

Jacques Cartier
(1491–1557)
L'explorateur français Jacques Cartier a cherché une route occidentale vers l'Asie en passant par le nord du continent américain. Il a exploré l'actuel territoire de la Nouvelle-Écosse, du Québec et de Terre-Neuve, et a nommé l'endroit «Canada», du mot iroquoien *Kanata* qui signifie «peuplement» ou «village».

4 Les grandes explorations européennes aux XVe et XVIe siècles

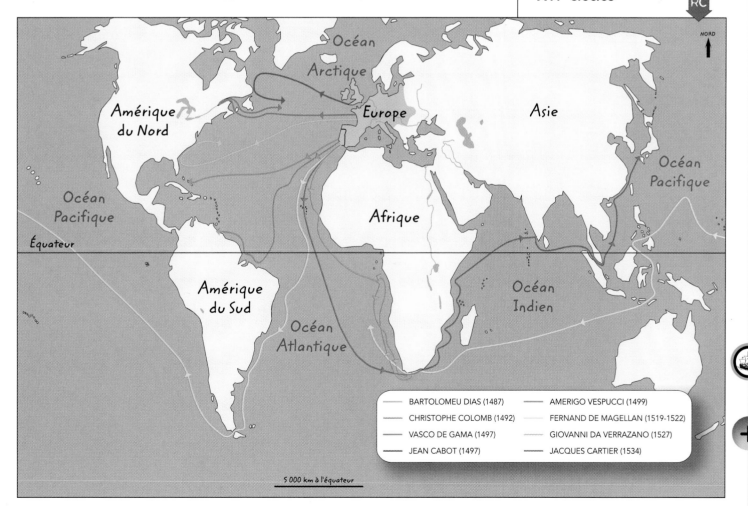

RC

Les cultures amérindiennes

Les peuples qui habitaient le continent américain depuis des milliers d'années parlaient des langues différentes et avaient des cultures différentes. Les premiers peuples que Christophe Colomb a rencontrés habitaient les îles des Bahamas et des Antilles. On évalue à près d'une centaine de millions le nombre de personnes qui vivaient sur le continent à l'arrivée des Européens.

Les cultures amérindiennes du Grand Nord

Les Inuits (*doc. 1*) étaient nomades. Ils vivaient de la pêche et de la chasse au phoque, à la baleine et au caribou. Ils suivaient les troupeaux et utilisaient la peau, la fourrure et les os des animaux pour fabriquer des outils, des armes et des vêtements.

Les cultures amérindiennes du Nord

Certains peuples d'Amérique du Nord étaient nomades ou semi-nomades et vivaient de la chasse et de la pêche (les Algonquiens, par exemple). D'autres étaient sédentaires et pratiquaient l'agriculture (*doc. 2*). Le maïs était l'aliment le plus répandu en Amérique. On le cultivait du nord au sud. Les Amérindiens recueillaient aussi la sève des érables pour fabriquer le sirop qui est consommé encore aujourd'hui.

1 À bord d'un *umiak*, des Inuits chassent la baleine.

(Collection Jeffrey R. Meyers, New York, États-Unis.)

Les Inuits étaient acclimatés à l'environnement des régions de l'Arctique. Ils utilisaient tous les matériaux disponibles pour assurer leur survie. Leurs abris, les «igloos», étaient construits de blocs de neige et de glace. Aujourd'hui, près de 40 000 Inuits habitent le Grand Nord canadien et l'Alaska.

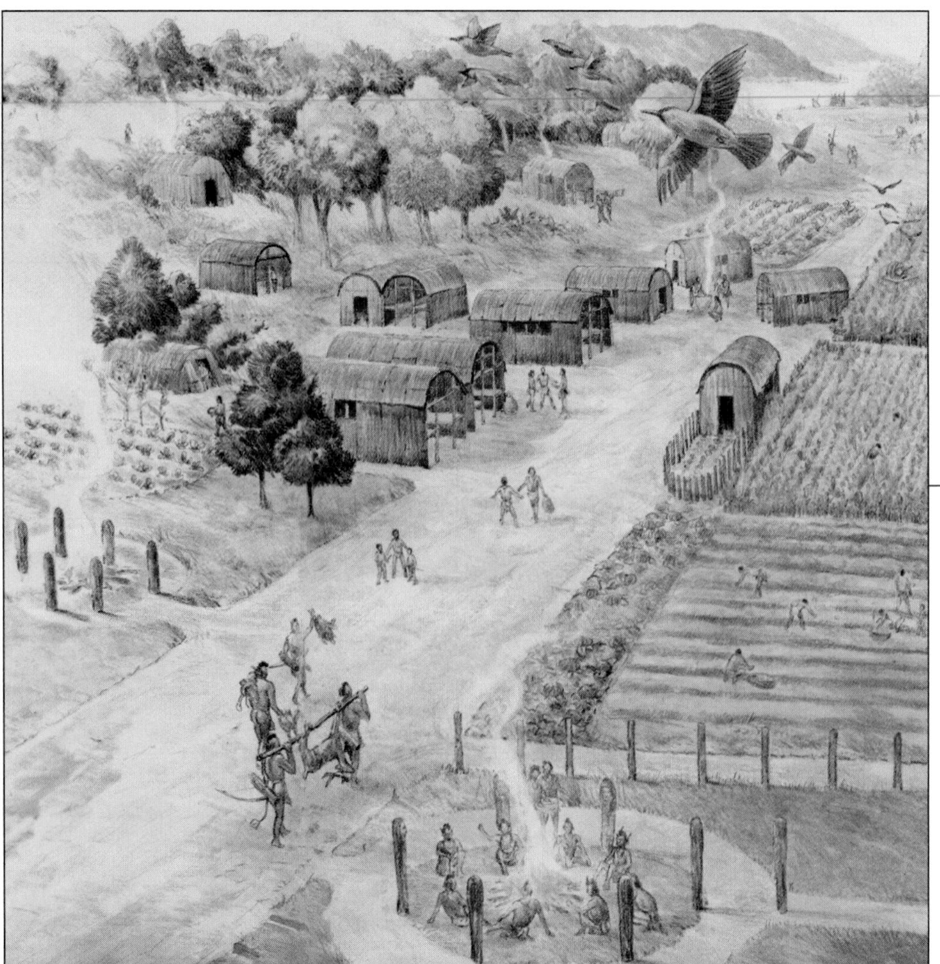

2 Un village iroquoien

Un peuple iroquoien d'Amérique du Nord, les Hurons étaient sédentaires. Ils vivaient sur un vaste territoire qui s'étendait du fleuve Niagara à l'est jusqu'au fleuve Sainte-Claire à l'ouest et jusqu'au lac Érié au sud. Lorsque Jacques Cartier est arrivé, en 1534, la population huronne comptait entre 30 000 et 45 000 personnes. En 1610, elle n'en comptait plus que 10 000.

3 La cité de Teotihuacán près de Mexico RC

En Amérique centrale, les Aztèques ont conquis les populations voisines qui occupaient déjà le territoire. Teotihuacán est l'une des plus anciennes cités de l'Amérique centrale. La capitale de l'Empire aztèque était Tenochtitlán, aujourd'hui Mexico (*doc. 4, p. 59*). On estime à 200 000 personnes la population de cette grande cité aztèque à l'époque de la conquête espagnole.

Les cultures amérindiennes des plaines

Les Amérindiens des plaines (les Sioux et les Cheyennes, par exemple) étaient nomades. Ils chassaient le bison (*doc. 4*). Cet animal herbivore était très important pour la survie de ces peuples: ils se nourrissaient de sa viande et en tiraient les matériaux nécessaires pour fabriquer des outils, des armes de chasse, des vêtements et même des abris.

Les cultures amérindiennes d'Amérique centrale

Deux grandes civilisations ont vécu au Mexique, en Amérique centrale: les Aztèques et les Mayas. Ces sociétés ont bâti de grands empires. Elles ont développé des systèmes d'écriture et des formes d'art. De plus, elles avaient de solides connaissances en mathématiques. Les Aztèques et les Mayas construisaient de grandes cités (*doc. 3*) et des temples dédiés à leurs nombreux dieux. Les astronomes mayas connaissaient le mouvement des astres et des planètes.

Les cultures amérindiennes d'Amérique du Sud

Une autre grande civilisation vivait en Amérique du Sud: les Incas. Ces bâtisseurs d'imposants monuments ont conquis les peuples qui vivaient dans la région de l'actuel Pérou. Les Incas parlaient le quechua, qui est aujourd'hui l'une des langues officielles du Pérou.

L'Amérique du Sud abritait aussi des sociétés nomades, notamment dans la région de l'Amazonie. Ces populations vivaient de la chasse et de la pêche.

À faire

1. Consulte la carte de la page 75. Où se trouve la région des plaines?
2. Quelles nations amérindiennes vivant sur le territoire du Québec actuel étaient nomades? Lesquelles étaient sédentaires?
3. Donne des exemples qui montrent que les populations amérindiennes étaient bien adaptées à leur milieu.

4 Une scène de chasse au bison

(George Catlin, 1832, Smithsonian American Art Museum, Washington, États-Unis.)

Les Amérindiens des plaines dépendaient du bison pour survivre. Ils avaient développé toutes sortes de techniques pour le chasser. Le bison vivait en liberté dans les grandes plaines du centre et de l'ouest des États-Unis et du Canada.

Les enjeux des explorations

À la conquête du territoire américain, les Espagnols et les autres Européens ont rencontré des habitants qui parfois s'opposaient à leur présence, parfois les accueillaient. Les Européens ont établi des villes et des colonies sur les nouvelles terres conquises.

La conquête de l'Amérique

À la recherche d'or et d'argent, les conquistadors G ont parcouru le vaste territoire de l'Amérique centrale et de l'Amérique du Sud. L'Espagnol Hernán Cortés était l'un d'eux. En 1519, il s'est lancé à la conquête du RC Mexique et de sa capitale Tenochtitlán. Avec une armée de 600 hommes seulement, les Espagnols ont fait tomber l'Empire aztèque en très peu de temps. L'empereur aztèque Moctezuma II (*doc. 1*) a abdiqué en remettant aux Espagnols une très grande quantité d'or. Cortés a fondé la ville de Mexico sur les ruines de la capitale aztèque (*doc. 4, p. 59*).

Un autre conquistador espagnol, Francisco Pizzaro, a entrepris la conquête du Pérou en 1533. Il a soumis l'empire des Incas et fait arrêter l'empereur inca Atahualpa, lui réclamant une énorme rançon en or. Les Espagnols ont fondé des colonies en Amérique du Sud et en Amérique centrale : la Nouvelle-Espagne et la Nouvelle-Castille. Ils ont créé un empire.

1 **L'empereur aztèque Moctezuma II se soumet au conquistador espagnol Hernán Cortés.**

(Anonyme, XVIe siècle, musée de l'Amérique, Madrid, Espagne.)

Les conséquences des conquêtes pour les autochtones

Les Amérindiens ont été **décimés** par les mauvais traitements qu'ils ont subis, par la guerre, par l'esclavage et par les maladies. Les Européens apportaient avec eux des maladies et des microbes contre lesquels les autochtones n'avaient aucune défense immunitaire. La variole, la peste et d'autres maladies infectieuses se sont répandues très rapidement dans les populations autochtones.

Les Européens ont introduit en Amérique de nouvelles espèces animales, comme le cheval qui aurait disparu du continent plusieurs siècles auparavant, et de nouvelles espèces végétales, comme la canne à sucre et le coton importés d'Asie. Ils ont imposé leur culture, leur philosophie et leur religion.

Les Européens ont christianisé les Amérindiens. Des missionnaires convertissaient les peuples et établissaient des églises partout sur le continent. La rencontre des deux civilisations était inégale. Elle a transformé les populations d'Amérique et enrichi les conquérants.

Océan Arctique
Inuits
Inuits
Inuits
Inuits
Carriers
Pieds-Noirs
Cris
Chinooks
Comanches
Micmacs
Nez-Percés
Hurons
St-Laurent
Iroquoiens
Algonquiens
Cheyennes
Sioux
Mississippi
Miami
Paiutes
Pueblos
Iowa
Illinois
Rio Grande
Pawnees
Cherokees
Natchez
Choctaw
Apaches
Pimas
Golfe du Mexique
Océan Atlantique
Aztèques
Mayas
Arawaks
Miskitos
Mer des Caraïbes
Guajiros
Chibchas
Tukanos
Arawaks
Équateur
Waiwaïs
Amazone
Océan Pacifique
Cawahibs
Timbiras
Chavantes
Nambikwaras
Incas
Tupinambas
Matacos
Guaranis
Puelches
Araucans
Tehuelches
1 000 km à l'équateur
NORD

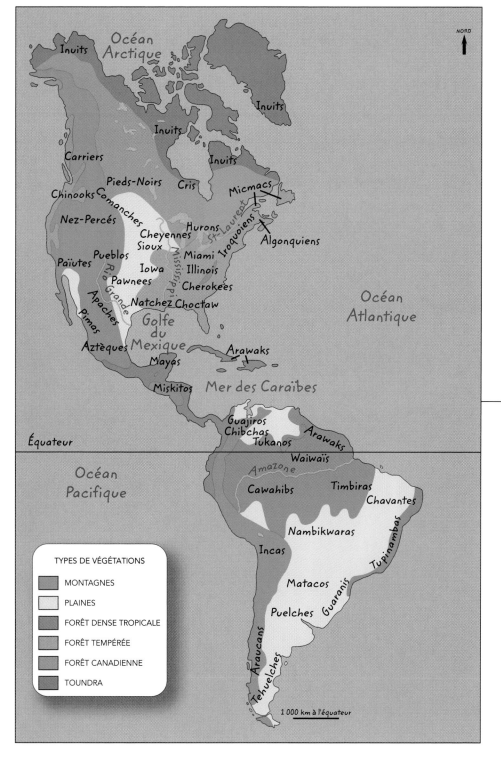

TYPES DE VÉGÉTATIONS

- MONTAGNES
- PLAINES
- FORÊT DENSE TROPICALE
- FORÊT TEMPÉRÉE
- FORÊT CANADIENNE
- TOUNDRA

2 **Les nations amérindiennes et leur milieu naturel au XVe siècle**

À faire

1. (doc. 2) À l'aide de la carte, nomme les nations amérindiennes que tu connais.
2. Quelle grande ville est aujourd'hui construite sur les ruines de la capitale aztèque ?
3. Quelles conséquences la conquête de l'Amérique a-t-elle eues sur les populations autochtones ?

Lexique

Décimer Faire périr un grand nombre de personnes.

3 **Un prêtre espagnol s'indigne de la façon dont les conquistadors traitent les Amérindiens.**

Au XVIe siècle, le prêcheur Antonio Montesino a influencé Bartolomé de Las Casas (*doc. 2 et 5, p. 60 et 61*), qui a ensuite pris la défense des Amérindiens.

«Ces Indiens ne sont-ils pas des hommes ? Ne possèdent-ils pas des âmes rationnelles ? N'êtes-vous pas tenu à les aimer comme vous-même ? Ne le sentez-vous pas ? Comment pouvez-vous vous maintenir à cet égard dans une pareille profondeur de sommeil léthargique ? De quel droit et selon quelle justice les maintenez-vous dans une si cruelle et horrible servitude ? Comment pouvez-vous les maintenir opprimés et épuisés, sans leur donner à manger, ni les soigner dans leurs maladies, par le travail excessif que vous leur imposez et qui les fait mourir ? Pour mieux dire, comment pouvez-vous les tuer, pour extraire et posséder de l'or, chaque jour ?»

Antonio Montesino (1511), cité par Bartolomé de Las Casas dans l'*Histoire des Indes*, 1552-1559.

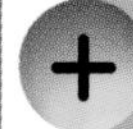

Le développement d'une première forme d'économie mondiale

Les conquêtes européennes ont entraîné le développement du commerce et de l'économie à l'échelle de la Terre. Les Européens ont développé un réseau d'échanges commerciaux entre l'Amérique, l'Afrique et l'Europe. Ils ont construit de vastes empires en Amérique et ont contribué à enrichir les métropoles européennes. C'est ce que l'on appelle le «colonialisme commercial».

Les enjeux des grandes explorations

Les réseaux d'échanges économiques constituent la principale conséquence de l'expansion européenne dans le monde. Les Européens ont exploité les mines d'or des Aztèques et des Incas; ils ont exploité les ressources naturelles, comme le bois pour fabriquer des navires, et les fourrures et le cuir pour confectionner des vêtements. Ils exportaient ces matières premières en Europe où elles étaient transformées en produits manufacturés.

Les conquérants ont découvert de nouvelles espèces animales et végétales en Amérique. Des produits comme la pomme de terre, le maïs, le chocolat et la tomate ont été introduits en Europe et ont contribué à nourrir les populations.

1 Le commerce triangulaire au XVIIe siècle

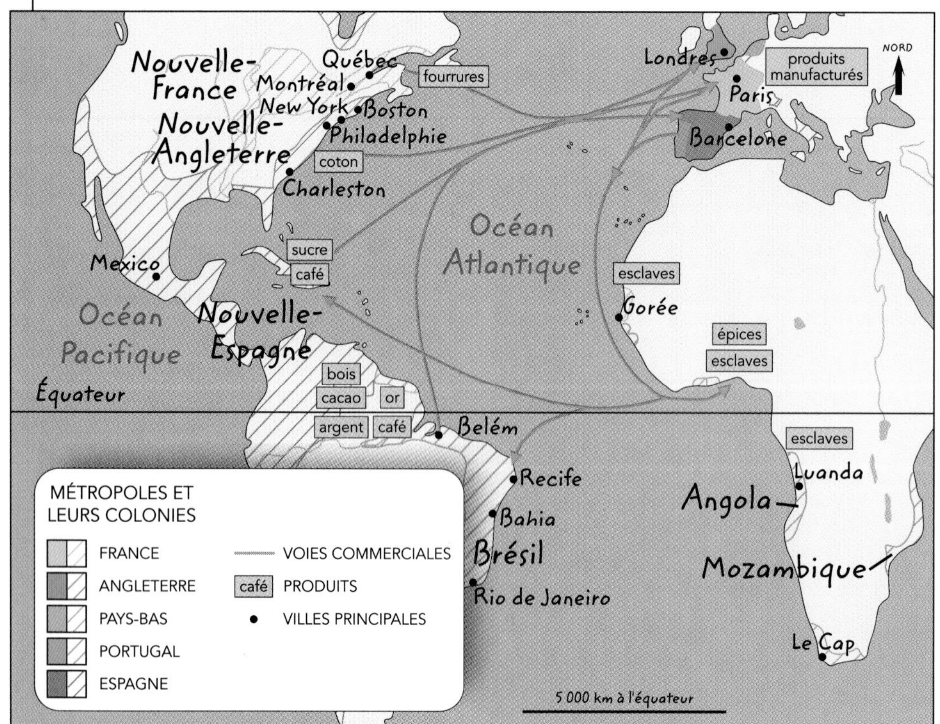

2 Un héros haïtien

(Gravure, 1805, Angleterre.)

Toussaint-Louverture

(1743–1803)

François Dominique Toussaint, dit Toussaint-Louverture, était un esclave noir affranchi qui a lutté pour l'indépendance d'Haïti. L'esclavage a été aboli définitivement en 1804, après l'indépendance de la colonie.

L'esclavage vu par un philosophe français

«Arracher des hommes de leur pays, par la trahison et par la violence, pour les exposer en vente dans des marchés publics comme des bêtes de somme; s'accoutumer à ne mettre aucune différence entre eux et les animaux; les contraindre au travail à force de coups; les nourrir non pour qu'ils vivent, mais pour qu'ils rapportent; les abandonner dans la vieillesse ou la maladie, lorsque l'on n'espère plus de regagner par leur travail ce qu'il en coûterait pour les soigner; ne leur permettre d'être père que pour donner le jour à des enfants destinés aux mêmes misères, devenus comme eux la propriété de leur maître, qui peut les leur arracher et les vendre [...] Voilà comme nous traitons d'autres hommes! Ce serait une horrible barbarie si ces hommes étaient blancs; mais ils sont noirs, et cela change toutes nos idées. L'Américain oublie que les **nègres** sont des hommes [...]»

Jean Antoine Nicolas de Caritat, marquis de Condorcet, *Remarques sur les pensées de Pascal* (1774), dans Jean Breteau et Marcel Lancelin, *Des chaînes à la liberté*, Éditions Apogée, 1998.

La traite des Noirs et le commerce triangulaire

Au XVIe siècle, les guerres, le travail forcé et les maladies avaient ravagé les populations autochtones de l'Amérique centrale et de l'Amérique du Sud. Pour remplacer cette main-d'œuvre, les commerçants européens ont commencé à pratiquer la traite des Noirs. Les navires marchands quittaient les ports d'Europe en direction des côtes africaines, où les Européens échangeaient des marchandises contre des esclaves noirs. Enchaînés au fond des cales des navires, les esclaves d'Afrique étaient transportés dans les colonies de l'Amérique où ils étaient vendus ou échangés contre des produits comme le coton, le cacao, le sucre et le bois, que les Européens rapportaient en Europe. Ce commerce très **lucratif** s'appelait le «commerce triangulaire» (*doc. 1*).

La traite des Noirs, qui a été pratiquée pendant plus de 300 ans, a touché plus de 25 millions d'Africains. Dans les colonies de l'Amérique, les esclaves, hommes, femmes et enfants, travaillaient dans les plantations de canne à sucre et de coton, dans les mines et dans les maisons comme domestiques. Ils travaillaient aussi dans les différentes industries. Les esclaves appartenaient à la personne qui les avait achetés. Ils n'avaient aucun droit et aucun privilège. Ils pouvaient être affranchis si leur maître acceptait de les libérer.

4 **En 1830, des esclaves africains sont embarqués sur un navire pour être vendus en Amérique.**

(Gravure sur bois, 1830.)

Aux États-Unis, l'esclavage a été aboli en 1865.

À faire

1. À qui les réseaux d'échanges commerciaux établis par les Européens aux XVIe et XVIIe siècles ont-ils profité le plus?
2. (doc. 3) D'après toi, le marquis de Condorcet était-il en faveur de l'esclavage? Justifie ta réponse.
3. Explique pourquoi le mot «nègre» est aujourd'hui péjoratif.

Lexique

Lucratif, ive Qui procure des profits.

Métropole État colonisateur, royaume européen.

Nègre Du mot espagnol *negro*, «noir». Ce mot, qui désigne une personne de couleur noire, est péjoratif. Autrefois, il désignait un esclave noir.

... sur l'expansion européenne dans le monde.

JE FAIS LE POINT...

Le contexte économique et technologique

Au XVe siècle, les routes commerciales qui permettaient aux Européens de se procurer les précieuses épices d'Asie ont été coupées. Le besoin de trouver de nouvelles routes les a poussés à explorer des terres jusqu'alors inconnues.

Le contexte philosophique de la Renaissance et les innovations technologiques en navigation ont permis aux navigateurs d'entreprendre de grandes explorations. Grâce aux nouvelles techniques de navigation et de construction navale, il devenait possible de traverser l'océan Atlantique.

Les enjeux des grandes explorations

1. Avant l'arrivée de Christophe Colomb, l'Amérique était habitée par des peuples de diverses cultures, qui parlaient des langues différentes. Les grandes explorations ont eu plusieurs conséquences sur les populations autochtones. Ces peuples ont été victimes des guerres, des maladies et de l'esclavage. Les Européens leur ont imposé leur religion, le christianisme, et une nouvelle culture. Ils ont colonisé les nouveaux territoires et ont créé des empires.
2. À partir du XVIe siècle, les esclaves africains ont remplacé les esclaves autochtones décimés par la maladie et les mauvais traitements. Ces esclaves étaient transportés par millions de l'Afrique jusqu'en Amérique pour y travailler.
3. Les grandes explorations ont contribué à instaurer un nouveau système de commerce entre l'Europe, l'Afrique et l'Amérique qui a enrichi les royaumes européens. Ce système de commerce triangulaire était la première forme d'économie mondiale.

Les grandes découvertes

En 1492, Christophe Colomb est parti avec trois navires, la *Pinta*, la *Niña* et la *Santa María*. Il n'a jamais atteint l'Inde, mais il a découvert un nouveau continent qui sera appelé «Amérique», du nom d'un explorateur italien, Amerigo Vespucci.

D'autres explorateurs ont tenté de trouver une nouvelle route vers l'Inde. Le navigateur portugais Fernand de Magellan a été le capitaine de la première expédition à faire le tour du monde. Vasco de Gama a réussi à atteindre l'Inde en contournant l'Afrique. En 1534, Jacques Cartier a exploré le territoire du Québec actuel.

1453 Prise de Constantinople

MOYEN ÂGE

1487 Bartolomeu Dias explore la côte ouest-africaine.

1492 Christophe Colomb découvre l'Amérique.

1498 Vasco de Gama en Inde

1501 Premiers esclaves noirs en Amérique

1519 Magellan entreprend le premier tour du monde.

1521 Conquête de l'Empire aztèque par Cortés

1533 Conquête de l'Empire inca par Pizarro

1534 Jacques Cartier explore le Canada.

TEMPS MODERNES

1608 Fondation de Québec

1775 Révolution américaine

1789 Révolution française

ÉPOQUE CONTEMPORAINE

… sur les concepts liés à l'économie mondiale.

Aujourd'hui encore, les concepts ci-dessous nous aident à comprendre les échanges culturels et économiques entre les sociétés.

Qu'est-ce qui caractérise l'ÉCONOMIE MONDIALE du XVIe au XVIIIe siècle ?

Les navires de Christophe Colomb : la *Pinta*, la *Niña* et la *Santa María*.

L'expansion européenne a contribué au développement d'une première forme d'économie mondiale.

Quelles TECHNOLOGIES ont contribué au développement d'une économie mondiale ?

Les nouvelles technologies en navigation et en construction navale ont favorisé les grands voyages d'exploration.

Pourquoi y a-t-il eu COLONISATION de l'Amérique ?

- Les Européens cherchaient un passage occidental vers l'Inde.
- Recherche d'or et d'argent.
- Exploitation des ressources naturelles.
- Développement du commerce.

Quel type de COMMERCE pratiquait-on ?

- Développement du commerce triangulaire entre l'Europe, l'Amérique et l'Afrique.
- Échanges de différents produits, matières premières et ressources naturelles provenant de l'Amérique, d'esclaves provenant de l'Afrique, de produits manufacturés provenant de l'Europe.
- Développement d'une première forme de commerce mondial.

Que sont les GRANDES DÉCOUVERTES ?

Les Européens appelaient «découvertes» ce qui était inconnu des Anciens (des Grecs et des Romains). Aujourd'hui, on appelle «grandes découvertes» les découvertes géographiques qui ont marqué l'Occident aux XVe et XVIe siècles.

Existait-il des EMPIRES ?

- Avant l'arrivée des Européens : Empires maya, inca et aztèque.
- Les Européens ont fondé des empires coloniaux.

Pourquoi pratiquait-on l'ESCLAVAGE ?

- Besoin de main-d'œuvre pour travailler dans les plantations.
- Esclaves amérindiens, ensuite africains.

Quelle était la CULTURE dominante ?

Les Européens ont imposé leur culture aux populations conquises.

À quels TERRITOIRES l'économie de cette époque s'étendait-elle ?

D'abord à l'Amérique, puis à l'ensemble du monde.

Quels ont été les ENJEUX de l'expansion européenne ?

- Découverte de nouvelles routes pour le commerce.
- Enrichissement des empires coloniaux.
- Exploitation des Amérindiens, puis des Africains.

ET TOI ?

La société dans laquelle tu vis entretient aussi des relations économiques et culturelles avec d'autres sociétés. Tu peux analyser la situation à l'aide de ce tableau.

Fais-en l'essai !

Analyser une bande dessinée historique à l'aide de documents

La bande dessinée historique est un ouvrage de fiction qui s'inspire de la réalité historique. On y trouve de nombreux renseignements sur le passé, mais pour l'analyser il faut se fonder sur des connaissances et sur des documents historiques.

1 Le Code noir

Le Code noir était une loi qui assurait le contrôle sur les esclaves noirs dans les Antilles françaises au XVIIe siècle.

«**Article 22**
Seront tenus les maîtres de faire fournir, par chacune semaine, à leurs esclaves âgés de dix ans et au-dessus, pour leur nourriture, deux pots et demi, mesure de Paris, de farine de manioc, ou trois cassaves [galettes de manioc] pesant chacune deux livres et demie au moins, ou choses équivalentes, avec deux livres de bœuf salé ou trois livres de poisson ou autres choses à proportion; et aux enfants, depuis qu'ils sont sevrés jusqu'à l'âge de dix ans, la moitié des vivres ci-dessus.

«**Article 38**
L'esclave fugitif qui aura été en fuite pendant un mois, à compter du jour que son maître l'aura dénoncé en justice, aura les oreilles coupées et sera marqué d'une fleur de lys sur une épaule; et s'il récidive une autre fois, à compter pareillement du jour de la dénonciation, il aura le jarret coupé et il sera marqué d'une fleur de lys sur l'autre épaule; et la troisième fois, il sera puni de mort.

«**Article 54**
Enjoignons aux gardiens nobles et bourgeois usufruitiers, amodiateurs et autres jouissants des fonds auxquels sont attachés des esclaves qui y travaillent, de gouverner lesdits esclaves comme bons pères de famille [...].»

Extraits du Code noir, 1685.

Étude de la bande dessinée historique à l'aide de documents

ÉTAPE 1 – Les objectifs de cette étude

Pourquoi dois-je lire les documents ? Comment ces documents m'aideront-ils à analyser la bande dessinée ?

ÉTAPE 2 – L'étude de la bande dessinée

1. **a)** Avant de lire le texte, essaie de déterminer où et quand l'action se déroule.
   b) Qui sont les personnages ?
   c) Que font-ils ?
2. Lis la bande dessinée.
   a) Où et quand l'action se déroule-t-elle ?
   b) Résume brièvement les renseignements contenus dans le texte.

ÉTAPE 3 – La lecture des documents

1. Les documents sont-ils des sources de première main ou des sources de seconde main ?
2. Que révèlent ces documents sur l'esclavage ?

ÉTAPE 4 – L'interprétation de la bande dessinée

1. Que nous apprend cette bande dessinée sur l'esclavage ?
2. Résume en quelques phrases ce que tu connais au sujet de l'esclavage.

2 Montesquieu, philosophe français

«Si j'avais à soutenir le droit que nous avons eu de rendre les nègres[G] esclaves, voici ce que je dirais:

Les peuples d'Europe ayant exterminé ceux de l'Amérique, ils ont dû mettre en esclavage ceux de l'Afrique, pour s'en servir à défricher tant de terres.

Le sucre serait trop cher, si l'on ne faisait travailler la plante qui le produit par des esclaves.»

Montesquieu, *De l'esprit des lois*, livre XV, chap. 5, 1748.

3 Le bois d'ébène

François Bourgeon, *Les passagers du vent*, tome 5, *Le bois d'ébène*, Casterman, 1994.

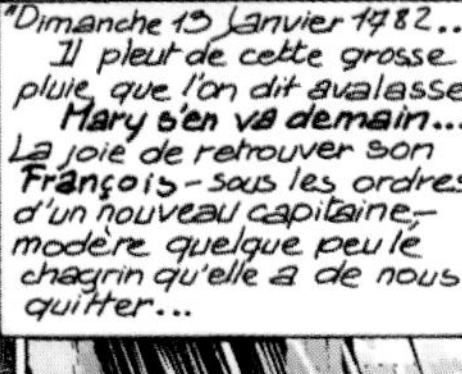

Méthode

Étudier une bande dessinée historique à l'aide de documents

ÉTAPE 1 – Les objectifs de l'étude

Déterminer les raisons pour lesquelles il faut lire des documents pour analyser une bande dessinée historique.

ÉTAPE 2 – L'étude de la bande dessinée

1. Analyser les images.
2. Analyser le texte.

ÉTAPE 3 – La lecture des documents

1. Lire les documents et déterminer leur type.
2. Relever, dans les documents, des renseignements qui seront utiles pour analyser la bande dessinée historique.

ÉTAPE 4 – L'interprétation de la bande dessinée

1. Rédiger une courte analyse de la bande dessinée.
2. Décrire la réalité historique de laquelle la bande dessinée est inspirée.

LES MÉTIERS DE L'HISTOIRE

L'archéologue

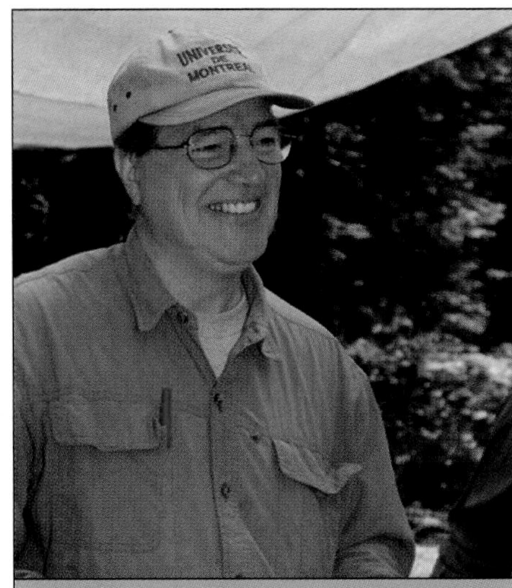

CLAUDE CHAPDELAINE, ARCHÉOLOGUE

M. Claude Chapdelaine, vous êtes archéologue. Parlez-nous de votre profession.

C. C. – L'archéologie est d'abord une vocation. Il faut avoir une passion pour l'histoire. L'archéologue n'est pas un chercheur ou une chercheuse de trésors du passé, même s'il lui arrive d'en trouver à l'occasion. Son rôle est avant tout de reconstituer l'histoire des sociétés disparues. L'archéologue de la préhistoire étudie des civilisations et des sociétés qui ne connaissaient pas l'écriture. Il lui faut donc retrouver des traces de ces sociétés. Toutes les sociétés humaines laissent des déchets sur leur passage. Ces objets deviennent les sources et la matière à partir desquelles l'archéologue reconstitue leur histoire.

Décrivez-nous quelques aspects de votre travail.

C. C. – L'archéologue n'a pas de livres ou d'archives. Il ou elle travaille à partir d'archives particulières : les sites archéologiques. Une première partie de son travail consiste à fouiller ces sites afin de collecter des objets, des indices et des informations sur ces sociétés. Il faut ensuite effectuer une enquête en laboratoire afin de reconstituer le passé. Pour un mois de fouilles sur un site, l'archéologue peut consacrer onze mois au travail en laboratoire. Cette personne ne travaille pas seule. Elle est accompagnée d'une équipe. Ce sont souvent des étudiants et des étudiantes en archéologie qui l'aident dans ses recherches.

Il existe deux types d'archéologues : les archéologues qui travaillent pour des firmes privées, et ceux et celles qui œuvrent dans les universités. Les archéologues universitaires doivent consacrer une bonne partie de leur temps à l'enseignement.

Au Québec, un archéologue sur dix pratique son métier dans un cadre universitaire. Les autres sont principalement à l'emploi de firmes privées.

UN ORNEMENT FABRIQUÉ DE PIERRES POLIES
(Vers 1300, Musée McCord d'histoire canadienne, Montréal, Canada.)
Découvert lors de fouilles dans les forêts de l'Est canadien, ce collier est un exemple des artéfacts que découvrent les archéologues. Il aurait été fabriqué vers 1300, avant les premiers contacts des nations autochtones avec les Européens.

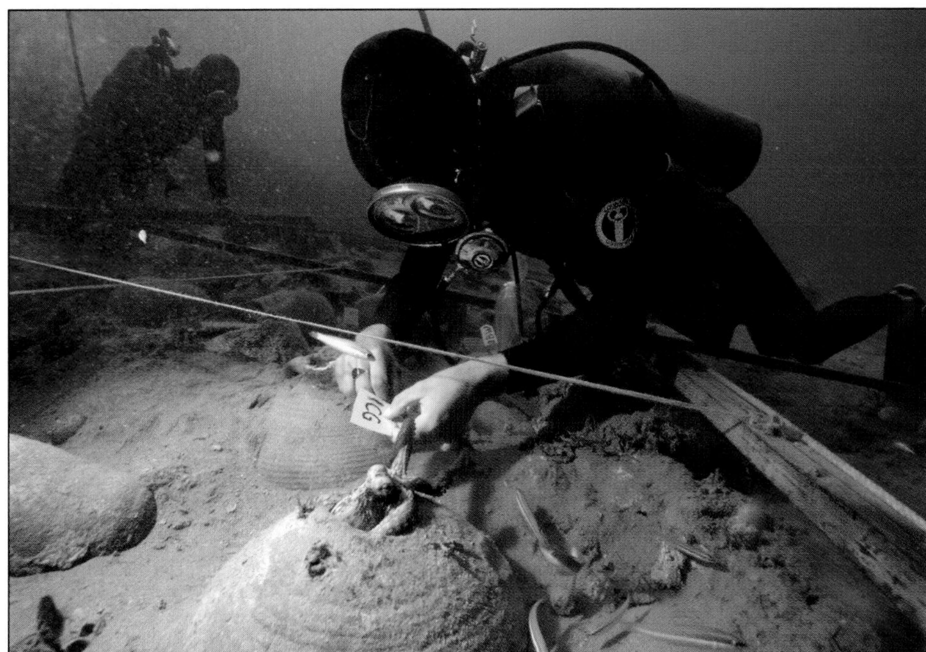

L'ARCHÉOLOGIE SOUS-MARINE
Ces archéologues explorent les fonds marins à la recherche de vestiges de sociétés du passé.

« L'archéologue n'est pas un chercheur ou une chercheuse de trésors du passé, même s'il lui arrive d'en trouver à l'occasion. Son rôle est avant tout de reconstituer l'histoire des sociétés disparues. »

Claude Chapdelaine

Quelles études doit-on faire pour devenir archéologue ?

C. C. – Après le secondaire, il faut faire des études collégiales, puis un baccalauréat en histoire ou en anthropologie. Plusieurs universités offrent ces programmes au Québec. Il faut ensuite faire une maîtrise en archéologie, au cours de laquelle les étudiants et étudiantes ont la chance de faire des fouilles et des recherches. Il est possible de pratiquer le métier d'archéologue après avoir obtenu sa maîtrise, mais pour devenir professeur et chercheur dans une université, il faut faire un doctorat.

Quels étaient vos rêves et vos ambitions lorsque vous étiez plus jeune ?

C. C. – Lorsque j'étais plus jeune, je m'intéressais à l'histoire de l'Antiquité et aux autres sociétés. Le métier d'archéologue me fascinait. Il représentait l'aventure. C'est un héros de romans d'aventures, Bob Morane, qui m'a fait découvrir mon goût pour l'histoire, les voyages et la rencontre de nouvelles cultures. C'est donc lui qui m'a amené à devenir archéologue.

Quel a été votre cheminement personnel ?

C. C. – En 1972, j'ai obtenu un baccalauréat en histoire de l'Université d'Ottawa. À cette époque, je me suis rendu compte que l'archéologie s'étudie au sein des départements d'anthropologie. J'ai donc entrepris et obtenu une maîtrise et un doctorat en anthropologie à l'Université de Montréal. Ma recherche portait sur la variabilité culturelle des populations amérindiennes agricultrices du Québec avant l'arrivée des Européens. Je pratique et j'enseigne depuis 1988 à cette même université.

UN SITE DE FOUILLES ARCHÉOLOGIQUES À TILLE, EN TURQUIE
Des archéologues britanniques font des fouilles sur le site de Tille Höyük, un village néolithique découvert en Turquie.

ET AUJOURD'HUI...

Les rapports économiques et culturels entre les sociétés

Notre façon de consommer des produits a une influence sur d'autres sociétés. Les sociétés entretiennent des rapports économiques entre elles. Ces rapports ont des répercussions sur les travailleurs et les travailleuses et sur les populations.

1 Laure Waridel, une Québécoise née en Suisse, sur le commerce équitable

«Le monde est injuste et nous le savons tous. Ce que ce livre tente de montrer, c'est que nous pouvons y faire une différence, beaucoup plus grande que nous l'imaginons. Chacun de nos choix a un effet sur la vie d'autrui et sur l'environnement. Nous sommes continuellement en lien avec des milliers d'hommes, de femmes et d'enfants qui ont cultivé la nourriture que nous mangeons, ont cousu les vêtements que nous portons et ont fabriqué les produits qui nous entourent. Si les étiquettes apposées sur ces objets nous permettaient de voir ces gens, nous ferions sans doute nos achats bien autrement.»

Laure Waridel, *Acheter, c'est voter – Le cas du café*, trad. L. Laplante, Montréal, Écosociété/Équiterre, 2005.

2 Les désavantages du commerce équitable

Il est parfois difficile de certifier que des salaires équitables ont été versés aux travailleurs et travailleuses, et que le producteur n'a eu recours ni au travail des enfants ni au travail forcé.

Les produits certifiés équitables sont souvent plus dispendieux et difficiles à obtenir dans les grands points de vente. Ils sont peu distribués par les grands détaillants.

Le choix de produits certifiés est restreint. Pour l'instant, il s'agit principalement de denrées alimentaires comme les bananes, le cacao, les thés noir et vert, le café et le chocolat.

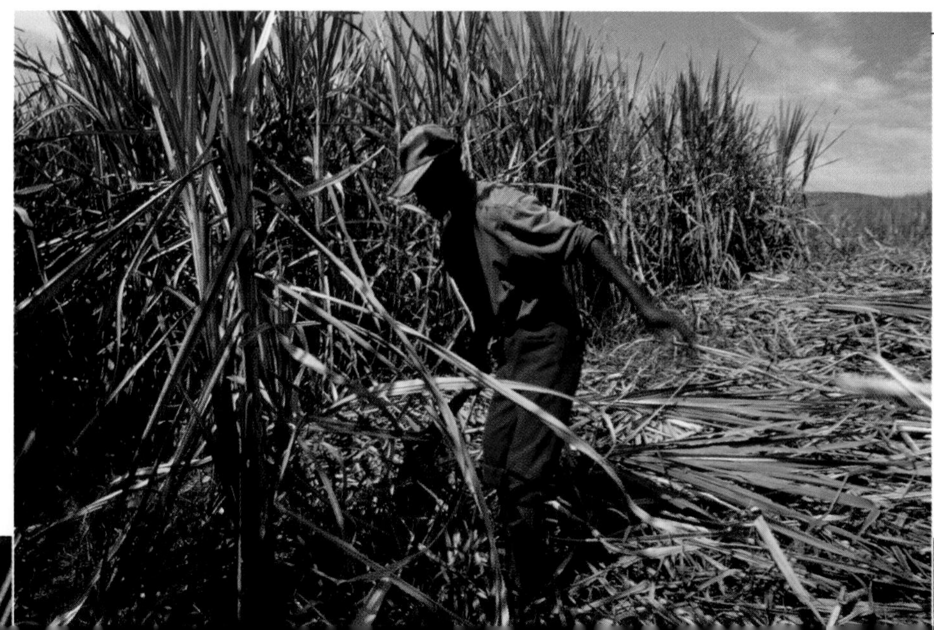

3 La culture de la canne à sucre en République dominicaine

À Haïti et en République dominicaine, des hommes, des femmes et des enfants cultivent la canne à sucre dans des conditions de travail qui ressemblent à de l'esclavage. Ces personnes ne reçoivent pas un salaire convenable; elles sont obligées de travailler toute la journée pour des employeurs qui les exploitent.

4 Un rapport de l'ONU: deux cents millions d'enfants au travail forcé

«Deux cents millions d'enfants de cinq à quatorze ans sont contraints au travail dans une centaine de pays, "le plus souvent employés par des adultes rapaces à des tâches dangereuses", indique un rapport publié aujourd'hui à Genève par le Bureau international du travail (BIT). Revoyant à la hausse ses précédentes estimations, le BIT indique que 61 % de ces enfants travaillent en Asie, 32 % en Afrique et 7 % en Amérique latine. La moitié d'entre eux sont employés à temps plein. L'organisation onusienne recommande l'élaboration d'une nouvelle convention internationale "qui serait spécifiquement consacrée aux pires formes du travail des enfants", reposant sur "l'esclavage, la servitude pour dettes, la prostitution et le travail forcé".»

L'Humanité, 12 novembre 1996.

5 Vers des relations commerciales plus justes

Si je suis le producteur ou la productrice…

- Je n'ai pas recours au travail des enfants ni au travail forcé.
- Je verse à mes ouvrières et à mes ouvriers des salaires équitables.
- Je respecte et je protège l'environnement.
- Je respecte la liberté syndicale.
- Je respecte les normes internationales de sécurité et d'hygiène.
- Je garantis la qualité de ma marchandise à l'acheteur ou à l'acheteuse.

Si je suis l'acheteur ou l'acheteuse…

- Je m'engage à entretenir des relations commerciales stables avec le producteur ou la productrice.
- Je garantis un prix minimal raisonnable au producteur ou à la productrice.
- Je paie mes marchandises lorsque je les commande.
- Je contribue au financement des projets de développement du producteur ou de la productrice.
- J'accorde des délais de production raisonnables.

À faire

1. Qu'est-ce que le commerce équitable?
2. Selon toi, quelle est notre part de responsabilité, en tant que consommateurs et consommatrices, pour le travail des enfants?

FAIR TRADE CERTIFIED
CERTIFIÉ ÉQUITABLE
RECHERCHEZ CE LOGO

6 Le commerce équitable

Au Canada, ce logo de Transfair Canada, un organisme chapeauté par la FLO (la Fair Trade Labelling Organization), est la seule garantie indépendante qu'un produit a été acheté dans des conditions équitables. La FLO établit les normes internationales du commerce équitable.

Selon moi…

Peux-tu intervenir pour changer les rapports économiques avec les autres sociétés? Si oui, comment? Quelle pourrait être ta contribution pour améliorer les rapports économiques et culturels entre les sociétés?

9 LES RÉVOLUTIONS AMÉRICAINE ET FRANÇAISE

ÉPOQUES MÉMORABLES DE LA RÉVOLUTION FRANÇAISE.
Merkwürdige Zeipunkte der französischen Rewolution.

Serment du Jeu de Paume. (20 juin 1789.)
Schwur im Balensaal.

Prise de la Bastille. (14 juillet 1789.)
Eroberung der Bastil (Staatsgefängniß).

Fête de la Fédération au Champ de Mars. (14 juillet 1790.)
Fest der Vereinigung.

La Révolution française

(Jean-Charles Pellerin éditeur, planche de l'*Imagerie d'Épinal* [détail], vers 1840, Châteaux de Malmaison et Bois-Préau, Malmaison, France.)

La Révolution française marque un tournant majeur dans la vie de toute la population de la France.
Le pouvoir du roi est anéanti alors que l'Assemblée nationale, élue par le peuple, prend les décisions.

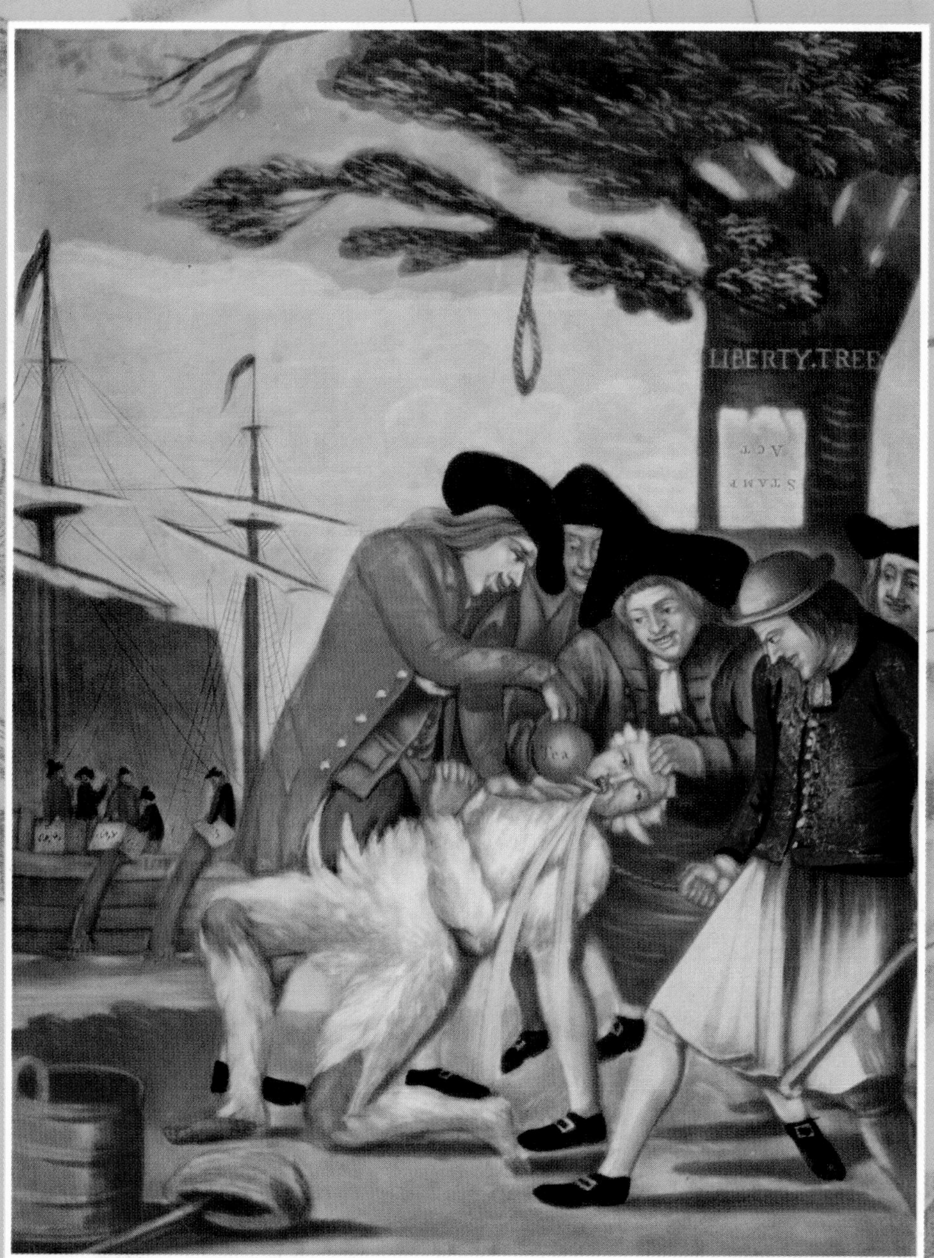

La révolution américaine

(Philip Dawe, 1774, collection particulière.)

La lourdeur des impôts que les colons américains devaient payer à l'Angleterre a été l'une des principales causes de la révolution américaine. Cette gravure illustre le sort réservé aux percepteurs – en l'occurrence le traître Johnny Malcolm – par «Les fils de la Liberté», des patriotes bostonnais qui se réunissaient sous un orme appelé «L'arbre de la Liberté». Au fond, le navire depuis lequel des opposants aux fonctionnaires anglais vident des caisses de thé dans la mer, une scène qui rappelle

RC le *Boston Tea Party* (*doc. 8, p. 97*).

SOMMAIRE

Les révolutions américaine et française 88

Les droits

Autour de toi 90

Au passé 92

PISTES DE RECHERCHE

1. Les idées des Lumières étaient-elles révolutionnaires ? 94
2. Pourquoi faire une révolution ? 96
3. Après la révolution, quel régime politique choisir ? 98
4. Les mêmes droits pour tous et toutes ? 100

J'AI DÉCOUVERT... 102

SAVOIR 104

JE FAIS LE POINT... 112

SAVOIR-FAIRE

Étudier le symbolisme d'une œuvre d'art 114

LES MÉTIERS DE L'HISTOIRE

Le professeur ou la professeure d'histoire 116

AILLEURS... 118

PROJET – La Russie tsariste 120

SYNTHÈSE ET COMPARAISON 126

ET AUJOURD'HUI...

Les droits 128

La révolution américaine

La Révolution française

La Russie tsariste

Les révolutions américaine et française

Au XVIIIe siècle, à quelques années d'intervalle, deux grandes nations ont connu d'importants bouleversements provoqués par la volonté croissante des populations d'obtenir plus de libertés et de droits.

La statue de la Liberté à New York, aux États-Unis

La statue de la Liberté, aussi appelée «La Liberté éclairant le monde», est l'un des symboles les plus connus de la liberté du peuple états-unien. Elle représente la démocratie et l'indépendance que les États-Unis ont gagnées par la révolution. Offerte en cadeau aux États-Unis par la France, elle a été inaugurée en 1886 pour célébrer le centenaire de la Déclaration d'Indépendance du 4 juillet 1776.

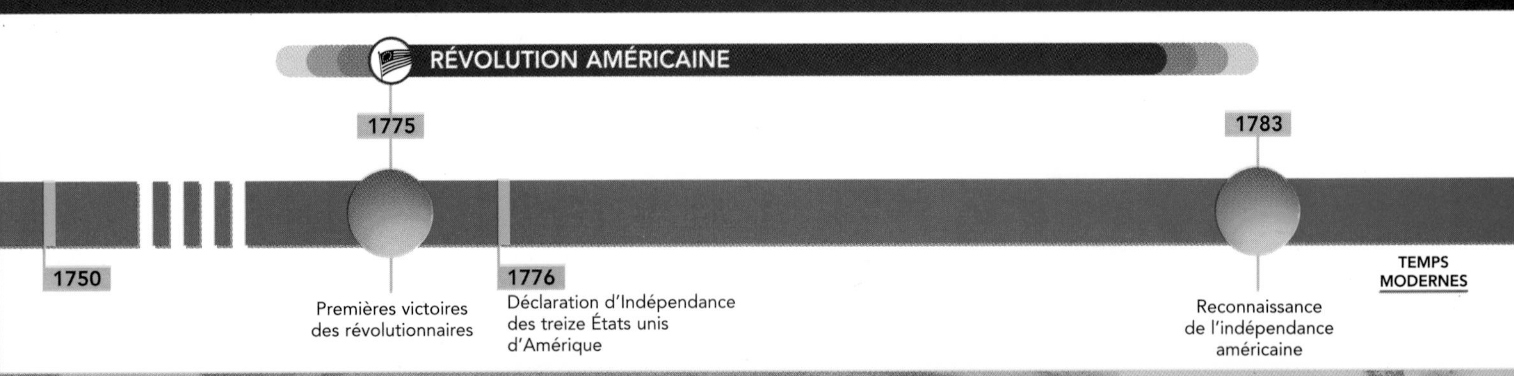

Les treize États unis d'Amérique en 1776

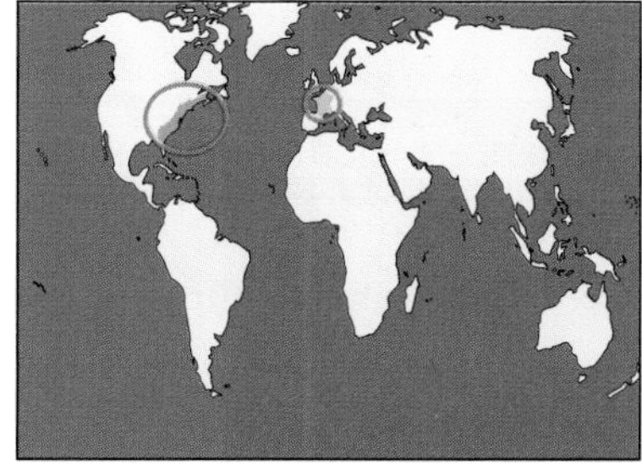

La France en 1789

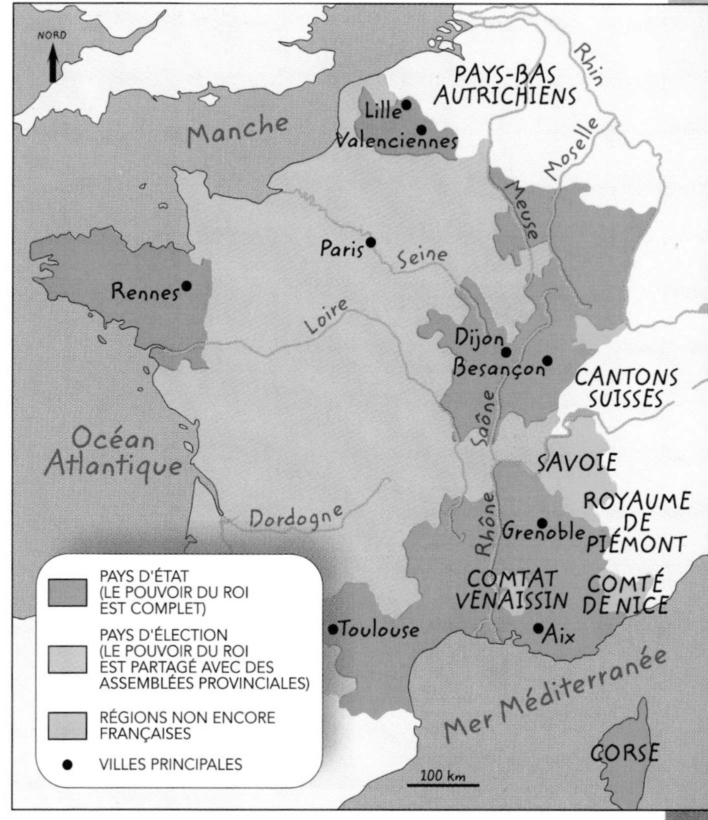

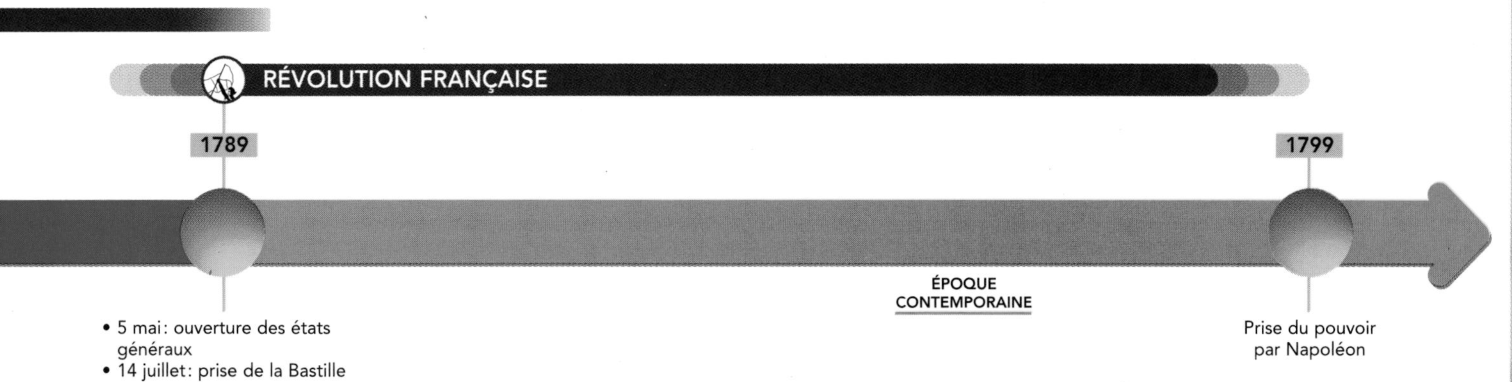

Libertés fondamentales

2. Chacun a les libertés fondamentales suivantes:

a) liberté de conscience et de religion;

b) liberté de pensée, de croyance, d'opinion et d'expression, y compris la liberté de la presse et des autres moyens de communication;

c) liberté de réunion pacifique;

d) liberté d'association.

Droits à l'égalité

15. (1) La loi ne fait acception de personne et s'applique également à tous, et tous ont droit à la même protection et au même bénéfice de la loi, indépendamment de toute discrimination, notamment des discriminations fondées sur la race, l'origine nationale ou ethnique, la couleur, la religion, le sexe, l'âge ou les déficiences mentales ou physiques.

CHARTE CANADIENNE DES DROITS ET LIBERTÉS

Attendu que le Canada est fondé sur des principes qui reconnaissent la suprématie de Dieu et la primauté du droit:

Garantie des droits et libertés

1. La *Charte canadienne des droits et libertés* garantit les droits et libertés qui y sont énoncés. Ils ne peuvent être restreints que par une règle de droit, dans des limites qui soient raisonnables et dont la justification puisse se démontrer dans le cadre d'une société libre et démocratique.

Libertés fondamentales

2. Chacun a les libertés fondamentales suivantes: *a)* liberté de conscience et de religion; *b)* liberté de pensée, de croyance, d'opinion et d'expression, y compris la liberté de la presse et des autres moyens de communication; *c)* liberté de réunion pacifique; *d)* liberté d'association.

Droits démocratiques

3. Tout citoyen canadien a le droit de vote et est éligible aux élections législatives fédérales ou provinciales. 4.(1) Le mandat maximal de la Chambre des communes et des assemblées législatives est de cinq ans à compter de la date fixée pour le retour des brefs relatifs aux élections générales correspondantes. (2) Le mandat de la Chambre des communes ou celui d'une assemblée législative peut être prolongé respectivement par le Parlement ou par la législature en question au-delà de cinq ans en cas de guerre, d'invasion ou d'insurrection, réelles ou appréhendées, pourvu que cette prolongation ne fasse pas l'objet d'une opposition exprimée par les voix de plus du tiers des députés de la Chambre des communes ou de l'assemblée législative. 5. Le Parlement et les législatures tiennent une séance au moins une fois tous les douze mois.

Liberté de circulation et d'établissement

6.(1) Tout citoyen canadien a le droit de demeurer au Canada, d'y entrer ou d'en sortir. (2) Tout citoyen canadien et toute personne ayant le statut de résident permanent au Canada ont le droit: *a)* de se déplacer dans tout le pays et d'établir leur résidence dans toute province; *b)* de gagner leur vie dans toute province. (3) Les droits mentionnés au paragraphe (2) sont subordonnés: *a)* aux lois et usages d'application générale en vigueur dans une province donnée, s'ils n'établissent entre les personnes aucune distinction fondée principalement sur la province de résidence antérieure ou actuelle; *b)* aux lois prévoyant de justes conditions de résidence en vue de l'obtention des services sociaux publics. (4) Les paragraphes (2) et (3) n'ont pas pour objet d'interdire les lois, programmes ou activités destinés à améliorer, dans une province, la situation d'individus défavorisés socialement ou économiquement, si le taux d'emploi dans la province est inférieur à la moyenne nationale.

Garanties juridiques

7. Chacun a droit à la vie, à la liberté et à la sécurité de sa personne; il ne peut être porté atteinte à ce droit qu'en conformité avec les principes de justice fondamentale. 8. Chacun a droit à la protection contre les fouilles, les perquisitions ou les saisies abusives. 9. Chacun a droit à la protection contre la détention ou l'emprisonnement arbitraires. 10. Chacun a le droit, en cas d'arrestation ou de détention: *a)* d'être informé dans les plus brefs délais des motifs de son arrestation ou de sa détention; *b)* d'avoir recours sans délai à l'assistance d'un avocat et d'être informé de ce droit; *c)* de faire contrôler, par *habeas corpus*, la légalité de sa détention et d'obtenir, le cas échéant, sa libération. 11 Tout inculpé a le droit: *a)* d'être informé sans délai anormal de l'infraction précise qu'on lui reproche; *b)* d'être jugé dans un délai raisonnable; *c)* de ne pas être contraint de témoigner contre lui-même dans toute poursuite intentée contre lui pour l'infraction qu'on lui reproche; *d)* d'être présumé innocent tant qu'il n'est pas déclaré coupable, conformément à la loi, par un tribunal indépendant et impartial à l'issue d'un procès public et équitable; *e)* de ne pas être privé sans juste cause d'une mise en liberté assortie d'un cautionnement raisonnable; *f)* sauf s'il s'agit d'une infraction relevant de la justice militaire, de bénéficier d'un procès avec jury lorsque la peine maximale prévue pour l'infraction dont il est accusé est un emprisonnement de cinq ans ou une peine plus grave; *g)* de ne pas être déclaré coupable en raison d'une action ou d'une omission qui, au moment où elle est survenue, ne constituait pas une infraction d'après le droit interne du Canada ou le droit international et n'avait pas de caractère criminel d'après les principes généraux de droit reconnus par l'ensemble des nations; *h)* d'une part de ne pas être jugé de nouveau pour une infraction dont il a été définitivement acquitté, d'autre part de ne pas être jugé ni puni de nouveau pour une infraction dont il a été définitivement déclaré coupable et puni; *i)* de bénéficier de la peine la moins sévère, lorsque la peine qui sanctionne l'infraction dont il est déclaré coupable est modifiée entre le moment de la perpétration de l'infraction et celui de la sentence. 12. Chacun a droit à la protection contre tous traitements ou peines cruels et inusités. 13. Chacun a droit à ce qu'aucun témoignage incriminant qu'il donne ne soit utilisé pour l'incriminer dans d'autres procédures, sauf lors de poursuites pour parjure ou pour témoignages contradictoires. 14. La partie ou le témoin qui ne peuvent suivre les procédures, soit parce qu'ils ne comprennent pas ou ne parlent pas la langue employée, soit parce qu'ils sont atteints de surdité, ont droit à l'assistance d'un interprète.

Droits à l'égalité

15.(1) La loi ne fait acception de personne et s'applique également à tous, et tous ont droit à la même protection et au même bénéfice de la loi, indépendamment de toute discrimination, notamment des discriminations fondées sur la race, l'origine nationale ou ethnique, la couleur, la religion, le sexe, l'âge ou les déficiences mentales ou physiques. (2) Le paragraphe (1) n'a pas pour effet d'interdire les lois, programmes ou activités destinés à améliorer la situation d'individus ou de groupes défavorisés, notamment du fait de leur race, de leur origine nationale ou ethnique, de leur couleur, de leur religion, de leur sexe, de leur âge ou de leurs déficiences mentales ou physiques.

Langues officielles du Canada

16.(1) Le français et l'anglais sont les langues officielles du Canada; ils ont un statut et des droits et privilèges égaux quant à leur usage dans les institutions du Parlement et du gouvernement du Canada. (2) Le français et l'anglais sont les langues officielles du Nouveau-Brunswick; ils ont un statut et des droits et privilèges égaux quant à leur usage dans les institutions de la Législature et du gouvernement du Nouveau-Brunswick. (3) La présente charte ne limite pas le pouvoir du Parlement et des législatures de favoriser la progression vers l'égalité de statut ou d'usage du français et de l'anglais. 16.1(1) La communauté linguistique française et la communauté linguistique anglaise du Nouveau-Brunswick ont un statut et des droits et privilèges égaux, notamment le droit à des institutions d'enseignement distinctes et aux institutions culturelles distinctes nécessaires à leur protection et à leur promotion. (2) Le rôle de la législature et du gouvernement du Nouveau-Brunswick de protéger et de promouvoir le statut, les droits et les privilèges visés au paragraphe (1) est confirmé. 17.(1) Chacun a le droit d'employer le français ou l'anglais dans les débats et travaux du Parlement. (2) Chacun a le droit d'employer le français ou l'anglais dans les débats et travaux de la Législature du Nouveau-Brunswick. 18.(1) Les lois, les archives, les comptes rendus et les procès-verbaux du Parlement sont imprimés et publiés en français et en anglais, les deux versions des lois ayant également force de loi et celles des autres documents ayant même valeur. (2) Les lois, les archives, les comptes rendus et les procès-verbaux de la Législature du Nouveau-Brunswick sont imprimés et publiés en français et en anglais, les deux versions des lois ayant également force de loi et celles des autres documents ayant même valeur. 19.(1) Chacun a le droit d'employer le français ou l'anglais dans toutes les affaires dont sont saisis les tribunaux établis par le Parlement et dans tous les actes de procédure qui en découlent. (2) Chacun a le droit d'employer le français ou l'anglais dans toutes les affaires dont sont saisis les tribunaux du Nouveau-Brunswick et dans tous les actes de procédure qui en découlent. 20.(1) Le public a, au Canada, droit à l'emploi du français ou de l'anglais pour communiquer avec le siège ou l'administration centrale des institutions du Parlement ou du gouvernement du Canada ou pour en recevoir les services; il a le même droit à l'égard de tout autre bureau de ces institutions là où, selon le cas: *a)* l'emploi du français ou de l'anglais fait l'objet d'une demande importante; *b)* l'emploi du français et de l'anglais se justifie par la vocation du bureau. (2) Le public a, au Nouveau-Brunswick, droit à l'emploi du français ou de l'anglais pour communiquer avec tout bureau des institutions de la législature ou du gouvernement ou pour en recevoir les services. 21. Les articles 16 à 20 n'ont pas pour effet, en ce qui a trait à la langue française ou anglaise ou à ces deux langues, de porter atteinte aux droits, privilèges ou obligations qui existent ou sont maintenus aux termes d'une autre disposition de la Constitution du Canada. 22. Les articles 16 à 20 n'ont pas pour effet de porter atteinte aux droits et privilèges, antérieurs ou postérieurs à l'entrée en vigueur de la présente charte et découlant de la loi ou de la coutume, des langues autres que le français ou l'anglais.

Droits à l'instruction dans la langue de la minorité

23.(1) Les citoyens canadiens: *a)* dont la première langue apprise et encore comprise est celle de la minorité francophone ou anglophone de la province où ils résident, *b)* qui ont reçu leur instruction, au niveau primaire, en français ou en anglais au Canada et qui résident dans une province où la langue dans laquelle ils ont reçu cette instruction est celle de la minorité francophone ou anglophone de la province, ont, dans l'un ou l'autre cas, le droit d'y faire instruire leurs enfants, aux niveaux primaire et secondaire, dans cette langue. (2) Les citoyens canadiens dont un enfant a reçu ou reçoit son instruction, au niveau primaire ou secondaire, en français ou en anglais au Canada ont le droit de faire instruire tous leurs enfants, aux niveaux primaire et secondaire, dans la langue de cette instruction. (3) Le droit reconnu aux citoyens canadiens par les paragraphes (1) et (2) de faire instruire leurs enfants, aux niveaux primaire et secondaire, dans la langue de la minorité francophone ou anglophone d'une province: *a)* s'exerce partout dans la province où le nombre des enfants des citoyens qui ont ce droit est suffisant pour justifier à leur endroit la prestation, sur les fonds publics, de l'instruction dans la langue de la minorité; *b)* comprend, lorsque le nombre de ces enfants le justifie, le droit de les faire instruire dans des établissements d'enseignement de la minorité linguistique financés sur les fonds publics.

Recours

24.(1) Toute personne, victime de violation ou de négation des droits ou libertés qui lui sont garantis par la présente charte, peut s'adresser à un tribunal compétent pour obtenir la réparation que le tribunal estime convenable et juste eu égard aux circonstances. (2) Lorsque, dans une instance visée au paragraphe (1), le tribunal a conclu que des éléments de preuve ont été obtenus dans des conditions qui portent atteinte aux droits ou libertés garantis par la présente charte, ces éléments de preuve sont écartés s'il est établi, eu égard aux circonstances, que leur utilisation est susceptible de déconsidérer l'administration de la justice.

Dispositions générales

25. Le fait que la présente charte garantit certains droits et libertés ne porte pas atteinte aux droits ou libertés – ancestraux, issus de traités ou autres – des peuples autochtones du Canada, notamment: *a)* aux droits ou libertés reconnus par la Proclamation royale du 7 octobre 1763; *b)* aux droits ou libertés existants issus d'accords sur des revendications territoriales ou ceux susceptibles d'être ainsi acquis. 26. Le fait que la présente charte garantit certains droits et libertés ne constitue pas une négation des autres droits ou libertés qui existent au Canada. 27. Toute interprétation de la présente charte doit concorder avec l'objectif de promouvoir le maintien et la valorisation du patrimoine multiculturel des Canadiens. 28. Indépendamment des autres dispositions de la présente charte, les droits et libertés qui y sont mentionnés sont garantis également aux personnes des deux sexes. 29. Les dispositions de la présente charte ne portent pas atteinte aux droits ou privilèges garantis en vertu de la Constitution du Canada concernant les écoles séparées et autres écoles confessionnelles. 30. Dans la présente charte, les dispositions qui visent les provinces, leur législature ou leur assemblée législative visent également le territoire du Yukon, les territoires du Nord-Ouest ou leurs autorités législatives compétentes. 31. La présente charte n'élargit pas les compétences législatives de quelque organisme ou autorité que ce soit.

Application de la charte

32.(1) La présente charte s'applique: *a)* au Parlement et au gouvernement du Canada, pour tous les domaines relevant du Parlement, y compris ceux qui concernent le territoire du Yukon et les territoires du Nord-Ouest; *b)* à la législature et au gouvernement de chaque province, pour tous les domaines relevant de cette législature. (2) Par dérogation au paragraphe (1), l'article 15 n'a d'effet que trois ans après l'entrée en vigueur du présent article. 33.(1) Le Parlement ou la législature d'une province peut adopter une loi où il est expressément déclaré que celle-ci ou une de ses dispositions a effet indépendamment d'une disposition donnée de l'article 2 ou des articles 7 à 15 de la présente charte. (2) La loi ou la disposition qui fait l'objet d'une déclaration conforme au présent article et en vigueur a l'effet qu'elle aurait sauf la disposition en cause de la charte. (3) La déclaration visée au paragraphe (1) cesse d'avoir effet à la date qui y est précisée ou, au plus tard, cinq ans après son entrée en vigueur. (4) Le Parlement ou une législature peut adopter de nouveau une déclaration visée au paragraphe (1). (5) Le paragraphe (3) s'applique à toute déclaration adoptée sous le régime du paragraphe (4).

Titre

34. Titre de la présente partie: *Charte canadienne des droits et libertés.*

« Nous devons maintenant établir les principes de base, les valeurs et les croyances fondamentales qui nous unissent en tant que Canadiens, de sorte que par-delà nos loyautés régionales, nous partagions un style de vie et un système de valeurs qui nous rendent fiers de ce pays qui nous donne tant de liberté et une joie aussi immense. »

P.E. Trudeau 1981

La Charte canadienne des droits et libertés

Au Canada, nos élus et élues ont adopté une charte qui définit les droits et les libertés de toute la population canadienne. Théoriquement, ces droits et libertés ne peuvent être retirés qu'en temps de guerre. La Charte canadienne des droits et libertés a été adoptée en 1982.

2

Couvre-feu
pour les jeunes de Huntingdon

«**Huntingdon** – Il sera bientôt défendu aux jeunes d'âge mineur de se trouver sur un terrain ou un édifice publics à Huntingdon en toute fin de soirée, peu importe le jour de la semaine. La Ville se prépare à régir la présence des ados qui envahissent certains endroits de la municipalité tard le soir jusqu'aux petites heures du matin, sans raison valable.

Selon un règlement que projette d'adopter le conseil municipal, toute personne âgée de moins de 18 ans ne pourra plus traîner seule dans les rues et les endroits publics sur le territoire de Huntingdon entre 22 h et 6 h du matin, à moins d'être accompagnée d'un adulte ou encore si elle jouit d'un motif jugé raisonnable. […] La sirène de la caserne des pompiers se fera entendre à 21 h 45 pour aviser la population du déclenchement du couvre-feu.

Le vandalisme est un fléau de plus en plus répandu dans notre société.

La municipalité entend se montrer sévère à l'endroit des jeunes qui contreviendraient à cette législation. Pour une première offense, le prévenu écopera d'une amende minimale de 100 $. Quiconque commet la même infraction une deuxième fois dans un délai d'un an devra débourser une somme de 200 $.

[…]

Depuis plusieurs années, de nombreux méfaits ont été commis sur des édifices, des véhicules et des propriétés privées à travers la localité et plus souvent qu'autrement, les adolescents ont été pointés du doigt pour ces gestes. […]»

En janvier 2006, le couvre-feu déclaré par la municipalité de Huntingdon était toujours en vigueur.

Patrice Laflamme, Les Hebdos Montérégiens, «La ville de Huntingdon veut imposer un couvre-feu aux ados», *The Gleaner / La Source*, 5 mai 2004.

À faire

1. Comment réagirais-tu si on t'enlevait ce que tu penses être un de tes droits, comme on l'a fait aux jeunes de Huntingdon ?
2. Existe-t-il des organismes qui protègent tes droits et ceux de tes camarades de classe ? Si oui, nommes-en quelques-uns.
3. Connais-tu des droits pour lesquels des citoyennes et des citoyens se battent encore aujourd'hui ? Si oui, lesquels ?

Activité de discussion

Réfléchissez un instant à ce que sont des droits et à ce qu'ils signifient pour vous.

1. **Énoncez certains de vos droits.**
2. **Plus tard, aurez-vous d'autres droits ? Si oui, lesquels ?**
3. **Les élèves de votre classe ont-ils et ont-elles tous et toutes les mêmes droits ?**
4. **À votre avis, les jeunes de votre âge ont-ils et ont-elles toujours eu ces droits ?**

1 « Liberté, Égalité, Fraternité »

Le fronton de l'édifice de l'Assemblée nationale à Paris, en France.

RC La Déclaration des droits de l'homme et du citoyen (1789) est directement issue de la Révolution française (1789-1799). Cette déclaration proclame les droits individuels de la population française et l'égalité de tous et de toutes. Encore aujourd'hui, on peut voir sur le fronton de l'édifice de l'Assemblée nationale une statue de femme représentant la **République** française, soutenant une tablette sur laquelle est inscrite la devise de la France : « Liberté, Égalité, Fraternité. » Les deux statues qui figurent à ses côtés incarnent la Force et la Justice.

2 Les droits et les droits fondamentaux

1. Un droit est quelque chose qui est permis.
2. Un droit est un privilège garanti par les règles de la société dans laquelle on vit.
3. Un droit est quelque chose qui est permis par conformité à une règle morale ou sociale.
4. Un droit est un privilège conféré par le fait d'être humain.

3 La lutte pour les droits

Tout au long de l'histoire, il est rarement arrivé que, dans une société, des droits aient été accordés à tout le monde de façon juste et équitable. À Athènes, les citoyens, les femmes, les métèques et les esclaves n'avaient pas les mêmes droits. Au Moyen Âge, les citoyens ont souvent dû se battre contre les seigneurs pour revendiquer leurs droits. Plus souvent qu'autrement, il fallait lutter pour obtenir des droits. La révolution américaine et la Révolution française sont deux exemples de soulèvement d'une population pour acquérir des droits.

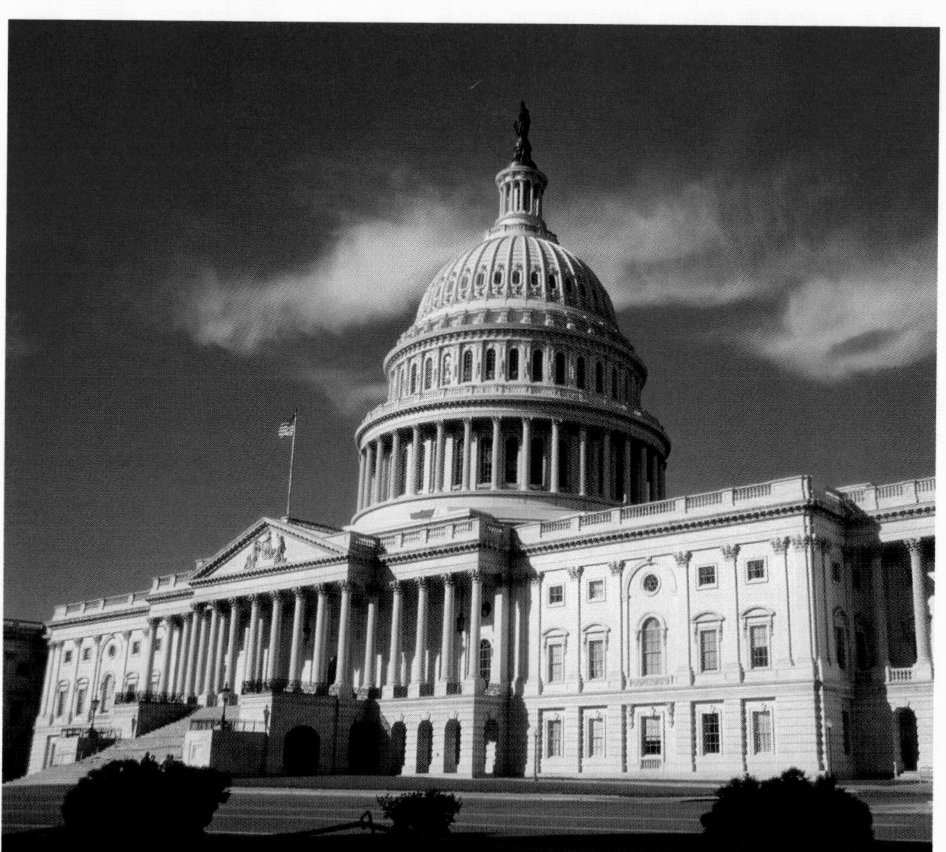

4 Le droit collectif de se gouverner

Le Capitole de Washington, aux États-Unis.

La révolution américaine (1775-1783), aussi appelée «guerre de l'Indépendance», a changé bien des choses pour la population des États-Unis. Depuis cette révolution, le **pouvoir souverain** n'est plus détenu par le Parlement britannique, mais par le Congrès américain, siégeant au Capitole de Washington. Le Congrès détient les pouvoirs législatifs et ne s'en remet plus à la Grande-Bretagne pour prendre des décisions. Le droit collectif du peuple états-unien de se gouverner lui-même a été une grande victoire de la révolution.

À faire

1. (doc. 2) Choisis la définition qui, d'après toi, décrit le mieux ce qu'est un droit. Justifie ta réponse.
2. (doc. 2 et 3) À ton avis, y a-t-il une différence entre un droit et un droit fondamental ? Explique ta réponse et donne des exemples.
3. Selon toi, quelle est la différence entre un droit individuel et un droit collectif ?
4. Quel a été le grand apport des révolutions américaine et française ?

Lexique

Pouvoir souverain Pouvoir de gouverner un État, de décider de son avenir.

République Forme de gouvernement dans lequel les personnes qui détiennent le pouvoir souverain sont élues, y compris le ou la chef d'État (habituellement un président ou une présidente).

ET TOI ?

À cette étape-ci, comment définirais-tu un droit ? Explique les différents éléments de ta définition.

Les idées des Lumières étaient-elles révolutionnaires ?

Au cours du XVIIIe siècle, de nombreux penseurs européens ont véhiculé des idées nouvelles. Appelés «les philosophes des Lumières», ils cherchaient à mieux comprendre la nature humaine et à concevoir un régime politique qui serait capable de la respecter. Les idées des représentants du siècle des Lumières ont eu une grande influence sur les révolutionnaires américains et français.

RC

1 L'égalité

«Puisque la nature humaine se trouve la même dans tous les hommes, il est clair que, selon le droit naturel, chacun doit estimer et traiter les autres comme autant d'êtres qui lui sont naturellement égaux, c'est-à-dire, qui sont hommes aussi bien que lui.»

Louis, chevalier de Jaucourt (1704-1779), «Égalité naturelle», dans l'*Encyclopédie, ou Dictionnaire raisonné des sciences, des arts et des métiers* de Diderot et d'Alembert, 1751-1772.

2 La liberté et l'autorité

RC

«Aucun homme n'a reçu de la nature le droit de commander aux autres. La liberté est un présent du ciel, et chaque individu de la même espèce a le droit d'en jouir aussitôt qu'il jouit de la raison.»

Denis Diderot, «Autorité politique», dans l'*Encyclopédie, ou Dictionnaire raisonné des sciences, des arts et des métiers* de Diderot et d'Alembert, 1751-1772.

(Louis Michel Van Loo, 1767, musée du Louvre, Paris, France.)

Denis Diderot

(1713-1784)

Denis Diderot est reconnu comme le principal des encyclopédistes des Lumières françaises. Avec Jean d'Alembert (1717-1783), il a consacré une grande partie de sa vie à la création d'une encyclopédie qui ferait la somme de toutes les connaissances du monde.

3 La séparation des pouvoirs

«Il y a dans chaque État trois sortes de pouvoirs: la puissance législative, la puissance exécutrice[G] […], et la puissance [de juger]. […] Tout serait perdu, si le même homme, ou le même corps des principaux, ou des nobles, ou du peuple, exerçait ces trois pouvoirs: celui de faire des lois, celui d'exécuter les résolutions publiques, et celui de juger les crimes ou les différends des particuliers.»

Montesquieu (1689-1755), *De l'Esprit des lois*, livre XI, chap. VI, 1748.

4 Le droit de se révolter

RC

Déjà au XVIIe siècle, le philosophe John Locke écrivait qu'il était aussi absurde de refuser de se révolter contre un gouvernement injuste que de refuser de se défendre contre des voleurs.

«[Les peuples] sont absous du devoir de l'obéissance, et peuvent s'opposer à la violence et aux injustices de leurs Princes et de leurs Magistrats lorsque ces Princes et ces Magistrats [...] s'en prennent à leurs libertés [...], ou font des choses contraires à la confiance qu'on avait mise en leurs personnes [...].»

John Locke, Alinéa 228 du *Traité du gouvernement civil* (1690), trad. D. Mazel, 1795.

(Anonyme, gravure, 1829, d'après une peinture de John Greenhill, vers 1675.)

John Locke

(1632–1704)

John Locke a été l'un des plus grands philosophes des Lumières anglaises. Il a proclamé trois droits fondamentaux, le droit à la vie, le droit à la liberté et le droit à la jouissance de ses biens, qui inspireront les révolutionnaires américains et français.

5 La tolérance

RC

«Il est clair que tout particulier qui persécute un homme, son frère, parce qu'il n'est pas de son opinion, est un monstre; cela ne souffre pas de difficulté [...].»

Voltaire, «Tolérance», *Dictionnaire philosophique*, 1764.

(Jean Antoine Houdon, 1778, musée du Louvre, Paris, France.)

Voltaire

(1694–1778)

François Marie Arouet, dit Voltaire, était un polémiste G et un philosophe des Lumières françaises. Il est reconnu pour la puissance de son ironie et a été l'idole de plusieurs révolutionnaires français. Successivement emprisonné, poussé à l'exil et reçu aux cours de France et de Russie, Voltaire a vécu une vie très mouvementée.

6 Vive le roi!

Portrait de Jacques Bénigne Bossuet, évêque de Meaux. (Hyacinthe Rigaud, XVIIe siècle, musée du Louvre, Paris, France.)

«Dieu établit les Rois comme ses ministres et règne par eux sur les peuples [...]. Les princes agissent donc comme ministres de Dieu, et ses lieutenants sur la terre. [...] Il paraît de tout cela que la personne des rois est sacrée, et qu'attenter contre eux est un sacrilège. [...] Saint Paul, après avoir dit que le prince est le ministre de Dieu, concluait ainsi: "Il est donc nécessaire que vous lui soyez soumis non seulement par la crainte de sa colère, mais encore par l'obligation de votre conscience".»

Jacques Bénigne Bossuet (1627-1704), *Politique tirée des propres paroles de l'Écriture sainte*, 1709.

MISSION

Imagine que tu es Bossuet et que le roi te demande de lui présenter les idées des philosophes des Lumières.

Dans un dossier présentant les idées des philosophes des Lumières, fais des recommandations au roi à propos de ce qu'il devrait faire pour protéger son pouvoir.

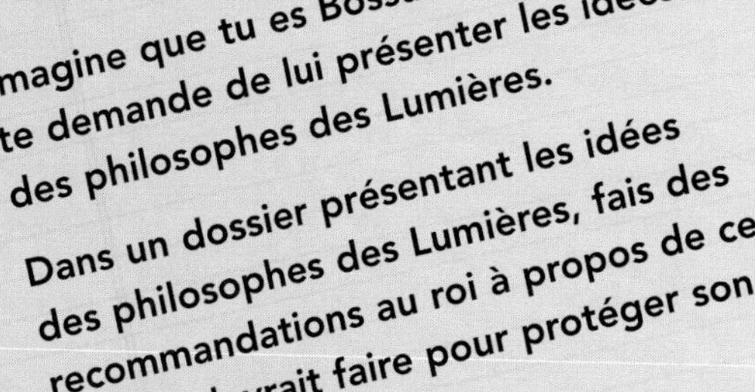

PISTE DE RECHERCHE 2

POURQUOI FAIRE UNE RÉVOLUTION ?

Dans les années qui ont précédé leur révolution, les Américains et les Français ont manifesté ouvertement leur mécontentement envers leurs gouvernements. Dans les treize colonies britanniques en Amérique, le peuple se plaignait en écrivant au Parlement britannique et en faisant adopter des lois par les dirigeants des colonies. En France, le peuple rédigeait des cahiers de doléances dans lesquels il consignait ses exigences.

EN FRANCE

1 La justice

«Assurer la liberté individuelle des citoyens, leur droit de ne pouvoir être jugés que par leurs juges naturels, reconnus ou établis par la nation sans que lesdits juges puissent modifier et interpréter les lois, [...] en déclarant les juges responsables envers la nation de l'exercice de leurs pouvoirs.»

Cahier de doléances de La Chapelle-Huon, 6 mars 1789.

3 Les impôts

«Sire, nous sommes accablés d'impôts de toutes sortes; nous vous avons donné jusqu'à présent une partie de notre pain, et il va bientôt nous manquer si cela continue. [...] Ce qui nous fait bien de la peine, c'est que ceux qui ont le plus de richesses paient le moins.»

Cahier de doléances des paysans de Culmont, 1788.

4 Le gouvernement

«Que les ministres soient à l'avenir responsables envers les états généraux auxquels ils rendront compte de l'emploi de toutes les sommes qui seront versées au trésor de la nation [...].»

Cahier de doléances de la ville de Saint-Calais, 1789.

2 Les états généraux

En 1788, le roi de France, Louis XVI, a décidé de convoquer les états généraux pour l'aider à trouver une solution aux problèmes de finances du royaume. L'ouverture a eu lieu le 5 mai 1789, au château de Versailles. Cette date marque le début de la Révolution française.

Ouverture des états généraux à Versailles, le 5 mai 1789.
(J.-B. Patas et I.-S. Helman, XVIIIe siècle, Bibliothèque nationale de France, Paris, France.)

5 Les impôts

«En 1765, le gouvernement britannique a adopté le *Stamp Act* [la «Loi sur le timbre»]. Selon cette loi, il fallait payer une nouvelle taxe sur le papier pour financer les armées de l'Empire britannique. Ce n'est pas tellement le montant de la taxe qui nous pose problème, mais bien plus le fait que, selon nous, le gouvernement britannique ne doit pas avoir le droit de financer ses guerres en nous taxant.»

Témoignage possible d'un colon américain en 1766.

7 La justice

«**VII.** Tout jugement par jury est un droit inaliénable et inestimable de tous les sujets britanniques de ces colonies.»

Extrait des Résolutions du *Stamp Act Congress*, Virginie, 19 octobre 1765.

8 Le *Boston Tea Party*

RC

Destruction du thé dans le port de Boston en 1773.

(D'après une lithographie de Sarony & Major, 1846, collection particulière.)

En 1773, des membres du groupe *The Sons of Liberty* («Les fils de la Liberté») sont montés à bord de navires chargés de thé qui mouillaient dans le port de Boston et ont jeté les cargaisons à la mer. Ce geste était un signe de protestation contre les nouvelles taxes britanniques imposées sur le thé.

6 Le gouvernement

«**II.** Les sujets-liges de Sa Majesté dans ces colonies peuvent prétendre aux mêmes droits et aux mêmes libertés inaliénables que les sujets nés en Grande-Bretagne.

IV. Le peuple de ces colonies n'est pas et, en raison de ses circonstances locales, ne peut pas être représenté à la Chambre des communes en Grande-Bretagne.

V. Les seuls représentants de ces colonies sont ceux choisis par le peuple. Aucune taxe n'a jamais, ni ne pourra jamais être constitutionnellement exigée de ces colonies, sinon par leurs assemblées législatives.»

Extraits des Résolutions du *Stamp Act Congress*, Virginie, 19 octobre 1765.

MISSION

Vous habitez en France ou dans une colonie britannique en Amérique et votre roi (l'enseignant ou l'enseignante) a bien reçu vos doléances. Toutefois, le monarque considère que vos exigences sont trop élevées et vous rappelle qu'il est roi de droit divin.

En équipe, placez vos exigences par ordre d'importance pour convaincre le roi d'accéder à vos demandes les plus pressantes.

PISTE DE RECHERCHE 3

Après la Révolution, quel régime politique choisir ?

Après une révolution, le régime politique doit être radicalement modifié. Il faut alors doter le pays d'un régime qui résout les problèmes qui ont mené à la révolution. Ce n'est pas toujours une tâche facile…

1 Le peuple français réclame la destitution du roi Louis XVI en 1792.

En France, de sérieux débats sur le régime politique à adopter ont animé l'Assemblée nationale. En 1792, une foule a même envahi la salle de l'Assemblée pour exiger la déchéance du roi. À droite, on peut voir le roi et sa famille protégés de la foule par une grille. Cet événement marque la chute de la monarchie en France.

(Dessin de François Gérard, vers 1794, musée du Louvre, Paris, France.)

RC

2 La Déclaration des droits de l'homme et du citoyen en France (1789)

«**Article premier** – Les hommes naissent et demeurent libres et égaux en droits. Les distinctions sociales ne peuvent être fondées que sur l'utilité commune.

Article II – Le but de toute association politique est la conservation des droits naturels et imprescriptibles de l'homme. Ces droits sont la liberté, la propriété, la sûreté et la résistance à l'oppression. […]»

Extraits de la Déclaration des droits de l'homme et du citoyen, 26 août 1789.

RC

3 La Déclaration d'Indépendance des treize États unis d'Amérique (1776)

«Nous tenons pour évidentes pour elles-mêmes les vérités suivantes: tous les hommes sont créés égaux; ils sont doués par le Créateur de certains droits inaliénables; parmi ces droits se trouvent la vie, la liberté et la recherche du bonheur. Les gouvernements sont établis parmi les hommes pour garantir ces droits, et leur juste pouvoir émane du consentement des gouvernés.»

Extrait de la Déclaration d'Indépendance, 4 juillet 1776.

5 ***La signature de la Constitution américaine en 1787***

(Junius Brutus Stearns, XIXe siècle.)

Aux États-Unis, le choix d'un régime politique a aussi été compliqué. En 1787, soit cinq ans après la fin de la guerre de l'Indépendance américaine, la Constitution a finalement été acceptée.

4 Quelques régimes politiques

LA MONARCHIE CONSTITUTIONNELLE

Des représentantes et des représentants élus par le peuple détiennent le pouvoir souverain G. Le ou la chef d'État demeure un roi ou une reine héréditaire. Dans un tel régime politique, l'aristocratie peut toujours détenir certains pouvoirs en occupant une fonction de juge ou de conseiller, ou simplement du fait d'être membre de la famille royale.

LA DÉMOCRATIE RÉPUBLICAINE

Le peuple détient le pouvoir souverain par l'entremise de représentantes et de représentants élus. Le ou la chef d'État (habituellement un président ou une présidente) est aussi élu par le peuple. Dans un tel régime politique, tous ceux et celles qui détiennent la citoyenneté sont égaux; ils et elles ont les mêmes droits et peuvent devenir des représentants élus. De plus, le pouvoir législatif, le pouvoir exécutif et le pouvoir judiciaire sont trois pouvoirs distincts.

LA DÉMOCRATIE DIRECTE

Le pouvoir souverain est directement détenu par le peuple, sans l'intermédiaire de représentants et de représentantes. Le ou la chef d'État doit être élu. Dans un tel régime politique, toutes les décisions sont prises lors d'assemblées populaires auxquelles tous ceux et celles qui détiennent la citoyenneté peuvent participer. Parce que toutes les décisions de l'État sont prises au cours des assemblées populaires, cette forme de démocratie ne peut fonctionner que si les citoyens et citoyennes participent activement à la vie politique.

• • MISSION • •

Vous êtes des représentantes et des représentants américains ou français et vous ne voulez pas perdre des droits durement acquis. En équipe, choisissez un des régimes politiques présentés dans le document 4 et trouvez des arguments pour convaincre tous les autres citoyens et citoyennes de votre classe que ce régime est le meilleur.

Les mêmes droits pour tous et toutes?

PISTE DE RECHERCHE 4

RC

1 Tecumseh, chef des Shawnees

«[Le roi de la Grande-Bretagne] a cherché à attirer sur les habitants de nos frontières les Indiens, ces sauvages sans pitié, dont la manière bien connue de faire la guerre est de tout massacrer, sans distinction d'âge, de sexe ni de condition.»

Extrait de la Déclaration d'Indépendance, 4 juillet 1776.

Il est évident, à la lecture de ce passage de la Déclaration d'Indépendance, que les Américains considéraient les Amérindiens comme des ennemis. Les terres qu'occupaient les peuples autochtones étaient convoitées par les colons qui, se considérant comme maîtres de leur nouveau pays, n'hésitaient pas à s'en emparer. C'est pour se défendre contre cette politique de migration forcée visant à dépouiller les Premières nations de leurs terres que des chefs comme Tecumseh (v. 1768-1813) ont en vain pris les armes.

La mort de Tecumseh à la bataille de la Thames River, le 5 octobre 1813.
(Lithographie américaine, 1833.)

2 Olympe de Gouges, une révolutionnaire

Madame Aubry, dite Olympe de Gouges (1748-1793).
(Anonyme, 1784, musée Carnavalet, Paris, France.)

Pendant la Révolution française, plusieurs femmes ont fait partie de clubs politiques et participé à des rencontres où elles revendiquaient les droits des femmes. Marie Gouze Aubry, dite Olympe de Gouges, a été une de ces femmes politiquement actives. En 1791, elle a écrit une déclaration des droits de la femme dans le même style que la Déclaration des droits de l'homme et du citoyen. Toutefois, les femmes de cette époque n'ont pas réussi à obtenir les mêmes droits que les hommes. En France, les femmes n'ont finalement obtenu le droit de vote qu'en 1944, soit 155 ans après la Révolution.

3 Le commerce des esclaves aux États-Unis en 1861

Même si dans le Nord, des milliers de Noirs ont combattu aux côtés des révolutionnaires durant la guerre de l'Indépendance américaine, en 1810, il restait encore quelque 30 000 esclaves. Dans le Sud, l'importance des esclaves pour la culture du coton et du riz était telle que l'esclavage a pris une ampleur sans précédent.

Vente aux enchères d'esclaves noirs à Richmond, en Virginie. (Gravure, 1861.)

4 *La disette de pain à l'hiver 1795-1796 en France*

(Pierre-Étienne Lesueur, XIXe siècle, musée Carnavalet, Paris, France.)

En raison des guerres incessantes que menait la France avec ses voisins, les pauvres des villes et des campagnes étaient fréquemment victimes de disettes. Durant l'été 1789, les révoltes paysannes ont entraîné l'abolition des droits féodaux G. L'Assemblée constituante a refusé de donner aux paysans les terres qu'ils cultivaient. Elle a plutôt décidé de vendre ces terres à un prix qui équivalait à près de 20 ans de travail pour un paysan. Les terres confisquées étaient donc le plus souvent achetées par de riches bourgeois qui exigeaient des loyers aux paysans.

5 Les trois ordres

«Il faut qu'il y ait de l'ordre en toutes choses [...].

Les souverains seigneurs commandent à tous ceux de leur État [...]. Quant au peuple qui obéit, on le divise par ordres. Les uns sont dédiés particulièrement au service de Dieu, les autres à conserver l'État par les armes, les autres à le nourrir. Ce sont les trois ordres ou États généraux de France, le clergé, la noblesse et le tiers état G.»

Charles Loyseau, *Traité des ordres et simples dignités*, 1613.

• • MISSION • •

Quel groupe social a principalement profité des révolutions américaine et française ? Expliquez pourquoi ce groupe social a été le grand gagnant de ces révolutions.

J'AI DÉCOUVERT...

... les révolutions américaine et française.

1. Les idées derrière les révolutions

Bien avant les révolutions américaine et française, des penseurs européens, les philosophes des Lumières, s'étaient penchés sur la question des droits, des droits naturels et du régime politique qu'il fallait instaurer pour protéger les droits de tous et de toutes. Pendant près de 200 ans, les principes d'égalité et de liberté ont passionné et inquiété les philosophes et, parfois, les rois.

2. De sérieuses revendications

L'une des principales revendications des populations de la France et des colonies britanniques en Amérique était un changement dans le régime politique de l'époque. Comme elles contribuaient aux revenus de l'État par leurs impôts, elles exigeaient le droit de participer aux décisions. Bien entendu, dans les colonies comme en France, la population réclamait aussi une plus grande liberté et des droits égaux pour tous.

3. Choisir un régime politique

Le choix d'un régime politique pour défendre les droits et libertés obtenus par les révolutions a été très difficile. En Amérique, il a fallu attendre cinq ans avant que la Constitution soit signée. En France, les luttes pour le choix d'un régime politique ont été particulièrement violentes. Finalement, les deux pays ont choisi la démocratie républicaine.

4. Toujours des inégalités

Aux États-Unis comme en France, la révolution n'a pas eu le même impact sur tous les groupes sociaux. Même si les deux peuples se soulevaient pour obtenir plus de pouvoir, pour faire valoir leurs droits fondamentaux et pour défendre leurs libertés, dans les deux cas, les femmes et les pauvres (souvent des paysans) n'ont guère vu leur situation s'améliorer. Aux États-Unis, il existait même deux groupes qui ne pouvaient absolument rien espérer de la révolution : les nations autochtones et les esclaves noirs.

RC

1 Le château de Versailles

Vue du château de Versailles en 1668.

(Pierre Patel, XVIIe siècle, Châteaux de Versailles et de Trianon, Versailles, France.)

Les premiers événements de la Révolution française ont eu lieu dans le luxueux château de Versailles, que les rois de France avaient fait construire à grands frais au cours des XVIIe et XVIIIe siècles. Versailles était pour plusieurs le symbole des dépenses excessives des monarques français et de la monarchie absolue.

2 La Constitution américaine (1787)

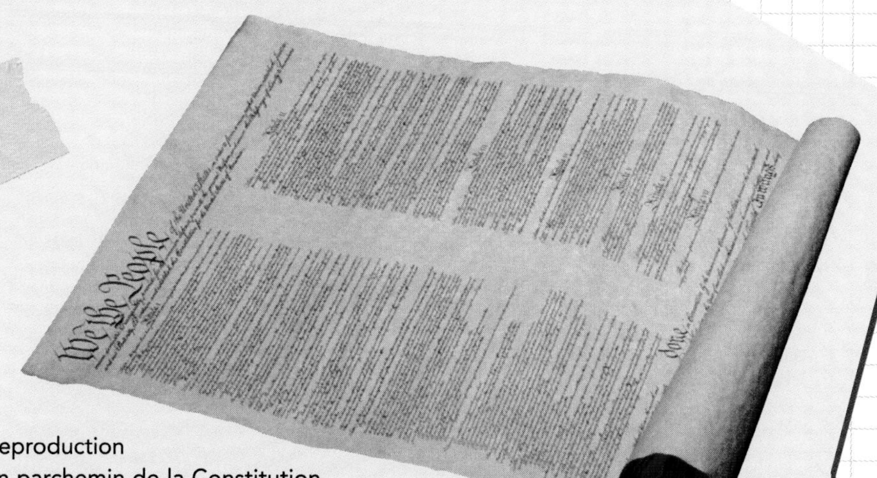

Reproduction en parchemin de la Constitution américaine. Le document original est conservé aux Archives nationales des États-Unis, à Washington.

«**Article premier des amendements** – Le Congrès ne fera aucune loi qui touche l'établissement ou interdise le libre exercice d'une religion, ni qui restreigne la liberté de la parole ou de la presse, ou le droit qu'a le peuple de s'assembler paisiblement et d'adresser des pétitions au gouvernement pour la réparation des torts dont il a à se plaindre.»

Extrait des amendements à la Constitution des États-Unis d'Amérique, 1787.

À faire

1. Selon toi, pourquoi était-il important de mettre par écrit les droits et libertés qui devaient être défendus par l'État ?
2. (doc. 2) Nomme trois libertés que défend la Constitution américaine.
3. (doc. 3)
   a) Explique dans tes mots ce que signifie l'article premier de la Déclaration des droits de l'homme et du citoyen.
   b) Explique dans tes mots ce que signifie le passage en italique de l'article VI.
4. Selon toi, qu'est-ce qu'un droit fondamental ?

3 La Déclaration des droits de l'homme et du citoyen en France (1789)

«**Article premier** – Les hommes naissent et demeurent libres et égaux en droits. Les distinctions sociales ne peuvent être fondées que sur l'utilité commune.

Article VI – *La loi est l'expression de la volonté générale.* Tous les citoyens ont droit de concourir personnellement ou par leurs représentants à sa formation. Elle doit être la même pour tous, soit qu'elle protège, soit qu'elle punisse. [...]

Article XI – La libre communication des pensées et des opinions est un des droits les plus précieux de l'homme; tout citoyen peut donc parler, écrire, imprimer librement, sauf à répondre de l'abus de cette liberté dans les cas déterminés par la loi.»

Extraits de la Déclaration des droits de l'homme et du citoyen, 26 août 1789.

Illustration de la Déclaration des droits de l'homme et du citoyen.
(Jean-Jacques François Lebarbier, 1789, musée Carnavalet, Paris, France.)

SAVOIR

La révolution américaine

Le 19 avril 1775, un détachement britannique s'est vu confier la mission de s'emparer d'un dépôt d'armes à Concord, au Massachusetts. Il a été attaqué et défait par des patriotes américains. C'était la bataille de Lexington et Concord, le premier affrontement de la révolution américaine.

Qu'est-ce que la révolution américaine?

La révolution américaine est appelée aussi «guerre de l'Indépendance américaine». Avant la révolution, les États américains étaient des colonies britanniques. Pour obtenir leur indépendance, ces treize colonies ont dû se battre contre l'Angleterre. Au terme de cette guerre, l'Angleterre a été contrainte de reconnaître l'indépendance des treize États américains. Le pouvoir souverain G est alors passé du parlement de Londres au peuple américain. Les habitants des États américains ont alors créé un régime politique qui leur permettait de protéger leurs droits. La révolution américaine a donc été une lutte qui a permis à la fois de libérer les colonies de l'emprise britannique et de changer le régime politique.

Où la révolution américaine a-t-elle eu lieu?

La révolution américaine a eu lieu dans les treize colonies britanniques de la Nouvelle-Angleterre (*voir la carte, p. 89*), soit le New Hampshire, le Massachusetts, le Connecticut, le Rhode Island, la colonie de New York, la Pennsylvanie, le New Jersey, le Maryland, le Delaware, la Virginie, la Caroline du Nord, la Caroline du Sud et la Géorgie.

1 Le roi George III, un tyran?

RC

«L'histoire du roi actuel de Grande-Bretagne est l'histoire d'une série d'injustices et d'**usurpations** répétées, qui toutes avaient pour but direct l'établissement d'une tyrannie absolue sur ces États [les treize colonies]. Pour le prouver, soumettons les faits au monde impartial:

[…] [Il a travaillé dans le but] de détruire notre commerce avec toutes les parties du monde; de nous imposer des taxes sans notre consentement.

[…] Il a excité parmi nous l'insurrection domestique, et il a cherché à attirer sur les habitants de nos frontières les Indiens, ces sauvages sans pitié, dont la manière bien connue de faire la guerre est de tout massacrer, sans distinction d'âge, de sexe ni de condition.»

Extraits de la Déclaration d'Indépendance, 4 juillet 1776.

2 Les auteurs de la Déclaration d'Indépendance américaine

RC

Avec Benjamin Franklin et John Adams, Thomas Jefferson est l'auteur de la Déclaration d'Indépendance de 1776 (*doc. 1*; *doc. 3, p. 98*). Au lendemain de la révolution, il a participé à la création du Parti républicain qui soutenait la cause des révolutionnaires français et s'opposait à la création d'un pouvoir central fort aux États-Unis.

Thomas Jefferson, Benjamin Franklin et John Adams se rencontrent dans le cabinet de travail de Jefferson à Philadelphie, pour réviser une épreuve de la Déclaration d'Indépendance.
(Jean Leon Gerome Ferris, XIXe siècle, Library of Congress, Washington, États-Unis.)

Thomas Jefferson
(1743–1826)
Thomas Jefferson a été l'un des pères de la Constitution états-unienne de 1787 (*doc. 2, p. 103*) et est devenu, par la suite, le troisième président des États-Unis, de 1801 à 1809. Riche propriétaire terrien, il est reconnu pour son érudition dans les domaines de la politique, de la philosophie, de l'archéologie, de l'architecture et même de l'agronomie.

Quand la révolution américaine a-t-elle eu lieu?

Après la victoire des forces anglaises sur la France en 1763, l'Angleterre détenait la majorité des colonies et des territoires de l'Amérique du Nord. C'est au cours de cette guerre que la France a perdu ses territoires au Canada. Toutefois, les habitants des treize colonies britanniques acceptaient mal de se voir imposer des règles politiques, commerciales et territoriales par un pays situé de l'autre côté de l'Atlantique. La guerre de l'Indépendance a commencé en 1775 (*doc. 3*) et elle a pris fin en 1783.

Pourquoi la révolution américaine a-t-elle eu lieu?

Bien entendu, plusieurs raisons ont poussé les habitants des treize colonies britanniques à prendre les armes contre l'Angleterre. En voici quelques-unes:

- L'Angleterre exigeait de lourds impôts et de nombreuses taxes pour payer les frais de la guerre qui venait de se terminer.
- Le Parlement britannique détenait le pouvoir souverain et aucun Américain n'y était admis.
- L'Angleterre adoptait des lois commerciales très strictes qui favorisaient les marchands anglais, mais qui nuisaient grandement aux commerçants américains.
- L'Angleterre interdisait aux Américains d'étendre leurs colonies vers l'ouest parce qu'elle avait conclu des ententes avec les peuples autochtones qui y vivaient.

3 La bataille de Concord (1775)

(Alonzo Chappel, XIXe siècle.)

La bataille de Lexington et Concord est le premier véritable affrontement entre les révolutionnaires et les troupes britanniques. Le 19 avril 1775, le général Thomas Gage a confié à quelque 700 soldats britanniques la mission de détruire un dépôt de munitions à Concord, au Massachusetts. Les milices révolutionnaires ont réussi à défaire les forces de la couronne et à protéger le dépôt de Concord. La bataille est symbolique en ce sens qu'elle a démontré aux miliciens qu'il était possible de se battre contre l'armée régulière et de gagner.

À faire

1. (doc. 1) Résume trois plaintes que les auteurs de la Déclaration d'Indépendance portaient contre la couronne d'Angleterre.
2. (doc. 3) D'après toi, sur cette peinture de Chappel, quels personnages représentent les soldats britanniques et quels personnages représentent les révolutionnaires? Donne deux indices qui te permettent d'arriver à cette conclusion.
3. **a)** Quel autre nom donne-t-on à la révolution américaine?

   b) D'après toi, pourquoi donne-t-on deux noms à cet événement?
4. Avant la révolution américaine, qui détenait le pouvoir souverain?
5. Crois-tu que les révolutionnaires avaient des raisons suffisantes de faire la guerre? Justifie ta réponse en donnant des exemples.

Lexique

Usurpation Action de voler un droit.

Les États-Unis après la révolution

Au lendemain de la révolution américaine, il s'est effectué des changements radicaux dans le mode de gouvernement des anciennes colonies britanniques. Ces changements ne redressaient cependant pas toutes les inégalités qui existaient dans la société coloniale.

La Déclaration d'Indépendance

RC Le 4 juillet 1776, les révolutionnaires ont déclaré l'indépendance des treize colonies britanniques à l'égard de la couronne d'Angleterre. Cette Déclaration d'Indépendance affirmait que «tous les hommes sont créés égaux; ils sont doués par le Créateur de certains droits inaliénables; parmi ces droits se trouvent la vie, la liberté et la recherche du bonheur. Les gouvernements sont établis parmi les hommes pour garantir ces droits.» À la fin de la guerre, il fallait constituer un nouveau pays et les dirigeants politiques devaient créer un régime politique qui respecterait les principes énoncés dans la Déclaration d'Indépendance de 1776.

La Constitution

RC Pour créer ce régime politique, les dirigeants des États de la Nouvelle-Angleterre ont rédigé une nouvelle Constitution (*doc. 2*) qui a été adoptée en 1787. Ce document, qui a été légèrement modifié au fil du temps, existe toujours et est encore en vigueur aujourd'hui. Pour protéger les droits des citoyens, la Constitution stipule qu'il faut mettre en place un nouveau régime politique: la démocratie républicaine. La Constitution de 1787 décrit les caractéristiques de cette nouvelle démocratie, les institutions qu'il faut créer pour en assurer le bon fonctionnement et les droits qu'elle doit protéger.

2 La Constitution américaine (1787) RC

«Nous, Peuple des États-Unis, en vue de former une Union plus parfaite, d'établir la justice, de faire régner la paix intérieure, de pourvoir à la défense commune, de développer le bien-être général et d'assurer les bienfaits de la liberté à nous-mêmes et à notre postérité, nous décrétons et établissons cette Constitution pour les États-Unis d'Amérique.»

Extrait de la Constitution des États-Unis d'Amérique, 1787.

1 Les institutions du Parlement britannique

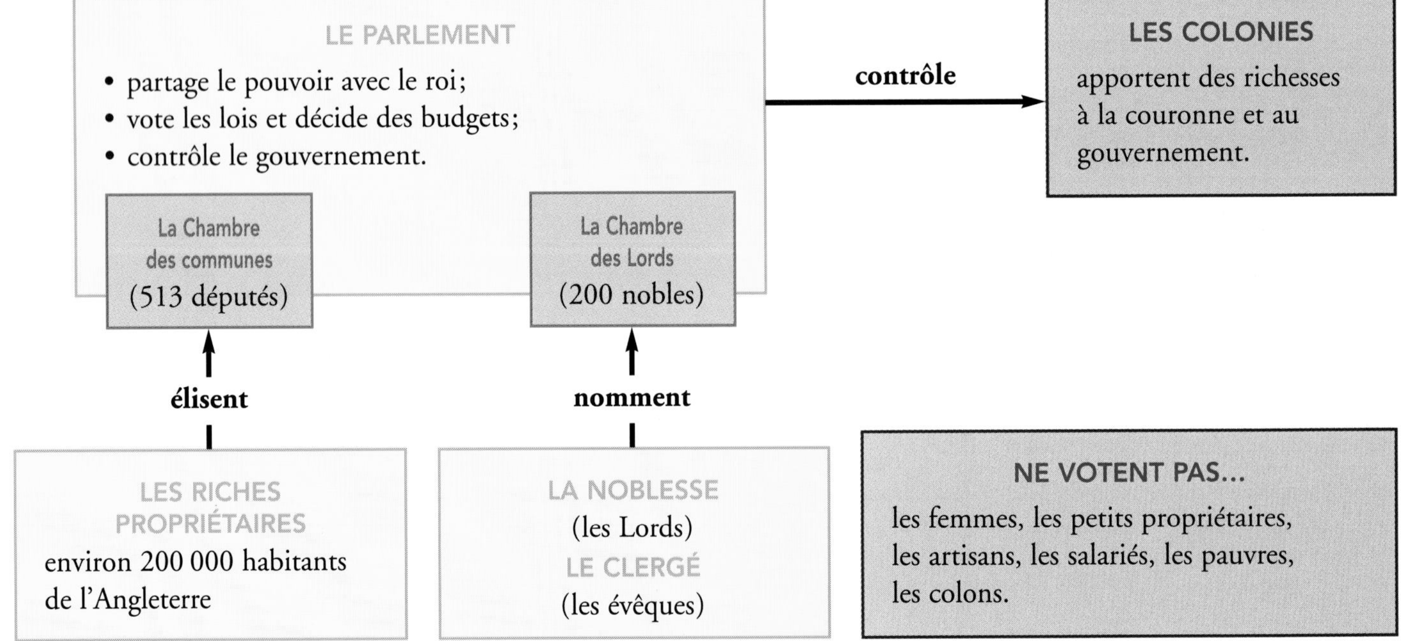

Les institutions

Avant la révolution, les institutions des treize colonies étaient relativement simples et le Parlement britannique avait le pouvoir de tout contrôler (*doc. 1*). En fait, le véritable pouvoir souverain était détenu par le roi, par 513 députés élus par les riches propriétaires d'Angleterre, et par 200 nobles. En 1787, la Constitution a créé une séparation entre le pouvoir exécutif G, le pouvoir législatif et le pouvoir judiciaire (*doc. 3, p. 94*) en instaurant trois institutions distinctes (*doc. 3*).

- **Le président**, élu pour quatre ans, nomme les juges de la Cour suprême et commande l'armée.
- **Le Congrès**, élu par les citoyens, vote les lois et les budgets, et peut destituer le président.
- **La Cour suprême**, dont les membres sont nommés par le président, contrôle le pouvoir du président et rend les plus hauts jugements du pays.

Activité

Fais une courte recherche sur le droit de vote aux États-Unis. Nomme les groupes exclus par la Constitution de 1787 et explique pourquoi ils ont finalement obtenu les mêmes droits que les autres citoyens. Discute de tes découvertes avec tes camarades de classe.

Encore des injustices

Malgré le nouveau régime politique et les nouvelles institutions, la révolution américaine n'a pas accordé les mêmes droits à toute la population. En effet, comme l'illustre le document 3, en 1787, les Blancs qui n'étaient pas de riches propriétaires, les femmes, la population noire et les nations autochtones n'avaient pas le droit de participer aux élections. Ces groupes de personnes ne pouvaient donc pas être représentés au sein du gouvernement et les décisions se prenaient sans leur consentement.

À faire

1. (doc. 1) D'après cet organigramme, qui contrôlait les treize colonies britanniques en Amérique avant la révolution ?
2. (doc. 2) Quels buts la Constitution américaine vise-t-elle ? Nommes-en au moins quatre.
3. (doc. 3) D'après cet organigramme, qui détenait le pouvoir souverain aux États-Unis en 1787 ?
4. Selon la Déclaration d'Indépendance, à quoi doit servir un gouvernement ?
5. Nomme les trois principales institutions du régime politique états-unien.
6. Nomme quatre groupes qui, en 1787, n'avaient pas les mêmes droits que les autres citoyens.

3 Les institutions créées par la Constitution américaine de 1787

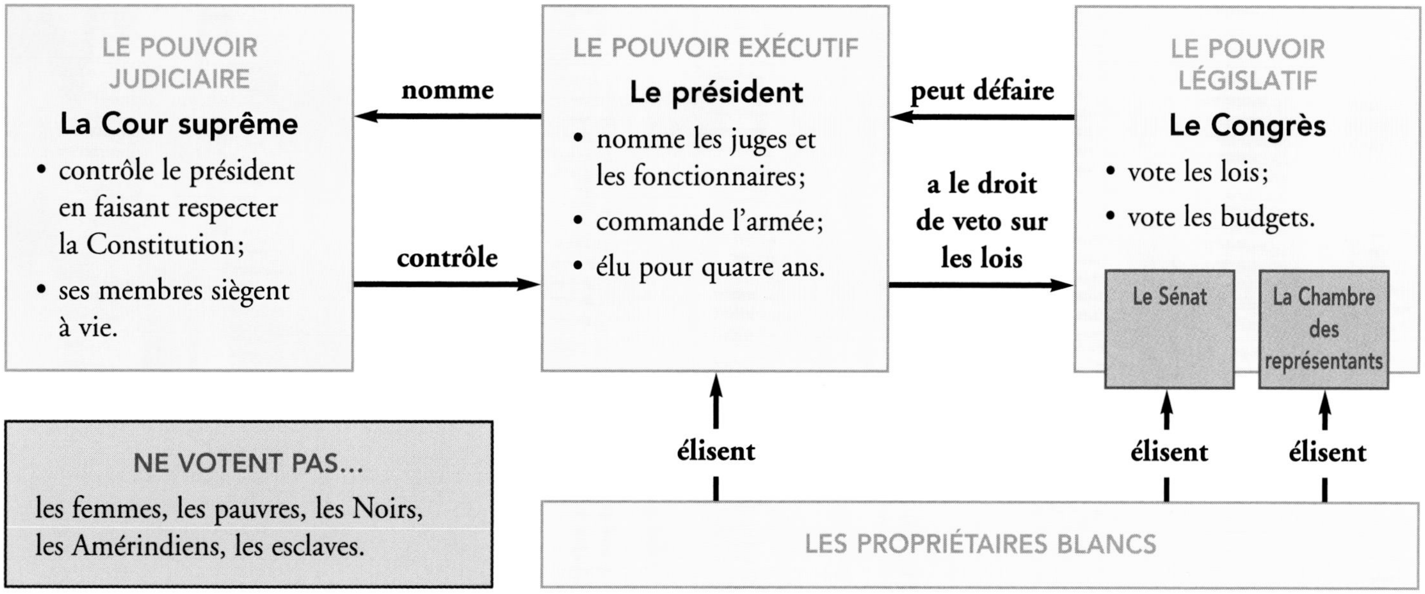

LE POUVOIR JUDICIAIRE

La Cour suprême

- contrôle le président en faisant respecter la Constitution;
- ses membres siègent à vie.

nomme (le président → la Cour suprême)

contrôle (la Cour suprême → le président)

LE POUVOIR EXÉCUTIF

Le président

- nomme les juges et les fonctionnaires;
- commande l'armée;
- élu pour quatre ans.

peut défaire (le Congrès → le président)

a le droit de veto sur les lois (le président → le Congrès)

LE POUVOIR LÉGISLATIF

Le Congrès

- vote les lois;
- vote les budgets.

Le Sénat | La Chambre des représentants

élisent / **élisent** / **élisent**

LES PROPRIÉTAIRES BLANCS

NE VOTENT PAS...

les femmes, les pauvres, les Noirs, les Amérindiens, les esclaves.

La Révolution française

La Révolution française demeure l'un des moments les plus marquants de l'histoire occidentale. On assiste à cette époque à une ébullition d'idées incomparable et à une volonté de réformer un système de plus en plus inéquitable.

Qu'est-ce que la Révolution française?

La Révolution française a d'abord été une série de luttes visant à instaurer un régime politique pour défendre les droits des citoyens. Après avoir connu la monarchie pendant plus de 1 200 ans, en 1789, la France remet brutalement en question la monarchie absolue. Les idées des philosophes des Lumières (*p. 94 et 95*), le système parlementaire en Angleterre et la révolution américaine sont autant d'éléments qui ont fait naître, au sein d'une partie de la population, le désir de vivre dans un État plus juste.

Où la Révolution française a-t-elle eu lieu?

Les principaux événements de la Révolution se sont déroulés dans la capitale du pays: Paris. C'est à Paris que les Français ont ramené le roi Louis XVI et sa famille, qui vivaient à Versailles (*doc. 1, p. 102*), loin du peuple. C'est aussi à Paris que siégeait l'Assemblée nationale qui allait débattre des questions politiques soulevées par la Révolution.

1 ***Le serment du Jeu de paume, le 20 juin 1789***

(Attribué à Jacques Louis David, XVIIIe siècle, musée Carnavalet, Paris, France.)

Le 17 juin 1789, en attendant les représentants des autres ordres des états généraux, les représentants du **tiers état** ont décidé de constituer l'Assemblée nationale et de jeter les bases d'une nouvelle Constitution pour la France. Toutefois, le 20 juin, des gardes royaux ont empêché les représentants de l'Assemblée nationale d'entrer dans la salle des députés. Les représentants du tiers état se sont alors rassemblés dans une salle de jeu de paume (l'ancêtre du tennis) et ont fait le serment de ne se séparer qu'après avoir achevé la rédaction d'une nouvelle Constitution. C'est ce que l'on appelle «le serment du Jeu de paume».

Quand la Révolution française a-t-elle eu lieu?

La Révolution française a véritablement pris son envol avec la convocation des états généraux. En 1789, le roi a réuni des représentants de tous les groupes sociaux (la noblesse, le clergé et le tiers état) pour tenter de régler la crise financière qui secouait le pays. Les représentants du tiers état ont alors décidé de créer une assemblée pour représenter les intérêts du peuple et ont convenu de la dissoudre seulement après avoir donné une nouvelle Constitution à la France (*doc. 1*). C'est ainsi qu'est née l'Assemblée nationale, qui a réussi à s'emparer de tous les pouvoirs du roi et de la noblesse.

Pourquoi la Révolution française a-t-elle eu lieu?

Comme c'est le cas pour de nombreux événements historiques, la Révolution française ne peut pas être attribuée à une seule cause. Toutefois, à la fin des années 1780, un certain nombre de facteurs ont entraîné le soulèvement de la population et créé un climat propice à la Révolution. En voici quelques-uns:

- Depuis plus de 100 ans, les philosophes des Lumières proposaient de nouvelles idées concernant les droits, la liberté et le régime politique (*p. 94 et 95*).
- Pour régler de sérieux problèmes de finances, le roi cherchait à accroître les revenus de l'État en prélevant des impôts de plus en plus importants.
- Il existait des inégalités flagrantes entre les groupes sociaux (la noblesse, le clergé, la bourgeoisie et la paysannerie).

À faire

1. (doc. 1) Pourquoi le serment du Jeu de paume a-t-il été important?
2. (doc. 2) Pourquoi la prise de la Bastille demeure-t-elle si symbolique?
3. Donne trois raisons qui expliquent la Révolution française.

Lexique

Tiers état Ensemble des personnes qui ne faisaient partie ni de la noblesse ni du clergé (les bourgeois, les artisans, les paysans et les petits travailleurs des villes).

RC

2 ***La prise de la Bastille, le 14 juillet 1789***

(Jean-Pierre Houel, XVIIIe siècle, musée Carnavalet, Paris, France.)

La Bastille était une prison d'État où l'on enfermait fréquemment les personnes qui critiquaient le roi et le régime monarchique. Le 14 juillet 1789, les révolutionnaires ont attaqué la Bastille et en ont libéré tous les détenus. La prise de la Bastille est un symbole important de la Révolution française: le 14 juillet est la fête nationale de la France depuis 1880.

Les effets de la Révolution française

La Révolution française a été très mouvementée et souvent violente. Elle a donné lieu à des avancées considérables en ce qui a trait aux droits individuels, mais aussi à certains des moments les plus dramatiques de l'histoire française.

La Déclaration des droits de l'homme et du citoyen

RC Le 26 août 1789, après avoir formé l'Assemblée nationale, les représentants du tiers état ont adopté la Déclaration des droits de l'homme et du citoyen. Ce document présente les droits et les libertés que doit défendre l'État (*doc. 3, p. 103*).

RC

1 ***La Liberté guidant le peuple***

(Eugène Delacroix, 1830, musée du Louvre, Paris, France.)

Par cette peinture, Delacroix cherchait à illustrer le fait que la quête de la liberté avait guidé les Français à exiger leurs droits en se révoltant. Bien que l'artiste ait peint ce tableau à la suite des événements révolutionnaires des 27, 28 et 29 juillet 1830 (les «Trois glorieuses») et non ceux de la Révolution française, l'œuvre demeure un symbole de la France républicaine.

2 Les débats de l'Assemblée nationale

Les députés de l'Assemblée nationale ont participé à de longs débats houleux afin de déterminer le régime politique qui serait instauré pour défendre les droits de tous les citoyens. Les députés créaient des clubs pour défendre leurs points de vue. Il y avait quatre grands clubs:

- **Les Feuillants:** les membres de ce club voulaient instaurer une monarchie constitutionnelle comme en Angleterre.
- **Les Girondins:** les membres de ce club voulaient organiser un gouvernement fédéral comme celui des États-Unis. Les Girondins étaient surtout des bourgeois qui craignaient que Paris ne prenne des décisions pour toute la France.
- **Les Jacobins:** les membres de ce club étaient surtout des professionnels (des enseignants, des avocats, des médecins). Ils voulaient créer une démocratie républicaine et abolir la monarchie.
- **Les sans-culottes:** les membres de ce club révolutionnaire radical étaient souvent des pauvres qui voulaient que la Révolution apporte une plus grande égalité.

La Ire République

En 1792, pour la première fois, le gouvernement français a été élu au suffrage universel. Tous les citoyens (à l'exception des femmes), riches ou pauvres, avaient le droit de voter. L'élection de l'Assemblée nationale faisait suite au refus du roi Louis XVI de reconnaître la monarchie constitutionnelle (*doc. 4, p. 99*), en place depuis 1791. Le roi avait même demandé à la Prusse et à l'Autriche d'attaquer la France pour mettre fin à la Révolution. Le 21 septembre, l'Assemblée nationale a proclamé l'abolition de la monarchie et l'an I de la République (*doc. 3*).

La Terreur

La Terreur est l'une des périodes les plus sombres de la Révolution française. À partir de 1793, sous prétexte que la France risquait d'être envahie et que certains Français souhaitaient le retour de la monarchie, l'Assemblée nationale a fait lever d'imposantes armées. Ces armées avaient comme mandat de défendre la Révolution contre ses ennemis de l'extérieur (des pays voisins) et de l'intérieur (les monarchistes). Les révolutionnaires ont adopté des lois sévères qui permettaient d'exécuter quiconque était reconnu coupable de travailler pour un pays étranger ou pour la défaite de la Révolution. En moins d'un an, la chasse aux traîtres a mené plus de 40 000 personnes à la guillotine.

À faire

1. Sur quoi porte la Déclaration des droits de l'homme et du citoyen ?
2. (doc. 2)
   a) Quelle différence y a-t-il entre les Feuillants et les Girondins ?
   b) Quelle différence y a-t-il entre les Jacobins et les sans-culottes ?

Activité

En équipe, cherchez une image de Napoléon Bonaparte et rédigez une courte biographie de ce personnage. Vous pourrez ensuite coller cette biographie au dos de l'image que vous aurez trouvée.

Napoléon et la fin de la Révolution

La Terreur a pris fin avec l'arrestation, le 27 juillet 1794, du plus grand décideur de cette période, Maximilien de Robespierre (1758-1794). Robespierre a été exécuté le lendemain de son arrestation. Le pouvoir est alors resté aux mains de quelques personnes jusqu'à ce que le général Napoléon Bonaparte (1769-1821) s'en empare en 1799 et se fasse sacrer empereur des Français en 1804.

Même si plusieurs historiennes et historiens s'accordent pour dire que l'arrivée au pouvoir de Napoléon signifiait la fin de la Révolution française, il demeure que les idées qui avaient alimenté cette révolution sont restées bien vivantes par la suite.

3 La Révolution française

1789	Création de l'**Assemblée nationale** dont les députés sont élus. Le roi Louis XVI demeure au pouvoir.
1792	**Ire République** Le roi n'a plus de pouvoir.
1793	Le roi est guillotiné.
1795	**Directoire** Régime politique à la tête duquel siègent cinq directeurs détenant le pouvoir exécutif.
1799	**Consulat** Le pouvoir passe aux mains de trois hommes: Napoléon Bonaparte, Emmanuel Joseph Sieyès et Roger Ducos.
1804	**Premier Empire** Napoléon Ier est sacré empereur et n'a pas à être élu.
1814	**Première Restauration** Monarchie sous Louis XVIII et Charles X.
1815	**Congrès de Vienne** Fin du règne de Napoléon Ier.
1830	**Les *Trois glorieuses*** Destitution révolutionnaire du roi Charles X, remplacé trois jours plus tard par Louis-Philippe Ier.
1848	**IIe République** Charles Louis Bonaparte (neveu de Napoléon) est élu président.
1852	**Second Empire** Charles Louis Bonaparte devient l'empereur Napoléon III.
1870	**IIIe République** La IIIe République survivra jusqu'en 1940 (date de l'occupation allemande de la France).

... sur les révolutions américaine et française.

Qu'est-ce qu'une révolution?

Une révolution est un changement radical dans les façons de faire d'une société. Dans le cas des révolutions américaine et française, il s'agit d'un changement brutal et violent de régime politique.

Pourquoi la révolution?

Dans les treize colonies britanniques en Amérique, comme en France, il existait un sentiment d'injustice. Dans les deux cas, la population revendiquait plus de droits et plus de pouvoir sur les décisions qui la concernaient.

Comment?

Les philosophes des Lumières soutenaient qu'il fallait à tout prix que les droits soient les mêmes pour tous et que ces droits soient protégés par l'État. Pour bien protéger les droits fondamentaux, ces philosophes affirmaient qu'il fallait séparer les pouvoirs et instaurer un régime politique qui permettrait à la population de participer à la prise des décisions les concernant. Ce régime politique devait être démocratique et prendre la forme soit d'une monarchie constitutionnelle, soit d'une démocratie républicaine.

Les philosophes des Lumières et les révolutions

RC

Jean-Jacques Rousseau (1712-1778).
(Édouard Lacretelle, XIXe siècle, Châteaux de Versailles et de Trianon, Versailles, France.)

Avant les révolutions américaine et française, les philosophes des Lumières prônaient de nouvelles idées sur ce qu'était un droit et sur les injustices d'une hiérarchie sociale (l'aristocratie, la bourgeoisie, les paysans). Le philosophe français Jean-Jacques Rousseau soutenait pour sa part que «l'homme est né libre, et partout il est dans les fers». Il affirmait aussi que l'éducation des enfants est l'une des seules voies qui permettent de réellement libérer les êtres humains.

1763 Traité de Paris donnant le Canada à l'Angleterre

1773 16 décembre: *Boston Tea Party*

Début de la révolution américaine **1775** Premières victoires des révolutionnaires

1776 4 juillet: Déclaration d'Indépendance

Fin de la révolution américaine **1783** Reconnaissance de l'indépendance américaine

TEMPS MODERNES

1787 17 septembre: adoption de la Constitution américaine

Début de la Révolution française **1789**
- 5 mai: ouverture des états généraux
- 14 juillet: prise de la Bastille
- 26 août: Déclaration des droits de l'homme et du citoyen

ÉPOQUE CONTEMPORAINE

1793 21 janvier: exécution du roi Louis XVI

1794 28 juillet: exécution de Robespierre

Fin de la Révolution française **1799** Prise du pouvoir par Napoléon

... sur les concepts liés aux révolutions.

Les révolutions américaine et française mettent en lumière certains concepts qui nous permettent de mieux comprendre toute l'importance de ces événements et leurs effets.

Qu'est-ce qui caractérise les RÉVOLUTIONS américaine et française ?

Les révolutions américaine et française ont permis de remettre en question des régimes politiques qui semblaient injustes pour instaurer des façons de faire plus respectueuses des droits de la personne. La statue de la Liberté représente l'amitié révolutionnaire qui existait entre les États-Unis et la France. Ci-dessus, la tête de la statue de la Liberté, exposée à Paris en 1883.

Qui était au sommet de la HIÉRARCHIE SOCIALE ?

Avant les révolutions, les rois et les seigneurs, dont les pouvoirs étaient héréditaires, décidaient de tout et pour tous.

Que dire de la JUSTICE ?

Avant les révolutions, les droits n'étaient pas les mêmes pour tous.

Quelle était la PHILOSOPHIE des LUMIÈRES ?

Les philosophes des Lumières soutenaient que tous les individus avaient les mêmes droits naturels.

Qu'est-ce qu'un CITOYEN ?

- Un membre d'une société démocratique.
- Les citoyens ont tous les mêmes droits et les mêmes pouvoirs.

Qu'est-ce qu'une RÉVOLUTION ?

Un soulèvement populaire en vue d'effectuer un changement radical dans un régime politique.

Qu'est-ce que la DÉMOCRATIE ?

- Un régime politique qui donne le pouvoir souverain au peuple.
- Il existe plusieurs formes de démocratie.

Quel RÉGIME POLITIQUE instaurer ?

Après les révolutions, il fallait créer des régimes politiques qui protégeraient les droits et les libertés de tous.

Qu'est-ce que la SÉPARATION DES POUVOIRS ?

Idée selon laquelle le pouvoir législatif, le pouvoir exécutif et le pouvoir judiciaire ne doivent pas être entre les mêmes mains.

ET TOI ?

Ces concepts te permettent de comprendre l'influence qu'ont eue les révolutions américaine et française sur notre société. Explique en quoi ces idées ont influé sur la démocratie canadienne.

Étudier le symbolisme d'une œuvre d'art

RC La Déclaration des droits de l'homme et du citoyen

La Déclaration

Le 26 août 1789, l'Assemblée nationale française a adopté la Déclaration des droits de l'homme et du citoyen (DDHC). Ce document définissait les principes que la Révolution devait défendre à tout prix. L'importance de la Déclaration pour la Révolution et pour les Français qui ont vécu à cette époque transparaît dans certaines des représentations qui en ont été faites.

Des symboles

À l'époque de la Révolution, les symboles de la victoire de la raison et de la liberté sur la tyrannie étaient nombreux. En voici quelques-uns que tu peux associer à la gravure présentée à la page 115 :

1. le symbole de la France ou de la République française, habituellement une femme ;
2. l'œil de la raison, qui symbolisait le pouvoir de voir et de comprendre ;
3. le symbole de la Loi ou de la Liberté, souvent une femme ailée tenant un sceptre, emblème de la raison ;
4. le *pileus* ou bonnet phrygien, un chapeau qui symbolisait l'affranchissement des esclaves dans la Rome antique ;
5. le faisceau, un assemblage de bâtons liés par une courroie de cuir, qui symbolisait l'union des départements G de France.

Étude du symbolisme de la gravure

ÉTAPE 1 – Les objectifs de cette étude

Qu'est-ce que je cherche, qu'est-ce que j'espère découvrir en étudiant cette gravure ?

ÉTAPE 2 – L'origine de la gravure

1. Quel est le titre de cette œuvre ?
2. Où se trouve cette œuvre ?
3. a) Qui est l'auteur de cette gravure ?
   b) De qui cette gravure est-elle inspirée ?
   c) Quand ces personnes ont-elles vécu ?

ÉTAPE 3 – La description des symboles de la gravure

1. Dans l'ensemble, qu'est-ce qui est représenté dans cette gravure ?
2. a) Que fait la femme symbolisant la France ?
   b) Qu'a-t-elle sur la tête ?
   c) Que fait la femme représentant la Loi ?
   d) Décris les nuages qui entourent l'œil de la raison. D'après toi, que représentent ces nuages ?
   e) De quoi le faisceau au centre de l'œuvre est-il coiffé ?

ÉTAPE 4 – L'interprétation de la gravure

1. a) Selon cette œuvre, que signifie la DDHC pour la France ?
   b) Que nous apprend cette œuvre sur ce que pensaient Louis Laurent et Jean-Jacques François Lebarbier de la DDHC ?
2. a) D'après la représentation de la Loi, qu'est-ce qui a aidé à rédiger la DDHC ?
   b) Que symbolise l'œil de la raison ?
   c) Que signifie le symbole du faisceau ainsi coiffé ?
   d) Résume en trois mots ce qui est représenté dans cette gravure.

La Déclaration des droits de l'homme et du citoyen

(Gravure par Louis Laurent d'après un dessin de Jean-Jacques François Lebarbier, vers 1791, musée de la Révolution française, Vizille, France.)

Méthode

Étudier le symbolisme d'une œuvre d'art

ÉTAPE 1 – Les objectifs de l'étude

Déterminer les raisons pour lesquelles on étudie l'œuvre.

ÉTAPE 2 – L'origine de l'œuvre

À l'aide des renseignements contenus dans la source de l'œuvre d'art:

1. **Indiquer le titre de l'œuvre.**
2. **Indiquer le lieu de conservation de l'œuvre.**
3. **Indiquer qui a créé l'œuvre et la date de sa création.**

ÉTAPE 3 – La description des symboles de l'œuvre

1. **Décrire l'œuvre globalement.**
2. **Décrire l'œuvre de façon détaillée.**

ÉTAPE 4 – L'interprétation de l'œuvre

1. **Mettre l'œuvre en relation avec les sources d'inspiration présumées.**
2. **Préciser les renseignements historiques que l'œuvre apporte.**

LES MÉTIERS DE L'HISTOIRE

Le professeur ou la professeure d'histoire

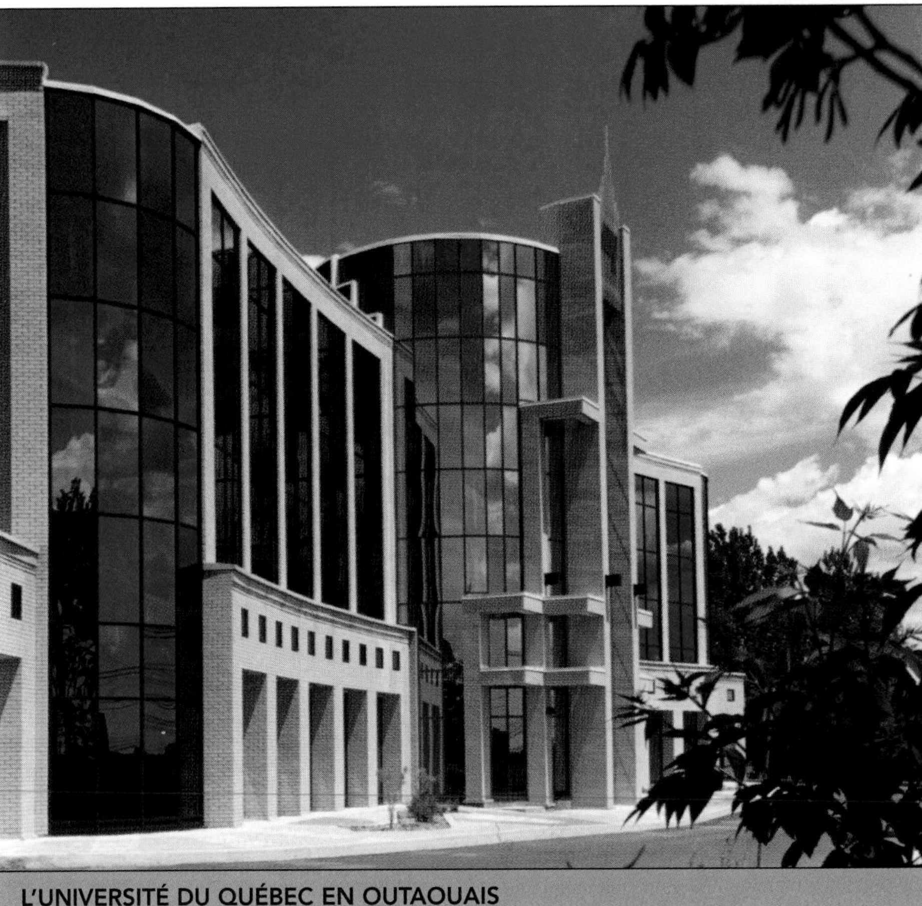
L'UNIVERSITÉ DU QUÉBEC EN OUTAOUAIS

M. Michel Filion, vous êtes professeur à l'Université du Québec en Outaouais. Parlez-nous de votre profession.

M. F. – L'université est un lieu où l'on produit et où l'on transmet des connaissances. Les professeurs et les professeures se consacrent ainsi à deux tâches : l'enseignement et la recherche. Par exemple, pour enseigner l'histoire d'une période (le XVIIIe siècle, par exemple), d'un lieu (comme la Nouvelle-France), d'une population (les Acadiens, les femmes, les Amérindiens) ou encore d'une activité (la défense militaire, l'éducation, le commerce des fourrures), il faut savoir ce que tous les historiens et les historiennes ont écrit sur le sujet. Il faut aussi contribuer à faire avancer les connaissances : c'est pourquoi les professeurs et les professeures d'université font de la recherche.

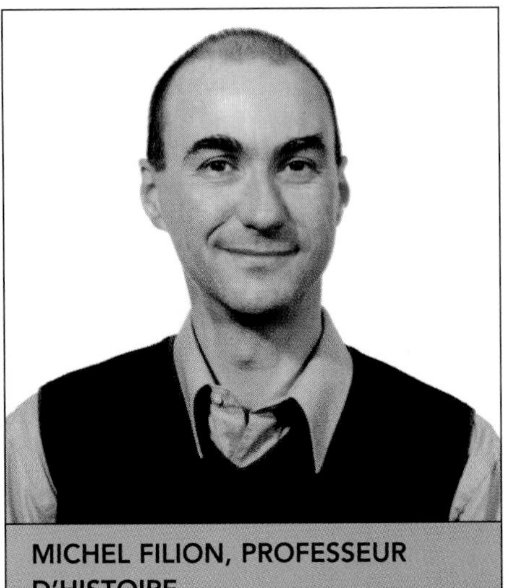
MICHEL FILION, PROFESSEUR D'HISTOIRE

Quels types de recherches peut faire une personne spécialisée en histoire ?

M. F. – L'histoire est un champ très vaste qui couvre une multitude de sujets, depuis la préhistoire jusqu'à nos jours. Une visite dans une librairie ou une bibliothèque le démontre clairement : on y trouve des livres portant sur l'histoire de l'Antiquité romaine, de la Chine impériale, des chevaliers du Moyen Âge, de la Seconde Guerre mondiale, du Québec sous Duplessis, des travailleurs et des travailleuses de l'automobile, des écoles de rang au XIXe siècle, etc. L'éventail est pratiquement infini quand vient le temps de reconstituer le passé.

« Pour ma part, je me consacre à l'histoire des médias de masse (radio et télévision) au Québec afin de comprendre leur rôle dans la formation de l'identité collective. Depuis que la radio est apparue au Canada au cours des années 1920, et la télévision au cours des années 1950, les Québécois et Québécoises sont très friands de leurs propres émissions. Mais ils et elles écoutent aussi des émissions étrangères. Quelle influence ont-elles ? Depuis leurs origines, les médias électroniques nous ouvrent sur le monde et sur nous-mêmes, mais ils nous intègrent aussi à la culture américaine. Sommes-nous des Américains et Américaines parlant français ou des francophones d'Amérique ? Notre histoire nous conduit-elle à nous différencier ou à nous assimiler ? Plusieurs historiens et historiennes cherchent à trouver des réponses à ces questions. »

Michel Filion

LA STATION RADIOPHONIQUE CKCH EN 1963
Fondée à Hull en 1933, la station radiophonique CKCH a été, au cours des années 1940 à 1970, un important véhicule de la culture francophone en Outaouais.
(Centre de l'Outaouais des Archives nationales du Québec, Hull, Canada.)

Expliquez-nous pourquoi vous aimez ce travail.

M. F. – Il est très valorisant de transmettre à d'autres des connaissances, mais plus encore de favoriser le développement de leur conscience historique. Chacun et chacune de nous se définit par son histoire personnelle, et cela est vrai aussi pour les groupes humains. Notre monde est l'aboutissement de choix, de décisions et de circonstances qui l'ont construit tel que nous le connaissons aujourd'hui. Il aurait pu être différent et il le deviendra nécessairement car les choix, les décisions et les circonstances d'aujourd'hui seront déterminants pour demain. Cela signifie que nous ne sommes pas passifs et que nous participons aussi à notre propre évolution. Chaque individu est à sa manière un acteur dans la grande aventure humaine. L'histoire permet de comprendre le passé, d'expliquer le présent et de se projeter dans l'avenir.

Quelles sont les études nécessaires pour devenir professeur ou professeure ?

M. F. – Dans la plupart des systèmes universitaires, le baccalauréat conduit à la maîtrise. Pour devenir professeur ou professeure d'université, il faut poursuivre encore plus loin, au troisième cycle, qu'on appelle le doctorat. Cela peut sembler long, mais ce sont de belles années consacrées à se former dans une discipline passionnante et à étudier ce qui nous intéresse vraiment.

Quels étaient vos rêves et ambitions de jeunesse ?

M. F. – J'ai toujours aimé l'histoire, en particulier à l'école secondaire où j'ai eu de très bons enseignants. Mais, honnêtement, je ne savais pas encore quoi faire plus tard. Ma grande passion, c'était la course automobile ! J'en ai fait un peu, ce qui m'a calmé même si cela m'intéresse encore beaucoup. Au même moment, j'étais étudiant à l'université et on m'a offert d'être l'assistant d'un professeur d'histoire. Ce fut une révélation ! Enseigner l'histoire, voilà ce que je voulais faire. C'est un choix que je ne regrette pas.

« L'université est un lieu où l'on produit et où l'on transmet des connaissances. »

Michel Filion

AILLEURS…

La Russie tsariste

RUSSIE TSARISTE

1682 Règne de Pierre le Grand (1682-1725)

1703 Fondation de Saint-Pétersbourg

1721 Début de l'Empire russe

TEMPS MODERNES

1762 Règne de Catherine II (1762-1796)

1767 On interdit aux paysans de porter plainte contre les seigneurs.

1775 Révoluti[on] américai[ne] (1775-17…

RC

Le palais de l'Ermitage à Saint-Pétersbourg, d'hier à aujourd'hui

Le musée de l'Ermitage demeure un des plus grands musées d'art du monde. Ses collections sont présentées dans près de 400 pièces réparties dans cinq édifices construits aux XVIIIe et XIXe siècles. Le premier de ces édifices est le palais d'Hiver, qui a servi de résidence aux tsars jusqu'au début du XXe siècle. Ce palais a été construit entre 1754 et 1762. Toutefois, dès 1764, l'Ermitage est devenu un musée d'art. En effet, Catherine II (*doc. 4, p. 124*), tsarine de l'époque, a acheté de nombreuses collections d'œuvres d'art d'artistes européens. Elle a même dû faire construire un nouvel édifice, le Petit Ermitage, pour abriter ses imposantes collections. Aujourd'hui, le musée de l'Ermitage présente plus de 3 millions d'œuvres d'art, dont environ 15 000 peintures, 12 000 sculptures et 600 000 dessins et gravures.

RC

Le palais d'Hiver, aujourd'hui le musée de l'Ermitage à Saint-Pétersbourg en Russie.

Le palais d'Hiver au XIXe siècle.
(Ludwig F. K. Bohnstedt, d'après Vassili S. Sadovnikov, 1847, musée de l'Ermitage, Saint-Pétersbourg, Russie.)

RC

1789 Révolution française (1789-1799)

1796 Règne de Paul Ier (1796-1801)

1801 Règne d'Alexandre Ier (1801-1825)

1816 Abolition du servage dans les provinces baltiques

1825
- Règne de Nicolas Ier (1825-1855)
- Soulèvement décembriste

1841 Interdiction de vendre des paysans individuellement

1855
- Guerre de Crimée
- Réformes sociales en Russie

ÉPOQUE CONTEMPORAINE

PROJET

LA RUSSIE TSARISTE

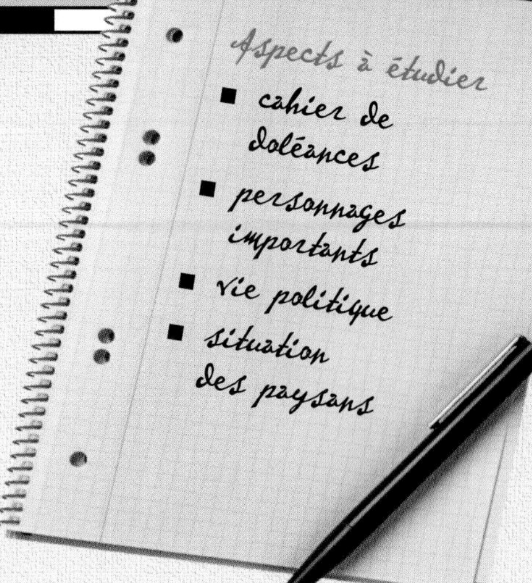

Aspects à étudier
cahier de doléances
personnages importants
vie politique
situation des paysans

Rédiger un cahier de doléances

Au XVIIIe siècle, alors que la France et les États-Unis étaient en pleine révolution dans l'espoir d'instaurer un régime politique qui défendrait les droits des citoyens, qui leur accorderait plus de libertés et qui leur permettrait de vivre dans une société plus juste, la Russie connaissait une tout autre réalité. En effet, même si les idées des philosophes des Lumières s'étaient rendues jusqu'en Russie, le pays vivait toujours sous un régime autocratique, une monarchie.

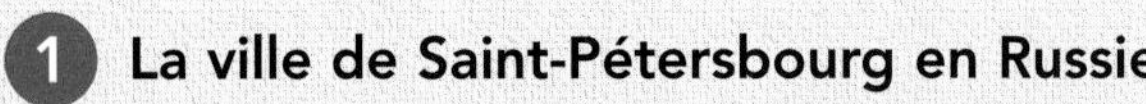

1 La ville de Saint-Pétersbourg en Russie

RC

Fondée en 1703 (l'année de la construction de la forteresse Pierre-et-Paul, au premier plan ci-contre) par le tsar Pierre le Grand (*doc. 2, p. 123*), Saint-Pétersbourg devait avant tout servir à défendre l'accès de la Russie à la mer Baltique (*voir la carte, p. 118*). Cependant, la fondation de cette ville construite sur d'anciens marais est surtout le résultat des idées de grandeur du tsar. En effet, Pierre le Grand souhaitait faire de Saint-Pétersbourg, devenue capitale de la Russie en 1712, une ville moderne comme les grands centres européens. À la mort du tsar, la magnifique ville était devenue le cœur de la vie politique, militaire et culturelle en Russie. Toutefois, ce grand rêve a coûté la vie à plus de 150 000 ouvriers qui ont travaillé à sa construction.

SUJET DE LA RECHERCHE

- **QUOI ?** La Russie tsariste.
- **QUAND ?** De 1682 à 1855.
- **RÉALISATION** Rédiger un cahier de doléances qui aurait pu être écrit par des paysans et des paysannes russes entre 1682 et 1855.

DÉMARCHE DE RECHERCHE

PLANIFIER LA RECHERCHE

1 **Prends connaissance** du plan de la recherche pour bien organiser ton travail.

La Russie tsariste (1682-1855)

PLAN DE LA RECHERCHE

1. Trouver de l'information pour comprendre ce qu'est un cahier de doléances. À cet égard, la piste de recherche 2 du présent chapitre peut être utile.
2. Trouver de l'information sur les personnages importants qui ont vécu en Russie entre 1682 et 1855.
3. Trouver de l'information sur la vie politique en Russie aux XVIIIe et XIXe siècles.
4. Trouver de l'information sur la vie des paysans russes à cette époque.
5. Trouver des images pertinentes pour illustrer le cahier de doléances.

RECUEILLIR L'INFORMATION

encyclopédies – ouvrages documentaires – monographies – atlas historiques – manuels scolaires

Mots clés : cahier de doléances – Russie tsars – Russie histoire – Russie paysans – Russie société culture

2 **Fournis** les renseignements demandés.

Le cahier de doléances

- Qu'est-ce qu'un cahier de doléances ?
- Que trouve-t-on dans un cahier de doléances ?

Les personnages importants en Russie entre 1682 et 1855

- Quel titre les souverains de la Russie portaient-ils durant cette période ? Que signifie ce terme ?
- Nomme cinq importants souverains de la Russie entre 1682 et 1855.
- Fournis des renseignements sur le règne de chacun de ces chefs d'État.

La vie politique en Russie entre 1682 et 1855

- Quel était le régime politique en Russie entre 1682 et 1855 ?
- Les citoyens étaient-ils tous égaux ? Y avait-il une hiérarchie sociale ? Explique ta réponse.
- Les pouvoirs étaient-ils séparés ?

La situation des paysans russes entre 1682 et 1855

- Les paysans russes étaient-ils libres ?
- Comment vivaient-ils ?
- Les paysans russes pouvaient-ils participer aux décisions de l'État ?
- La Russie prélevait-elle des impôts durant cette période ?
- Quel était le rôle de l'armée russe ?
- Y avait-il des guerres ?
- Les paysans se sont-ils révoltés ? Quelles étaient les causes des révoltes ?
- Qu'est-ce que le servage ? Quand a-t-il été aboli en Russie ?

P

TECHNIQUE Cahier de doléances

Pour rédiger un cahier de doléances, tu devrais:

- imaginer que tu es un paysan ou une paysanne russe qui s'adresse au souverain;
- dresser un plan de ce que tu aimerais lui dire et des changements que tu souhaiterais voir en Russie;
- bien expliquer pourquoi chacun de ces changements est important;
- utiliser ton imagination pour présenter un cahier de doléances original qui retiendra l'attention du chef de l'État. Par exemple, choisir des beaux caractères d'écriture, insérer des images qui illustrent les propos, faire une couverture attrayante, utiliser un support original, etc.

Pour ce projet, inspire-toi des extraits de cahiers de doléances présentés à la page 96 de ton manuel.

TRAITER L'INFORMATION

3 **Analyse** l'information recueillie de manière à ne retenir que les renseignements nécessaires à l'élaboration et à la rédaction de ton cahier de doléances.

Note ces renseignements sur des fiches semblables à celles ci-dessous.

ORGANISER L'INFORMATION

Avant de rédiger ton cahier de doléances, relis la liste des critères d'évaluation que ton enseignante ou ton enseignant t'a remise. Cela te permettra de les respecter et de mieux réussir ton projet.

4 a) **Relis** attentivement l'encadré «Technique». **Rédige** un cahier de doléances qui aurait pu être écrit par des paysans et des paysannes russes entre 1682 et 1855.

b) **Utilise un moyen visuel** pour bien illustrer tes propos.

COMMUNIQUER L'INFORMATION

5 a) **Présente** ton cahier de doléances à tes camarades de classe.

b) **Note** les différences entre ton cahier de doléances et celui des autres élèves. Note aussi des renseignements que tu n'as pas trouvés en effectuant ta recherche, mais que tes camarades ont découverts.

ÉVALUER LA DÉMARCHE

Ton enseignante ou ton enseignant te remettra un parcours d'évaluation qui te permettra d'évaluer ta démarche de recherche et d'en découvrir les forces et les faiblesses. Cette évaluation te permettra d'améliorer ta prochaine recherche.

Conserve ton cahier de doléances et ton parcours d'évaluation dans ton portfolio d'apprentissage.

2 Pierre le Grand (1672-1725)

Pierre Ier est aussi connu sous le nom de Pierre le Grand, nom qu'il s'est lui-même donné. Il a été tsar de Russie de 1682 à 1725. Pierre Ier est reconnu pour avoir été le souverain qui a sorti la Russie du Moyen Âge. Autoritaire, il a centralisé les pouvoirs de l'État, modernisé l'armée et doté la Russie d'une imposante marine. La fondation de Saint-Pétersbourg sur des marais nordiques est au nombre de ses entreprises les plus ambitieuses (*doc. 1, p. 120*).

Pierre Ier, empereur de Russie
(Jean-Marc Nattier, 1717, musée de l'Ermitage, Saint-Pétersbourg, Russie.)

3 Le Grand Palais de Petrodvorets, près de Saint-Pétersbourg en Russie

RC

C'est sans doute en partie son voyage à Versailles qui a incité Pierre le Grand à construire le Grand Palais de Petrodvorets. En effet, ce château, tout comme celui de Versailles, illustre, avec ses parcs, ses jardins, ses statues et ses jeux d'eau, toute la richesse et la gloire du monarque. Quelque 5 000 ouvriers ont travaillé à la construction de ce palais entre 1714 et 1721.

4 Catherine II (1729-1796)

RC

Catherine II est devenue impératrice de Russie en 1762, après avoir détrôné son mari, Pierre III. Cette souveraine était reconnue pour son intelligence et sa culture. Fascinée par les idées des philosophes des Lumières, elle a reçu Voltaire à sa cour plusieurs fois et entretenait une correspondance régulière avec Diderot. Son admiration pour la culture occidentale des Lumières l'a poussée à acquérir une imposante collection d'œuvres d'art venues du monde entier (*voir la page 119*).

Portrait de Catherine II dans ses habits de couronnement
(Fyodor Rokotov, 1770, Musée de l'histoire, Moscou, Russie.)

5 Nicolas Ier (1796-1855)

Portrait équestre du tsar Nicolas Ier
(Alexander Petrovitch Schwabe, 1843, Musée de l'histoire, Moscou, Russie.)

Le règne de Nicolas Ier, de 1825 à 1855, a été marqué par les premiers grands sursauts révolutionnaires en Russie. En effet, c'est sous Nicolas Ier qu'ont éclaté les révoltes des décembristes contre la trop grande autorité du tsar. Le monarque a violemment réprimé ces révoltes et a imposé de sérieuses restrictions sur les libertés du peuple, autant dans l'éducation que dans la vie politique et dans les médias. Alexandre II (1818-1881), son successeur, a tenté de réduire les inégalités en abolissant le servage, mais il a tout de même fallu attendre les révolutions de 1905 et de 1917 pour que la monarchie russe soit abolie.

6 Mikhaïl Ivanovitch Glinka (1804-1857)

Glinka est considéré par plusieurs comme le premier grand compositeur d'opéra russe. Il a été le contemporain et l'ami d'artistes comme Nicolas Gogol et Alexandre Pouchkine. L'une de ses œuvres les plus connues, *La vie pour le tsar*, a été jouée pour la première fois en 1836. Cet opéra raconte l'histoire du servant Ivan Soussanine qui, alors que les Polonais occupaient Moscou en 1612, a donné sa vie pour sauver le jeune Mikhaïl Romanov, qui est devenu tsar en 1613.

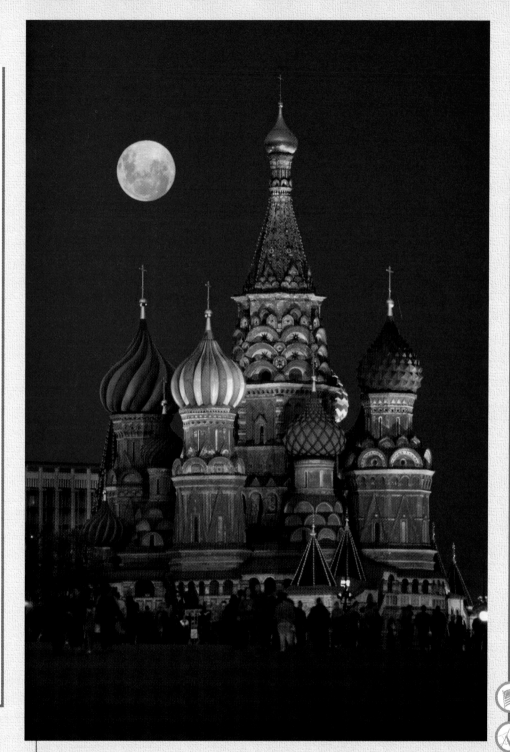

7 La cathédrale Basile-le-Bienheureux

La cathédrale Basile-le-Bienheureux, ou Saint-Basile, est sans doute l'édifice le plus connu de Moscou. L'architecture de cette cathédrale orthodoxe construite entre 1555 et 1560 se voulait des plus originales. Ses huit bulbes de couleur et de taille différentes devaient représenter les huit grandes batailles que les armées d'Ivan le Terrible (1530-1584) avaient livrées contre les Tatars. La cathédrale devait ainsi célébrer la libération de la Russie des armées mongoles.

Les révolutions américaine et française

Synthèse et comparaison

1 Le schéma ci-dessous résume ce que tu connais maintenant des révolutions américaine et française.

DROITS

LES RÉVOLUTIONS AMÉRICAINE ET FRANÇAISE

HIÉRARCHIE SOCIALE

Avant les révolutions, les rois et les seigneurs, dont les pouvoirs étaient héréditaires, décidaient de tout et pour tous.

JUSTICE

Avant les révolutions, les droits n'étaient pas les mêmes pour tous.

SIÈCLE DES LUMIÈRES

Les philosophes des Lumières soutenaient que tous les individus avaient les mêmes droits naturels.

CITOYEN

- Un membre d'une société démocratique.
- Les citoyens ont tous les mêmes droits et les mêmes pouvoirs.

RÉVOLUTION

Un soulèvement populaire en vue d'effectuer un changement radical dans un régime politique.

DÉMOCRATIE

- Un régime politique qui donne le pouvoir souverain au peuple.
- Il existe plusieurs formes de démocratie.

RÉGIME POLITIQUE

Après les révolutions, il fallait créer des régimes politiques qui protégeraient les droits et les libertés de tous.

SÉPARATION DES POUVOIRS

Idée selon laquelle le pouvoir législatif, le pouvoir exécutif et le pouvoir judiciaire ne doivent pas être entre les mêmes mains.

DECLARATION DES DROITS DE L'HO[...] ET DU CITOYEN

Ailleurs

2 Montre que tu connais les caractéristiques de la Russie tsariste entre 1682 et 1885 en reproduisant et en complétant le schéma ci-dessous.

HIÉRARCHIE SOCIALE 2
Quels étaient les principaux échelons de la hiérarchie sociale ?

JUSTICE 7
- Est-ce que tous et toutes étaient libres ?
- Les droits étaient-ils les mêmes pour tous et toutes ?

SIÈCLE DES LUMIÈRES 3
Quel a été l'impact de la philosophie des Lumières sur la Russie tsariste ?

LA RUSSIE TSARISTE 1
Décris les principales caractéristiques du régime tsariste en Russie entre 1682 et 1855.

CITOYEN 6
- Est-ce que tous et toutes étaient des citoyens ?
- Les citoyens participaient-ils aux décisions de l'État ?

RÉVOLUTION 4
D'après toi, y aura-t-il une révolution en Russie après 1855 ?

RÉGIME POLITIQUE 5
- Nomme le régime politique de la Russie au XVIIIe siècle.
- Existait-il une **SÉPARATION DES POUVOIRS** dans ce régime ?
- Ce régime était-il **DÉMOCRATIQUE** ?

3 À l'aide des renseignements contenus dans les schémas des numéros 1 et 2 et dans le présent chapitre, complète les phrases suivantes :

À CETTE ÉTAPE-CI,

1. **je pense qu'un droit, c'est** ▬
2. **je pense qu'un citoyen, c'est** ▬
3. **je pense que la démocratie, c'est** ▬
4. **je pense que la hiérarchie sociale, c'est** ▬
5. **je pense que la justice, c'est** ▬
6. **je pense que la philosophie, c'est** ▬
7. **je pense qu'un régime politique, c'est** ▬
8. **je pense qu'une révolution, c'est** ▬
9. **je pense que la séparation des pouvoirs, c'est** ▬
10. **je pense que le siècle des Lumières, c'est** ▬

Les droits

Depuis 1948, il existe une Déclaration universelle des droits de l'homme et depuis 1989, une Convention internationale des droits de l'enfant. À l'exception de la Somalie et des États-Unis, tous les pays du monde ont accepté de respecter cette convention qui reconnaît les droits fondamentaux des enfants.

1 Quelques articles de la Convention internationale des droits de l'enfant (1989)

«**Article 27**

1. Les États parties reconnaissent le droit de tout enfant à un niveau de vie suffisant pour permettre son développement physique, mental, spirituel, moral et social.

Article 28

Les États parties reconnaissent le droit de l'enfant à l'éducation, et en particulier, en vue d'assurer l'exercice de ce droit progressivement et sur la base de l'égalité des chances:

a) Ils rendent l'enseignement primaire obligatoire et gratuit pour tous;

b) Ils encouragent l'organisation de différentes formes d'enseignement secondaire [...], les rendent ouvertes et accessibles à tout enfant [...];

c) Ils assurent à tous l'accès à l'enseignement supérieur, en fonction des capacités de chacun, par tous les moyens appropriés; [...]

Article 32

1. Les États parties reconnaissent le droit de l'enfant d'être protégé contre l'exploitation économique et de n'être astreint à aucun travail comportant des risques ou susceptible de compromettre son éducation ou de nuire à sa santé ou à son développement physique, mental, spirituel, moral ou social.

Article 34

Les États parties s'engagent à protéger l'enfant contre toutes les formes d'exploitation sexuelle et de violence sexuelle. [...]

Article 38

3. Les États parties s'abstiennent d'enrôler dans leurs forces armées toute personne n'ayant pas atteint l'âge de 15 ans. [...]»

Haut-Commissariat des Nations Unies aux droits de l'homme.

2 Le travail des enfants

Selon l'Organisation internationale du Travail (OIT), en 2004, quelque 246 millions d'enfants (dont 73 millions avaient moins de 10 ans) étaient au travail dans le monde. Selon l'OIT, chaque année environ 22 000 enfants meurent des suites d'un accident de travail. Ces enfants sont souvent privés de tout et vivent dans une si grande pauvreté et un tel isolement qu'ils et elles arrivent très rarement à échapper à leur situation. Toujours selon l'OIT, 8,4 millions d'enfants seraient victimes de l'esclavage, du trafic, de la servitude pour dettes, de la prostitution, de la pornographie et d'autres activités illicites.

Une fillette d'environ 5 ans à l'œuvre dans un atelier de fabrication de crayons à Mandsaur (Madhya Pradesh), en Inde (Asie).

3 La pauvreté des enfants

Un enfant dans une ruelle de Tirana, en Albanie (Europe).

Selon l'UNICEF, en 2000, plus de 149 millions d'enfants de moins de 5 ans souffraient de malnutrition chronique dans les pays en développement G. La malnutrition a de sérieux effets sur le développement de ces enfants: ils et elles sont malades plus souvent, grandissent moins vite, meurent souvent très jeunes et accusent un retard dans leur développement intellectuel. Le problème existe aussi au Canada. En effet, en 2002, 1,1 million d'enfants souffraient de la faim.

4 Les enfants de la guerre

«Plus de 300 000 enfants soldats, certains ayant à peine 8 ans, sont exploités dans des conflits armés dans une trentaine de pays du monde entier. On estime que plus de 2 millions d'enfants sont morts directement des suites d'un conflit armé au cours de la dernière décennie. Six millions au moins ont été grièvement blessés ou handicapés à vie. Et chaque année, entre 8 000 et 10 000 enfants se font tuer ou mutiler par des mines terrestres.»

UNICEF, *Faits et chiffres sur les enfants*, 2004.

Un garçon soldat de 8 ans à Addis-Abeba, en Éthiopie (Afrique).

À faire

1. (doc. 2) Quel article de la Convention internationale des droits de l'enfant est violé dans ce document? Explique ta réponse.
2. (doc. 3) Quel article de la Convention est violé dans ce document? Explique ta réponse.
3. (doc. 4) Quel article de la Convention est violé dans ce document? Explique ta réponse.
4. (doc. 1) Explique dans tes mots ce que signifie l'article 28 de la Convention. À ton avis, le Canada respecte-t-il cet article? Justifie ta réponse.

Activité

En équipe, faites une recherche pour mieux comprendre pourquoi les États-Unis et la Somalie n'ont toujours pas signé cette convention.

Selon moi...

Pourquoi la Convention internationale des droits de l'enfant est-elle si peu respectée même si presque tous les pays l'ont signée? Explique comment tu ferais pour qu'elle soit mieux respectée.

10

L'INDUSTRIALISATION : UNE RÉVOLUTION ÉCONOMIQUE ET SOCIALE

SOMMAIRE

L'industrialisation 132

Les classes sociales
- Autour de toi 134
- Au passé 136

PISTES DE RECHERCHE
- 1. A. Une révolution sociale chez les riches ? 138
- B. Une révolution sociale chez les pauvres ? 140
- 2. La vie dans les usines : les ouvriers s'organisent. 142
- 3. Le monde change ! Oui, mais comment ? 144

J'AI DÉCOUVERT… 146

SAVOIR 148

JE FAIS LE POINT… 156

SAVOIR-FAIRE
Étudier une chanson 158

LES MÉTIERS DE L'HISTOIRE
Le ou la guide-interprète 160

AILLEURS… 162

PROJET – La France industrielle 164

DOSSIER – L'industrialisation aux États-Unis 170

DOSSIER – L'industrialisation en Allemagne 176

SYNTHÈSE ET COMPARAISON 182

ET AUJOURD'HUI…
Les conditions de travail 184

L'Angleterre

La France

Les États-Unis

L'Allemagne

Le convertisseur de Bessemer

Usine de fabrication d'acier de Bessemer. L'affinage du fer dans les convertisseurs et le coulage des lingots fondus. (Gravure, 1876.)

L'industrialisation, aussi appelée «la révolution industrielle», a été une période d'innovations et d'inventions. Les industries étaient toujours à la recherche de nouvelles idées et de nouvelles méthodes qui leur permettraient de produire des matériaux et des biens plus rapidement et à meilleur coût. Sir Henry Bessemer (1813-1898), un inventeur britannique, a mis au point un procédé pour transformer la fonte en acier. Le procédé de Bessemer nécessitait l'utilisation d'un four enduit d'un revêtement intérieur spécial dans lequel était insufflé de l'air comprimé.

L'industrialisation

Au cours des XVIIIe et XIXe siècles, le monde a connu d'importants changements dans la façon de produire des biens et d'en faire le commerce. C'est en Angleterre que s'est amorcée la révolution industrielle.

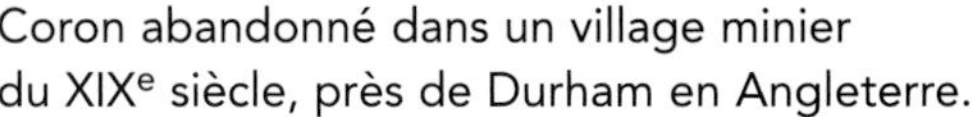

Coron abandonné dans un village minier du XIXe siècle, près de Durham en Angleterre.

Coron rénové construit en 1897 à Kings Dyke en Angleterre.

Les corons

Au XIXe siècle, les mineurs construisaient leur maison près de la mine où ils travaillaient et y installaient leur famille. Plusieurs de ces quartiers miniers, appelés «corons», existent encore aujourd'hui. Certains ont été rénovés alors que d'autres ont été abandonnés après la fermeture d'une mine.

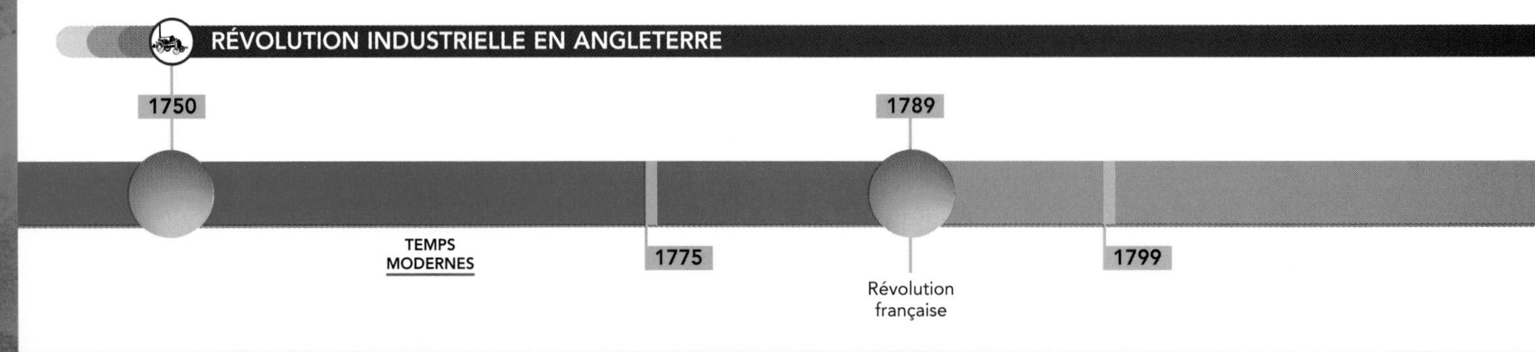

L'industrialisation en Grande-Bretagne vers 1850

RC

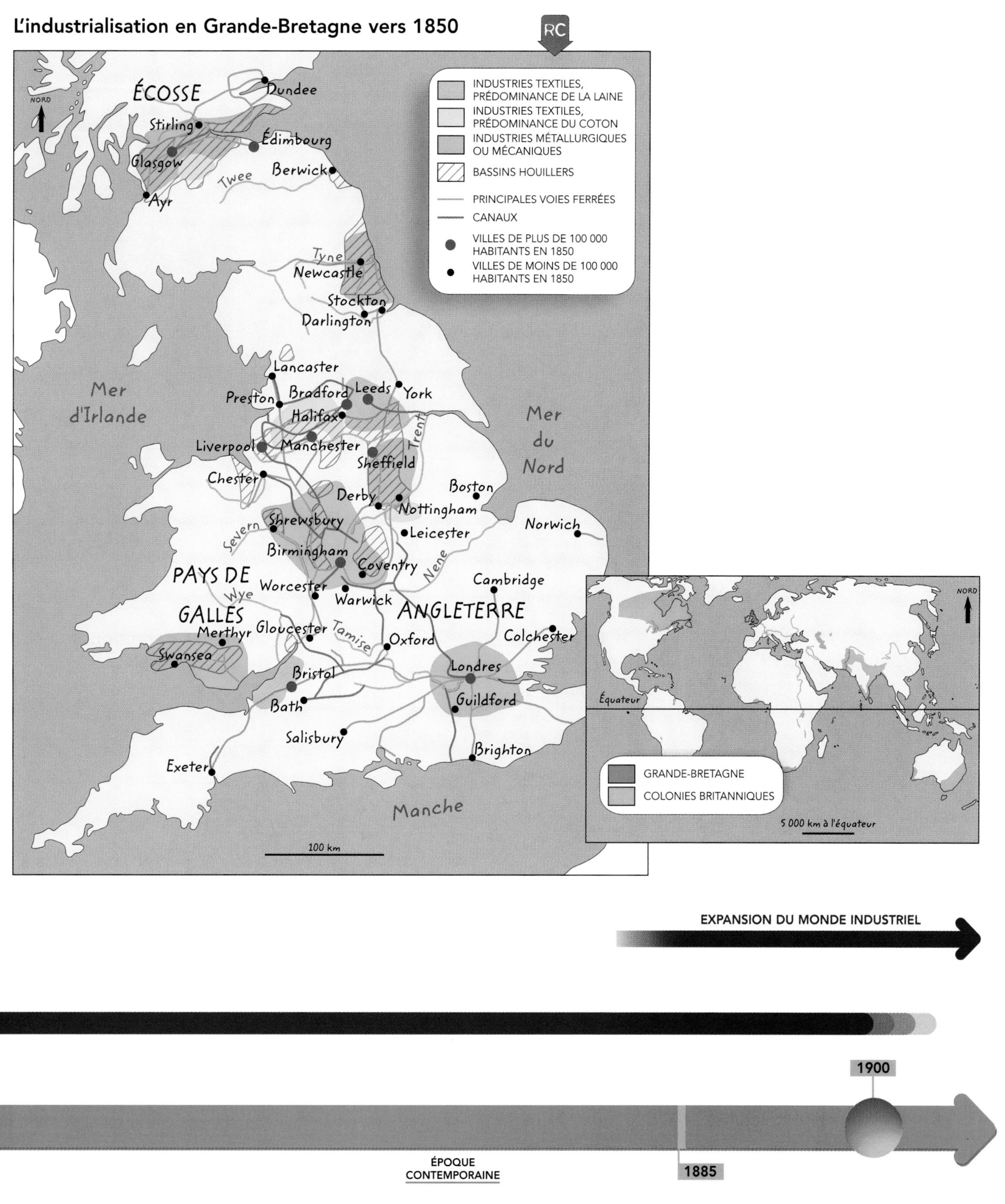

EXPANSION DU MONDE INDUSTRIEL

1900

ÉPOQUE CONTEMPORAINE

1885

1 La richesse des uns

Selon le magazine états-unien *Forbes*, Bill Gates était, en 2004, la personne la plus riche du monde. Sa fortune était évaluée à 46,6 milliards de dollars.

3 Une voiture coûteuse

Le luxe qu'affichent certains groupes de personnes peut parfois surprendre. Par exemple, des gens peuvent payer un prix exorbitant pour une simple voiture. Cette voiture de luxe coûte environ 96 000 $.

2 La répartition de la richesse au Canada en 1999

(en pourcentage de la population)

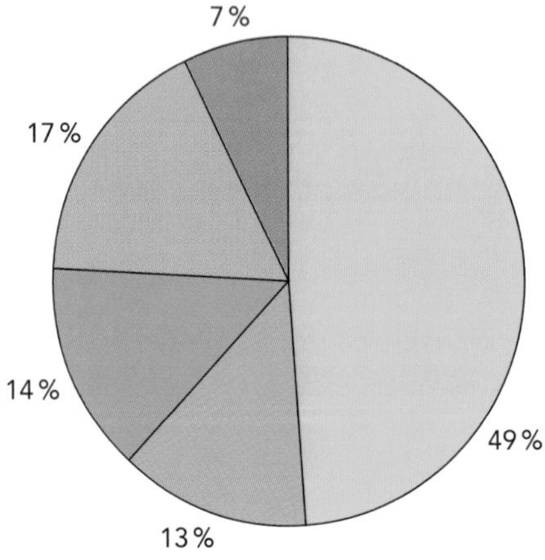

AVOIRS NETS

- DE 0 $ À 10 000 $
- DE 10 000 $ À 30 000 $
- DE 30 000 $ À 100 000 $
- DE 100 000 $ À 500 000 $
- PLUS DE 500 000 $

4 Les secteurs d'activité des parlementaires canadiens en 2004

(en nombre de personnes)

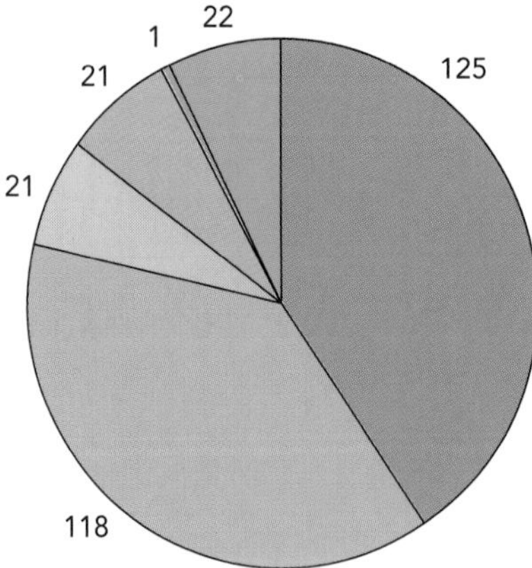

SECTEURS D'ACTIVITÉ

- ADMINISTRATION
- DROIT
- SCIENCE
- AGRICULTURE
- OUVRIER
- AUTRES

5 Quelques définitions de « classe sociale »

1. **Dans l'Antiquité:** « Chacune des catégories entre lesquelles les citoyens étaient répartis (d'après le montant de leur fortune). »
2. **À partir de 1788:** « Ensemble de personnes de même condition ou de niveau social analogue qui ont une certaine communauté d'intérêts, de comportements. »
3. **Aujourd'hui:** « Dans un groupe social, ensemble des personnes qui ont en commun une fonction, un genre de vie, une idéologie, etc. »

Petit Robert de la langue française, 2006.

6

Une petite maison à Laval

Cette maison, située à Laval, au nord de Montréal, vaut environ 110 000 $ et permet d'héberger une petite famille.

7 **Un sans-abri à Montréal en 1998**

Au Canada, il n'existe pas d'outil pour connaître le nombre de personnes qui n'ont pas les ressources nécessaires pour se nourrir convenablement ou pour trouver un endroit où coucher tous les soirs.

Activité de discussion

1. **Croyez-vous que toutes les personnes qui habitent au Canada appartiennent à la même classe sociale ?**
2. **Nommez la ou les classes sociales représentées dans les documents 1, 2, 3, 6 et 7.**
3. **Comment avez-vous distingué les groupes sociaux ? Pourquoi certains groupes sociaux semblent-ils avoir plus de pouvoir que d'autres ?**

1 De nouvelles classes sociales

À plusieurs reprises au cours de l'histoire, il s'est produit des bouleversements d'une importance telle qu'ils ont changé les groupes sociaux et même entraîné la création de nouvelles classes sociales. Par exemple, à l'époque de la préhistoire, la sédentarisation a fait naître la division du travail et une hiérarchie sociale comprenant des chefs, des guerriers et des chamans. Pour certains historiens et historiennes, la révolution industrielle est l'un de ces grands bouleversements.

2 La révolution industrielle

Selon l'historien David Landes, la révolution industrielle serait attribuable à de nombreuses innovations que l'on peut classer selon trois principes:

- le remplacement de l'habileté et de l'effort humains par des machines, plus rapides, constantes, précises et infatigables;
- le remplacement des sources d'énergie animées (humains, animaux) par des sources d'énergie inanimées, notamment par des machines pouvant convertir la chaleur en énergie;
- le recours à de nouvelles et beaucoup plus abondantes matières premières, notamment aux substances végétales et animales plutôt qu'aux minéraux.

D'après David Landes, *The Unbound Prometheus: Technological Change and Industrial Development in Western Europe from 1750 to the Present*, Cambridge University Press, 1969.

3 Le sabotage

«Il faut que les capitalistes le sachent: le travailleur ne respectera la machine que le jour où elle sera devenue pour lui une amie qui abrège le travail, au lieu d'être comme aujourd'hui l'ennemie, la voleuse de pain, la tueuse de travailleurs.»

«Si vous êtes mécanicien, disait cet article [du *Bulletin de la Bourse du travail de Montpellier*, 1900], il vous est très facile avec deux sous d'une poudre quelconque, ou même seulement avec du sable, d'enrayer votre machine, d'occasionner une perte de temps et une réparation fort coûteuse à votre exploiteur.»

Émilien Pouget, *Le Sabotage*, 1911.

4 Certaines inventions de la révolution industrielle

RC

1701 — Semoir de Jethro Tull

1733 — Navette volante de John Kay (tissage)

1769 — Machine à vapeur de James Watt

1779 — Mule-jenny de Samuel Crompton (filature mécanique)

1814 — Locomotive à vapeur de George Stephenson

1841 — Marteau-pilon de James Nasmyth

À faire

1. **a)** Explique ce qui te semble le plus important dans la révolution industrielle.

   b) D'après toi, quelles ont été les conséquences de l'industrialisation sur les usines, sur la vie des bourgeois et sur la vie des paysans ?

2. (doc. 3 et 5) D'après toi, qu'est-ce qui a poussé les chartistes à se révolter ?

3. (doc. 3 et 6) Crois-tu que les auteurs de ces deux documents voient l'industrialisation de la même façon ? Explique ta réponse.

5 La révolte des chartistes

L'émeute des chartistes de Newport en 1832.

(Gravure, vers 1832, collection particulière, Newport, Angleterre.)

Le mouvement des chartistes a été la première grande organisation ouvrière de Grande-Bretagne. Les chartistes cherchaient à défendre les droits des ouvriers et revendiquaient, entre autres choses, plus de pouvoir pour la classe ouvrière.

6 Les machines

«La machine, qui semble une force tout aristocratique par la centralisation des capitaux qu'elle suppose, n'en est pas moins, par le bon marché et la vulgarisation de ses produits, un très puissant agent du progrès démocratique; elle met à la portée des plus pauvres une foule d'objets d'utilité, de luxe même et d'art, dont ils ne pouvaient approcher.»

Jules Michelet, *Le Peuple*, Hachette et Paulin, 1846.

À cette étape-ci, comment définirais-tu une classe sociale ?

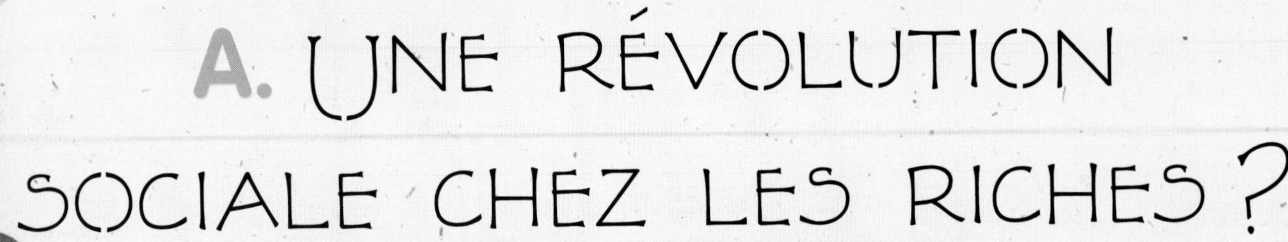

A. Une révolution sociale chez les riches ?

Depuis l'avènement de la révolution industrielle, de nombreux historiens et historiennes ont souligné les importantes répercussions de l'industrialisation sur l'organisation sociale.

1 Les grands bourgeois

Avant la révolution industrielle, il existait déjà en Angleterre des personnes qui vivaient du commerce. Au XVIIIe siècle, l'Angleterre était une puissance commerciale. Les grands bourgeois amassaient d'importants capitaux en faisant le commerce de la laine et du coton avec les colonies britanniques, notamment avec l'Inde, et avec l'Europe. Toutefois, pour réussir à produire des biens qui pouvaient être vendus (des tissus, des vêtements, des chaussures, des outils, par exemple), il fallait engager des artisans spécialisés et verser des salaires élevés. De plus, la fabrication des produits nécessitait beaucoup de temps. Comme ils étaient dispendieux à produire, les biens devaient être vendus à des prix élevés pour réaliser des profits.

2 La concurrence

Les propriétaires qui arrivaient à accroître leur production grâce aux nouvelles technologies pouvaient baisser leurs prix et augmenter les ventes. Les propriétaires se livraient ainsi une concurrence sans merci : les entreprises qui ne parvenaient pas à rivaliser fermaient leurs portes ou étaient rachetées par des entreprises plus grandes.

3 La machine à vapeur

Labourage à la vapeur. Une machine à vapeur est utilisée pour tirer une charrue à Grimthorpe, en Angleterre.
(Lord Willoughby of Eresby, vers 1850, *The Illustrated London News.*)

La machine à vapeur a été inventée en 1784 par le britannique James Watt. Cette machine, qui permettait de transformer la chaleur en mouvement, offrait une énergie nouvelle. Avec le mouvement des pistons, il devenait possible de faire fonctionner un nombre incalculable de machines, du métier à tisser à la locomotive, en passant par la charrue.

PISTE DE RECHERCHE 1

4 Le mode de vie des bourgeois

Une scène de la vie mondaine de la haute bourgeoisie anglaise.
(James Tissot, *Trop tôt*, 1873, Guildhall Art Gallery, Londres, Angleterre.)

5 Des propriétaires terriens

À la fin du XVIIIe siècle, en Angleterre, les terres appartenaient très rarement à ceux qui les cultivaient. Les propriétaires terriens (des bourgeois ou des nobles) faisaient travailler des paysans dans leurs champs et vendaient les récoltes dans les villes anglaises et ailleurs en Europe. Ces activités n'étaient toutefois pas toujours rentables: même lorsque les récoltes n'étaient pas très bonnes, les propriétaires devaient en laisser une part plus ou moins importante aux paysans.

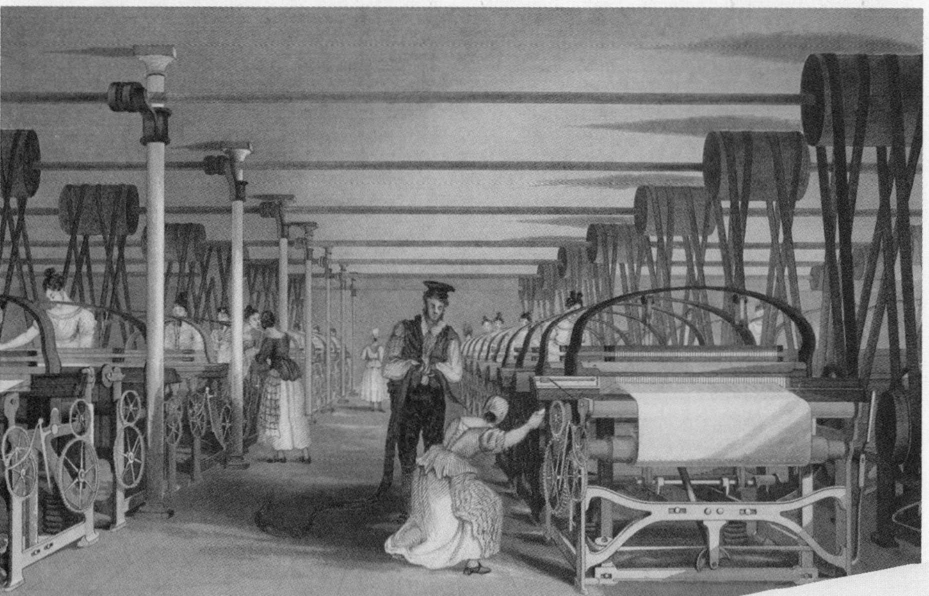

6 Le métier à tisser mécanique

Une usine textile équipée de métiers à tisser mus par des machines à vapeur.
(Gravure, 1835, collection Stapleton.)

L'invention, en 1785, du métier à tisser à vapeur par Edmund Cartwright a permis d'accélérer grandement la production du tissu. Ce métier à tisser était si facile à utiliser qu'on pouvait engager des personnes sans formation au lieu des artisans spécialisés qu'il aurait fallu payer beaucoup plus cher.

MISSION

Vous faites partie de la bourgeoisie ou vous êtes des propriétaires terriens en Angleterre au XIXe siècle. La révolution industrielle progresse. Préparez une courte scène de théâtre pour illustrer comment vous profiterez des innovations technologiques et comment elles vous permettront de vous enrichir.

B. Une révolution sociale chez les pauvres ?

La révolution industrielle a entraîné d'importants changements dans les conditions de vie des pauvres des villes et des campagnes anglaises.

1 L'éviction de paysans irlandais dans les années 1840

L'éviction d'une famille irlandaise et la destruction de sa maison sous la surveillance de militaires.
(Ebenezer Landells, 1840, *The Illustrated London News.*)

De 1845 à 1849, une grande famine s'est abattue sur l'Irlande. Incapables de payer leur loyer, plus de 500 000 paysans ont été expulsés de leur maison. De plus, en Angleterre comme en Irlande, les petits propriétaires terriens étaient incapables de concurrencer les grands propriétaires et leurs machines. Ils étaient souvent contraints de vendre leurs terres aux riches propriétaires. Il y avait donc de moins en moins de propriétaires qui contrôlaient de plus en plus de terres. C'est ce qu'on appelle la « concentration des terres ».

2 La répartition de la population active en Grande-Bretagne

(en pourcentage de la population)

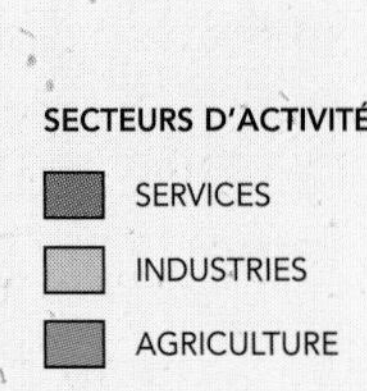

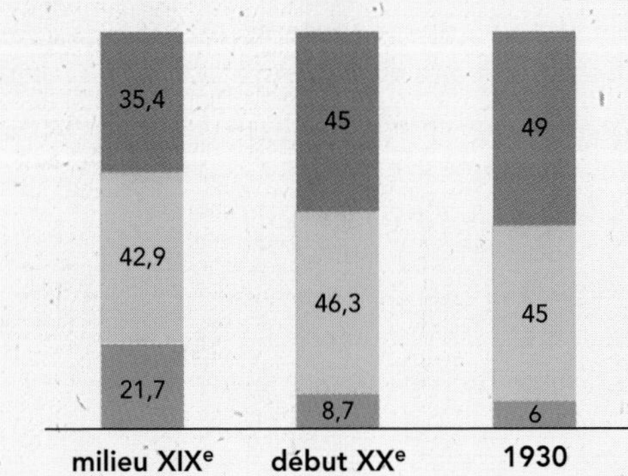

3 **Les usines en ville**

(W. J. Palmer, 1866, *The Illustrated London News.*)

Les cheminées de la région industrielle du Black Country («le Pays noir») près de Wolverhampton dans les West Midlands en Angleterre, vers 1866. C'est autour de ces régions industrielles que s'installaient les **prolétaires**.

4 Les artisans

En 1794, les peigneurs de laine de l'Angleterre ont adressé une pétition au parlement de Londres.

«L'invention et l'usage de la machine à peigner la laine a pour effet de réduire la main-d'œuvre de la manière la plus inquiétante [...]. [Les peigneurs] constatent qu'une seule machine, surveillée par une personne adulte et servie par cinq ou six enfants, fait autant de besogne que trente hommes travaillant à la main selon l'ancienne méthode [...]. L'introduction de ladite machine aura pour effet presque immédiat de priver de leurs moyens d'existence la masse des artisans. Toutes les affaires seront accaparées par quelques entrepreneurs puissants et riches [...]. Les machines dont les pétitionnaires regrettent l'usage se multiplient rapidement dans tout le royaume, et ils en ressentent déjà cruellement les effets: un grand nombre d'entre eux sont déjà sans travail et sans pain.»

Extrait du *Journal de la Chambre des communes* (parlement de Londres), 1794.

Lexique

Prolétaire Membre du prolétariat, une classe sociale composée des ouvriers et ouvrières d'usine.

5 L'agriculture se transforme.

«En quoi consiste, en général, toute amélioration, soit dans l'agriculture, soit dans la manufacture? C'est à produire plus avec le même travail, c'est à produire autant, ou même plus avec moins de travail. Grâce à ces améliorations, le fermier est dispensé d'employer une plus grande quantité de travail pour un produit proportionnellement moindre.»

Karl Marx, *Misère de la philosophie*, 1847.

MISSION

Vous êtes des paysans et paysannes, ou des artisans et artisanes en Angleterre dans les années 1850. La révolution industrielle bat son plein. Écrivez une lettre aux capitalistes ou aux riches propriétaires terriens dans laquelle vous leur expliquerez votre situation et leur demanderez de l'aide.

PISTE DE RECHERCHE 2

LA VIE DANS LES USINES : LES OUVRIERS S'ORGANISENT.

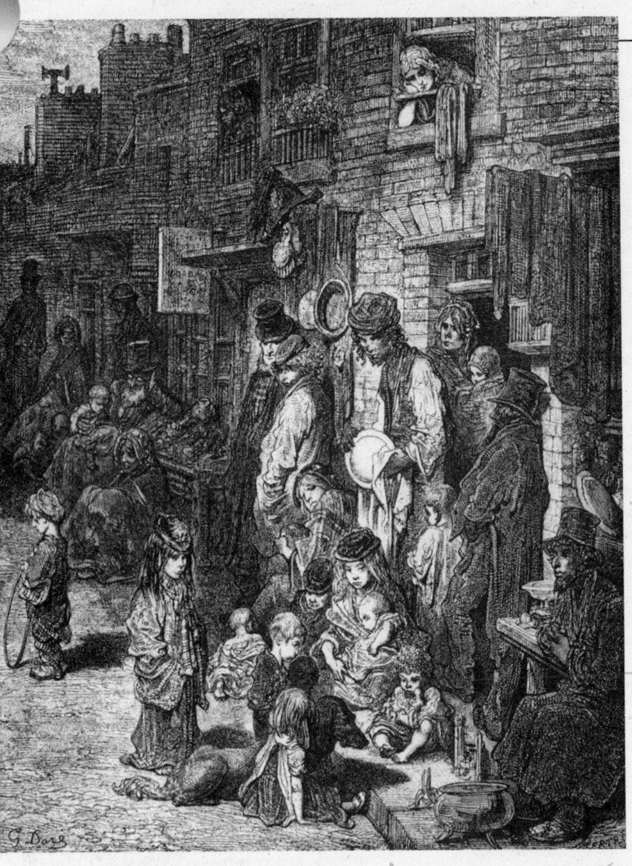

1 La vie des ouvriers et ouvrières

Ce dessin de Gustave Doré intitulé *Wentworth Street, Whitechapel* (1872) illustre la vie des ouvriers de Whitechapel, un quartier de Londres.

(Gustave Doré, illustration dans *London : A Pilgrimage* de Blanchard Jerrold et Gustave Doré, 1872, musée de Londres, Londres, Angleterre.)

2 Le bourgeois se moque éperdument de ses ouvriers.

« Un jour je pénétrai dans Manchester avec un de ces bourgeois et discutai avec lui de la construction déplorable, malsaine, de l'état épouvantable des quartiers ouvriers et déclarai n'avoir jamais vu une ville aussi mal bâtie. L'homme m'écouta calmement et au coin de la rue où il me quitta, il déclara : […] "Et pourtant, on gagne beaucoup d'argent ici. Au revoir, Monsieur !" Le bourgeois se moque éperdument de savoir si ses ouvriers meurent de faim ou pas, pourvu que lui gagne de l'argent. »

Friedrich Engels, *Situation de la classe laborieuse en Angleterre* (1845), trad. G. Badia et J. Frédéric, Éditions sociales, 1961.

3 Le fonctionnement d'une entreprise capitaliste

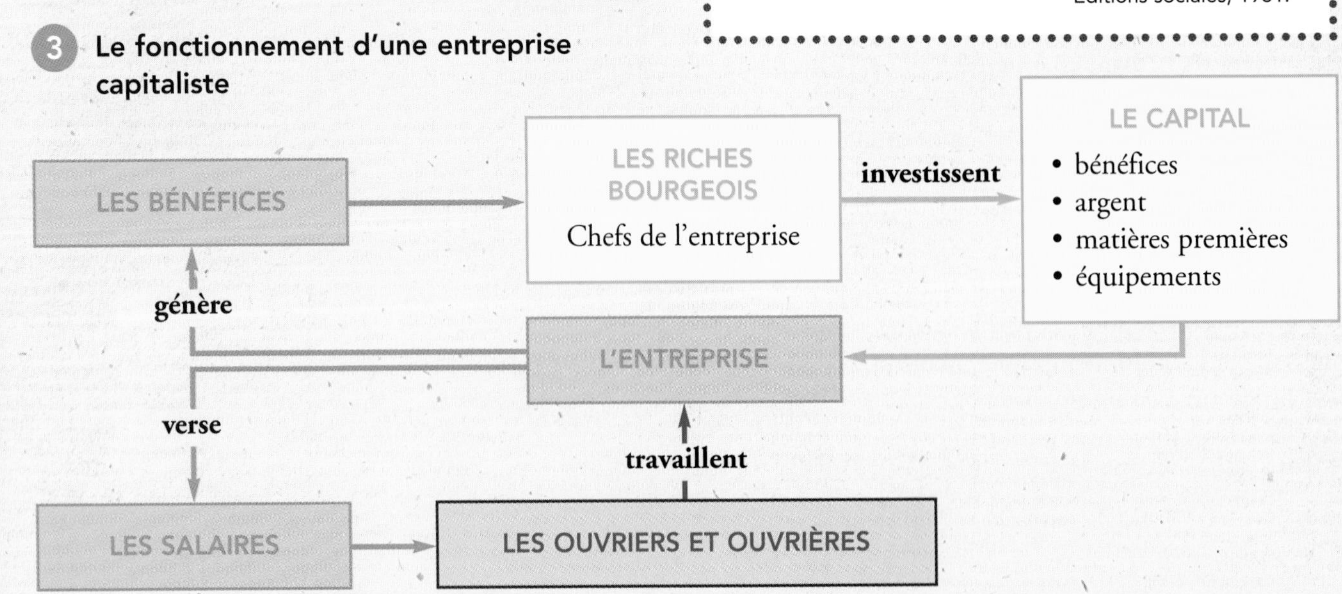

4 Le témoignage d'un ouvrier anglais

En 1832, M. Matthew Crabtree, un ouvrier, a témoigné devant le comité Sadler, chargé de mener une enquête sur les conditions de travail des ouvriers du textile en Angleterre.

« Monsieur Matthew Crabtree : À quel âge avez-vous commencé à travailler dans une usine ?

— À l'âge de huit ans. [...]

— À cet âge, quel était votre horaire de travail ?

— De 6 heures le matin à 8 heures le soir.

— 14 heures ?

— Oui.

[...]

— Durant ces longues heures de travail, arriviez-vous à être ponctuel ? Comment vous réveilliez-vous ?

— Je me réveillais rarement spontanément. Le plus souvent, mes parents me réveillaient ou me tiraient du lit, parfois encore endormi. Habituellement, ce sont mes parents qui me levaient.

— Étiez-vous toujours à l'heure ?

— Non.

— Quelle conséquence y avait-il si vous étiez trop en retard ?

— Habituellement, on me battait.

— Sévèrement ?

— Très sévèrement, à mon avis.

— Dans ces usines, est-ce qu'il y avait constamment des châtiments ?

— Constamment.

— Ainsi, il était difficile d'être dans une usine sans entendre pleurer ?

— Jamais plus d'une heure, il me semble. [...] La peur d'être battus si nous ne tenions pas le rythme de travail suffisait à nous faire tenir le coup, si nous le pouvions. [...]

— Et si vous étiez trop en retard, étiez-vous inquiet d'être cruellement battu ?

— J'étais généralement battu lorsque j'étais très en retard. Ainsi, lorsque je me levais le matin, la peur d'être battu était si grande qu'habituellement, je courais en pleurant jusqu'à l'usine. »

Extraits du *Journal de la Chambre des communes* (parlement de Londres), 1831-1832, vol. XV.

5 L'abus dans les usines

Un jeune garçon se fait fouetter par son superviseur dans une filature de coton. (Gravure, 1853.)

Dans les usines, les patrons avaient presque tous les droits, d'autant plus qu'habituellement les grands propriétaires et les politiciens étaient issus du même groupe social.

Vous êtes des ouvriers et des ouvrières travaillant dans une usine de textile en Angleterre dans les années 1870. Créez une bande dessinée de trois ou quatre vignettes qui illustre comment vous pourriez vous y prendre pour améliorer vos conditions de travail.

LE MONDE CHANGE ! OUI, MAIS COMMENT ?

1 Les conditions de vie des familles ouvrières

Les salaires des ouvriers étaient très bas.

« Pour survivre, les ouvriers doivent accepter de travailler de 12 à 14 heures par jour, sans repos hebdomadaire, et envoyer leurs enfants, dès l'âge de 10 ans et même parfois beaucoup plus tôt (jusqu'à 5 ans en Angleterre), dans les mines et dans les fabriques. Souvent condamnés au chômage, ils doivent se contenter [...] d'un logement **exigu** et malsain, d'une nourriture médiocre et d'une hygiène inexistante. [...] À Mulhouse, en 1827, l'espérance moyenne de vie ne dépasse pas 21 ans. »

Serge Berstein et Pierre Milza, *Histoire de l'Europe : nationalismes et concert européen, 1815-1919*, © Hatier, 1992.

Un quartier miséreux de Westminster, à Londres, au XIXe siècle.
(Gustave Doré, illustration dans *London : A Pilgrimage* de Blanchard Jerrold et Gustave Doré, 1872, musée de Londres, Londres, Angleterre.)

2 Le libéralisme

« Nous avons observé qu'en règle générale, les affaires étaient mieux faites lorsque ceux qui y étaient le plus directement intéressés avaient la faculté d'agir librement sans être contrôlés par la loi ou par l'intervention d'aucun fonctionnaire public. Les personnes ou quelques-unes des personnes qui exercent une profession sont les meilleurs juges des moyens d'atteindre le but auquel elles tendent. »

John Stuart Mill (économiste anglais), *Principes d'économie politique*, 1848.

3 La social-démocratie

« La social-démocratie [...] n'est nullement enthousiasmée par l'idée d'une révolution violente dirigée contre la totalité du monde non prolétarien [...]. Il ne s'agit en aucune façon d'une expropriation générale, simultanée et violente, mais d'un remplacement graduel au moyen de l'organisation et par la loi. [...] Actuellement la social-démocratie est un parti de réformes démocratiques et socialistes. »

Edward Bernstein, *Socialisme théorique et social-démocratie pratique*, Stock, 1900.

4 La Terre promise du marxisme

Dans une composition allégorique, Karl Marx, le père du socialisme allemand, tient dans la main droite son fameux livre, *Le Capital*, comme Moïse portait les Tables de la Loi. C'est l'exode du prolétariat vers un monde meilleur, vers la Terre promise, que Marx montre du doigt tout là-bas, dans l'horizon de la mer apaisée.

(Illustration dans le *Figaro Graphic*, supplément illustré épisodique au journal *Le Figaro*, 1892.)

Lexique

Exigu, uë Très petit, restreint.

6 Le communisme

«De chacun selon ses capacités, à chacun selon ses besoins!»

Karl Marx, *Critique du programme de Gotha*, 1875.

«[L'ordre social communiste] devra tout d'abord enlever l'exercice de l'industrie et de toutes les branches de la production, en général, aux individus isolés [...] pour les remettre à la société tout entière – ce qui signifie qu'elles seront gérées pour le compte commun [...] et avec la participation de tous les membres de la société. Il supprimera, par conséquent, la concurrence et lui substituera l'association.»

Friedrich Engels, *Les principes du communisme*,1847.

5 L'anarchisme

«Du grec *an* et *archos*, "contraire à l'autorité". Principe ou théorie de vie et de conduite selon lequel une société est conçue sans gouvernement. Dans une telle société, l'harmonie n'est obtenue ni par la soumission aux lois ni par l'obéissance à l'autorité, mais par de libres accords conclus entre les divers groupes, territoriaux et professionnels, librement constitués pour le bien de la production et de la consommation, de même que pour la satisfaction de la variété infinie de besoins et d'aspirations d'un être civilisé.»

Pierre Kropotkin, *The Encyclopædia Britannica*, 1910.

MISSION

Vous faites partie de la classe ouvrière telle qu'elle est décrite dans le document 1. Choisissez un système politique (doc. 2, 3, 5 ou 6) et créez une affiche qui explique comment ce système améliorera vos conditions de vie.

J'AI DÉCOUVERT...

... l'industrialisation : une révolution économique et sociale.

La révolution industrielle et les classes privilégiées

1. En Angleterre au XIXe siècle, les inventions dans les domaines manufacturier, minier et agricole permettaient de produire plus et à un moindre coût. Les capitalistes ont su profiter de ces progrès technologiques pour accroître leurs profits et leur capital.
2. Plusieurs riches propriétaires terriens achetaient de grandes parcelles de terres aux petits propriétaires en faillite, créant ainsi une importante concentration des terres. D'autres vendaient plutôt leurs terres, accumulant ainsi le capital nécessaire pour devenir chefs d'entreprises.
3. La puissance de la bourgeoisie se faisait sentir dans les décisions politiques prises par les gouvernements, dont faisaient partie bon nombre de bourgeois.
4. Pour faire valoir ses droits, la bourgeoisie comptait souvent sur des idéologies nouvelles comme le libéralisme.

Une nouvelle classe sociale : le prolétariat

1. En Angleterre au XIXe siècle, les paysans trouvaient de moins en moins de travail dans les campagnes. Les artisans n'arrivaient pas à concurrencer les grandes entreprises mécanisées des capitalistes.
2. Forcés de se rendre dans les villes, près des usines, pour trouver du travail, les paysans et les artisans sont devenus des ouvriers exploités, des prolétaires.
3. Les conditions de vie et de travail du prolétariat étaient intolérables. Pour être en mesure de négocier avec une bourgeoisie de plus en plus puissante, le prolétariat a eu recours à l'organisation syndicale.
4. La naissance du prolétariat a favorisé l'apparition d'idéologies et de mouvements politiques plus égalitaires comme le socialisme, le communisme et l'anarchisme.

1 Des villes de plus en plus peuplées

Vue de la ville industrielle de Sheffield, en Angleterre, en 1884.

Avec l'arrivée massive des paysans, des artisans et de tous ceux et celles qui espéraient trouver un emploi dans les usines, les villes sont rapidement devenues très grosses. Les prolétaires s'entassaient dans des quartiers près des manufactures où ils et elles travaillaient.

2 Deux grands penseurs de la lutte des classes

Karl Marx et Friedrich Engels, deux philosophes allemands, sont considérés encore aujourd'hui comme les grands penseurs du mouvement ouvrier des XIXe et XXe siècles. Ensemble, ils ont analysé le fonctionnement du capitalisme et la situation du prolétariat. Ils ont conclu que l'histoire de l'humanité est parsemée de luttes incessantes entre oppresseurs et opprimés pour le contrôle de l'économie et des richesses. Pour Marx et Engels, avec la révolution industrielle, cette lutte était devenue encore plus violente parce qu'il ne subsistait que deux classes sociales en lutte ouverte : la bourgeoisie et le prolétariat.

Karl Marx (1818-1883).
(Photographie, 1880.)

Friedrich Engels (1820-1895).
(Willi Schubert, 1889, Deutsches Historisches Museum, Berlin, Allemagne.)

3 « Prolétaires de tous les pays, unissez-vous ! »

RC

« L'industrie moderne a fait du petit atelier du maître artisan patriarcal la grande fabrique du capitalisme industriel. Des masses d'ouvriers, entassés dans la fabrique, sont organisés militairement. Simples soldats de l'industrie, ils sont placés sous la surveillance d'une hiérarchie complète de sous-officiers et d'officiers. Ils ne sont pas seulement les esclaves de la classe bourgeoise, de l'État bourgeois, mais encore, chaque jour, à chaque heure, les esclaves de la machine, du contremaître et surtout du bourgeois fabricant lui-même. Plus ce **despotisme** proclame ouvertement le profit comme son but unique, plus il devient mesquin, odieux, exaspérant. »

Karl Marx et Friedrich Engels, *Manifeste du Parti communiste*, 1848.

À faire

1. Explique ce qu'est une classe sociale.
2. Explique pourquoi les plus riches semblent avoir profité davantage de la révolution industrielle.
3. Quelles étaient les caractéristiques du prolétariat et de la bourgeoisie à l'époque de la révolution industrielle ?
4. (doc. 2 et 3) Que penses-tu des idées de Marx et d'Engels ?

Activité

Fais une recherche sur le *Manifeste du Parti communiste* pour connaître ses orientations sur différents sujets (les droits des femmes et l'éducation, par exemple).

Lexique

Despotisme Pouvoir absolu, arbitraire et répressif.

L'industrialisation en Angleterre

L'Angleterre a été le premier pays à s'industrialiser. Ce processus a donné lieu à une profonde transformation de l'économie anglaise.

RC

1 Une mule-jenny dans une filature de coton

(*Appleton's Cyclopædia of Applied Mechanics*, 1892.)

En 1764, James Hargreaves, un tisserand et mécanicien anglais, a mis au point la première machine à filer le coton, la *spinning-jenny*. Cette invention a par la suite été perfectionnée par Samuel Crompton; sa mule-jenny (1779) permettait à une seule personne de faire tourner une trentaine puis, plus tard, une centaine de bobines simultanément. Quelques personnes pouvaient dorénavant à elles seules accomplir la même somme de travail que des centaines de personnes équipées des anciens moulins à filer. Le filage du coton permet de faire du fil de coton qui sert ensuite à fabriquer des tissus.

Qu'est-ce que l'industrialisation?

Au Moyen Âge, les biens étaient tous fabriqués par des artisans qui travaillaient dans des ateliers. Avec l'industrialisation, ces mêmes biens pouvaient souvent être fabriqués par des machines. L'industrialisation, ou la révolution industrielle, est cette période au cours de laquelle l'économie de certains pays s'est rapidement transformée pour passer d'une production artisanale à une production industrielle. L'industrialisation s'est véritablement amorcée en Angleterre entre 1750 et 1820. Ailleurs dans le monde, la révolution industrielle s'est poursuivie tout au long du XIXe siècle.

Où l'industrialisation s'est-elle développée?

L'Angleterre a été le berceau de la révolution industrielle. En effet, c'est en Angleterre que ce phénomène a pris toute son ampleur. C'est aussi dans ce pays que plusieurs des inventions les plus importantes de la révolution industrielle ont vu le jour. Parmi ces inventions, citons la machine à vapeur de James Watt (*doc. 3, p. 138*), la mule-jenny (*doc. 1*), le marteau-pilon (*doc. 2*) et le chemin de fer à vapeur (vers 1821).

RC

Pourquoi l'industrialisation a-t-elle commencé en Angleterre ?

À la fin du XVIIIe siècle et au début du XIXe, le contexte économique et social dans lequel évoluait l'Angleterre était propice au développement d'un véritable mode de production industrielle. En effet, l'Angleterre jouissait à cette époque de nombreux avantages, dont les suivants :

- une augmentation rapide de la population à partir des années 1750, en raison d'une baisse considérable du taux de mortalité (fin des épidémies et des famines) ;
- une croissance de la production agricole, en raison du mouvement d'***enclosure*** et du développement de nouvelles technologies agricoles (la charrue mue par une machine à vapeur, par exemple) ;
- la maîtrise du commerce mondial à l'aide des colonies britanniques et de leurs imposantes flottes militaires et marchandes ;
- l'accumulation de capital grâce aux profits tirés du commerce ;
- l'existence d'un milieu intellectuel développé.

Ces conditions exceptionnelles ont permis aux grands bourgeois de profiter rapidement de leur capital en investissant dans la mécanisation de leurs entreprises. La course à l'industrialisation était lancée !

À faire

1. Qu'est-ce qui différencie principalement la production du Moyen Âge de celle des XVIIIe et XIXe siècles ?
2. **a)** Énumère les conditions exceptionnelles qui ont permis à l'Angleterre d'être la locomotive de la révolution industrielle.

   b) D'après toi, en quoi ces conditions constituaient-elles réellement des avantages pour l'Angleterre ?
3. (doc. 1) Pourquoi, d'après toi, l'invention de la mule-jenny a-t-elle permis de passer d'une production artisanale à une production industrielle ?

Lexique

Enclosure En Angleterre, procédé par lequel les terres du domaine public passaient aux mains des grands propriétaires. Le terme *enclosure* fait référence aux clôtures qui étaient construites autour des propriétés.

RC

2 Le marteau-pilon de James Nasmyth

(James Nasmyth, 1871, Science Museum Library, Londres, Angleterre.)

Inventé en 1841, le marteau-pilon de James Nasmyth permettait de couper, avec une étonnante précision, d'énormes morceaux d'acier. Il était donc possible de forger des pièces en acier solide, qui pouvaient ensuite servir à construire des trains, des navires, des bâtiments et même des canons.

L'accélération de l'industrialisation

En Angleterre, l'industrialisation s'est rapidement imposée. Les bourgeois les plus entreprenants ont vite compris l'importance d'investir dans les nouvelles technologies qui en découlaient.

La bourgeoisie, les propriétaires terriens et les modes de production

La révolution industrielle est principalement attribuable au changement des modes de production et, par conséquent, à l'amélioration des outils nécessaires à la fabrication des produits. L'invention de nouvelles machines et de nouveaux procédés permettait d'accomplir une somme de travail impressionnante.

Plusieurs grands bourgeois ont profité de ces innovations pour accroître leur production et faire de leurs entreprises de véritables usines.

Pour les propriétaires terriens, l'invention de machines capables d'accomplir le travail de dizaines de paysans et le développement de techniques permettant d'augmenter la production agricole constituaient une véritable révolution.

Entrer dans l'ère de l'industrialisation

Bien entendu, les bourgeois, les petits propriétaires d'entreprises et les propriétaires terriens n'ont pas tous pu – ou voulu – s'industrialiser. Certains doutaient des capacités de ces nouvelles machines alors que d'autres n'avaient tout simplement pas le capital nécessaire pour passer d'un mode de production artisanal à un mode de production mécanique.

1 La puissance des machines à vapeur en Europe

(en milliers de chevaux-vapeur)

	Grande-Bretagne	France	Allemagne	Russie	Europe
1840	350	34	20	10	450
1850	500	67	40	35	720

2 L'évolution de la production de fonte et d'acier entre 1800 et 1840

(en millions de tonnes)

	GRANDE-BRETAGNE		ÉTATS-UNIS		ALLEMAGNE		FRANCE	
	Fonte	Acier	Fonte	Acier	Fonte	Acier	Fonte	Acier
1800	0,2	–	–	–	0,04	–	0,06	–
1820	0,4	–	0,02	–	0,09	–	0,14	–
1840	1,4	0,6	0,18	–	0,17	0,1	0,35	0,24

3 La Bourse de Londres

RC

(Aquarelle dans *Microcosm of London* de Rudolph Ackermann, 1808-1810.)

L'avènement des sociétés par actions (*doc. 4*) a engendré un autre phénomène : l'échange et le commerce des actions des entreprises. C'est ainsi que les bourses ont vu le jour. À la Bourse de Londres, par exemple, il était possible d'échanger des actions de plusieurs entreprises de Grande-Bretagne. Évidemment, le but de ce commerce est d'échanger des actions qui rapportent moins contre des actions qui rapportent plus. Ce commerce nécessite une organisation complexe. En effet, pour faire des échanges judicieux, il faut connaître le capital des entreprises, les profits qu'elles réalisent et le nombre d'actions émises sur le marché. Tous ces renseignements ont une influence sur le prix des actions.

Une concurrence féroce

Bon nombre de personnes se sont rapidement enrichies grâce à l'industrialisation, mais pour d'autres, le réveil a été brutal. La concurrence entre les entreprises s'intensifiait. Les grands bourgeois et les riches propriétaires terriens arrivaient à produire à une vitesse étonnante et à un moindre coût, si bien que de nombreux petits bourgeois, artisans et petits propriétaires terriens ont été contraints de fermer boutique ou de vendre leurs terres aux entrepreneurs plus prospères.

L'accumulation du capital

Les profits des grandes entreprises permettaient d'amasser d'importants capitaux. Ces capitaux étaient réinvestis dans des machines toujours plus puissantes, ce qui servait à accroître les profits. Les grandes entreprises se livraient une concurrence féroce. Si un capitaliste parvenait à vendre ses produits un peu moins cher que son voisin, il gagnait un avantage important. Pour faire face à la concurrence, tous les moyens étaient bons: acheter de nouvelles machines, réduire les salaires, engager des femmes et des enfants, et créer des sociétés par actions (*doc. 4*), par exemple. Plus les profits des entrepreneurs augmentaient, plus leurs usines devenaient imposantes.

À faire

1. Selon toi, que signifient les expressions «mode de production artisanale» et «mode de production mécanique»?
2. Pourquoi de nombreux petits bourgeois, artisans et petits propriétaires ont-ils dû fermer leur boutique ou vendre leurs terres?
3. Comment les grands entrepreneurs s'enrichissaient-ils?
4. Explique pourquoi il est important de connaître les profits d'une entreprise avant d'acheter des actions.

Les sociétés par actions

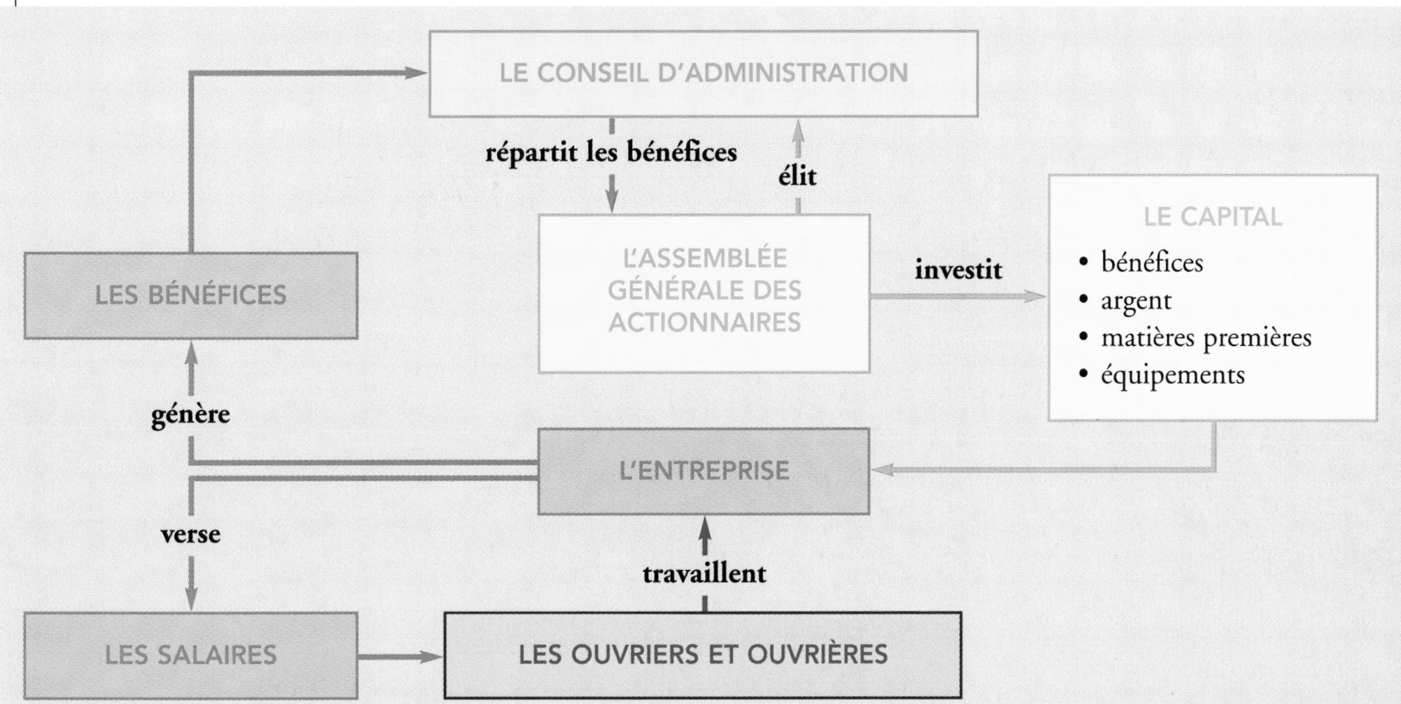

La création des sociétés par actions a été un pas important dans l'évolution du capitalisme.

L'idée est relativement simple. Supposons qu'un bourgeois ne dispose pas du capital nécessaire pour investir dans son entreprise et concurrencer son voisin. En créant une société par actions, il peut vendre à d'autres bourgeois des parts (des actions) de son entreprise. Avec l'argent qu'il retire de ces ventes, il peut investir dans le développement de son entreprise.

Normalement, les actionnaires (ceux qui ont acheté des actions) reçoivent chaque année une part des profits réalisés. Ils peuvent, lors des assemblées, participer à la prise des décisions concernant l'avenir de l'entreprise.

Une révolution sociale !

Au XIXe siècle, l'industrialisation a eu de sérieux impacts sur la vie des habitants de l'Angleterre.

Les artisans et les paysans à l'époque de l'industrialisation

L'industrialisation n'a pas été profitable à tout le monde. Beaucoup d'artisans, par exemple, n'ont tout simplement pas pu concurrencer les grandes entreprises capitalistes. Plusieurs ont dû vendre leur commerce et chercher un autre travail pour assurer leur survie. De plus, les progrès dans le domaine agricole ont entraîné une diminution des besoins de main-d'œuvre et de nombreux paysans ont été contraints de trouver d'autres moyens de subsistance (*doc. 2, p. 140*).

1 L'urbanisation

Un train traverse le viaduc de Stockport, en Angleterre.

(Vers 1830, Oxford Science Archive, Oxford, Angleterre.)

Avec l'exode rural, l'urbanisation s'est rapidement développée.

L'urbanisation

Beaucoup d'artisans et de paysans se sont dirigés vers les centres industriels et vers les villes dans l'espoir de trouver du travail, notamment dans les grandes usines, pour faire vivre leur famille. L'exode rural a entraîné le développement de l'urbanisation. Les artisans et les paysans sont devenus des ouvriers. C'est ainsi qu'est née une nouvelle classe sociale: le prolétariat.

Le prolétariat: conditions de travail et conditions de vie

Le prolétariat se caractérisait essentiellement par les conditions de travail et les conditions de vie des ouvriers. Ceux-ci devaient souvent travailler de 12 à 14 heures par jour dans des usines très dangereuses (*voir les pages 142 et 143*). Les employeurs étaient les maîtres de tous et de toutes, et avaient tous les droits. Les salaires étaient si faibles qu'il était impossible pour une famille de survivre sans que la femme et les enfants travaillent eux aussi à l'usine. Les prolétaires vivaient souvent dans de petites maisons près de l'entreprise où ils travaillaient. Dans ces quartiers ouvriers, il y avait peu ou pas de services, par exemple d'hygiène. L'air était pollué à cause des usines et la pauvreté forçait souvent les gens à mendier (*doc. 1, p. 144*).

2 Le nombre de syndicats dans quelques pays, de 1900 à 1940

	1900	1910	1920	1930	1940
Allemagne	5	18	53	34	–
France	5	8	14	15	13
Royaume-Uni	13	15	45	25	33
États-Unis	4	10	17	12	27
Canada	–	–	21	18	20

Le syndicalisme

La révolution industrielle est aussi marquée par l'apparition de mouvements sociaux importants visant notamment à améliorer le sort des prolétaires. Pour être en mesure de négocier de meilleures conditions de travail, les ouvriers et les ouvrières ont formé des syndicats (*doc. 2*). Les organisations syndicales permettaient de négocier collectivement avec l'employeur plutôt qu'individuellement. Elles permettaient aussi d'exercer des moyens de pression collectifs, notamment la grève.

Le socialisme et la lutte des classes

RC C'est aussi à cette époque que des philosophes et militants comme Karl Marx et Friedrich Engels (*doc. 2 et 3, p. 147*) ont proposé des solutions de rechange au capitalisme et au libéralisme (*doc. 2, p. 144*). Selon eux, le capitalisme n'améliorera jamais le sort de tous les êtres humains parce que la bourgeoisie et le prolétariat n'ont tout simplement pas les mêmes intérêts. Alors que les capitalistes veulent faire de plus en plus de profits, les prolétaires cherchent à améliorer les conditions de vie de tous. C'est ce qu'ils ont appelé «la lutte des classes». Les deux penseurs croyaient cependant qu'il était possible de concevoir un système économique et politique au sein duquel les moyens de production (les usines) seraient contrôlés non pas seulement par les bourgeois ayant du capital mais par tous les ouvriers. C'est de ces idées que sont nés le socialisme, le communisme et l'anarchisme (*voir les pages 144 et 145*).

3 Le travail des enfants

Illustrations d'enfants travaillant dans des mines. Souvent les enfants (parfois dès l'âge de cinq ans) devaient travailler pour aider la famille.

(Children's Employment Commission, *Journal de la Chambre des communes* [parlement de Londres], 1842, British Library, Londres, Angleterre.)

À faire

1. Qui détenait le pouvoir économique et politique ?
2. **a)** Qui étaient les prolétaires ?
   b) Comment le prolétariat est-il né ?
   c) Comment les prolétaires vivaient-ils ?
3. Qu'est-ce que le syndicalisme ?
4. Qu'est-ce que le socialisme ?

4 La hiérarchie sociale et les revenus en Grande-Bretagne en 1867

(en pourcentage)

Familles dans chaque groupe social

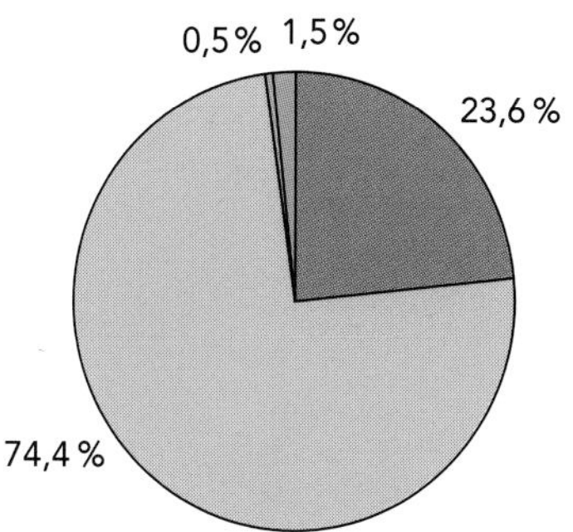

Revenu de chaque groupe social

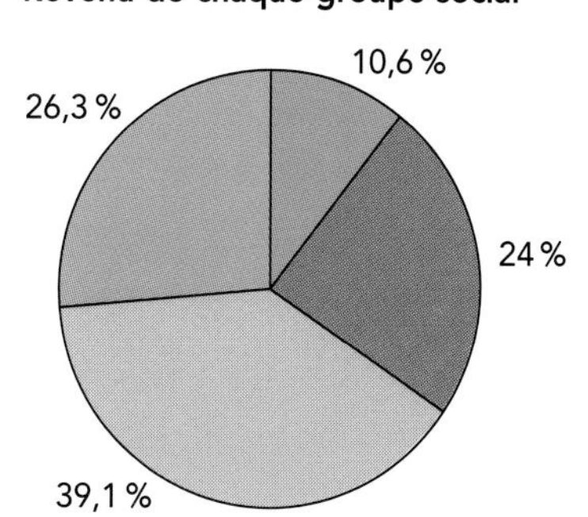

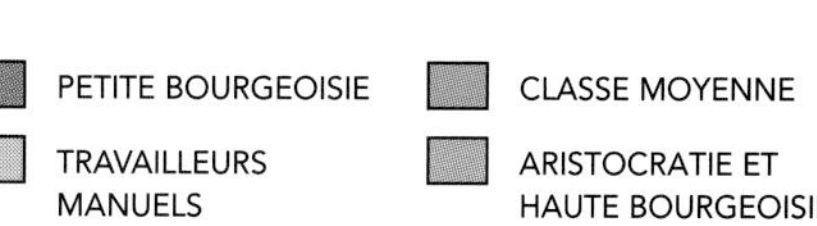

Le travail et la lutte des femmes

Le travail des femmes et des enfants a été la cause de certaines des luttes les plus importantes de l'époque de la révolution industrielle.

La sujétion des femmes

De façon générale, au XIXe siècle, les femmes vivaient dans des conditions de **sujétion**. Dès l'enfance, les filles de la bourgeoisie recevaient une éducation moins poussée que celle des garçons. Très peu de jeunes femmes avaient accès aux études universitaires.

Une fois adultes, les femmes n'avaient pratiquement pas d'autres choix que de se marier pour assurer leur subsistance. Souvent, le mariage brimait leurs droits encore davantage. En se mariant, la femme devait remettre à son mari tout ce qui lui appartenait et jurer devant Dieu de toujours lui obéir. L'époux pouvait même forcer son épouse à avoir des enfants. De plus, il était impossible pour une femme de se libérer d'un mariage désastreux. Avant 1891, une femme qui se sauvait du foyer conjugal pouvait être arrêtée par les autorités policières et ramenée à son mari.

Les femmes au travail

Les femmes du prolétariat subissaient les mêmes conditions de sujétion que les autres femmes, mais la plupart d'entre elles avaient des préoccupations plus pressantes. En effet, les salaires versés aux ouvriers des usines et des mines étaient si maigres que le travail des femmes et des enfants est rapidement devenu nécessaire pour assurer la survie de la famille. Comme les chefs d'entreprises versaient un salaire encore plus bas aux femmes et aux enfants, plusieurs capitalistes encourageaient leur embauche (*doc. 2*). Les conditions de travail dans les usines et les mines étaient particulièrement difficiles pour les femmes (*doc. 3*).

2 Les femmes, une main-d'œuvre bon marché

«Moins le travail exige d'habileté et de force, c'est-à-dire plus l'industrie moderne progresse, et plus le travail des hommes est supplanté par celui des femmes et des enfants. Les distinctions d'âge et de sexe n'ont plus d'importance sociale pour la classe ouvrière. Il n'y a plus que des instruments de travail, dont le coût varie suivant l'âge et le sexe.»

Karl Marx et Friedrich Engels, *Manifeste du Parti communiste*, 1848.

1 Une manifestation de suffragettes

La naissance d'un véritable mouvement de lutte pour les droits des femmes a marqué la fin du XIXe siècle. Les femmes n'avaient alors essentiellement pas de droits légalement reconnus et encore moins le droit de participer à la vie politique. En Angleterre, elles revendiquaient le droit de suffrage pour les femmes. C'est ainsi que le mouvement des suffragettes a vu le jour dans ce pays vers 1865.

«C'était le début d'une campagne dont l'envergure était sans précédent en Angleterre et, en fait, ailleurs dans le monde [...] nous avons interrompu grand nombre de réunions [...] et nous avons été violemment expulsées et insultées. Plusieurs fois, nous avons été meurtries et blessées.»

Emmeline Pankhurst.

L'arrestation d'Emmeline Pankhurst et de ses deux filles, Christabel et Sylvia, alors qu'elles tentaient de remettre une pétition au roi George V en 1914.

3 Les conditions de travail des femmes

Des centaines de femmes roulent des cigares dans l'usine Cope à Liverpool, en Angleterre.
(Gravure, milieu du XIXe siècle.)

« Les femmes reviennent souvent à l'usine 3 ou 4 jours après l'accouchement, en laissant bien entendu leur nourrisson à la maison; durant les heures de loisir elles courent en hâte chez elles pour allaiter l'enfant et manger elles-mêmes un peu; mais dans quelles conditions a lieu cet allaitement, on peut facilement l'imaginer! […]

Leach raconte, pour en revenir aux amendes, qu'il a vu à plusieurs reprises des femmes en état de grossesse avancée être punies d'une amende de six pence pour s'être assises un instant durant leur travail, afin de se reposer. »

Friedrich Engels, *La situation de la classe laborieuse en Angleterre* (1845), trad. G. Badia et J. Frédéric, Éditions sociales, 1961.

À faire

1. Les femmes avaient-elles les mêmes droits que les hommes? Explique ta réponse.
2. Pourquoi les femmes du prolétariat devaient-elles travailler?
3. D'après toi, les chefs d'entreprises étaient-ils favorables au travail des femmes? Explique ta réponse.
4. Crois-tu que les femmes et les enfants prolétaires étaient en bonne santé? Explique ta réponse.

Lexique

Sujétion État d'une personne soumise à l'autorité de quelqu'un d'autre.

Les femmes et la guerre

Pendant la Première Guerre mondiale (1914-1918), les femmes ont été appelées à jouer un rôle bien différent de celui qu'elles jouaient auparavant. Dans les usines, elles prenaient la place des hommes partis au front et devaient assumer de nouvelles responsabilités. Il a souvent été avancé que, pour cette raison, les guerres ont été bénéfiques pour les femmes, mais plusieurs historiennes et historiens contestent cette affirmation. En fait, les pénuries qu'entraînent les guerres pesaient particulièrement lourd sur les femmes et leurs familles. De même, la discrimination sexuelle demeurait présente. Dans les usines, comme ailleurs, les femmes étaient toujours moins bien payées que les hommes et l'expérience de la liberté qu'elles ont eue pendant la Première Guerre mondiale a été de bien courte durée. Une fois les hommes de retour du front, ils ont retrouvé tous leurs privilèges.

4 Les femmes pendant la Première Guerre mondiale

Ouvrières dans une usine d'ingénierie à Londres, en Angleterre, en 1917.

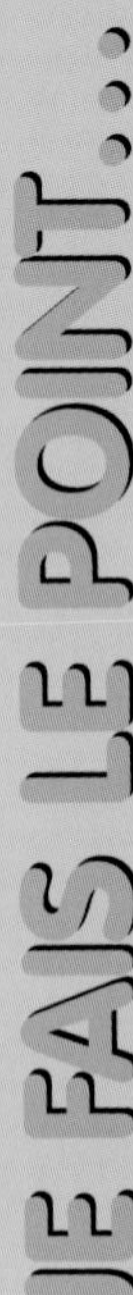

... sur l'industrialisation en Angleterre.

Qu'est-ce que l'industrialisation?

L'industrialisation est un processus au cours duquel les modes de production changent: on passe de la production artisanale à la production industrielle. L'industrialisation, ou la «révolution industrielle», a été rendue possible en Angleterre grâce à d'importantes innovations technologiques telles que la machine à vapeur, le marteau-pilon, la mule-jenny et le chemin de fer.

Les principales conséquences de l'industrialisation

1. Sur le plan économique:
   - la naissance des grandes entreprises industrielles;
   - le déclin de la production artisanale;
   - le développement du capitalisme;
   - la croissance des sociétés par actions.
2. Sur le plan social:
   - l'urbanisation;
   - le développement du pouvoir de la bourgeoisie;
   - la naissance du prolétariat;
   - la naissance du syndicalisme;
   - l'apparition de nouvelles idéologies comme le libéralisme et le socialisme.

Recherche sur la nature et les causes de la richesse des nations

RC

Dans un de ses plus fameux écrits, le philosophe Adam Smith (1723-1790) soutenait que «dans le système de la liberté naturelle [le libéralisme], le souverain n'a que trois devoirs à remplir; [...]
– Le premier, c'est le devoir de défendre la société de tout acte de violence ou d'invasion de la part des autres sociétés indépendantes. – Le second, c'est le devoir de protéger, autant qu'il est possible, chaque membre de la société contre l'injustice ou l'oppression de tout autre membre, ou bien le devoir d'établir une administration exacte de la justice. – Et le troisième, c'est le devoir d'ériger et d'entretenir certains ouvrages publics et certaines institutions que l'intérêt privé d'un particulier ou de quelques particuliers ne pourrait jamais les porter à ériger ou à entretenir [...].»

Adam Smith, *Recherche sur la nature et les causes de la richesse des nations*, Livre IV (1776), trad. G. Garnier, 1881.

- **1701** Semoir de Jethro Tull
- TEMPS MODERNES
- **1750** Début de la révolution industrielle en Angleterre
- **1769** Machine à vapeur de James Watt
- **1789** Révolution française
- **1814** Locomotive à vapeur de George Stephenson
- **1841** Marteau-pilon de James Nasmyth
- **1848** *Manifeste du Parti communiste* de Karl Marx et Friedrich Engels
- ÉPOQUE CONTEMPORAINE
- **1865** Mouvement des suffragettes en Angleterre
- **1900**

... sur les concepts liés aux classes sociales.

Certains concepts permettent de juger de l'importante influence qu'a eue le phénomène de l'industrialisation sur les classes sociales anglaises.

Quelle était l'importance des LÉGISLATIONS ?

Les législations pouvaient réglementer les entreprises et leur interdire certaines pratiques.

Nomme deux MODES DE PRODUCTION.

- Production artisanale.
- Production industrielle.

Qu'est-ce que le LIBÉRALISME ?

Idéologie qui soutient que l'État devrait éviter de limiter la liberté de production et d'échange.

Qu'est-ce qui caractérise les CLASSES SOCIALES anglaises de l'époque de la révolution industrielle ?

Une foule d'ouvriers en quête de travail pendant la grève des dockers à Londres, en 1886.

(Charles Joseph Staniland, XIXe siècle.)

L'industrialisation a modifié en profondeur l'organisation sociale. Les classes sociales ont été bouleversées. La bourgeoisie a consolidé son pouvoir économique et a développé son pouvoir politique. Une nouvelle classe sociale a vu le jour : le prolétariat.

Qu'est-ce que le SOCIALISME ?

Système économique et social dans lequel les moyens de production appartiennent à l'État.

Qu'est-ce que le CAPITALISME ?

Système économique dans lequel les moyens de production appartiennent à des individus.

Qu'entend-on par RÉVOLUTION ?

- Révolution économique : changements importants dans les modes de production.
- Révolution sociale : création d'une nouvelle classe sociale, le prolétariat.
- Révolution politique : revendications des communistes, des socialistes et des anarchistes pour un changement de société.

Qu'est-ce qui explique le phénomène de l'URBANISATION ?

Les paysans et les artisans se sont installés dans les villes dans l'espoir d'y trouver du travail.

Quel a été l'apport du SYNDICALISME ?

Les ouvriers et les ouvrières ont obtenu suffisamment de poids pour forcer les chefs d'entreprises à leur accorder de meilleures conditions de travail.

ET TOI ?

Parmi les concepts présentés dans cette page, lesquels te semblent encore utiles pour mieux comprendre la société québécoise d'aujourd'hui ? Justifie tes choix.

Étudier une chanson

RC

L'Internationale

L'Internationale est sans doute le chant révolutionnaire le plus connu dans le monde. Son auteur, le poète français Eugène Pottier (*doc. 2*), l'avait initialement écrit en l'honneur de la Commune de Paris (*doc. 3, p. 167*). En effet, une des caractéristiques de cette commune était son volet international et sa lutte pour une plus grande justice sociale.

Traduite en plusieurs langues dont l'allemand, l'anglais, le chinois, l'hébreu et le japonais, cette chanson est devenue l'hymne révolutionnaire du mouvement ouvrier. Elle a même été l'hymne national russe de 1917 à 1944. Toutefois, dans plusieurs pays, *L'Internationale* était interdite. Le seul fait d'en connaître les paroles pouvait paraître suspect.

RC

1 *L'Internationale*

Partition de *L'Internationale*.
(Théophile Alexandre Steinlen, lithographie, 1902, Musée de l'Histoire vivante, Montreuil, France.)

Étude de la chanson *L'Internationale*

ÉTAPE 1 – Les objectifs de cette étude

Qu'est-ce que je cherche, qu'est-ce que j'espère découvrir en étudiant les paroles de cette chanson ?

ÉTAPE 2 – L'origine de la chanson

1. Quel est le titre de cette œuvre ?
2. **a)** Qui est l'auteur de cette œuvre ?
   b) Quand a-t-il vécu ?
3. Dans quel contexte cette chanson a-t-elle été écrite ?

ÉTAPE 3 – Les paroles de la chanson

1. Le titre révèle-t-il le thème principal de la chanson ? Si oui, quel est ce thème ?
2. Selon les premiers couplets, à qui cette chanson s'adresse-t-elle ?
3. Relève les répétitions qui révèlent des thèmes et indique quels sont ces thèmes.
4. Résume l'idée principale de chaque couplet.
5. Une chanson cherche à susciter de l'émotion. Quelles images dans le texte suscitent des émotions ?

ÉTAPE 4 – L'interprétation de la chanson

1. **a)** Quel est le thème principal de cette chanson ?
   b) Cette chanson critique-t-elle le système économique de l'époque ?
2. Que propose l'auteur de cette chanson ?
3. D'après toi, pourquoi l'auteur a-t-il écrit cette chanson ?

Un poète révolutionnaire

Eugène Pottier était un dessinateur sur étoffe. Dès l'adolescence, il s'est intéressé aux luttes politiques de son époque. En 1848 et 1870, il a participé aux révoltes et a été élu député de la Commune de Paris en 1871 (*doc. 3, p. 167*). À la chute de la Commune en mai 1871, il a été condamné à mort et s'est enfui aux États-Unis.

Eugène Pottier (1816-1887).
(Caricature, vers 1870.)

3 *L'Internationale*

«Debout les damnés de la terre!
Debout les forçats de la faim!
La raison tonne en son cratère,
C'est l'éruption de la fin.
Du passé faisons table rase,
Foule esclave, debout! debout!
Le monde va changer de base:
Nous ne sommes rien, soyons tout!

Refrain (*bis*)
C'est la lutte finale,
Groupons-nous, et demain
L'Internationale
Sera le genre humain.

Il n'est pas de sauveur suprême:
Ni Dieu, ni César, ni tribun,
Producteurs, sauvons-nous nous-mêmes!
Décrétons le salut commun!
Pour que le voleur rende gorge,
Pour tirer l'esprit du cachot,
Soufflons nous-mêmes notre forge,
Battons le fer tant il est chaud!
Refrain

L'État comprime et la loi triche;
L'impôt saigne le malheureux;
Nul devoir ne s'impose au riche;
Le droit du pauvre est un mot creux.
C'est assez languir en tutelle,
L'égalité veut d'autres lois:
"Pas de droits sans devoirs, dit-elle,
Égaux, pas de devoirs sans droits!"
Refrain

Hideux dans leur apothéose,
Les rois de la mine et du rail
Ont-ils jamais fait autre chose
Que dévaliser le travail?
Dans les coffres-forts de la bande
Ce qu'il a créé s'est fondu.
En décrétant qu'on le lui rende
Le peuple ne veut que son dû.
Refrain

Les rois nous soûlaient de fumées,
Paix entre nous, guerre aux tyrans!
Appliquons la grève aux armées,
Crosse en l'air et rompons les rangs!
S'ils s'obstinent, ces cannibales,
À faire de nous des héros,
Ils sauront bientôt que nos balles
Sont pour nos propres généraux!
Refrain

Ouvriers, paysans, nous sommes
Le grand parti des travailleurs;
La terre n'appartient qu'aux hommes,
L'oisif ira loger ailleurs.
Combien de nos chairs se repaissent!
Mais si les corbeaux, les vautours,
Un de ces matins disparaissent,
Le soleil brillera toujours!
Refrain»

Poème d'Eugène Pottier,
musique de Pierre Degeyter, 1871.

Méthode

Étudier une chanson

ÉTAPE 1 – Les objectifs de l'étude

Déterminer les raisons pour lesquelles on étudie la chanson.

ÉTAPE 2 – L'origine de la chanson

1. **Indiquer le titre de la chanson.**
2. **Indiquer qui a écrit la chanson et la date de son écriture.**
3. **Indiquer dans quel contexte la chanson a été écrite.**

ÉTAPE 3 – L'analyse des paroles de la chanson

1. **Déterminer si le titre révèle le thème principal de la chanson. Si oui, indiquer quel est ce thème.**
2. **Déterminer si la chanson a un ou des destinataires précis.**
3. **Relever les répétitions révélatrices de thèmes et indiquer quels sont ces thèmes.**
4. **Résumer l'idée principale de chaque couplet.**
5. **Relever les images utilisées par l'auteur ou l'auteure pour susciter de l'émotion.**

ÉTAPE 4 – L'interprétation de la chanson

1. **Résumer le thème principal de la chanson.**
2. **Résumer ce que propose l'auteur ou l'auteure de la chanson.**
3. **Donner son interprétation personnelle des raisons pour lesquelles l'auteur ou l'auteure a écrit cette chanson.**

LES MÉTIERS DE L'HISTOIRE

Le ou la **guide-interprète**

NATHALIE HURTUBISE, GUIDE-INTERPRÈTE

Madame Nathalie Hurtubise, vous êtes guide-interprète et directrice générale d'une entreprise qui offre des visites guidées de l'Île de Hull. Parlez-nous de votre profession.

N. H. – Être guide-interprète, c'est essentiellement créer des activités pour permettre aux touristes de découvrir la richesse de l'histoire d'une région. Bien entendu, le rôle de guide-interprète est bien différent de celui de guide en musée. Ce que nous cherchons à faire, c'est pointer aux visiteurs et visiteuses les perles de notre région et leur expliquer en quoi elles sont si spéciales. Un peu comme des archéologues, on lève le voile sur le passé et on offre aux visiteurs et visiteuses quelques-unes de ses traces.

Décrivez-nous ce qui vous a inspirée à créer une entreprise comme la vôtre.

N. H. – En visitant d'autres lieux, pendant mes vacances ici et à l'étranger, j'ai renoué avec ma passion pour l'histoire et le tourisme et me suis bien vite rendu compte qu'il manquait une entreprise touristique dans l'île de Hull. Après une étude de marché qui a confirmé que je pouvais bel et bien créer une entreprise touristique comme je l'imaginais, je me suis lancée dans l'aventure. Mais, il faut comprendre que c'est plus facile à imaginer qu'à bâtir.

LE NOUVEAU PONT INTERPROVINCIAL ENTRE HULL ET OTTAWA AU TOURNANT DU XXe SIÈCLE
(W. Charron, photographie dans *Le Monde illustré*, vol. 18, nº 901, 10 août 1901.)

De façon générale, quelles sont les études nécessaires pour devenir guide-interprète ?

N. H. – Plusieurs des guides-interprètes qui travaillent chez nous sont des étudiants et étudiantes en histoire à l'université, mais presque tous les chemins peuvent mener vers le métier de guide. Il faut avoir une passion pour l'histoire et aimer échanger avec des gens de tous les horizons. Généralement cependant, pour devenir guide-interprète, il s'offre une formation, notamment à l'Université du Québec à Montréal dans le parcours de tourisme. Cette formation peut également se faire au collégial, comme à l'Institut de tourisme et d'hôtellerie du Québec (ITHQ) à Montréal.

L'ÎLE DE HULL VUE D'OTTAWA

L'Île de Hull a été radicalement modifiée à la suite des rénovations urbaines effectuées dans les années 1960, mais on y trouve encore des sites historiques qui méritent d'être connus.

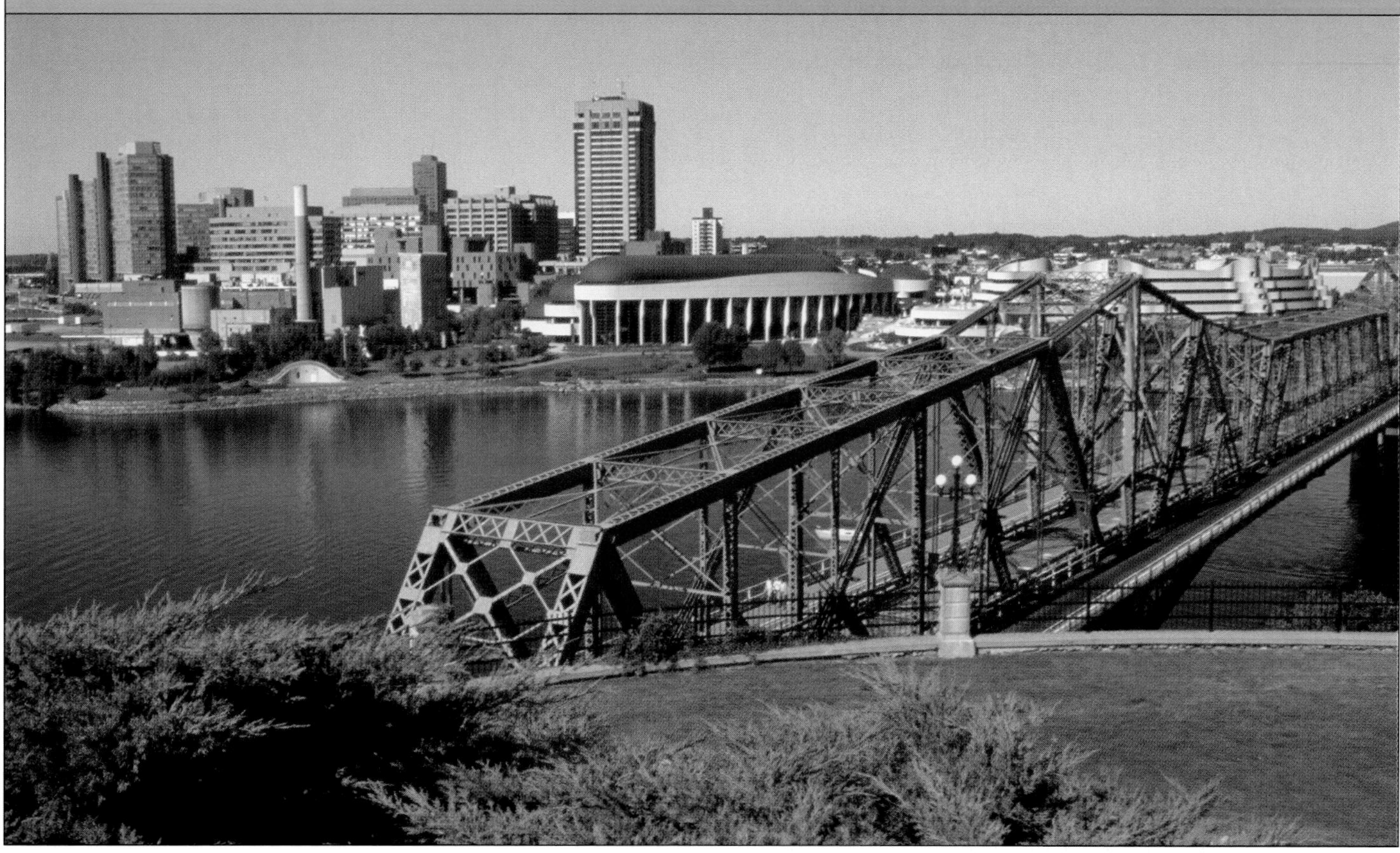

Quels étaient vos rêves et ambitions de jeunesse ?

N. H. – Alors que je m'apprêtais à entrer au cégep, deux passions sommeillaient en moi : le tourisme et l'histoire. C'est pour cela que je tenais absolument à aller faire des études en tourisme dans la région de Montréal. Cependant, mes parents et la population en général, à l'époque, voyaient le tourisme comme étant du loisir et non un métier. J'ai donc dû me résigner à suivre une autre voie pendant quelques années.

Quel a été votre cheminement par la suite ?

N. H. – En fait, j'ai dû entrer en techniques infirmières. L'expérience m'a permis de me confirmer que j'aimais beaucoup travailler auprès du public. Je me suis rapidement rendu compte cependant que ce n'était pas le métier que je désirais. Aussi, après avoir obtenu mon diplôme d'études collégiales (DEC), j'ai décidé d'entreprendre des études en animation, une matière beaucoup plus près de ce que j'aimais. Avec mes cours en travail social, je me suis retrouvée en milieu communautaire. J'y ai travaillé pendant 15 ans, mais mon sens de l'entreprise était toujours aussi fort, et je proposais constamment des projets innovateurs en milieu communautaire.

Bien que mon parcours soit atypique pour le travail de guide-interprète, j'avais une bonne expérience avec le public et une bonne connaissance historique de mon patelin. C'est donc en 2004 que j'ai décidé de faire le saut et de créer mon entreprise de tourisme culturel. C'est étrange qu'à 41 ans j'exerce un métier que je ne pouvais imaginer alors que j'en avais 16 mais qui, malgré tout, m'a suivie jusqu'à ce que je fasse le saut. J'ai appris qu'il faut faire un travail qui nous passionne dans la vie. Ce n'est peut-être pas le métier le plus payant, mais c'est le plus exaltant des métiers quand on n'y rêve plus et qu'on le vit !

> «Un peu comme des archéologues, on lève le voile sur le passé et on offre aux visiteurs et visiteuses quelques-unes de ses traces.»
>
> **Nathalie Hurtubise**

AILLEURS...

La France et l'Allemagne à l'ère de l'industrialisation (vers 1850)

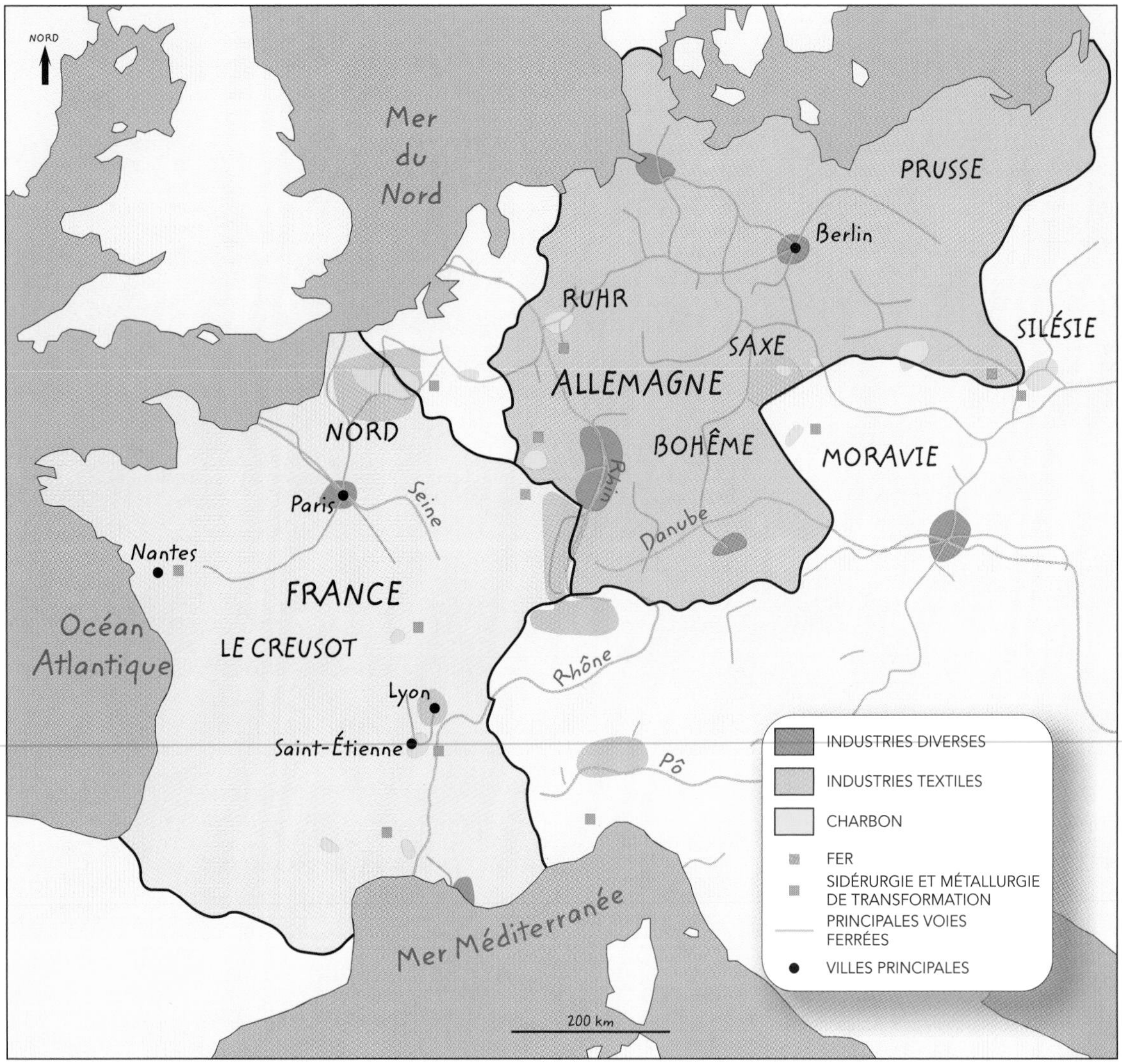

NORD
Mer du Nord
PRUSSE
Berlin
RUHR
SAXE
SILÉSIE
ALLEMAGNE
NORD
BOHÊME
MORAVIE
Paris
Seine
Rhin
Danube
Nantes
FRANCE
Océan Atlantique
LE CREUSOT
Rhône
Lyon
Saint-Étienne
Pô
Mer Méditerranée
200 km

INDUSTRIES DIVERSES
INDUSTRIES TEXTILES
CHARBON
FER
SIDÉRURGIE ET MÉTALLURGIE DE TRANSFORMATION
PRINCIPALES VOIES FERRÉES
VILLES PRINCIPALES

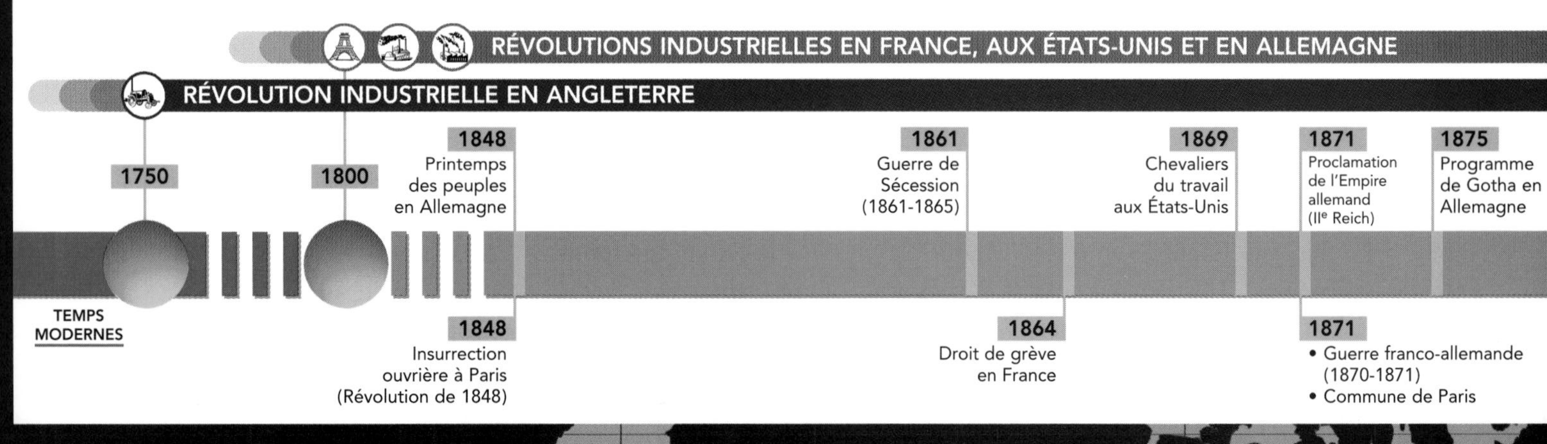

Les États-Unis à l'ère de l'industrialisation (vers 1850)

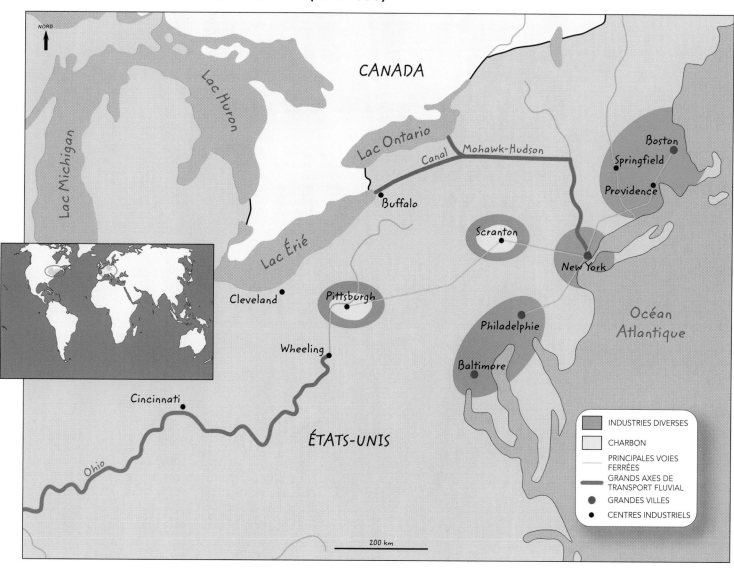

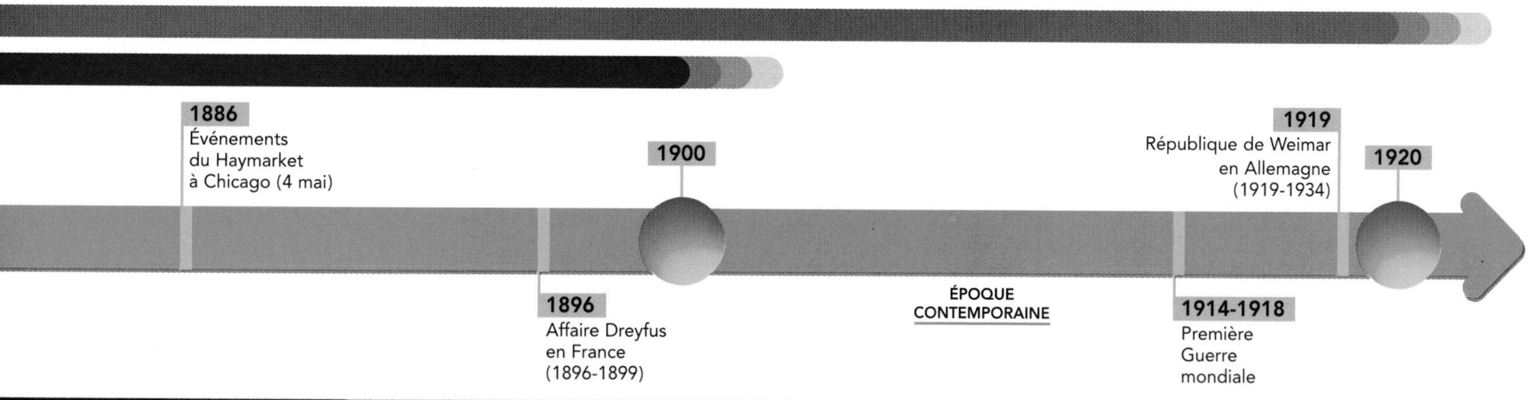

P R O J E T

LA FRANCE INDUSTRIELLE

Aspects à étudier
économie française
société française
grands courants politiques et idéologiques
culture française

Organiser une campagne électorale

La France, voisine de l'Angleterre, n'a pas tardé à entrer de plain-pied dans la révolution industrielle. Le processus d'industrialisation s'est déroulé sensiblement de la même façon qu'en Angleterre et les conséquences de l'industrialisation ont été semblables dans les deux pays.

1 L'Exposition universelle de 1855 à Paris

Les expositions internationales qui se tiennent depuis le milieu du XIXe siècle ont pour but d'illustrer toute la richesse de l'expérience humaine. Habituellement, ces expositions portent sur un thème et chaque pays participant apporte sa contribution en créant un pavillon qui s'articule autour de ce thème. Lors de l'Exposition universelle de 1855, la France était fière de présenter les progrès industriels de l'humanité. Dans le Palais de l'Industrie, on pouvait voir de nombreuses inventions qui devaient permettre d'augmenter la production. L'industrialisation était à l'ordre du jour.

Le Palais de l'Industrie, Exposition universelle de 1855.
(Anonyme, XIXe siècle.)

SUJET DE LA RECHERCHE

- **QUOI ?** La France.
- **QUAND ?** De 1800 à 1920.
- **RÉALISATION** Organiser une campagne électorale pour un parti politique de ton choix. N'oublie pas que tu veux gagner ces élections !

DÉMARCHE DE RECHERCHE

PLANIFIER LA RECHERCHE

1 **Prends connaissance** du plan de la recherche pour bien organiser ton travail.

La France industrielle (1800-1920)

PLAN DE LA RECHERCHE

1. Trouver de l'information sur la situation en France à cette époque (sur les plans économique, social et culturel).
2. Trouver de l'information au sujet des grands courants politiques et idéologiques de cette époque.
3. Choisir un parti politique qui saurait comment améliorer le sort de la population et défendre les idées de ce parti.
4. Rédiger un texte politique exprimant les idées du parti choisi, les mesures adoptées pour améliorer le sort de la population (législations, subventions, programmes de travail, nationalisation, etc.) et les raisons pour lesquelles il importe de voter pour ce parti.

RECUEILLIR L'INFORMATION

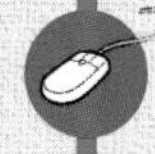

encyclopédies – ouvrages documentaires – monographies – atlas historiques – manuels scolaires

Mots clés : histoire France – syndicat France – socialisme France – communisme France – libéralisme France – révolution industrielle France

2 **Fournis** les renseignements demandés.

L'économie française

- Décris brièvement le processus de l'industrialisation en France.
- Quels étaient les modes de production ?
- Qui contrôlait l'économie et les grandes entreprises ?
- Quelles étaient les conditions de vie et de travail des ouvriers et des ouvrières ?

La société française

- Décris l'organisation de la société française.
- Nomme les principales caractéristiques des classes sociales en France à cette époque.

Les grands courants politiques et idéologiques

- Nomme les caractéristiques des grands courants politiques et idéologiques de l'époque :
  - l'anarchisme ;
  - le socialisme ;
  - le communisme ;
  - le libéralisme ;
  - le syndicalisme ;
  - le mouvement des suffragettes.
- Quels étaient les partis politiques de l'époque ? Présente certaines de leurs idées.
- Nomme et présente quelques politiciens de cette époque.

La culture française

- Nomme quelques caractéristiques de la culture française à cette époque.
- Nomme quelques grands auteurs, auteures et artistes français de l'époque et décris leurs contributions à la culture.

TECHNIQUE

Pour préparer ta campagne électorale, tu devrais:

- choisir le nom de ton parti politique et les idées que tu défendras;
- écrire un texte d'environ quatre pages expliquant les idées de ton parti, ce que tu comptes faire, les raisons pour lesquelles tu souhaites des changements, qui tu veux aider et comment tu t'y prendras pour réaliser tes projets;
- préparer un discours qui résumera tes idées et qui convaincra tes camarades de classe de voter pour ton parti;
- choisir des accessoires qui feront connaître ton parti et les idées que tu défends. Des macarons, des chansons, des t-shirts, des slogans, des affiches et des vidéos sont autant de moyens qui peuvent inciter les électeurs et les électrices à voter pour ton parti.

TRAITER L'INFORMATION

3 **Analyse** l'information recueillie de manière à ne retenir que les renseignements nécessaires à l'organisation de ta campagne électorale.

Note ces renseignements sur des fiches semblables à celles ci-dessous.

ORGANISER L'INFORMATION

Avant d'organiser ta campagne électorale, relis la liste des critères d'évaluation que ton enseignante ou ton enseignant t'a remise. Cela te permettra de les respecter et de mieux réussir ton projet.

4 **Lis** attentivement l'encadré «Technique».

Conçois un dépliant et **rédige** un discours politique qui convaincront les électeurs et les électrices de voter pour ton parti.

2 Victor Hugo (1802-1885)

RC

D'abord monarchiste, Victor Hugo est ensuite devenu un très bon représentant des idées révolutionnaires de son époque. Après la mort de sa fille en 1843, il a décidé de se consacrer à la politique et est devenu député en 1848. À la suite du coup d'État de Napoléon III en 1851, Hugo s'est exilé dans les îles de Jersey et de Guernsey en Angleterre, pour ne revenir en France qu'en 1870. C'est en exil qu'il a écrit *Les Contemplations*, un recueil de poésie sur sa vie.

Victor Hugo (1802-1885).
(Léon Bonnat, 1879, Châteaux de Versailles et de Trianon, Versailles, France.)

COMMUNIQUER L'INFORMATION

5 **1re étape**
Chaque élève présente son dépliant, son discours et tous ses accessoires à ses camarades de classe, puis répond à leurs questions.

2e étape
Les électeurs et les électrices passent au vote.

ÉVALUER LA DÉMARCHE

Ton enseignante ou ton enseignant te remettra un parcours d'évaluation qui te permettra d'évaluer ta démarche de recherche et d'en découvrir les forces et les faiblesses. Cette évaluation te permettra d'améliorer ta prochaine recherche.

Conserve tes réalisations et ton parcours d'évaluation dans ton portfolio d'apprentissage.

4 Adresse des patrons, 29 avril 1891

Craignant la colère des ouvriers qui, à l'occasion de la fête du 1er mai prévoyaient présenter certaines revendications à leur mairie, les patrons de la région de Fourmies, en France, ont rédigé un manifeste dans l'espoir de convaincre les travailleurs de ne pas participer à ces célébrations.

«Considérant qu'un certain nombre d'ouvriers de la Région, égarés par quelques meneurs étrangers, poursuivent la réalisation d'un Programme qui amènerait à courte échéance la ruine de l'Industrie du pays (celle des patrons et aussi sûrement celle des travailleurs) [...],

«Considérant encore que nulle part les ouvriers n'ont été ni mieux traités, ni mieux rétribués que dans la région de Fourmies,

«Les Industriels soussignés, abandonnant pour cette grave circonstance toutes les questions politiques et autres qui peuvent les diviser, prennent l'engagement d'honneur de se défendre COLLECTIVEMENT, SOLIDAIREMENT et PÉCUNIAIREMENT dans la guerre injustifiable et imméritée qu'on veut leur déclarer [...].»

Le manifeste des industriels du 29 avril 1891 contre le 1er mai.

3 La Commune de Paris (du 18 mars au 27 mai 1871)

«À l'aube du 18 mars 1871, Paris fut réveillée par ce cri de tonnerre: "Vive la Commune!" Qu'est-ce donc que la Commune, ce sphinx qui met l'entendement bourgeois à si dure épreuve?

"Les prolétaires de la capitale, disait le Comité central dans son manifeste du 18 mars, au milieu des défaillances et des trahisons des classes gouvernantes, ont compris que l'heure était arrivée pour eux de sauver la situation en prenant en main la direction des affaires publiques [...]. Le prolétariat [...] a compris qu'il était de son devoir impérieux et de son droit absolu de prendre en main ses destinées, et d'en assurer le triomphe en s'emparant du pouvoir."»

Karl Marx, *La guerre civile en France (La Commune de Paris)*, 1871.

Le 16 mai 1871, des membres de la Commune de Paris détruisent la colonne Vendôme, symbole de la tyrannie de l'État français.
(Anonyme, *La chute de la colonne Vendôme*, Archiv für Kunst und Geschichte, Berlin, Allemagne.)

RC

5 ***Germinal***

Affiche pour une représentation théâtrale du roman *Germinal* d'Émile Zola. (Émile Lévy, vers 1885-1890, collection particulière.)

Le grand écrivain français Émile Zola (1840-1902) a publié *Germinal* en 1885. Dans ce roman, il raconte la vie des mineurs du nord de la France et leur lutte pour obtenir de meilleures conditions de travail et de vie. Cet ouvrage est devenu un roman culte pour tous ceux et celles qui se préoccupent des luttes ouvrières.

6 ***La Marseillaise des cotillons* (Chant des suffragettes)**

Chant féministe composé sur l'air de *La Marseillaise* au lendemain des journées de février 1848 à Paris.

«Tremblez, tyrans portant culottes,
Femmes notre jour est venu:
Point de pitié, mettons en botte
Tous les torts du sexe barbu!
Tous les torts du sexe barbu!
Voilà longtemps que ça dure,
Notre patience est à bout.
Debout, Vésuviennes debout!
Et lavons notre vieille injure.

Liberté, sur nos fronts,
Verse tes chauds rayons;
Tremblez, tremblez, maris jaloux,
Respect aux cotillons!

L'homme, ce despote sauvage,
Eut soin de proclamer ses droits;
Créons des droits à notre usage,
À notre usage, ayons des lois!
À notre usage, ayons des lois!
Si l'homme en l'an quatre-vingt-treize,
Eut soin de ne penser qu'à lui,
Travaillons pour nous aujourd'hui,
Faisons-nous une Marseillaise!

Liberté, sur nos fronts,
Verse tes chauds rayons,
Tremblez, tremblez, maris jaloux,
Respect aux cotillons!»

Auteure anonyme,
extrait du *Journal des cotillons*,
juin 1848, Paris.

7 Le travail des enfants

RC

Groupe d'ouvriers, dont plusieurs enfants, photographiés en 1881 devant un bâtiment de la grande forge à laminoirs de la compagnie Schneider et Cie à Le Creusot en France.
(Écomusée du Creusot-Monceau, Le Creusot, France.)

En 1841, le gouvernement français a adopté la Loi sur le travail des enfants. Alors que le libéralisme battait son plein, pour la première fois, l'État est intervenu directement dans la réglementation du travail. Cette loi interdisait le travail des enfants de moins de huit ans, mais comme son application n'était contrôlée que par des bénévoles, son impact était relatif.

8 Jean Jaurès (1859-1914)

Jean Jaurès a été une figure de proue du mouvement socialiste français. Il est reconnu pour avoir réclamé la libération d'Alfred Dreyfus, un officier français condamné à tort d'espionnage pour le compte de l'Allemagne. Jaurès était aussi reconnu pour son pacifisme, qui lui a coûté la vie. Il a été assassiné le 31 juillet 1914 alors qu'il luttait contre l'engagement de la France dans les événements qui allaient faire éclater la Première Guerre mondiale (1914-1918).

Jean Jaurès se fait frapper sur la nuque par le député de Bernis dans la Chambre des députés parce qu'il défend Alfred Dreyfus.
(Henri Meyer, gravure parue dans *Le Petit Journal*, 6 février 1898, collection particulière.)

P

L'INDUSTRIALISATION AUX ÉTATS-UNIS

DOSSIER

La RATIONALISATION du travail

1 L'immigration aux États-Unis

Pays d'origine en 1850	Nombre d'immigrants et immigrantes
Irlande	961 719
Allemagne	583 774
Canada	147 711
Grande-Bretagne	379 093
Autres	172 305
Total	**2 244 602**

(Données du recensement des États-Unis de 1850.)

2 Le taylorisme

L'organisation du travail en usine a connu de profondes transformations au cours du XIXe siècle. L'une des plus importantes innovations a découlé de la réflexion de l'ingénieur états-unien Frederick Winslow Taylor (1856-1915). Taylor croyait qu'il fallait concevoir la gestion des usines de façon scientifique. Selon sa théorie de «l'organisation scientifique du travail», le travail en usine doit être parcellisé en petites tâches simples et faciles à accomplir. Tout en réduisant considérablement les risques d'erreurs de jugement de la part des ouvriers et ouvrières, cette approche leur permettait de devenir toujours plus efficaces dans l'accomplissement de leurs tâches.

3 Le fordisme

Inspiré par les idées de Frederick Winslow Taylor (*doc. 2*), l'industriel états-unien Henry Ford (1863-1947) a révolutionné le travail en usine. Fondateur de la Ford Motor Company, il a introduit de nouveaux principes qui allaient faire de ses usines les entreprises les plus productives de son époque. Ford soutenait, comme Taylor, que le travail doit être divisé en tâches simples et faciles à accomplir. Par ailleurs, il prônait l'importance de standardiser certaines pièces, accélérant ainsi le processus de fabrication et permettant l'utilisation d'une même pièce dans plus d'un produit manufacturé. En mécanisant ses usines, Ford a introduit la production en série. Produites à un coût moindre, ses automobiles étaient vendues à des prix abordables: c'était le début de la consommation de masse.

Série de modèles T de Ford prêts à être vendus. Le fordisme marque la véritable naissance de la chaîne de montage.

Des mutations
SOCIALES

4 John D. Rockefeller

RC

La famille états-unienne des Rockefeller est devenue immensément riche à la fin du XIXe siècle. Le fondateur de la dynastie des Rockefeller, une famille toujours très puissante, est John Davison Rockefeller (1839-1937). Dans les années 1860, Rockefeller s'est lancé dans les affaires et a réussi à acheter la Standard Oil Company (aujourd'hui la compagnie ExxonMobil). Il a rapidement fait fortune dans le commerce du pétrole et pour un temps, était l'homme le plus riche des États-Unis. Encore aujourd'hui, John D. Rockefeller incarne le *self-made man* états-unien qui, issu d'une famille relativement pauvre, réussit par son propre labeur à amasser une fortune.

Caricature par C. J. Taylor dépeignant John D. Rockefeller comme le roi du monde.

5 Les émigrants

RC

(A. Tommasi, *Les émigrants*, 1908, Galerie nationale d'art moderne et contemporain, Villa Borgèse, Rome, Italie.)

« Dans les années 1880, le nombre d'immigrants approchait les cinq millions et demi. Ils furent encore quatre millions dans les années 1890, créant un excédent de main-d'œuvre qui permettait de maintenir les salaires à un bas niveau. Les immigrants, plus démunis que les travailleurs américains, étaient également plus facilement contrôlables. »

Howard Zinn, *Une histoire populaire des États-Unis, de 1492 à nos jours*, trad. F. Cotton. © 2002, Agone (Marseille)-Lux (Montréal) pour la traduction française.

6 La répartition de la population active aux États-Unis

(en pourcentage de la population)

Secteurs d'activité	milieu XIXe	début XXe	1930
Services	24,3	38,2	40
Industries	20,7	34,4	32,5
Agriculture	55	27,4	27,5

SECTEURS D'ACTIVITÉ
- SERVICES
- INDUSTRIES
- AGRICULTURE

7 La population urbaine aux États-Unis (1850-1910)

1850	1910
3 millions	39 millions

8 La première filature de coton, à Pawtucket au Rhode Island

RC

(Alphonse Bichebois et Victor Adam, *Les chutes de Pawtucket*, 1828, New York Public Library, New York, États-Unis.)

Considérée par certains comme le berceau de l'industrialisation états-unienne, la filature Slater de Pawtucket a été construite en 1793 par Samuel Slater (1768-1835), un immigrant britannique. Alimentée par l'énergie tirée des rapides de la rivière Blackstone, la filature de coton était dotée des machines les plus modernes de l'époque.

9 Les chemins de fer états-uniens

RC

Pour faire le commerce d'un bout à l'autre d'un pays aussi vaste que les États-Unis, les chemins de fer étaient essentiels. En 1869, les compagnies Union Pacific Railroad et Central Pacific Railroad ont terminé la construction du premier chemin de fer transcontinental. Alors qu'il fallait 180 jours pour traverser les États-Unis en diligence en 1834, on pouvait traverser le pays en 7 jours par train en 1870. La construction des chemins de fer a été très difficile et très coûteuse. Des centaines de milliers d'immigrants chinois y ont travaillé dans des conditions exécrables.

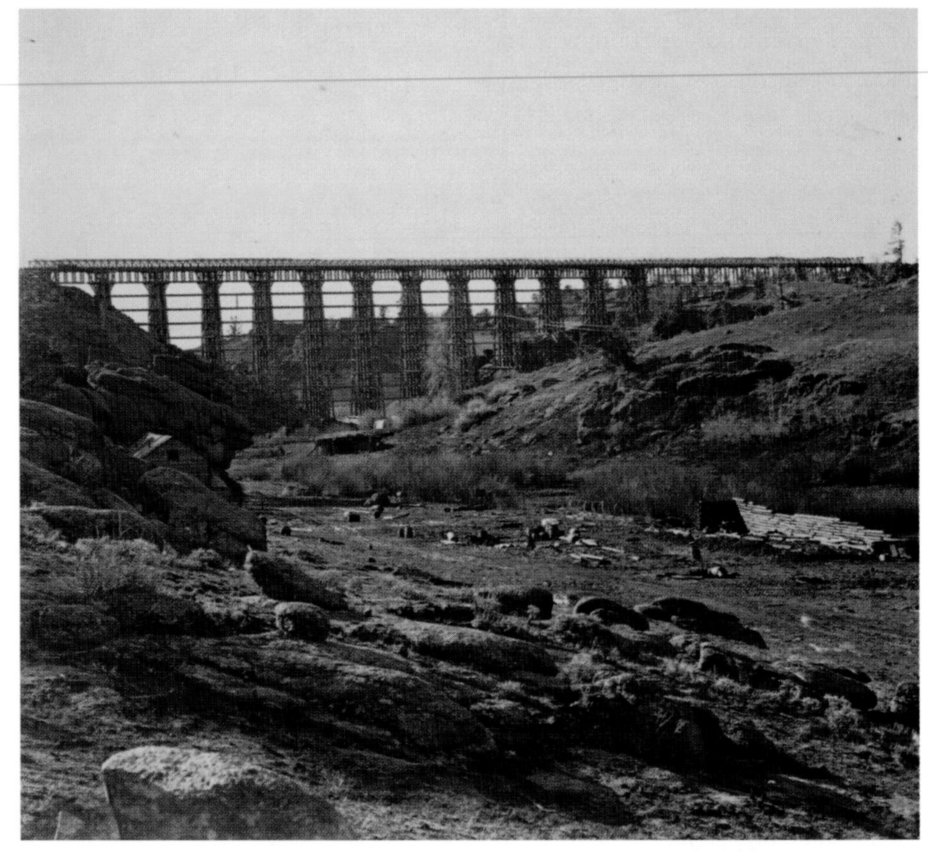

Pont ferroviaire construit par la compagnie Union Pacific Railroad à Dale Creek, dans le Wyoming aux États-Unis.
(Photographie d'Andrew J. Russell, 1869, New York Public Library, New York, États-Unis.)

10 L'agriculture aux États-Unis

À l'ère de l'industrialisation, l'agriculture a connu des changements importants aux États-Unis tout comme en Angleterre. Parmi ces changements, il importe de souligner:

- la mécanisation des techniques agricoles;
- l'ouverture de grandes étendues de nouvelles terres vers l'ouest à partir des années 1810;
- l'important accroissement des ventes de produits agricoles à l'étranger.

Récolte au Dakota à l'aide de machines à vapeur. (Gravure, XIXe siècle, collection particulière.)

11 Les bateaux à vapeur

RC

Illustration de la course de deux bateaux à vapeur, le *Robert E. Lee* et le *Natchez*, en juin 1870. (Lithographie, 1883.)

Les bateaux à aubes qui fonctionnaient à vapeur étaient l'une des grandes innovations aux États-Unis. Ces bateaux étaient particulièrement utiles sur les longs fleuves, dont le fameux Mississippi. L'auteur Mark Twain était pilote de bateau à vapeur avant d'écrire son célèbre roman *Les aventures de Huckleberry Finn* (1884).

Une radicalisation POLITIQUE

De jeunes ouvriers du textile manifestent pendant une grève à Philadelphie en Pennsylvanie, vers 1890.

12 Mother Jones et les enfants ouvriers et ouvrières

RC

«Au printemps 1903, je me suis rendue à Kensington, en Pennsylvanie, où soixante-dix mille ouvriers du textile étaient en grève. Parmi eux, il y avait au moins dix mille gamins. Les travailleurs faisaient la grève pour des augmentations de salaire et pour une diminution du temps de travail. Tous les jours, des gamins venaient au quartier général du syndicat. Certains avaient perdu une main, un pouce ou bien tous leurs doigts. Ce n'étaient que des petits êtres voûtés, écrasés et squelettiques. […] J'ai demandé à certains parents s'ils accepteraient de me confier leurs filles et leurs garçons pendant sept à dix jours en leur promettant de les ramener sains et saufs. […] Nous portions des banderoles qui proclamaient: "Nous voulons du temps pour jouer".»

Mary Jones, dite «Mother Jones» (1830-1930).

Mary Jones, dite «Mother Jones», citée dans Howard Zinn, *Une histoire populaire des États-Unis, de 1492 à nos jours*, trad. F. Cotton, Agone-Lux, 2002.

Mother Jones (1830-1930), qui avait alors 73 ans, a mené ces enfants à travers le New Jersey dans l'espoir de rencontrer le président Theodore Roosevelt (1858-1919). Il a refusé de les recevoir.

13 Le syndicalisme politique

«Le syndicalisme "pur et simple" du passé ne répond plus aux exigences du présent. […] Les travailleurs syndiqués devraient comprendre […] que le mouvement ouvrier signifie plus – infiniment plus – qu'une misérable augmentation des salaires et la grève nécessaire à sa conservation. Même s'il s'engage à faire tout ce qui est possible pour améliorer les conditions de travail de ses membres, l'objectif essentiel du mouvement est de renverser le système capitaliste fondé sur la propriété privée de l'outil de travail, d'abolir l'esclavage salarial et de libérer la classe ouvrière tout entière et même, en fait, toute l'humanité.»

Eugene V. Debs, *Unionism and Socialism* (1904), cité dans Howard Zinn, *Une histoire populaire des États-Unis, de 1492 à nos jours*, trad. F. Cotton. © 2002, Agone (Marseille)-Lux (Montréal) pour la traduction française.

Eugene Victor Debs (1855-1926).

16 Les événements du Haymarket Square à Chicago, le 4 mai 1886

«Un rassemblement était prévu le 4 mai au soir au Haymarket Square de Chicago. Trois mille personnes y participèrent. Tout se déroula d'abord paisiblement. Puis, comme l'orage se faisait plus menaçant et l'heure plus tardive, la foule commença à se disperser. Un détachement composé de cent quatre-vingts policiers s'avança pour ordonner aux orateurs de faire cesser la réunion. L'orateur répliqua que c'était presque fait. C'est alors qu'une bombe explosa au milieu des policiers, faisant soixante-six blessés dont sept allaient plus tard décéder. La police répliqua en tirant sur la foule, faisant à son tour plusieurs morts et quelque deux cents blessés.»

Howard Zinn, *Une histoire populaire des États-Unis, de 1492 à nos jours*, trad. F. Cotton. © 2002, Agone (Marseille)-Lux (Montréal) pour la traduction française.

L'émeute des anarchistes à Chicago: une bombe explose au milieu des policiers. (Thure de Thulstrup, illustration parue dans *Harper's Weekly*, 15 mai 1886.)

14 Le libéralisme de Herbert Hoover

«Chaque étape marquant la bureaucratisation [l'intervention de l'État] de notre économie sème le poison sur les racines fondamentales du libéralisme, à savoir l'égalité politique, la liberté de parole, la liberté de réunion, la liberté de presse et l'égalité des chances. [...] Le libéralisme authentique cherche à ne freiner aucune liberté légitime, parce qu'il croit avec force que, sans ces libertés, la poursuite de tous les autres bienfaits est vaine. Cette croyance est le fondement de tout le progrès américain, politique aussi bien qu'économique.»

Herbert Hoover,
président des États-Unis, 1928.

15 Les Chevaliers du travail

«Le premier effort sérieux de syndicalisation ouvrière fut la création en 1869, à Philadelphie, du "Noble Ordre des Chevaliers du travail". À partir de 1879, il connut un grand développement. En 1886, il comptait quelque 700 000 membres. Mais, dans les circonstances d'alors, son programme était utopique: la journée de 8 heures, la totale abolition du travail des enfants, la nationalisation des services publics, etc.»

Franck L. Schoell, *Histoire des États-Unis*, Éditions du Roseau, 1985.

La dixième convention annuelle des Chevaliers du travail (*The Knights of Labor*) à Richmond, en Virginie, en octobre 1886. (1886, *Frank Leslie's Illustrated Newspaper.*)

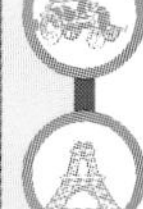

D

DOSSIER

L'INDUSTRIALISATION EN ALLEMAGNE

1 Une usine de la vallée de la Ruhr

(Alfred Rethel, vers 1834.)

RC

2 La répartition de la population active en Allemagne

(en pourcentage de la population)

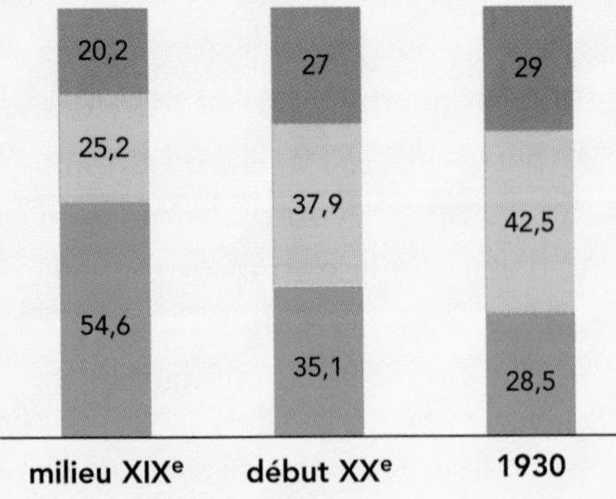

SECTEURS D'ACTIVITÉ

- SERVICES
- INDUSTRIES
- AGRICULTURE

3 L'évolution de la répartition de la population en Allemagne

(en pourcentage de la population)

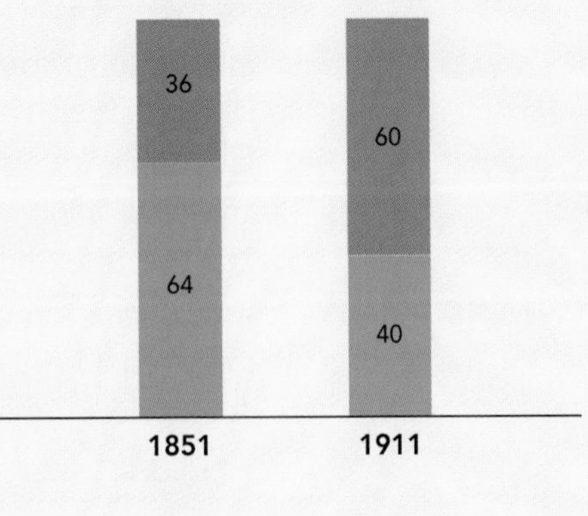

- POPULATION URBAINE
- POPULATION RURALE

4 La rapide industrialisation de l'Allemagne

«[On assiste,] à partir de 1890, à une véritable explosion de la croissance industrielle allemande. La production d'acier passe de 3 millions de tonnes, à cette date, à 17 millions de tonnes en 1914, tandis que dans les domaines des constructions mécaniques, de la chimie et des industries électriques, l'Allemagne se hisse au premier rang des puissances européennes, devançant le Royaume-Uni pour l'ensemble de la production industrielle et soumettant le commerce britannique à une très forte concurrence.»

Serge Berstein et Pierre Milza, *Histoire de l'Europe : nationalismes et concert européen, 1815-1919*, © Hatier, 1992.

5 L'essor du chemin de fer en Allemagne

Longueur des lignes de chemin de fer en service	
1870	18 876 km
1913	63 378 km

6 Les usines Krupp à Essen, en Allemagne

RC

Les usines Krupp, fondées en 1811 par Friedrich Krupp (1787-1826), se sont rapidement taillé une place de choix parmi les grandes industries du XIXe siècle. Le fils de Friedrich, Alfred Krupp (1812-1887), a été celui qui a réellement investi dans les nouvelles technologies. Les usines Krupp étaient reconnues pour leur expertise dans la fabrication de locomotives et de canons. Dès la fin des années 1860, ces usines vendaient des canons presque partout dans le monde, parfois même à des pays ennemis de l'Allemagne.

Des soldats britanniques armés d'un canon Krupp surveillent des navires ennemis à Alexandria, en Égypte. (Gravure, vers 1882.)

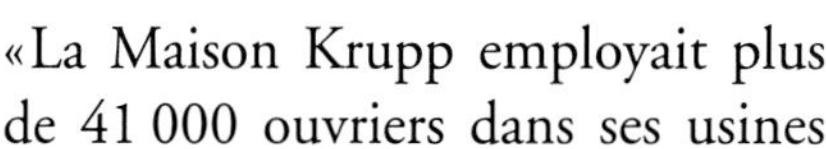

«La Maison Krupp employait plus de 41 000 ouvriers dans ses usines métallurgiques à Essen en 1913. Elle possédait alors des mines de houille en Westphalie, des mines de fer en Espagne, une flotte, des chantiers de construction navale à Kiel.»

Jean-Charles Asselain *et al.*, *Précis d'histoire européenne, XIXe-XXe siècle*, Armand Colin,1992.

Les usines Krupp à Essen, en Allemagne.
(Gravure, vers 1920, collection particulière, Allemagne.)

7 La vallée de la Ruhr

RC

«La Prusse rhénane possède – et c'est là son principal avantage sur les autres régions de la rive gauche du Rhin – l'industrie la plus évoluée et la plus variée de toute l'Allemagne. Presque toutes les branches de l'industrie sont représentées dans les trois arrondissements d'Aix-la-Chapelle, de Cologne et de Düsseldorf; l'industrie du coton, de la laine et de la soie en tous genres, accompagnée des branches connexes de la blanchisserie, de l'impression et de la teinture, de la fonderie et de la fabrication des machines, en outre l'industrie minière, l'armurerie et toutes les autres industries des métaux s'y trouvent concentrées dans un espace de quelques milles carrés, occupant une population de densité inouïe pour l'Allemagne. [...] La meilleure voie fluviale de l'Allemagne, la proximité de la mer, la richesse minérale de la contrée favorisent l'industrie, qui a en outre construit de nombreuses voies ferrées et qui travaille chaque jour à compléter son réseau ferroviaire.»

Friedrich Engels, *La révolution démocratique bourgeoise en Allemagne* (1951), Éditions sociales, 1952.

D

Des changements SOCIAUX

8 Une nouvelle classe dirigeante

«À la place des anciennes aristocraties de naissance et de culture grandit une nouvelle aristocratie de l'entreprise. Cette nouvelle classe reconnaît avant tout le succès et l'aptitude aux affaires. La plupart des groupements anciens subsistent encore, mais presque partout cet esprit nouveau s'infiltre progressivement et détruit peu à peu les hiérarchies anciennes. Après avoir longtemps cherché à imiter le plus possible l'ancienne noblesse, il semble que l'aristocratie nouvelle de l'entreprise tende plutôt à affirmer son indépendance.»

D'après Henri Lichtenberger, *L'Allemagne moderne: son évolution*, Flammarion, 1907.

9 Le Printemps des peuples à Berlin en 1848

Révolutionnaires sur les barricades de la rue Breite à Berlin, pendant la nuit du 18-19 mars 1848.
(Anonyme, XIXe siècle, Kunstbibliothek, Staatliche Museen zu Berlin, Berlin, Allemagne.)

«Aux origines de la vague révolutionnaire de 1848, on trouve une crise économique complexe.

[...]

De l'empire d'Autriche, la contagion révolutionnaire gagne l'Allemagne et l'Italie. En Allemagne, les peuples exigent et obtiennent des constitutions, y compris dans la Prusse autoritaire. Un puissant mouvement national aboutit à la convocation, à Francfort, d'un Parlement constituant qui doit jeter les bases d'un État allemand. [...]

Mais l'illusion du "Printemps des peuples" ne dépasse pas l'été 1848. [...] Les constitutions allemandes sont révoquées et le parlement de Francfort est dispersé. Le roi de Prusse est contraint par les pressions autrichiennes de renoncer à l'unification de l'Allemagne.»

Serge Berstein et Pierre Milza, *Histoire de l'Europe: nationalismes et concert européen, 1815-1919*, © Hatier, 1992.

10 Otto von Bismarck tente d'enrayer le socialisme.

(Edward Linley Sambourne, caricature parue dans le magazine *Punch*, vers 1878.)

Par de multiples lois et manœuvres, le premier chancelier de l'Empire allemand, Otto von Bismarck (1815-1898), a essayé de nuire aux partis socialistes d'Allemagne. Après sa démission forcée en 1890, les socialistes ont réussi à reformer leurs rangs et même à remporter des victoires électorales sans précédent.

12 August Thyssen (1842-1926)

(Franz Josef Klemm, vers 1917, Groupe ThyssenKrupp, Düsseldorf, Allemagne.)

Fondateur des usines Thyssen, August Thyssen était au nombre des plus grands bourgeois d'Allemagne.

11 Les syndicats libres

La Marche des tisserands à Berlin en 1897
(Käthe Kollwitz, détail, XIXe siècle, Stadtmuseum, Munich, Allemagne.)

«Regroupées en 1875 dans le mouvement des "syndicats libres", les organisations ouvrières dépendent [...] pour la plupart du Parti socialiste et mènent le combat dans une perspective globale qui associe les mobiles économiques à court terme [salaires, conditions de travail, etc.] et un projet politique visant à la conquête du pouvoir et à la transformation de la société. [...] Les "syndicats libres" rassemblent en 1914 plus de 2,5 millions de travailleurs et disposent d'un appareil puissant: 15 000 permanents salariés, plusieurs journaux, des centaines de coopératives, caisses de chômage, bureaux de placement, etc.»

Serge Berstein et Pierre Milza, *Histoire de l'Europe: nationalismes et concert européen, 1815-1919*, © Hatier, 1992.

13 Le programme de Gotha (1875)

«Le Parti ouvrier socialiste d'Allemagne réclame comme base de l'État:

1. Suffrage universel égal, direct, secret et obligatoire pour tous les citoyens âgés d'au moins vingt ans et pour toutes les élections générales et communales. Le jour de l'élection sera un dimanche ou un jour férié.

2. Législation directe par le peuple. La guerre et la paix votées par le peuple.

[...]

5. Justice rendue par le peuple. Gratuité de la justice.

6. Éducation générale et égale du peuple par l'État. Obligation scolaire. Gratuité de l'instruction dans tous les établissements scolaires. La religion déclarée chose privée.»

Extraits du Programme du Parti ouvrier socialiste d'Allemagne (Gotha, mai 1875).

D

14

Le IIe Reich (1871-1918)

Fondé par Otto von Bismarck (*doc. 10, p. 178*) en 1871, le nouvel Empire allemand, le IIe Reich, était une union fédérale de 25 États dont la Prusse était le plus important. Chaque État avait ses propres institutions qui menaient les affaires courantes, mais à la tête du Reich siégeaient un gouvernement national puissant dirigé par un chancelier et un gouvernement élu appelé le «Reichstag». En 1890, le nouvel empereur, Guillaume II (1859-1941), a forcé Bismarck, chancelier depuis 1871, à remettre sa démission et a rapidement transformé le IIe Reich en un empire expansionniste G.

Proclamation de l'Empire allemand, le 18 janvier 1871, dans la galerie des Glaces du palais de Versailles.
(Anton von Werner, 1877, musée Bismarck, Friedrichsruh, Allemagne.)

15 Rosa Luxemburg (1871-1919)

«La liberté seulement pour les partisans du gouvernement, pour les membres d'un parti, aussi nombreux soient-ils, ce n'est pas la liberté. La liberté, c'est toujours la liberté de celui qui pense autrement.»

Née en Pologne, Rosa Luxemburg était l'une des plus importantes militantes socialistes de l'Allemagne du début du XXe siècle. Elle a été assassinée le 15 janvier 1919.

16 La Première Guerre mondiale (1914-1918)

Des soldats allemands et leurs chiens, coiffés de masques antigaz, en manœuvres dans le nord de l'Allemagne pendant la Première Guerre mondiale.

Des chars d'assaut britanniques se déplaçant vers le front en Europe.

Depuis plusieurs années, les membres de la Triple-Alliance (l'Allemagne, l'Italie, l'Autriche et leurs alliés) et les membres de la Triple-Entente (la France, la Grande-Bretagne, la Russie et leurs alliés) se dirigeaient vers un conflit. L'assassinat de l'archiduc austro-hongrois, François-Ferdinand, le 28 juin 1914 a été le prélude à la guerre. La Première Guerre mondiale est considérée comme le conflit armé le plus violent de l'histoire de l'humanité. Pour la première fois, l'industrialisation était au service d'une guerre. Avions, chars d'assaut, canons de grande portée, flottes de guerre et gaz toxiques ont fait de cette guerre mondiale une épouvantable boucherie. On estime qu'il y a eu quelque 31 millions de morts et de blessés. À la fin de la Première Guerre mondiale, quatre empires avaient disparu: l'Empire allemand, l'Empire austro-hongrois, l'Empire ottoman et l'Empire russe (disparition attribuable à la révolution bolchevique de 1917).

Une importante période de MUTATIONS POLITIQUES

17 La ligue Spartakus

La ligue Spartakus a été fondée au début de la Première Guerre mondiale. Karl Liebknecht (1871-1919) et Rosa Luxemburg (*doc. 15*) en étaient des membres fondateurs. Cette alliance avait pour buts de faire contrepoids aux idées du Parti social-démocrate et de prôner une vision véritablement révolutionnaire du socialisme. Lors des événements de juin 1914 (*doc. 16*), les spartakistes militaient contre le vote des crédits de guerre. Internationalistes, ils soutenaient que la guerre ne pouvait que créer des conflits entre les ouvriers européens. Entre 1915 et 1919, la Ligue a organisé des révoltes et des grèves dans l'espoir de sortir l'Allemagne de la guerre et de prendre le pouvoir. La ligue Spartakus est devenue le Parti communiste d'Allemagne en janvier 1919, alors que plusieurs de ses dirigeants, dont Liebknecht et Luxemburg, étaient arrêtés, puis assassinés.

Barricade spartakiste le 11 janvier 1919, à Berlin, en Allemagne.

18 La république de Weimar (1919-1934)

Palais du Reichstag, à Berlin en Allemagne, vers 1930. Ce palais a été le siège de l'Assemblée du Reichstag, le parlement fédéral allemand, de 1894 à 1933.

Après la guerre, l'Allemagne a été condamnée à payer des sommes astronomiques en réparation aux pays des forces de l'Entente. De plus, sa région la plus riche, la Ruhr (*doc. 7, p. 177*), a été occupée par la France. Afin de gérer les affaires de l'État, l'ancien empire est devenu une république, la république de Weimar, dont l'assemblée législative élue demeurait le Reichstag (*doc. 14*). Toutefois, en raison notamment des difficultés économiques mondiales qui ont surgi à partir de 1929 et de l'importante dette de l'Allemagne envers les autres pays, la république de Weimar a eu bien de la difficulté à gagner la confiance de la population. En 1933, la population allemande a élu un nouveau chancelier issu du Parti national-socialiste, Adolf Hitler. En 1934, à la mort du président von Hindenburg (1847-1934), Hitler a réussi, par référendum, à combiner les fonctions de chancelier et de président pour devenir le Reichsführer et mettre un terme définitif à la République. Le IIIe Reich était né.

D

L'industrialisation en Angleterre

1 Le schéma ci-dessous résume ce que tu as appris au sujet des effets de l'industrialisation sur les classes sociales en Angleterre.

CLASSES SOCIALES

BOURGEOISIE, PROPRIÉTAIRES TERRIENS ET PROLÉTARIAT

LÉGISLATIONS

Les législations pouvaient réglementer les entreprises et leur interdire certaines pratiques.

MODES DE PRODUCTION

- Production artisanale.
- Production industrielle.

SOCIALISME

Système économique et social dans lequel les moyens de production appartiennent à l'État.

RÉVOLUTION

- Révolution économique : changements importants dans les modes de production.
- Révolution sociale : création d'une nouvelle classe sociale, le prolétariat.
- Révolution politique : revendications des communistes, des socialistes et des anarchistes pour un changement de société.

SYNDICALISME

Les ouvriers et les ouvrières ont obtenu suffisamment de poids pour forcer les chefs d'entreprises à leur accorder de meilleures conditions de travail.

LIBÉRALISME

Idéologie qui soutient que l'État devrait éviter de limiter la liberté de production et d'échange.

CAPITALISME

Système économique dans lequel les moyens de production appartiennent à des individus.

URBANISATION

Les paysans et les artisans se sont installés dans les villes dans l'espoir d'y trouver du travail.

Ailleurs

2 Montre que tu connais les caractéristiques de la révolution industrielle en France, aux États-Unis ou en Allemagne en reproduisant et en complétant le schéma ci-dessous.

PAYS ÉTUDIÉ : ▬ (1)
- Quelles étaient les classes sociales ?
- L'industrialisation a-t-elle entraîné une transformation des classes sociales ?

LÉGISLATIONS (2)
Y a-t-il eu d'importants changements dans les législations ?

LIBÉRALISME (3)
- Pratiquait-on le libéralisme ?
- Si oui, quelle forme prenait-il ? Qui en étaient les principaux partisans ?

CAPITALISME (4)
- Pratiquait-on le capitalisme ?
- Si oui, quelle forme prenait-il ?

URBANISATION (5)
- Y a-t-il eu un mouvement des populations vers les villes ?
- Si oui, pourquoi ?

SYNDICALISME (6)
Quelles ont été les avancées du syndicalisme ?

RÉVOLUTION (7)
Explique comment se sont déroulées :
- la révolution économique ;
- la révolution sociale ;
- la révolution politique.

SOCIALISME (8)
- Pratiquait-on le socialisme ?
- Si oui, quelle forme prenait-il ? Qui en étaient les principaux partisans ?

MODES DE PRODUCTION (9)
Quels étaient les principaux modes de production ?

3 À l'aide des renseignements contenus dans les schémas des numéros 1 et 2 et dans le présent chapitre, complète les phrases suivantes :

À CETTE ÉTAPE-CI,

1. je pense qu'une classe sociale, c'est ▬
2. je pense que le capitalisme, c'est ▬
3. je pense qu'une législation, c'est ▬
4. je pense que le libéralisme, c'est ▬
5. je pense qu'un mode de production, c'est ▬
6. je pense qu'une révolution, c'est ▬
7. je pense que le socialisme, c'est ▬
8. je pense que le syndicalisme, c'est ▬
9. je pense que l'urbanisation, c'est ▬

Les conditions de travail

Dans le passé, les syndicats, les groupes de pression et les gouvernements ont fait beaucoup pour améliorer les conditions de vie et de travail de la main-d'œuvre canadienne. Qu'en est-il aujourd'hui ?

1 Le taux de présence syndicale en Amérique du Nord

(en pourcentage)

	2002	2003	2004
Québec	41,0	41,5	40,2
Ontario	28,2	28,5	27,9
Reste du Canada	31,5	31,2	31,0
États-Unis	14,5	14,3	13,8

2 Les normes du travail

- Salaire minimum (1er mai 2005): 7,60 $/heure.
- Semaine normale de travail: 40 heures.

Service continu	Durée du congé annuel	Indemnité de vacances
moins d'un an	1 jour par mois de service	4 %
1 an à moins de 5 ans	2 semaines continues	4 %
5 ans et plus	3 semaines continues	6 %

3 La Cour donne raison aux syndicats.

«À la grande satisfaction des syndicats, la juge Carole Julien, de la Cour supérieure, a invalidé hier le chapitre 9 de la Loi sur l'équité salariale. Cette décision forcera Québec à revoir les dispositions de la loi qui ont permis à de nombreux employeurs de faire approuver leurs programmes d'équité salariale mis en place avant l'entrée en vigueur de la loi, en novembre 1996.»

Le Devoir, 10 janvier 2004.

4 Le travail des enfants

«La Loi sur les normes du travail interdit à un employeur:

[...]

2. de faire travailler un enfant de moins de 14 ans sans le consentement écrit du parent;

3. de faire travailler, durant les heures de classe, un enfant tenu de fréquenter l'école;

4. de faire travailler, entre 23 heures et 6 heures le lendemain, un enfant tenu de fréquenter l'école, sauf si l'enfant livre des journaux, ou s'il effectue un travail à titre de créateur ou d'interprète dans certains domaines de production artistique.»

Extraits de la Loi sur les normes du travail, Commission des normes du travail, Gouvernement du Québec, 2005.

5 Le ministère du Travail du Québec

Le ministère du Travail a pour mandat d'intervenir dans les dossiers concernant les relations du travail, les normes du travail, la gestion des conditions de travail, et la santé et la sécurité au travail.

6 Wal-Mart prend de court ses employés et employées de Jonquière.

«Le magasin Wal-Mart de Jonquière a fermé ses portes vendredi midi, une semaine avant la date prévue. Les employés de cette succursale étaient les premiers de la chaîne à obtenir leur accréditation syndicale en Amérique du Nord. […] La chaîne a décidé de fermer le magasin, soutenant qu'il n'était pas rentable.»

Radio-Canada, «Wal-Mart prend de court ses employés de Jonquière», 29 avril 2005.

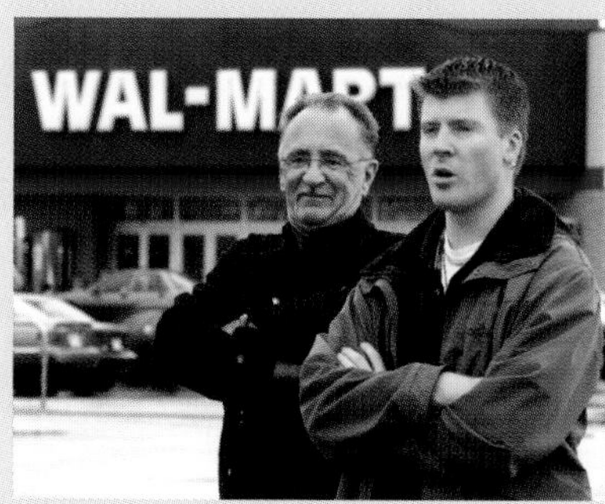

Pierre Martineau (à gauche) et Patrice Bergeron, deux employés qui ont milité pour la syndicalisation, devant leur lieu de travail à Jonquière en 2004.

7 Le droit d'appartenir à un syndicat

«**3.** Tout salarié a le droit d'appartenir à une association de salariés de son choix et de participer à la formation de cette association, à ses activités et à son administration.»

Extrait du Code du travail, S. R. 1964, c. 141, a. 3; 7, c. 41, a. 3, © Éditeur officiel du Québec, 2005.

8 Michel Chartrand et la FATA

Dans le but de venir en aide aux accidentés et accidentées du travail au Québec et de défendre leurs droits, des militantes et militants, dont le syndicaliste québécois Michel Chartrand, ont décidé de créer en 1983 la Fondation pour aider les travailleuses et les travailleurs accidentés (FATA).

9 Les accidents de travail

«Deux Canadiens sur trois croient que les accidents de travail sont inévitables. C'est ce que révèle une étude dont les résultats ont été présentés lundi à Vancouver, lors du forum public de l'Association des commissions des accidents du travail du Canada. Selon cette étude, 350 000 Canadiens seront blessés dans un accident de travail cette année, dont 1 000 mortellement.»

Radio-Canada, «Les accidents de travail font partie de la vie pour la majorité des Canadiens», 25 juillet 2005.

À faire

1. (doc. 1) Compare la présence syndicale au Québec, au Canada et aux États-Unis. Que remarques-tu?
2. (doc. 2, 4, 5 et 7) Quels moyens peut-on utiliser pour défendre les droits des travailleuses et des travailleurs, et améliorer leurs conditions de vie et de travail?
3. (doc. 3) Qu'est-ce qui a permis d'améliorer le sort des travailleuses au Québec?
4. (doc. 7) Explique ce que signifie cet article de loi.
5. (doc. 6 et 7) En lisant ces deux documents, que constates-tu quant au respect des législations et au besoin de défendre les droits des travailleuses et des travailleurs?
6. (doc. 8 et 9) Pourquoi était-il important de créer la FATA?

Selon moi…

Rédige un court texte dans lequel tu expliqueras comment les individus et les institutions ont contribué à améliorer les conditions de vie et de travail dans la société.

SOMMAIRE

L'expansion du monde industriel 188
L'impérialisme
Autour de toi 190
Au passé 192
PISTES DE RECHERCHE
1. La colonisation, une œuvre civilisatrice ? 194
2. Les peuples africains inférieurs ? Vraiment ? 196
3. Quels étaient les enjeux de la colonisation ? 198
J'AI DÉCOUVERT… 200
SAVOIR 202
JE FAIS LE POINT… 208
SAVOIR-FAIRE
Analyser une affiche publicitaire 210
LES MÉTIERS DE L'HISTOIRE
L'archiviste 212
AILLEURS… 214
PROJET – L'impérialisme japonais 216
SYNTHÈSE ET COMPARAISON 222
ET AUJOURD'HUI…
L'expansion du monde industriel 224

L'impérialisme européen

L'impérialisme japonais

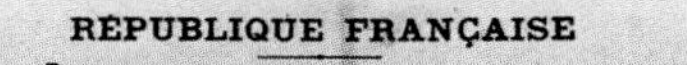

TROUPES COLONIALES
JEUNES GENS
QUI HÉSITEZ SUR LE CHOIX D'UNE SITUATION
ALLEZ AUX COLONIES
Aux agréments des longs voyages, à l'attrait des pays nouveaux, se joint pour vous la quasi certitude de trouver là-bas une situation avantageuse et un bien-être inconnu dans nos pays d'Europe :
Vous avez un moyen de voyager gratuitement et d'étudier sur place, à loisir et sans frais, les possibilités d'une carrière, c'est de prendre du service dans les Troupes Coloniales, sous une des formes suivantes :
1° Engagements et rengagements pour le service général (service dans toutes les colonies);
2° Rengagements spéciaux au titre de l'Indo-Chine, dans la limite des places disponibles;
3° Pour les appelés du contingent, engagement de deux ans au titre d'une colonie de leur choix.
Ces contrats vous procurent des primes importantes, des avantages de solde, des facilités d'avancement.
A l'expiration de ces contrats, il vous est loisible de prendre la situation civile de votre choix ou de poursuivre la carrière militaire.
Pour tous renseignements, s'adresser aux bureaux de recrutement dans les corps de troupe coloniaux et au Ministère de la Guerre, Direction des Troupes coloniales, 231, boulevard Saint-Germain, Paris 7e.
Al Cob

Une affiche coloniale

(Affiche de recrutement pour les Troupes coloniales illustrée par Al Cob, Imprimerie Nationale, 1927.)

Avec cette affiche dans le style graphique des années 1930 (*Modern Style*), le ministère français de la Guerre adopte un genre racoleur qui rappelle celui des agences de voyages d'aujourd'hui pour inciter les jeunes gens à s'engager dans l'armée coloniale. À en croire le texte, devenir un soldat dans les colonies se résumerait à voyager et à étudier gratuitement dans des contrées exotiques. L'affiche laisse supposer que les soldats sont traités comme des rois par les habitants des colonies. Les risques de combats et de maladies sont soigneusement omis. Cette publicité illustre bien l'esprit de condescendance qui animait l'époque coloniale.

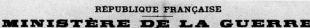

L'expansion du monde industriel

Au XIXe siècle et au début du XXe, certaines nations européennes industrialisées partent à la conquête des continents africain et asiatique. L'Espagne, la France, le Portugal et l'Angleterre possédaient déjà des colonies depuis le XVIe siècle, mais à cette époque, la Belgique, l'Allemagne et l'Italie se lancent à leur tour dans la colonisation. L'impérialisme des XIXe et XXe siècles a entraîné la domination politique, économique et culturelle de l'Europe industrielle sur les territoires conquis.

En 2001, un navire traverse le canal de Suez en Égypte, entre la mer Méditerranée et la mer Rouge. Un ingénieur français, Ferdinand de Lesseps, a entrepris en 1858 de creuser ce canal long de 160 km. Terminé en 1869, le canal de Suez raccourcit considérablement la route maritime entre l'Europe et l'Asie.

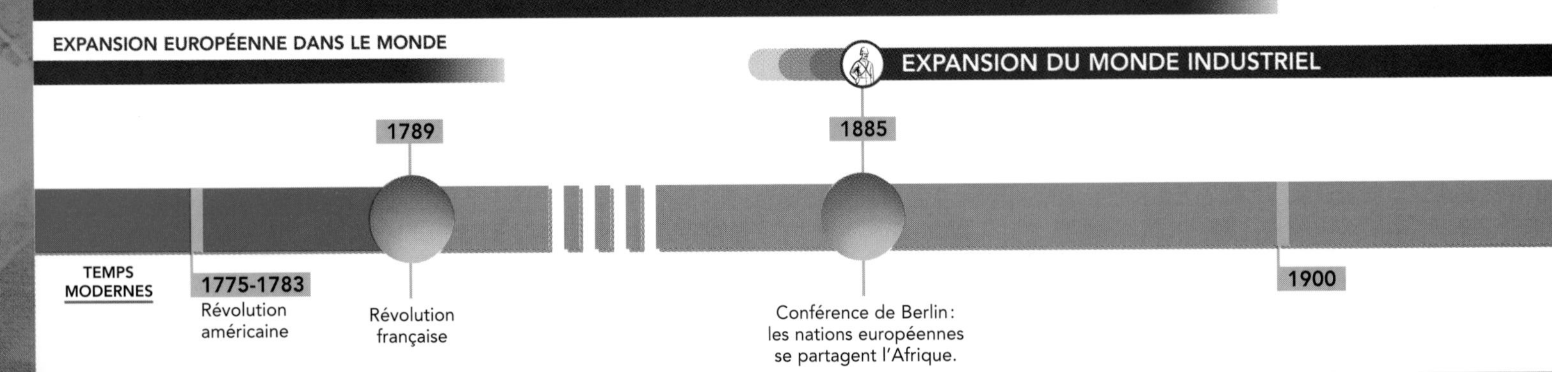

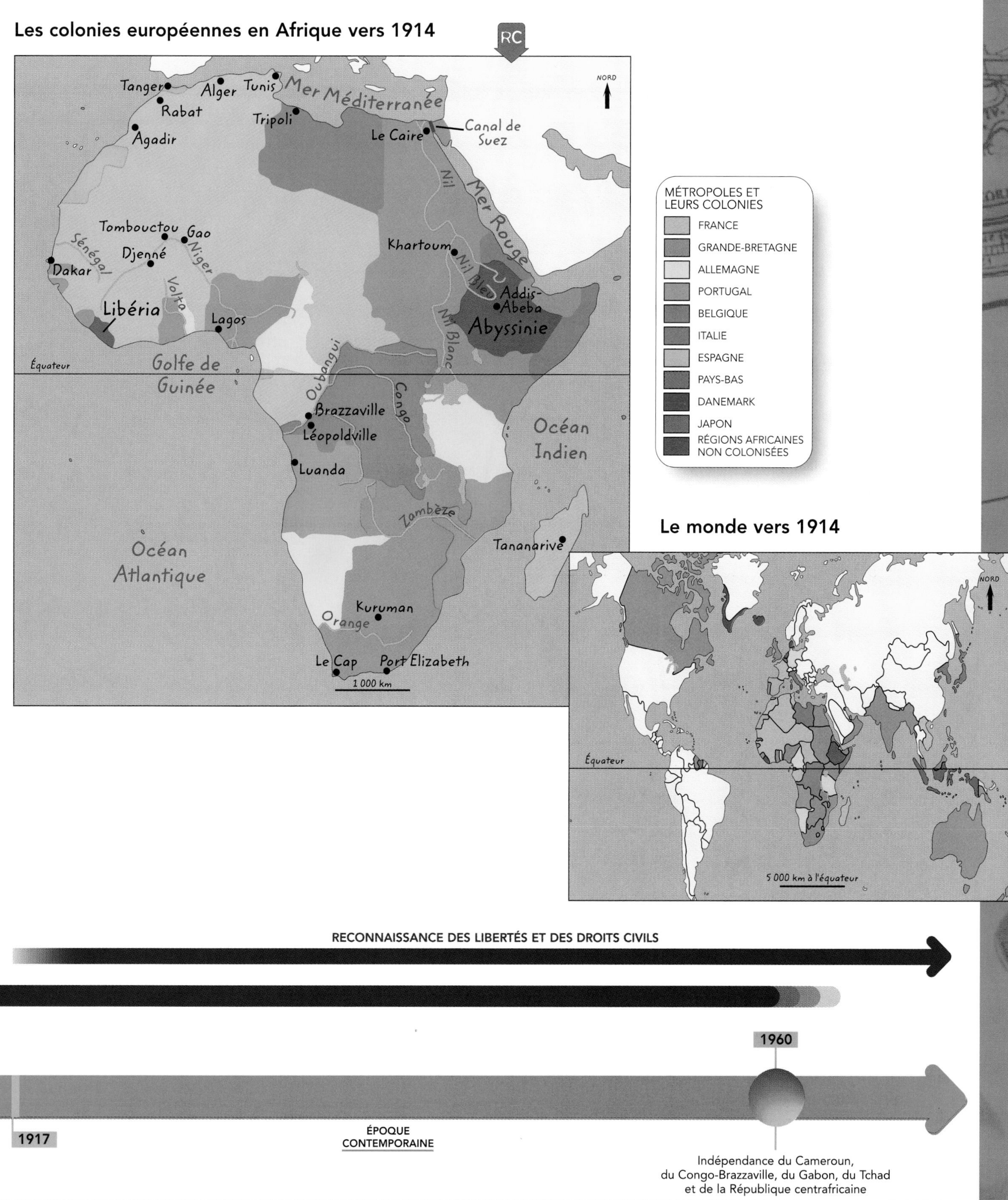

Les colonies européennes en Afrique vers 1914
RC
NORD
Tanger
Alger
Tunis
Mer Méditerranée
Rabat
Tripoli
Agadir
Le Caire
Canal de Suez
Nil
Mer Rouge
Tombouctou
Gao
Sénégal
Niger
Djenné
Dakar
Khartoum
Nil Bleu
Addis-Abeba
Volta
Libéria
Lagos
Abyssinie
Nil Blanc
Équateur
Golfe de Guinée
Oubangui
Congo
Brazzaville
Léopoldville
Luanda
Océan Indien
Zambèze
Tananarive
Océan Atlantique
Kuruman
Orange
Le Cap
Port Elizabeth
1 000 km
MÉTROPOLES ET LEURS COLONIES
FRANCE
GRANDE-BRETAGNE
ALLEMAGNE
PORTUGAL
BELGIQUE
ITALIE
ESPAGNE
PAYS-BAS
DANEMARK
JAPON
RÉGIONS AFRICAINES NON COLONISÉES
Le monde vers 1914
NORD
Équateur
5 000 km à l'équateur
RECONNAISSANCE DES LIBERTÉS ET DES DROITS CIVILS
1960
1917
ÉPOQUE CONTEMPORAINE
Indépendance du Cameroun, du Congo-Brazzaville, du Gabon, du Tchad et de la République centrafricaine

1 90 % de la production pétrolière de l'Angola est exportée vers l'Amérique, l'Europe et l'Asie.

Ce pays est le deuxième producteur de pétrole en Afrique. Ses ressources pétrolières sont exploitées par des compagnies étrangères. En 2002, dans une étude portant sur le niveau de développement de 177 pays, l'Angola occupait le 166e rang.

2 Un train transporte des produits miniers de la Mauritanie vers l'Europe et l'Asie.

La production de minerais est la principale ressource économique de la Mauritanie. Ce pays ouest-africain doit, par contre, importer de nombreux biens, dont des produits alimentaires, du pétrole et des matériaux de construction.

3 Le néo-impérialisme

«"C'est un grand jour pour l'Irak!", a déclaré le général américain Jay Garner en débarquant dans Bagdad bombardée et pillée, comme si son auguste apparition signifiait la fin miraculeuse des mille et un fléaux qui accablent l'ancienne Mésopotamie. [...] Comme si c'était finalement normal que Washington désigne un officier supérieur (en retraite) des forces armées américaines pour gouverner un État souverain...

[...]

Le néo-impérialisme des États-Unis renouvelle la conception romaine d'une domination morale – fondée sur la conviction que le libre-échange, la mondialisation et la diffusion de la civilisation occidentale sont bons pour tout le monde –, mais aussi militaire et médiatique, exercée sur des peuples considérés plus ou moins comme inférieurs.»

Ignacio Ramonet, «Néo-impérialisme», *Le Monde diplomatique*, mai 2003.

4 Le néocolonialisme

«Politique visant à rétablir, sous des formes nouvelles, une domination sur les anciens pays colonisés devenus indépendants.»

Petit Larousse illustré 2006, © Larousse 2005.

5 **Un complexe hydroélectrique construit dans le Grand Nord québécois**

Pour construire ces barrages, il a fallu déplacer des populations cries et inuites qui habitaient ces territoires de chasse depuis des siècles. Construit entre 1971 et 1979, le complexe de La Grande, à la Baie James, produit de l'électricité pour la population et les entreprises du Québec. Les surplus sont vendus aux États-Unis et en Ontario.

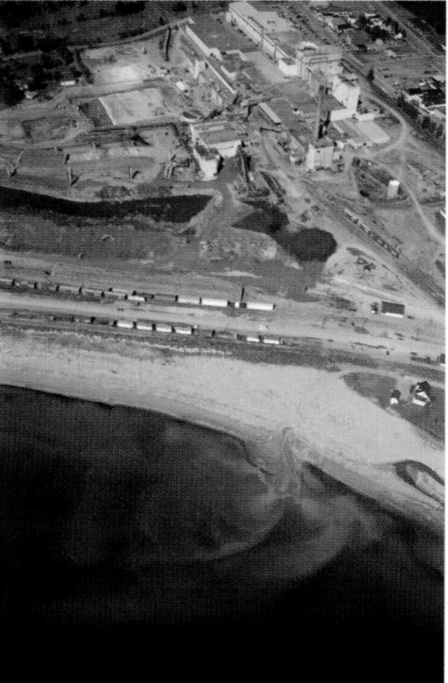

6 **Une usine de pâtes et papiers états-unienne en Gaspésie**

Le quotidien états-unien *The New York Times* a été propriétaire de l'usine Gaspésia de 1961 à 1994. On y fabriquait le papier pour ce journal qui distribue plus de 1,5 million de copies par jour. L'usine a cessé sa production après le départ du propriétaire états-unien.

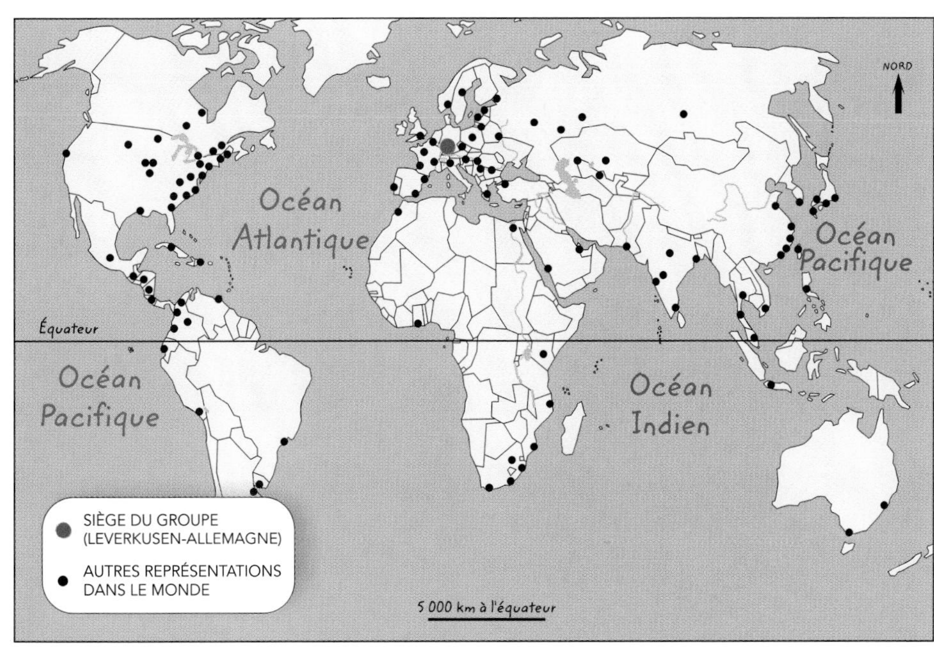

7 **Bayer : une importante multinationale (chimie)**

La compagnie Bayer est une multinationale allemande qui fabrique des produits chimiques et pharmaceutiques. L'entreprise est présente sur les cinq continents.

Activité de discussion

Quels liens pouvez-vous établir entre les documents présentés dans cette double page ?

L'impérialisme

Au passé

1 Un manuel d'économie et de droit français du début du XXe siècle

«Coloniser, c'est se mettre en rapport avec des pays neufs pour profiter des ressources de toute nature de ces pays, les mettre en valeur dans l'intérêt national, et en même temps apporter aux peuplades primitives qui en sont privées les avantages de la culture intellectuelle, sociale, scientifique, morale, artistique, littéraire, commerciale et industrielle [...] des races supérieures. La colonisation est donc un établissement fondé en pays neuf par une race avancée pour réaliser le double but que nous venons d'indiquer.»

Alexandre Merignhac, *Précis de législation et d'économie coloniales*, 1912.

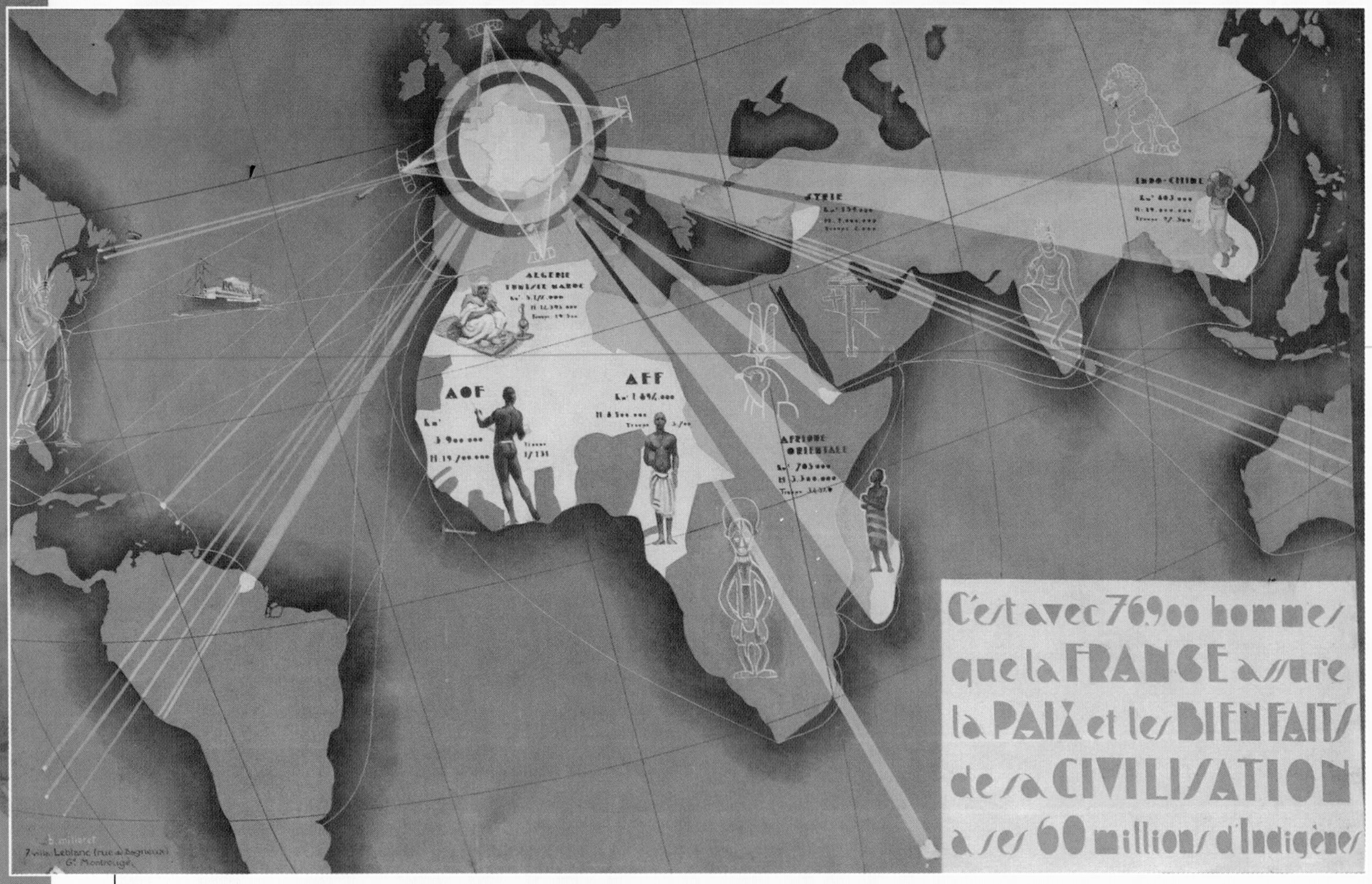

2 Une publicité française montrant la France et ses colonies au début du XXe siècle

«C'est avec 76 900 hommes que la France assure la paix et les bienfaits de la civilisation à ses 60 millions d'**indigènes**.»

(B. Milleret, XXe siècle, musée du quai Branly, Paris, France.)

3 En 1895, Joseph Chamberlain, un ministre britannique, prône les bienfaits du colonialisme.

«Une nation est comme un individu: elle a ses devoirs à remplir et nous ne pouvons plus déserter nos devoirs envers tant de peuples remis à notre **tutelle**. C'est notre domination qui, seule, peut assurer la paix, la sécurité et la richesse à tant de pays qui jamais auparavant n'ont connu ces bienfaits. C'est en accomplissant cette œuvre civilisatrice que nous remplissons notre mission nationale, pour l'éternel profit des peuples à l'ombre de notre sceptre impérial.»

Extrait d'un discours de Joseph Chamberlain, ministre des Colonies de Grande-Bretagne, 1895.

4 En 1898, Edmund Dene Morel, un journaliste britannique, critique le colonialisme en Afrique.

«On se demande combien de millions d'êtres humains ont été sacrifiés dans l'ouverture du continent mystérieux par les forces de la civilisation, qui s'est avérée aussi impitoyable que la barbarie qu'elle rencontrait. C'est une terrible histoire, cette histoire de l'Afrique pendant le dix-neuvième siècle. Nous pouvons seulement espérer que le résultat final de l'action européenne sera pour le bien de l'Afrique.»

Jules Marchal, *E. D. Morel contre Léopold II – L'histoire du Congo 1900-1910*, vol. 1, L'Harmattan, 1996.

5 Deux définitions

Expansionnisme: Politique d'un pays qui vise à étendre son territoire au-delà de ses frontières au détriment des autres pays.

Colonialisme: «Doctrine qui vise à légitimer l'occupation d'un territoire ou d'un État, sa domination politique et son exploitation économique par un État étranger.» (*Petit Larousse illustré 2006*, © Larousse 2005.)

À faire

1. Quand les documents ❶, ❷, ❸ et ❹ ont-ils été écrits?
2. (doc. ❷) D'après cette publicité, dans quelles régions du monde trouvait-on principalement des colonies françaises?
3. (doc. ❶ et ❸) Trouve trois arguments en faveur du colonialisme dans ces documents.
4. (doc. ❹) Explique en tes propres mots l'opinion d'Edmund D. Morel sur le colonialisme en Afrique.

Lexique

Indigène Personne née dans le pays où elle habite.

Tutelle État de dépendance. Un territoire sous tutelle est un territoire dont l'administration et la protection sont assurées par un autre État.

ET TOI?

Propose ta propre définition de l'impérialisme à partir des documents présentés dans cette double page.

PISTE DE RECHERCHE 1

LA COLONISATION, UNE ŒUVRE CIVILISATRICE ?

À la fin du XIXe siècle, plusieurs raisons étaient invoquées pour justifier la colonisation. La principale justification était qu'il s'agissait d'une œuvre civilisatrice: les Européens considéraient qu'ils apportaient leur civilisation aux populations d'Afrique.

RC

1 Rudyard Kipling, un poète anglais, écrit sur la colonisation.

Le fardeau de l'homme blanc

«Ô Blanc, reprends ton lourd fardeau:
Envoie au loin ta plus forte race,
Jette tes fils dans l'exil
Pour servir les besoins de tes captifs;

Pour – lourdement équipé – veiller
Sur les races sauvages et agitées,
Sur vos peuples récemment conquis,
Mi-diables, mi-enfants.

[…]

Ô Blanc, reprends ton lourd fardeau;
Tes récompenses sont dérisoires:
Le blâme de celui qui veut ton cadeau,
La haine de ceux-là que tu surveilles.

La foule des grondements funèbres
Que tu guides vers la lumière:
"Pourquoi dissiper nos ténèbres,
Nous offrir la liberté?"»

Rudyard Kipling (1865-1936),
«Le fardeau de l'homme blanc»,
trad. A. M. Sohn et J. Bouillon dans Jacques
Bouillon *et al.*, *Le XIXe siècle et ses racines,*
Histoire, Seconde, Bordas, 1981.

2 Au XIXe siècle, un poète ghanéen évoque la conquête de l'Afrique.

«Le soleil du désastre s'est levé à l'Occident,
Embrassant les hommes et les terres peuplées
[…]
La calamité chrétienne s'est abattue sur nous
Comme un nuage de poussière.
Au commencement, ils arrivèrent
Pacifiquement,
Avec des propos tendres et suaves.
"Nous venons commercer, disaient-ils,
Réformer les croyances des hommes,
Chasser d'ici-bas l'oppression et le vol,
Vaincre et balayer la corruption."
Nous n'avons pas tous perçu leurs intentions
Et maintenant nous voilà leurs inférieurs.
Ils nous ont séduits à coups de petits cadeaux
Ils nous ont nourris de bonnes choses.
[…]
Mais ils viennent de changer de ton.»

El Hajj' Ommar, vers 1875.

3 Le premier ministre français Jules Ferry justifie sa politique coloniale devant la Chambre des députés.

«Il y a un second point que je dois aborder […]: c'est le côté humanitaire et civilisateur de la question. […] Les races supérieures ont un droit vis-à-vis des races inférieures. Je répète qu'il y a pour elles un droit parce qu'il y a un devoir pour elles. Elles ont le devoir de civiliser les races inférieures. […] Rayonner sans agir, sans se mêler aux affaires du monde […], c'est abdiquer, et, dans un temps plus court que vous ne pouvez le croire, c'est descendre du premier rang au troisième et au quatrième.»

Extrait d'un discours de Jules Ferry devant la Chambre des députés, 28 juillet 1885.

La réponse du chef de la gauche radicale française au discours de Jules Ferry

«Races supérieures! Races inférieures! C'est bientôt dit. Pour ma part, j'en rabats singulièrement depuis que j'ai vu des savants allemands démontrer scientifiquement que la France devait être vaincue dans la guerre franco-allemande, parce que le Français est d'une race inférieure à l'Allemand. Depuis ce temps, je l'avoue, j'y regarde à deux fois avant de me retourner vers un homme et vers une civilisation et de prononcer: homme ou civilisation inférieure! […] Je ne veux pas juger au fond la thèse qui a été apportée ici et qui n'est autre chose que la proclamation de la puissance de la force sur le Droit.»

Extrait d'un discours de Georges Clémenceau devant la Chambre des députés, 30 juillet 1885.

4 Des hamacaires africains

À la fin du XIXe siècle, des colonisateurs européens sont portés par des Africains au Bénin, en Afrique de l'Ouest.

5 Un ministre des Colonies belges explique la colonisation au Congo.

«Que faisons-nous au Congo? Nous y poursuivons un double but: répandre la civilisation, développer les débouchés et l'action économique de la Belgique. Ces buts sont inséparables.

Sans une population indigène plus portée au travail, mieux protégée contre les maladies, plus nombreuse, mieux outillée, de capacité technique plus grande, mieux vêtue, mieux nourrie, mieux logée, de conceptions morales plus élevées, nous n'arriverions pas à dégager de notre empire africain sa magnifique puissance de richesse. C'est avec les Noirs et par les Noirs que nous y parviendrons, pour leur plus grand bien comme pour le nôtre.»

Louis Franck, ministre des Colonies de la Belgique de 1918 à 1924, cité dans Isidore Ndaywel è Nziem, *Histoire générale du Congo*, Duculot/Afrique-Éditions, 1998.

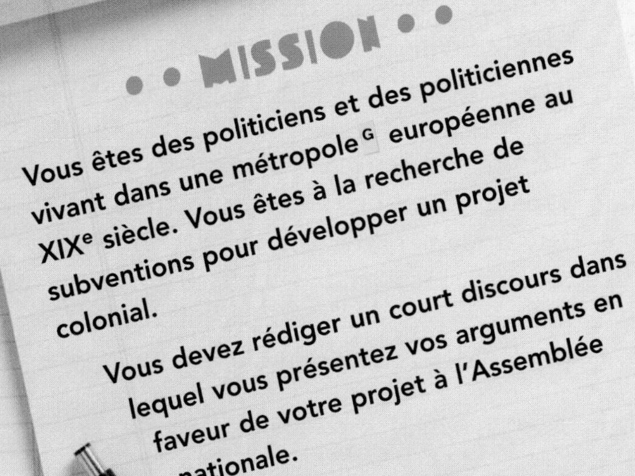

MISSION

Vous êtes des politiciens et des politiciennes vivant dans une métropole[G] européenne au XIXe siècle. Vous êtes à la recherche de subventions pour développer un projet colonial.

Vous devez rédiger un court discours dans lequel vous présentez vos arguments en faveur de votre projet à l'Assemblée nationale.

LES PEUPLES AFRICAINS INFÉRIEURS ? VRAIMENT ?

Avant l'arrivée des colonisateurs européens, l'Afrique comptait plusieurs sociétés, certaines nomades, d'autres sédentaires, de petits et de grands royaumes, et des empires qui couvraient de vastes territoires. Ces sociétés diversifiées avaient des systèmes politiques différents.

1 Les peuples des forêts

«À l'ouest du fleuve [Niger] se trouvaient les Edos et les Yorubas (*doc. 3*), avec leurs villes hautement organisées, capitales d'États ou de royaumes; à l'est, les Ibos et d'autres ethnies qui leur étaient apparentées et qui, en revanche, connaissaient une vie moins centralisée et plus démocratique. Dans ces sociétés-là, chaque homme avait le droit inaliénable d'émettre son opinion sur les affaires publiques, lors des assemblées de village. Toute innovation qui aurait risqué de priver les citoyens de ce pouvoir de participation aux décisions était fermement combattue.»

Anthony Atmore et Gillian Stacey, *Peuples d'Afrique noire*, trad. M.-C. Gerber, Éditions Atlas, 1980.

2 Les grands empires

«L'immense royaume du Mali (XIIIe-XVIe siècle) était gouverné selon une structure très décentralisée, qui n'excluait pas un contrôle constant du roi et de sa cour. Un noyau soumis à l'autorité directe du sultan se subdivisait en provinces où l'administration était confiée à un *dyamani tigui*, ou *farba*. Les provinces à leur tour se divisaient en départements (*kafo*) et en villages (*dougou*) gouvernés conjointement par des chefs religieux et des chefs politiques. […] Nous nous trouvons en somme, ici, en présence d'un système politique et administratif assez souple et tolérant, qui a permis au Mali d'intégrer sans heurts et pendant longtemps des peuples variés, tels les Touaregs, les Peuls, les Toucouleurs, les Wolofs, les Songhaïs et les Malinkés, ainsi que les Bambaras et les Dialonkés […]»

Attilio Gaudio, *Le Mali*, Karthala, 1988.

3 Des bâtons de commandement de chefs yorubas

Bâtons de commandement ornés de figurines en bronze. (Yoruba, XIXe siècle.)

Les Yorubas habitent dans la région du Nigeria et du Bénin, en Afrique de l'Ouest. Ce peuple a été victime de la traite des Noirs au XVe siècle. Toutefois, à partir du XVIe siècle, les Yorubas ont conquis les royaumes voisins et ont fondé un empire. Ils ont été colonisés par les Britanniques en 1901.

Lexique

Anatomique Qui a rapport à l'anatomie, à la structure des organismes humains, animaux et végétaux.

Cosmogonie Théorie expliquant la formation de l'Univers et des objets célestes.

4 Une habitation dogon aujourd'hui

Cette architecture de terre et d'argile utilisée depuis des centaines d'années provient de la société des Dogons, un peuple d'agriculteurs qui vivait dans l'empire du Mali (*doc. 5*). Les Dogons ont fui l'islamisation du Mali au XIVe siècle. Ils sont réputés pour leurs sculptures et leur **cosmogonie**.

5 Les grands empires de l'Afrique de l'Ouest avant la colonisation

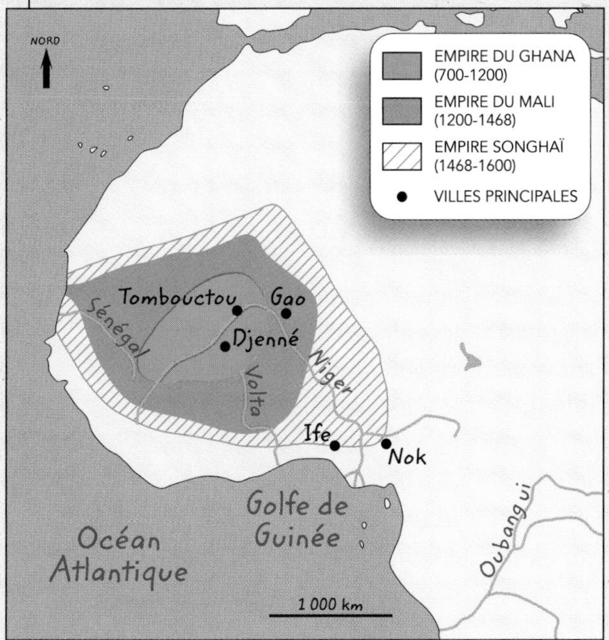

RC

6 L'article « Nègre G » dans un dictionnaire du XIXe siècle

« Si les nègres se rapprochent de certaines espèces animales par leurs formes **anatomiques**, par leurs instincts grossiers, ils en diffèrent et se rapprochent des hommes blancs sous d'autres rapports dont nous devons tenir grand compte. Ils sont doués de la parole, et par la parole nous pouvons nouer avec eux des relations intellectuelles et morales, nous pouvons essayer de les élever jusqu'à nous, certains d'y réussir dans une certaine limite. […] Leur infériorité intellectuelle, loin de nous conférer le droit d'abuser de leur faiblesse, nous impose le devoir de les aider et de les protéger. »

Pierre Larousse, Article « Nègre », *Grand dictionnaire universel Larousse du 19e siècle*, 1872.

• • MISSION • •

Vous êtes des philosophes d'origine africaine vivant au Mali dans les années 1880. Vous proposez aux Éditions Larousse un nouvel article pour remplacer celui de Pierre Larousse paru dans le Grand dictionnaire universel (*doc. 6*).

QUELS ÉTAIENT LES ENJEUX DE LA COLONISATION ?

PISTE DE RECHERCHE 3

Au XIXe siècle, les Belges se sont lancés dans la colonisation de l'Afrique. Ils ont fondé la colonie du Congo belge en Afrique centrale. La colonisation a eu des conséquences pour la métropole belge et pour les populations africaines.

1

Le travail dans une mine de diamants au Congo belge (l'actuelle République démocratique du Congo)

Des travailleurs et des travailleuses dans une mine de diamants près de la ville de Tshikapa, dans la région du Kasaï, en 1957. À cette époque, les conditions de vie et de travail de ces personnes étaient extrêmement difficiles.

RC

2 Une explication de la colonisation du Congo par un historien belge en 2000

« Tandis que des missionnaires, pour la plupart catholiques, entreprenaient l'évangélisation des populations en proie au cannibalisme et à des maladies affreuses, le colonel Thys commença la construction d'un chemin de fer de 400 kilomètres, reliant Matadi à Léopoldville [aujourd'hui Kinshasa, la capitale de la République démocratique du Congo]. Les dépenses devenaient de plus en plus pressantes. […] L'application d'un système d'impôt perçu sous forme de travail occasionna des excès réels et regrettables, mais qui étaient peu de chose au regard des bienfaits apportés par les fonctionnaires du souverain. Exagérant ou déformant la portée de certains incidents, l'étranger organisa des campagnes de calomnie. On représenta Léopold II comme un marchand de caoutchouc sanguinaire. »

Georges-Henri Dumont, *Histoire de la Belgique*, Le Cri édition, 2000.

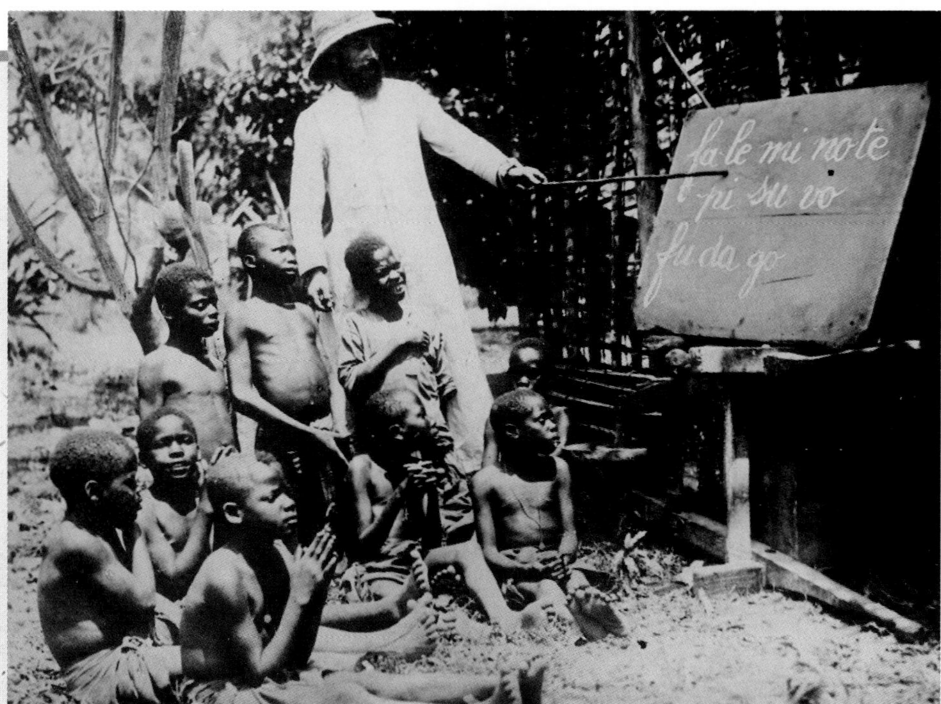

3 L'alphabétisation, une mission « civilisatrice » ?

Un missionnaire jésuite donne une leçon de lecture à de jeunes Africains dans la région du Kwango, au Congo belge, en 1930.

RC

6 Extraits d'une lettre au roi des Belges (1890)

« À propos de l'esclavagisme : […] l'administration de Votre Majesté est engagée dans le commerce des esclaves, de gros et de détail. Elle achète, vend et vole les esclaves. L'administration de Votre Majesté donne trois livres par tête pour les esclaves aptes physiquement au service militaire. […] La main-d'œuvre dans les stations du gouvernement de Votre Majesté sur le fleuve supérieur est composée d'esclaves de tous âges et des deux sexes. »

George Washington Williams (1864-1891), *Lettre ouverte à Sa Majesté Léopold II, roi des Belges et souverain de l'État indépendant du Congo*, juillet 1890.

4 Un historien congolais sur le rôle de l'Église

« L'Église […] est, dès l'époque de l'État indépendant, étroitement associée à l'entreprise coloniale belge. Outre sa fonction évangélisatrice, elle est un foyer de "civilisation" au sens large du terme, conçu pour fournir l'éducation, la santé et l'apprentissage de certaines activités économiques aux populations locales. Les missions ont donc pour vocation d'implanter de nouvelles valeurs "civilisatrices". Quant à l'enseignement, son objectif est de procéder à l'assimilation des Congolais, un processus qui doit se faire par étapes. »

Jean-Jacques Arthur Malu-Malu, *Le Congo-Kinshasa*, Karthala, 2002.

RC

5 Un historien congolais sur les conséquences économiques de la colonisation

« L'aventure de Léopold II a donc été payante car son succès économique – le seul auquel il tenait vraiment – fut inespéré. Dans le même temps, le Congo, de manière rapide et brutale, a été offert en pâture à l'impérialisme mondial. […] C'est cet impérialisme qui, en cette fin du XIXe siècle, avait produit des effets meurtriers considérés aujourd'hui parmi les plus grands crimes contre les droits de l'homme. »

Isidore Ndaywel è Nziem, *Histoire générale du Congo : de l'héritage ancien à la République démocratique*, Duculot / Afrique-Éditions, 1998.

• • MISSION • •

Vous êtes des enseignants et des enseignantes vivant en Belgique en 1930. Vous devez préparer un cours sur le Congo belge. Quels aspects de la colonisation allez-vous mettre en avant ?

... l'expansion du monde industriel.

1. Pourquoi coloniser?

Au XIXe siècle, plusieurs nations industrialisées européennes avaient besoin de matières premières et de nouveaux marchés pour développer leur économie et augmenter leur influence. Elles ont entrepris la colonisation de l'Afrique et de l'Asie et ont développé de grands empires coloniaux.

2. Racisme et domination

L'expansion du monde industriel et la colonisation étaient fondées sur la discrimination raciale. Les nations européennes considéraient que leur civilisation industrielle était la plus évoluée; elles prétendaient apporter aux peuples colonisés les bienfaits de cette civilisation. Elles ont imposé à ces sociétés leur domination politique, économique et culturelle.

3. L'Afrique précoloniale

Avant l'arrivée des Européens, l'Afrique abritait des sociétés fort différentes. Certaines nations étaient nomades, d'autres sédentaires, d'autres encore faisaient partie de grands empires qui couvraient de vastes territoires. Ces sociétés étaient organisées et hiérarchisées. Certains royaumes africains ont profité de la traite des Noirs pour s'enrichir.

4. Les enjeux de la colonisation

La colonisation a profité aux sociétés industrialisées européennes, mais les conséquences ont été néfastes pour les sociétés africaines. La colonisation a contribué au développement de l'industrialisation des pays européens par l'exploitation des ressources, notamment des matières premières et de la main-d'œuvre.

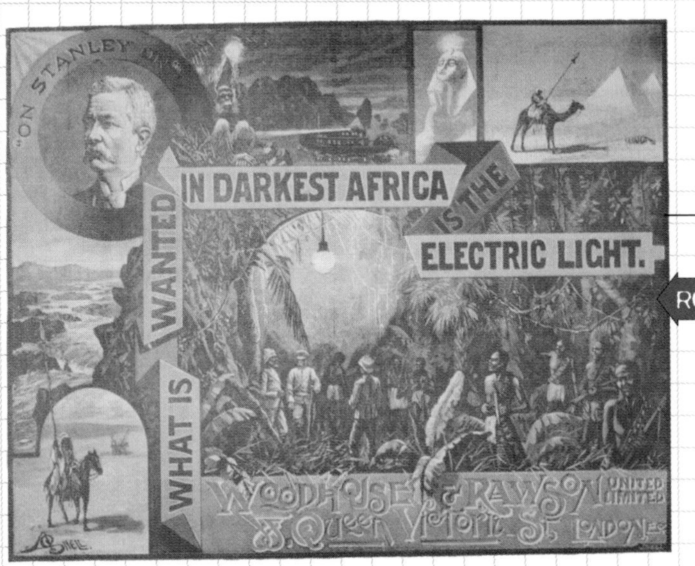

RC

1 Une publicité d'une compagnie d'électricité anglaise au XIXe siècle

Il y est écrit: «Ce dont l'Afrique noire a besoin, c'est l'éclairage électrique.» Détail intéressant, dans le coin supérieur gauche on y représente le grand explorateur britannique Henry Morton Stanley (*doc. 3, p. 207*), avec la devise «*On Stanley On*» («Toujours plus loin, Stanley, toujours plus loin»).

(Anonyme, XIXe siècle, Victoria & Albert Museum, Londres, Angleterre.)

… l'impérialisme aux XIXe et XXe siècles.

À faire

1. Quels étaient les fondements de la colonisation ?
2. À qui la colonisation a-t-elle profité ?
3. (doc. 1, 2 et 3) Quelles caractéristiques de l'impérialisme européen ces documents illustrent-ils ?
4. (doc. 3) Que représente le personnage au centre de cette couverture de cahier ?

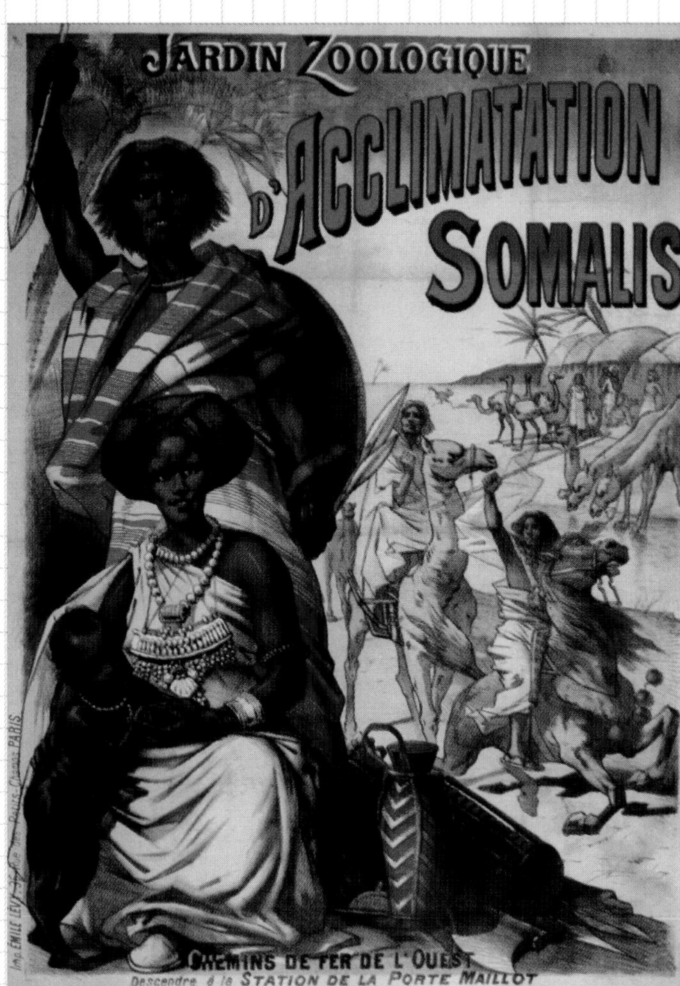

2 Une exposition ethnologique à Paris, vers 1892

À la fin du XIXe siècle, une nouvelle mode se répand en Europe. Les métropoles construisent des jardins zoologiques pour y exposer des animaux et des plantes exotiques des colonies, mais aussi des indigènes.

3 La couverture d'un cahier d'exercices

(Illustration par G. Dascher, 1900, collection particulière.)

Sous l'Ancien Régime et sous la République, la France a bâti les colonies françaises. La devise «Progrès, Civilisation, Commerce», qui rappelle la devise française «Liberté, Égalité, Fraternité», exprime trois valeurs du colonialisme français.

SAVOIR

Les fondements de la colonisation

Au XIXe siècle, les nations européennes industrialisées sont parties à la conquête de territoires en Afrique et en Asie. Plusieurs raisons les incitaient à établir de grands empires dans ces régions. Les moyens économiques techniques et militaires dont elles disposaient leur ont permis de coloniser ces populations.

Les fondements économiques

Pour se développer, les nations européennes industrialisées avaient besoin de beaucoup de ressources telles que des minerais, de l'or et du bois. Elles recherchaient aussi des produits agricoles tels que le caoutchouc produit par l'hévéa, un arbre africain, et une main-d'œuvre bon marché pour extraire ou récolter ces ressources (*doc. 2*). L'Afrique et l'Asie possédaient toutes ces richesses (*doc. 4*). Les États européens industrialisés ont donc profité de leur puissance pour conquérir ces territoires et ces populations. Les principaux fondements de l'expansion du monde industriel étaient d'ordre économique et commercial (*doc. 3*). Les puissances commerciales européennes avaient également besoin de nouveaux débouchés pour leurs produits. La colonisation et l'impérialisme ont permis l'expansion et l'enrichissement des États européens au prix de l'appauvrissement des peuples colonisés.

1 Une carte postale du début du XXe siècle

Un baptême d'enfant dans une mission en Afrique. Les colonisateurs européens ont construit des églises et établi des missions dans les colonies africaines. Ces missionnaires se vouaient à la christianisation des populations colonisées.

2 L'État du Congo belge selon une historienne française

RC

« L'expansion en Afrique centrale est l'affaire personnelle de Léopold II. [...] Souverain constitutionnel en Belgique, il est monarque absolu au Congo. En 1891-1892, il établit le "régime domanial" : l'État se déclare propriétaire de toutes les terres vacantes, ce qui lui donne en fait le monopole des deux principales richesses du moment, ivoire et surtout caoutchouc (naturel) dont l'importance économique s'accroît brusquement. La récolte du caoutchouc dans la forêt se fait grâce au travail forcé imposé aux Africains par la contrainte et parfois la violence. Avec ce système, les exportations passent de 100 tonnes en 1891 à 6 000 tonnes en 1901 et représentent alors le dixième de la production mondiale. Ce "miracle du caoutchouc" remplit les caisses de l'État et permet d'alimenter la Fondation de la Couronne qui finance des travaux d'urbanisme à Bruxelles. »

Marie-Thérèse Bitsch, *Histoire de la Belgique*, Hatier, 1992.

Une œuvre civilisatrice ?

Les colonisateurs justifiaient leurs conquêtes en prétendant qu'il s'agissait d'une œuvre civilisatrice (*doc. 1*). Ils considéraient qu'ils apportaient l'industrie, mais aussi la culture, les connaissances et les valeurs occidentales aux populations colonisées.

Les Européens affirmaient que leur civilisation occidentale était plus avancée que les autres civilisations et qu'elle devait être imposée aux peuples colonisés. La colonisation a transformé – et dans certains cas détruit – de nombreuses cultures africaines: on appelle ce phénomène l'«acculturation». Les colonies étaient fondées sur la discrimination raciale (*doc. 6, p. 197*). L'idée de l'inégalité des races a été développée au XIXe siècle. On croyait alors que les différences entre les caractéristiques physiques signifiaient une inégalité entre les êtres humains. Ces théories n'avaient aucun fondement scientifique. Aujourd'hui, il est de plus en plus admis que tous les êtres humains sont dérivés d'une même population d'origine.

Les grands empires coloniaux

Les nations impérialistes ont fondé de grands empires coloniaux. L'organisation des colonies reposait sur une administration ainsi que sur l'établissement, plus ou moins important, de colons. Les administrations coloniales étaient responsables de la gestion des colonies, mais les gouvernements métropolitains prenaient les décisions politiques et économiques importantes.

3 Le commerce entre la France et ses colonies

PART DES COLONIES DANS CERTAINES IMPORTATIONS DE LA FRANCE (en pourcentage des récoltes ou de la production totales)		
Produits	**1890**	**1938**
Riz	11,1	93,7
Café	0,4	42,7
Cacao	3,8	88,4
Laine	3,8	5,4
Bois	1,1	28
Caoutchouc	–	25,1

PART DES COLONIES DANS CERTAINES EXPORTATIONS DE LA FRANCE (en pourcentage de la production totale)		
Produits	**1890**	**1938**
Sucres raffinés	12,7	98,5
Savons	56,2	44,3
Tissus de laine	3	15,7
Tissus de coton	34,8	84,6
Machines	8,1	41,2
Automobiles	–	45,5

À faire

1. Comment justifiait-on la colonisation au XIXe siècle ?
2. Trouve un document de seconde source dans cette double page et justifie ton choix.
3. D'après toi, les différences physiques ou culturelles entre les personnes justifient-elles la domination et la discrimination ?

4 Un ministre des Colonies françaises justifie la colonisation.

«La nature a distribué inégalement, à travers la planète, l'abondance et les dépôts de ces matières premières; et tandis qu'elle a localisé dans cette extrémité continentale qui est l'Europe le génie inventif des races blanches, la science d'utilisation des richesses naturelles, elle a concentré les plus vastes réservoirs de ces matières dans les Afriques, les Asies tropicales, les Océanies équatoriales, vers lesquelles le besoin de vivre et de créer jettera l'élan des pays civilisés. L'humanité totale doit pouvoir jouir de la richesse totale répandue sur la planète. Cette richesse est le trésor commun de l'humanité.»

Albert Sarraut (1872-1962), *Grandeur et servitudes coloniales*, Sagittaire, 1931.

Les civilisations africaines

Avant l'arrivée des Européens, l'Afrique comptait diverses sociétés, certaines nomades, d'autres sédentaires, de même que de grands royaumes et des empires. Les sociétés africaines avaient des cultures différentes les unes des autres, et aucune n'était semblable à la culture européenne.

Les populations nomades

Les Bédouins et les Touaregs (*doc. 2*) étaient des marchands qui parcouraient le désert du Sahara. Ils vendaient leurs produits dans les grandes villes comme Tombouctou au Mali. Les Touaregs étaient considérés comme les maîtres des pistes et des voies commerciales du désert.

Les Bochimans et les Pygmées étaient d'autres populations nomades qui vivaient dans la forêt et la **savane**. Ils étaient des chasseurs-cueilleurs et suivaient les troupeaux pour se nourrir.

Les populations d'agriculteurs-éleveurs

Les sociétés sédentaires comme les Yorubas, les Dogons et les Edos défrichaient la forêt pour construire des villages ou des cités-États. Ces peuples habitaient des cités comme Ife et Oyo au Nigeria. Ils cultivaient des terres et faisaient l'élevage des animaux. Ces sociétés étaient parfois organisées démocratiquement. Tous les hommes du village pouvaient prendre la parole dans les réunions du conseil du village. Un conseil des Anciens, dont les membres étaient tous égaux, veillait à l'organisation des tâches, au règlement des conflits entre les membres du village et à la distribution des nouvelles terres.

Dans ces sociétés, les femmes occupaient une place importante. Elles jouaient un rôle essentiel dans la survie du village comme travailleuses et comme mères.

1 Une plaque en bronze représentant une femme

(XVIIe siècle, Bénin, Afrique.)

En 1645, un roi nommé Houegbadja a fondé le grand royaume d'Abomey dans la région actuelle du Dahomey, au Bénin. Le royaume a participé à la traite des Noirs en raflant des esclaves des royaumes voisins et en les vendant aux Portugais. Les Français ont conquis le royaume en 1892.

2 Une caravane touarègue près de Biskra en Algérie, vers 1892

(Paul Lazergues, vers 1892, Musée des beaux-arts, Nantes, France.)

Depuis des siècles, les Touaregs parcourent le désert du nord de l'Afrique pour y faire du commerce.

3 Des guerriers de la nation zouloue, vers 1865

Les Zoulous habitaient la région du sud de l'Afrique. Un grand chef issu d'une petite **tribu**, Chaka Zoulou (v. 1785-1828), a conquis plusieurs tribus dans la région et fondé la nation et l'Empire zoulous au début du XIXe siècle. Ils ont résisté aux colonisateurs hollandais et britanniques jusqu'au début du XXe siècle. Certaines personnes se réclament encore aujourd'hui de la nation zouloue en Afrique du Sud.

À faire

1. D'après toi, est-ce que les sociétés africaines précoloniales étaient des civilisations ?
2. Est-ce que toutes les sociétés africaines étaient semblables ? Justifie ta réponse.
3. Nomme une ville africaine où le commerce était très important au Moyen Âge.

Lexique

Savane En Afrique, vaste prairie herbeuse dénudée d'arbres.

Tribu Groupement de familles de même origine qui partagent les mêmes croyances religieuses et ont une langue commune.

Les grands empires

Parfois, ces villages devenaient de grands royaumes (*doc. 1*). Les souverains instauraient alors de grands empires en imposant leur puissance aux villages, aux populations et aux États voisins. Avant la colonisation, on distinguait en Afrique de l'Ouest trois empires importants : le Ghana, le Mali et l'Empire songhaï (*doc. 5, p. 197*).

Ces sociétés ont fondé de grandes cités comme Tombouctou et Djenné au Mali (*doc. 4*), où le commerce, les arts et la culture étaient florissants. Les souverains étaient très riches et très puissants.

4 La grande mosquée de Djenné au Mali

La ville de Djenné est une des merveilles de l'Afrique, classée patrimoine mondial par l'Unesco (l'Organisation des Nations Unies pour l'éducation, la science et la culture). Cette cité, fondée au IXe siècle, est la sœur jumelle de Tombouctou. Djenné a joué un rôle important dans le développement commercial, politique et culturel de l'empire du Mali. La grande mosquée a été construite au XIIIe siècle. C'est le plus grand édifice de banco, un mélange de boue séchée, de terre et de paille. L'édifice a été restauré en 1909.

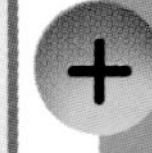

L'exploration de l'Afrique

Dès le XVIe siècle, les nations européennes ont entrepris la colonisation de régions éloignées, en Amérique, en Afrique et en Asie. À partir du XIXe siècle, elles ont étendu leur puissance sur d'autres régions d'Afrique et d'Asie. Les États industrialisés sont alors entrés en concurrence pour la possession des territoires coloniaux.

En 1885, les nations européennes se partagent l'Afrique.

Depuis plusieurs années, la France, l'Angleterre, l'Espagne, l'Allemagne, la Belgique, l'Italie et le Portugal s'affrontaient en Afrique, chacun voulant étendre son empire. Les frontières des colonies étaient contestées. En 1885, des représentants de ces États européens se sont réunis à Berlin, en Allemagne, pour établir les frontières des colonies et déterminer les possessions de chacun. Au terme de la Conférence de Berlin, chaque nation avait reçu sa part du territoire africain (*voir la carte, p. 189*). La France et l'Angleterre se partageaient les plus grands territoires, suivies de l'Allemagne, du Portugal, de la Belgique, de l'Italie et de l'Espagne.

RC Le roi Léopold II de Belgique s'est vu accorder le droit de posséder à titre privé un grand territoire au centre de l'Afrique. Il a fondé l'État libre du Congo où il a instauré un régime de travail forcé afin d'exploiter les ressources en caoutchouc. Les conditions de travail et les mauvais traitements infligés aux Africains sous ce régime ont coûté la vie à plusieurs millions d'entre eux.

Les explorateurs

Les États européens ont confié à plusieurs explorateurs la mission de parcourir le territoire africain (*doc. 2*). Ces découvreurs ont pris possession des terres conquises. RC L'un d'eux, un Britannique du nom de Henry Morton Stanley (*doc. 3*), a contribué à l'exploration du centre de l'Afrique. Il a ainsi aidé le roi Léopold II à prendre possession de ce territoire. Stanley a sillonné les grands fleuves : le Nil, le Niger et le Congo.

La résistance à la colonisation

Les nations africaines ont parfois résisté à la colonisation. Commandées par des chefs de guerre qui combattaient les armées des colonisateurs, elles refusaient de se laisser dominer par les Européens (*doc. 1*). D'autres populations ont collaboré avec les Européens et les ont aidés dans leurs explorations et leurs conquêtes.

1 Un grand chef africain résiste aux colonisateurs. RC

(Pierre Castagnez, XXe siècle, musée du quai Branly, Paris, France.)

L'Almami Samory Touré

(Vers 1837-1900)

Roi d'un immense royaume africain au XIXe siècle, Samory Touré a fondé en Guinée le plus grand empire de l'Afrique de l'Ouest. Il a affronté les colonisateurs français et anglais et a résisté à leur conquête. Les Français ont finalement vaincu les troupes de Touré en 1898. Il a été déporté au Gabon et son royaume est devenu une colonie française.

2 Quelques grandes explorations de l'Afrique à la fin du XIXe siècle

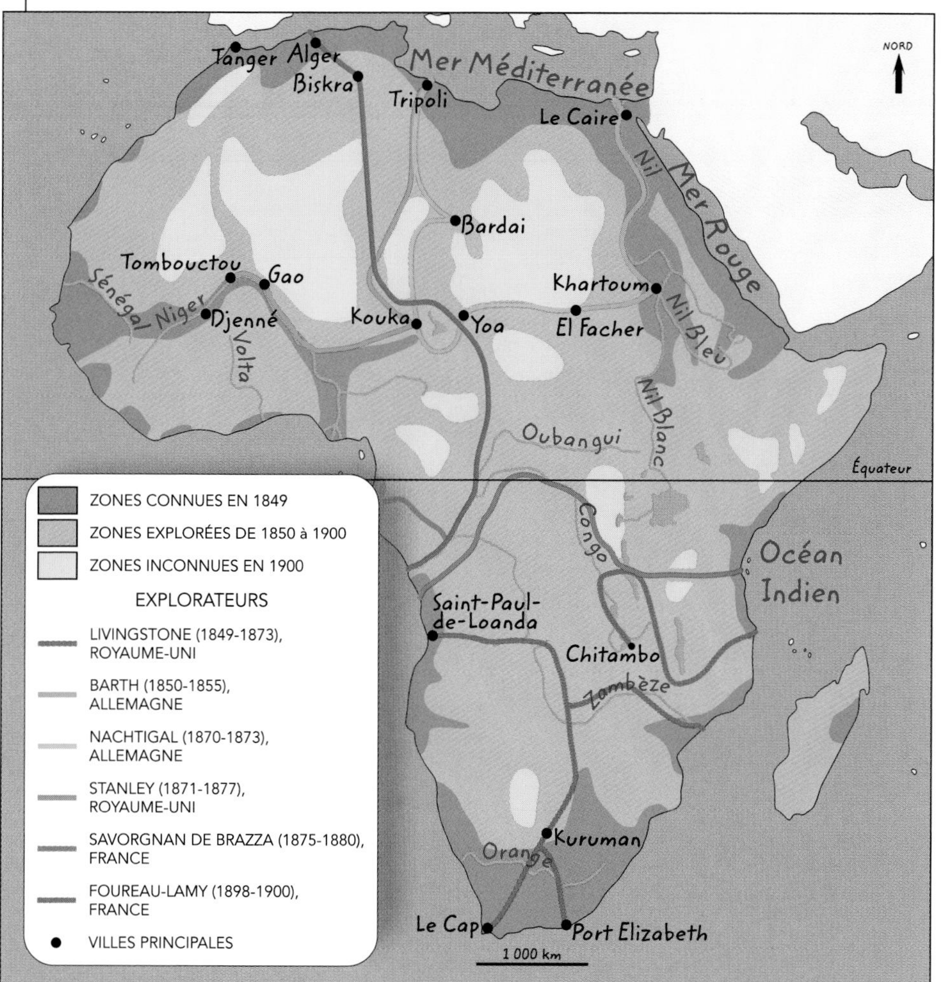

À faire

1. (doc. 1) Pourquoi l'Almami Samory Touré est-il un personnage important de l'histoire africaine ?
2. (doc. 2)
   a) Dans quelle période de l'histoire les grandes explorations de l'Afrique se sont-elles déroulées ?
   b) Quels pays ont financé les principales expéditions en Afrique ?
   c) D'après toi, est-ce que tous les Africains ont accepté la colonisation ? Justifie ta réponse.

3 Une expédition périlleuse

RC

Journaliste britannique, Henry Morton Stanley (1841-1904) a exploré une grande partie du territoire africain. En 1869, il a été chargé par le *New York Herald*, un journal états-unien, de retrouver David Livingstone, un missionnaire et explorateur britannique dont on avait perdu la trace en Afrique. Il a rejoint et secouru Livingstone en 1871. Cette expédition, qu'il relate dans son œuvre *Comment j'ai retrouvé Livingstone* (1876), l'a rendu célèbre. Stanley a par la suite poursuivi ses explorations et a aidé le roi Léopold II de Belgique dans la conquête du Congo. En 1891, le roi Léopold II a retenu les services d'un explorateur canadien, William Grant Stairs, pour prendre le contrôle définitif du territoire.

Henry Morton Stanley se frayant un passage dans la brousse africaine. (Gravure, vers 1880, Library of Congress, Washington, États-Unis.)

+

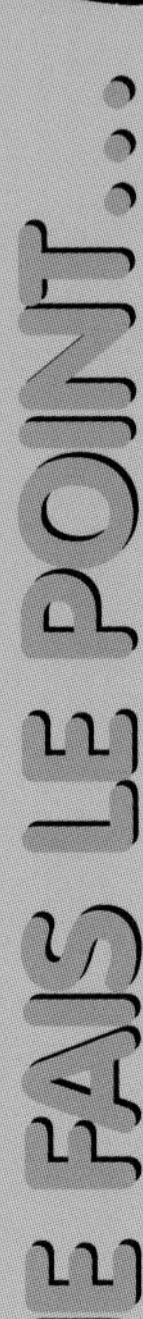

... sur l'expansion du monde industriel.

L'Afrique précoloniale

Avant l'arrivée des colonisateurs européens, l'Afrique était habitée par des populations très diversifiées. Des populations nomades parcouraient les voies commerciales du nord du continent, et des peuples sédentaires habitaient les plaines, les montagnes et les forêts. De grands empires qui n'avaient rien à envier aux empires de l'Antiquité en Europe et en Asie (les empires du Ghana et du Mali, et l'Empire songhaï) ont dominé successivement les régions du nord-ouest.

Les fondements de la colonisation

À partir du XVIe siècle, les nations européennes ont entrepris d'établir de grands empires coloniaux en Amérique, en Afrique et en Asie. Au XIXe siècle, l'Europe industrialisée avait un grand besoin de ressources en matières premières et en main-d'œuvre. Les nations industrielles ont trouvé ces ressources en Afrique et en Asie. Une des causes de cette domination politique, culturelle et économique était la discrimination raciale. Les Européens se disaient chargés d'une mission civilisatrice: ils considéraient que leur civilisation européenne occidentale était meilleure que les autres civilisations en raison de sa supposée supériorité technologique, morale et intellectuelle.

L'expansion du monde industriel

Les premiers colons étaient des missionnaires qui voulaient évangéliser les populations africaines. Ils ont été suivis des explorateurs qui voulaient découvrir les territoires africains et leurs richesses. Les États européens ont pris possession de ces territoires. Ils se sont partagé l'Afrique. Cette concurrence a parfois entraîné des conflits entre les métropoles qui se disputaient les richesses et les terres. La France, l'Angleterre, l'Allemagne, l'Espagne, le Portugal, l'Italie et la Belgique se sont finalement partagé le territoire africain en 1885, au cours de la Conférence de Berlin, en Allemagne.

ÉPOQUE CONTEMPORAINE

- **1885** Conférence de Berlin: les nations européennes se partagent l'Afrique.
- **1886** Les Anglais s'implantent en Somalie.
- **1889** Fin des expéditions de Henry Morton Stanley en Afrique
- **1922** Indépendance de l'Égypte
- **1931** Exposition coloniale internationale en France
- **1957** Le Ghana est le premier État indépendant d'Afrique noire.
- **1960** Indépendance du Cameroun, du Congo-Brazzaville, du Gabon, du Tchad et de la République centrafricaine

... sur les concepts liés à l'impérialisme.

L'impérialisme européen du XIXe siècle a pris plusieurs formes, mais certains concepts permettent d'en dégager les principales caractéristiques.

Qu'est-ce qui caractérise l'IMPÉRIALISME européen du XIXe siècle ?

Caricature sur la conquête du Maroc par la France. Marianne, une figure allégorique française, dit au Marocain : « Tu vas jouir des bienfaits de la civilisation ! » (1912)

L'impérialisme était la politique d'expansion et de domination économique des nations européennes sur d'autres sociétés, nations ou pays.

Quelles formes prenait la COLONISATION au XIXe siècle ?

- Conquêtes militaires par les Européens en Afrique et en Asie.
- Exploitation des ressources commerciales, naturelles et humaines.

Les Européens pratiquaient-ils une forme de DISCRIMINATION à l'égard des Africains ?

- Les Européens se considéraient comme supérieurs aux Africains.
- Les Africains étaient victimes de discrimination pour des raisons raciales, sociales et culturelles.

Quelles MÉTROPOLES contrôlaient les empires coloniaux en Afrique ?

La France, l'Angleterre, la Belgique, le Portugal, l'Espagne, l'Italie et l'Allemagne.

Le NATIONALISME a-t-il joué un rôle dans la colonisation ?

- Les nations européennes considéraient que leur culture était supérieure à celles des Africains et des Asiatiques.
- Les nations européennes étaient en concurrence pour le contrôle de territoires en Afrique et en Asie.

Comment le phénomène de l'ACCULTURATION s'est-il manifesté en Afrique ?

Les Européens ont imposé leur culture, leur religion et leur langue aux peuples conquis, au détriment des cultures africaines.

ET TOI ?

Certains pays pratiquent encore une forme d'impérialisme commercial aujourd'hui. D'après toi, à la lumière des concepts présentés dans cette page, le pays dans lequel tu vis pratique-t-il une forme d'impérialisme ? Justifie ta réponse.

Analyser
une affiche publicitaire

Au XIXe siècle, l'affiche est devenue un important outil de communication. On l'utilisait pour faire passer un message publicitaire, social ou politique. L'affiche est utilisée encore aujourd'hui pour transmettre un message.

1 Une affiche française de propagande[G] politique

Affiche du Parti communiste français et de la CGTU (Confédération générale du travail unifiée), 1930.

Cette affiche a été réalisée en réaction à la célébration du centenaire de la conquête de l'Algérie par la France.

Analyse de l'affiche publicitaire « 100 ans de domination française »

ÉTAPE 1 – Les objectifs de cette étude

Qu'est-ce que je cherche, qu'est-ce que j'espère découvrir en analysant cette affiche ?

ÉTAPE 2 – L'origine de l'affiche

1. Quel est le titre de cette affiche ?
2. Qui a créé l'affiche ?
3. Détermine en quelle année ou à quelle époque l'affiche a été créée.

ÉTAPE 3 – La description de l'affiche

1. Dans l'ensemble, qu'est-ce qui est représenté sur cette affiche ?
2. **a)** Décris la disposition et le symbolisme des personnages.
   b) Décris la disposition et le symbolisme des objets.
   c) A-t-on utilisé certaines couleurs pour mettre des éléments en valeur ?

ÉTAPE 4 – L'analyse du message

1. Décris le texte et sa disposition sur l'affiche.
2. Le texte révèle-t-il le thème de l'affiche ? Si oui, quel est ce thème ?
3. D'après toi, à qui cette affiche s'adresse-t-elle ?
4. Y a-t-il des liens entre le texte et les images ? Si oui, lesquels ?

ÉTAPE 5 – L'interprétation de l'affiche

1. Résume le thème principal de cette affiche.
2. Quelle est l'intention de l'affiche :
   - faire acheter un produit ?
   - informer la population ou l'inciter à une action ?
   - convaincre ou faire la promotion d'une idée ?
3. Que nous apprend cette affiche au sujet de l'époque à laquelle elle a été créée ?

2 Une publicité française pour le produit Banania

(De Andreis, 1915.)

En 1912, une compagnie française a mis sur le marché un chocolat en poudre composé de farine de banane, de céréales pilées, de cacao et de sucre. L'une des images de la marque Banania était «l'ami Y'a bon», un tirailleur sénégalais, soldat de l'armée coloniale française, représenté sur ses affiches de promotion. Le personnage, une caricature aux traits grossiers prononçant le slogan «Y'a bon» (une allusion au mythe de l'Africain parlant un français incorrect), est devenu un symbole du racisme colonial. Aujourd'hui, cette publicité est considérée comme discriminatoire et péjorative envers les Africains et les Africaines.

3 Le pouvoir de l'image

«L'image suscite des réactions immédiates avec plus de brutalité que les mots: elle fait admirer ou détester, rire ou pleurer; elle donne la nausée ou inspire le désir. Elle nourrit un mimétisme inconscient qui dicte les comportements amoureux, les rites sociaux, les modes, aussi bien que les réactions de violence.

Elle peut aussi inciter à choisir un candidat plutôt qu'un autre, une voiture plutôt qu'une autre et l'on sait qu'elle constitue l'outil privilégié de la propagande et de la publicité.»

Paule Baisnée, *Enseigner l'image au lycée*, Ellipses, 2002.

4 Les buts de l'affiche publicitaire: vendre une idée ou un produit

«L'auteur d'une image publicitaire affiche clairement ses intentions: il vise un public déterminé et lui adresse le message le plus lisible, le plus clair, le plus simple possible. Son seul objectif est de décider ce public à acheter selon les vœux de ceux qui le paient.»

Paule Baisnée, *Enseigner l'image au lycée*, Ellipses, 2002.

Méthode

Analyser une affiche publicitaire

ÉTAPE 1 – Les objectifs de l'étude

Déterminer les raisons pour lesquelles on étudie une affiche publicitaire.

ÉTAPE 2 – L'origine de l'affiche

1. **Indiquer le titre de l'affiche si elle en porte un.**
2. **Si c'est possible, indiquer qui a créé l'affiche.**
3. **Indiquer l'année ou l'époque de sa création.**

ÉTAPE 3 – La description de l'affiche

1. **Décrire l'affiche globalement.**
2. **Décrire l'affiche de façon détaillée:**
   - **la disposition et le symbolisme des personnages et des objets;**
   - **l'utilisation de couleurs pour mettre certains éléments en valeur.**

ÉTAPE 4 – L'analyse du message

1. **Décrire le texte et sa disposition sur l'affiche.**
2. **Déterminer si le texte aide à déterminer le thème de l'affiche. Si oui, indiquer quel est ce thème.**
3. **Déterminer si l'affiche a des destinataires précis.**
4. **Déterminer les liens entre le texte et les images.**

ÉTAPE 5 – L'interprétation de l'affiche

1. **Résumer le thème principal de l'affiche.**
2. **Déterminer l'intention de l'affiche:**
   - **faire acheter un produit;**
   - **informer la population ou l'inciter à une action;**
   - **convaincre ou faire la promotion d'une idée.**
3. **Indiquer ce que l'affiche nous apprend au sujet de l'époque à laquelle elle a été créée.**

LES MÉTIERS DE L'HISTOIRE

L'archiviste

M. Martin Lavoie, vous êtes archiviste, parlez-nous un peu de votre profession.

M. L. – Je travaille aux Archives nationales du Québec. Le réseau des Archives nationales compte neuf centres régionaux répartis à travers la province. Les archives sont des documents écrits, dessinés, photographiques ou audiovisuels anciens qui témoignent du passé. On les consulte pour comprendre et interpréter notre histoire. Ce sont les outils principaux des historiens et des historiennes. On retrouve ainsi aux Archives nationales du Québec 44,7 km d'archives écrites, 13 160 000 photographies et pièces iconographiques, 40 000 heures d'enregistrements sonores, de films et de vidéos, 12 000 bobines de microfilms, 99 021 microfiches et 960 500 cartes et plans.

En quoi consiste votre travail ?

M. L. – Je suis responsable de la section photographie et documents audiovisuels des Archives nationales du Québec situées à Québec. J'assure la gestion générale de ces archives. Le travail d'archiviste consiste à acquérir, à traiter, à conserver et à diffuser les archives. Le traitement des archives consiste à préparer les documents physiquement et intellectuellement en vue de leur consultation et de leur diffusion. L'archiviste doit voir à ce que les documents soient gardés dans des conditions optimales pour assurer leur conservation à long terme. Des techniciens et techniciennes en documentation aident l'archiviste dans ce travail.

MARTIN LAVOIE, ARCHIVISTE

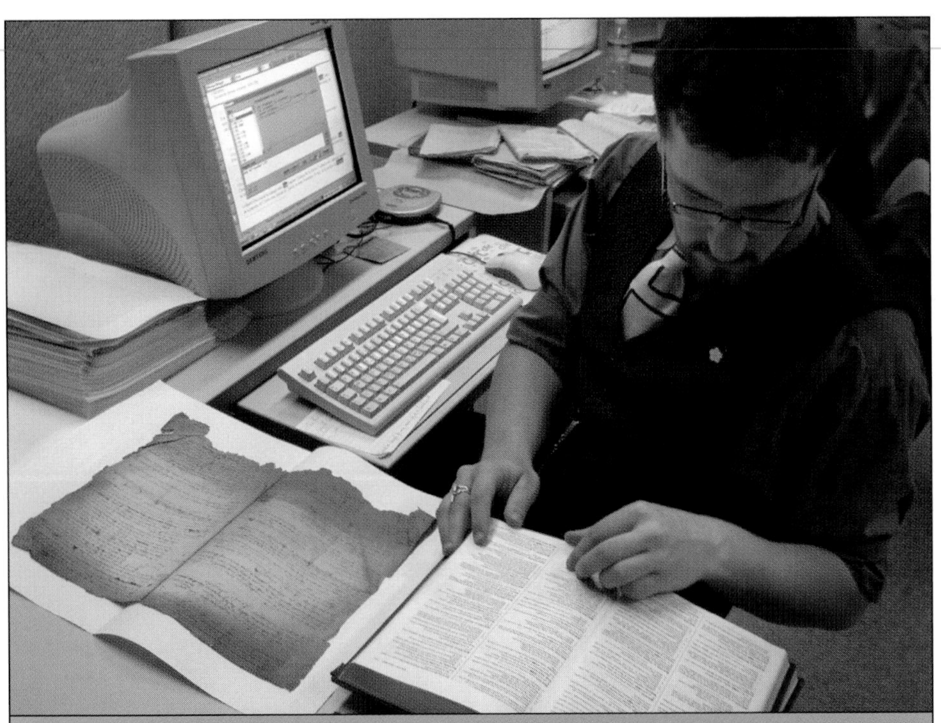

UN ARCHIVISTE À L'ŒUVRE

Dans leur travail quotidien aux Archives nationales du Québec, les archivistes utilisent des bases de données et des ouvrages de référence.

« Le travail d'archiviste consiste à acquérir, à traiter, à conserver et à diffuser les archives. »

Martin Lavoie

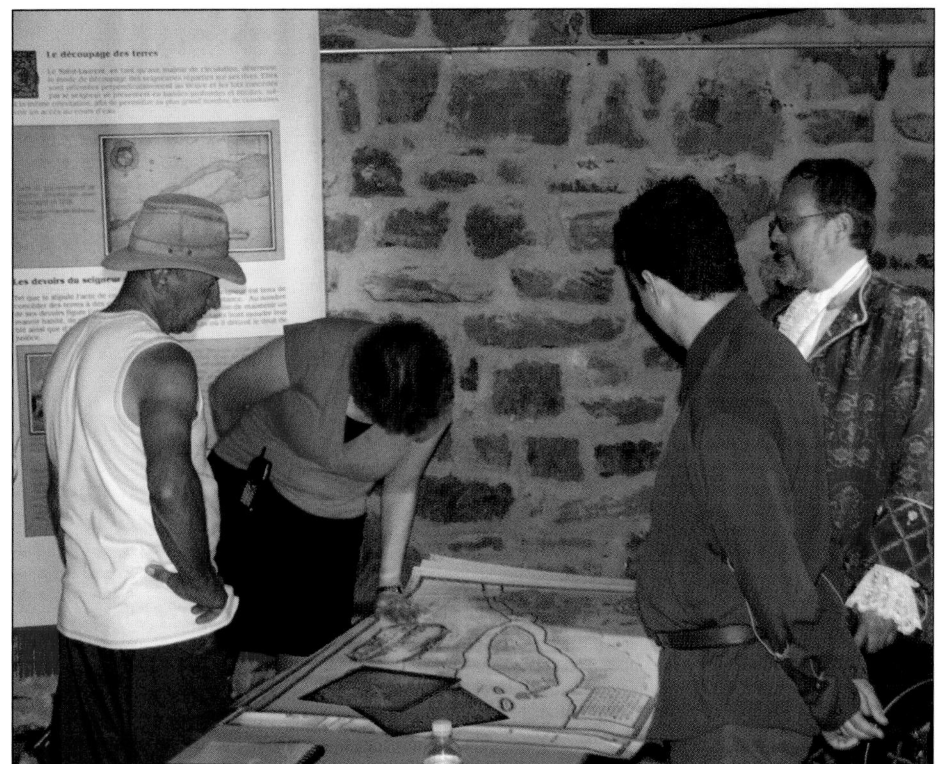

UNE VISITE DANS UN CENTRE D'ARCHIVES
Les cartes anciennes sont aussi traitées comme des archives.

techniques de la documentation et de faire ensuite un baccalauréat en histoire et un certificat en archivistique.

Quel a été votre cheminement ?

M. L. – J'ai fait un baccalauréat en histoire à l'Université Laval, à Québec, et un certificat en archivistique. J'ai ensuite obtenu une maîtrise en archivistique.

Quels étaient vos rêves et vos ambitions de jeunesse ?

M. L. – Je voulais, comme plusieurs garçons à cette époque, être pilote d'avion. J'étais aussi un passionné d'histoire et de lecture. Mon intérêt pour l'histoire m'a fait cheminer vers le baccalauréat. Or, je ne voulais pas faire une maîtrise en histoire, j'ai donc choisi le domaine de l'archivistique. J'ai suivi un cours de pilotage pour mon plaisir.

Je dois aussi m'acquitter des tâches institutionnelles et des tâches liées à l'administration et à la gestion du secteur dont je suis responsable. Par exemple, nous avons des réunions en équipe pour prendre des décisions quant aux politiques de gestion et de traitement des archives. Nous donnons occasionnellement des conférences et des cours sur les archives dans différentes institutions, dans les écoles, les cégeps et les universités.

Quelles sont les études nécessaires pour devenir archiviste ?

M. L. – Vous devez faire des études collégiales en sciences humaines ou en science, puis un baccalauréat en histoire et un certificat en archivistique. Beaucoup d'universités québécoises offrent ce certificat. Il est aussi possible de faire des études collégiales en

L'INTÉRIEUR DU CENTRE DES ARCHIVES NATIONALES DU QUÉBEC À MONTRÉAL

L'impérialisme japonais

L'impérialisme japonais à la fin du XIXe et au début du XXe siècle

RC

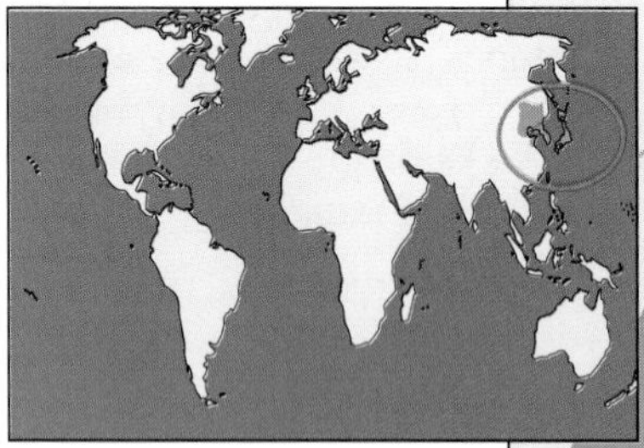

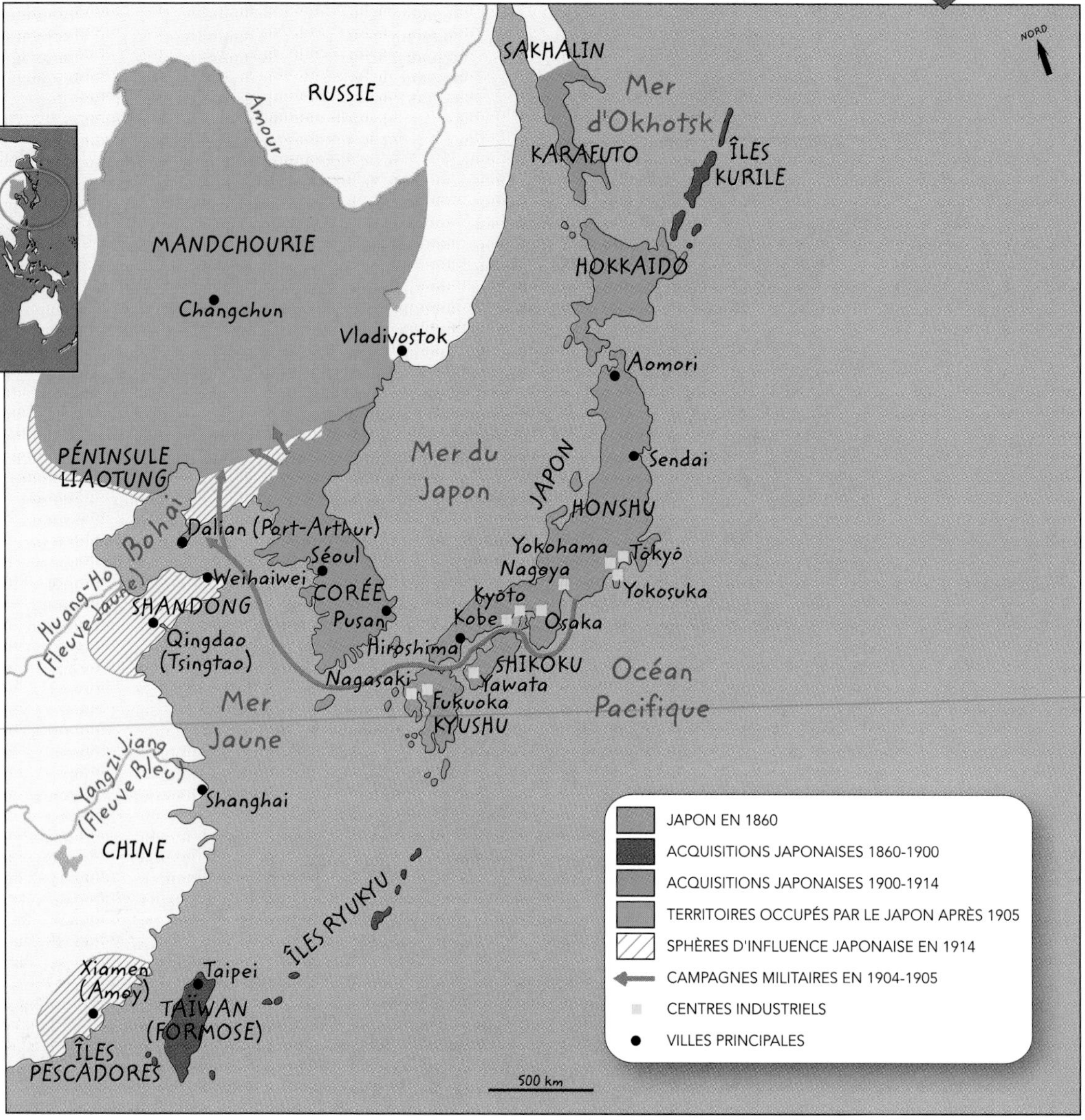

NORD

RUSSIE
Amour
SAKHALIN
Mer d'Okhotsk
KARAFUTO
ÎLES KURILE
MANDCHOURIE
Changchun
Vladivostok
HOKKAIDO
Aomori
PÉNINSULE LIAOTUNG
Mer du Japon
JAPON
Sendai
HONSHU
Bohai
Dalian (Port-Arthur)
Séoul
Weihaiwei
CORÉE
Yokohama
Tokyô
Nagoya
Yokosuka
Kyoto
Kobe
Osaka
Huang-Ho (Fleuve Jaune)
SHANDONG
Pusan
Qingdao (Tsingtao)
Hiroshima
SHIKOKU
Océan Pacifique
Nagasaki
Yawata
Fukuoka
KYUSHU
Mer Jaune
Yangzi Jiang (Fleuve Bleu)
Shanghai
CHINE
ÎLES RYUKYU
Xiamen (Amoy)
Taipei
TAÏWAN (FORMOSE)
ÎLES PESCADORES
500 km

JAPON EN 1860
ACQUISITIONS JAPONAISES 1860-1900
ACQUISITIONS JAPONAISES 1900-1914
TERRITOIRES OCCUPÉS PAR LE JAPON APRÈS 1905
SPHÈRES D'INFLUENCE JAPONAISE EN 1914
CAMPAGNES MILITAIRES EN 1904-1905
CENTRES INDUSTRIELS
VILLES PRINCIPALES

IMPÉRIALISME JAPONAIS

EXPANSION DU MONDE INDUSTRIEL

1867
Accession au trône de l'empereur Mutsuhito, début de l'ère Meiji (1868)

1885
Conférence de Berlin: les nations européennes se partagent l'Afrique.

1905
Victoire japonaise à Port-Arthur. Le Japon occupe une partie de la Mandchourie.

ÉPOQUE CONTEMPORAINE

La mer du Japon vue de l'espace

Cette mer de l'océan Pacifique est située entre le Japon et le continent asiatique, la Russie, la Chine et la Corée. Elle a porté plusieurs noms au fil des siècles: mer de l'Est, mer de Corée et mer Orientale. Les Coréens la nomment encore mer de Corée ou mer Orientale. En 1994, ces derniers ont demandé que l'on cesse d'utiliser la dénomination «mer du Japon» car elle rappelle la colonisation et l'impérialisme japonais imposés à leur pays.

Affiche de propagande japonaise pour le Mandchoukouo

Le Mandchoukouo (*Manchoukuo* en anglais) était une colonie fondée par les Japonais en Mandchourie. Sur l'affiche propagandiste [G], on peut lire: «Manchoukuo, le soleil d'une nouvelle nation.» Le soleil est l'emblème du Japon.

1931 Invasion de la Mandchourie et création du Mandchoukouo

1939 Début de la Seconde Guerre mondiale

1941 Attaque de Pearl Harbor

1945 Armistice et fin de la guerre du Pacifique

1960 Indépendance du Cameroun, du Congo-Brazzaville, du Gabon, du Tchad et de la République centrafricaine

PROJET

L'IMPÉRIALISME JAPONAIS

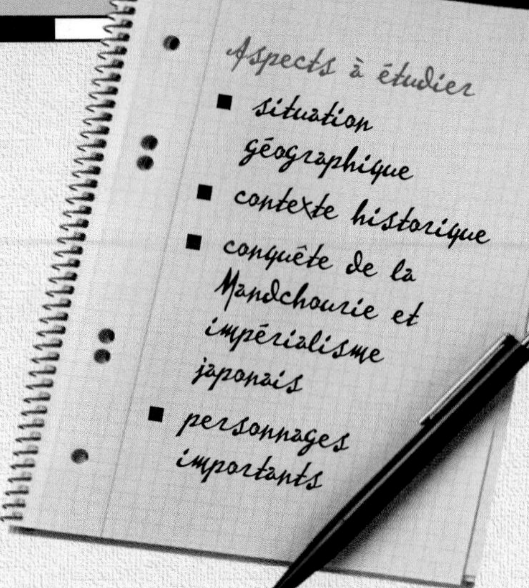

Aspects à étudier
situation géographique
contexte historique
conquête de la Mandchourie et impérialisme japonais
personnages importants

Créer une double page pour la section SAVOIR de ton manuel d'histoire

La Mandchourie est une région située au nord de la Chine, à la frontière de la Russie. À la fin du XIXe siècle, les Russes occupent la région et y développent un chemin de fer. En 1905, le Japon remporte une guerre contre eux et prend possession d'une partie de la région. En 1931, les Japonais envahissent la Mandchourie et fondent le Mandchoukouo.

RC

1 Temple shintoïste sur la rive de la baie d'Hokkaido, au Japon

Un *torii*, portail traditionnel japonais, marque l'entrée de ce temple, dédié aux pêcheurs, pour le protéger de l'environnement profane.

Le shintoïsme était la religion traditionnelle du Japon. Cette religion n'était pas importée de Chine comme le bouddhisme. L'empereur Mutsuhito (*doc. 5, p. 219*) l'a réinstaurée. Il a fondé un nouveau mythe national, le *kokataï*, culte de l'État et de l'empereur.

2 Le Japon et la Chine

«Vaillants guerriers de tradition, mais modestes navigateurs, les Japonais ont toujours dû brider leur inclination – naturelle chez eux comme chez d'autres – à aller à la découverte du monde extérieur. […] En ont-ils rêvé de la Chine! Modèle de gloire fascinante, écrasante, la Chine a toujours obsédé les Japonais. […] Mais la Chine est le phare de toute civilisation au pays du soleil levant. Au fil des siècles, les Japonais lui ont tout emprunté, ou presque: son écriture idéographique, […] la religion bouddhique, certes née en Inde, mais ressuscitée magnifiée, corrigée par la Chine; le confucianisme; […] les techniques essentielles de l'estampe, du papier, de la laque, de la soie, venues tout droit de Chine; son organisation administrative […] et même le cheval.»

Jacques Gravereau, *Le Japon au XXe siècle*, Seuil, coll. «Points. Histoire», 1993.

SUJET DE LA RECHERCHE

- **QUOI ?** L'impérialisme japonais en Chine.
- **QUAND ?** De 1905 à 1945.
- **RÉALISATION** Créer une double page pour un manuel d'histoire décrivant la conquête de la Mandchourie par les Japonais en 1931.

DÉMARCHE DE RECHERCHE

PLANIFIER LA RECHERCHE

1 **Prends connaissance** du plan de la recherche pour bien organiser ton travail.

L'impérialisme japonais

PLAN DE LA RECHERCHE

1. Trouver de l'information sur la situation géographique du Japon et de la Mandchourie.
2. Décrire brièvement le contexte historique dans lequel se sont déroulés les événements.
   Trouver de l'information sur la guerre du Pacifique et sur la Seconde Guerre mondiale.
3. Trouver de l'information sur les événements liés à la création d'une colonie japonaise en Mandchourie.
4. Trouver de l'information sur quelques personnages importants qui ont participé aux événements.
5. Trouver des images et une carte pertinentes pour illustrer la double page.

RECUEILLIR L'INFORMATION

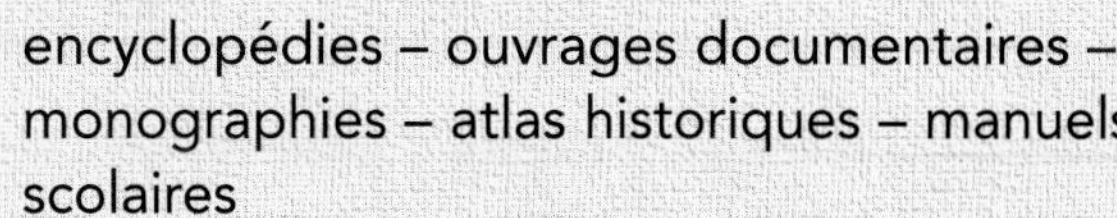

encyclopédies – ouvrages documentaires – monographies – atlas historiques – manuels scolaires

Mots clés: Japon impérialisme – Japon histoire – Chine histoire – Mandchourie 1931 – Seconde Guerre mondiale – Pacifique histoire

2 **Fournis** les renseignements demandés.

La situation géographique

- Décris la situation géographique du Japon à cette époque.
- Décris la situation géographique de la Mandchourie à cette époque.

Le contexte historique

- Qui a régné sur la Mandchourie de 1644 à 1911 ?
- Qui a régné sur le Japon de 1867 à 1912 ?
- Donne quelques renseignements sur la guerre du Pacifique et sur la Seconde Guerre mondiale.

La conquête de la Mandchourie et l'impérialisme japonais

- Pourquoi le Japon a-t-il attaqué la Mandchourie ?
- Comment les Japonais ont-ils justifié leur politique impérialiste ?
- Décris les événements menant à la conquête de la Mandchourie.
- Comment se nommait l'État établi par les Japonais ?
- Quand et pourquoi les Japonais se sont-ils retirés de la Mandchourie ?

Les personnages importants

- Qui était Puyi ? Quel a été son rôle dans ces événements ?
- Qui était Mutsuhito ? Quel a été son rôle dans ces événements ?
- Qui était Hirohito ? Quel a été son rôle dans ces événements ?

TECHNIQUE Pages d'un manuel scolaire

Pour réussir tes pages de manuel, tu devrais:

- rédiger un texte et des documents fournissant les renseignements demandés;
- inclure un document de source première (un document d'origine) ou de source seconde (un livre d'histoire, donc d'interprétation, de référence, etc.) avec la référence;
- inclure des activités ou des questions «À faire» et un lexique;
- inclure une carte et des images pertinentes avec des légendes.

Attention! Un manuel scolaire doit être objectif et montrer les diverses interprétations d'un même événement lorsque celui-ci est controversé.

TRAITER L'INFORMATION

3 **Analyse** l'information recueillie de manière à ne retenir que les renseignements nécessaires à l'écriture de deux pages d'un manuel d'histoire portant sur l'**impérialisme japonais et la conquête de la Mandchourie au XXe siècle**.

Note ces renseignements sur des fiches semblables à celles ci-dessous.

ORGANISER L'INFORMATION

Avant de rédiger tes pages de manuel, relis la liste des critères d'évaluation que ton enseignante ou ton enseignant t'a remise. Cela te permettra de les respecter et de mieux réussir ton projet.

4 a) En te basant sur le contenu de l'encadré «Technique», **classe** tes idées en inscrivant devant chacune si elle s'insère dans le texte, dans les légendes des images que tu as choisies, ou dans le ou les documents que tu as choisis.

b) En te servant des notes que tu as prises, **rédige** tes deux pages de manuel scolaire. Tu peux utiliser l'ordinateur ou le modèle que ton enseignante ou ton enseignant te fournira. Tu dois noter toutes tes sources et choisir les documents et les images qui apparaîtront dans tes pages.

COMMUNIQUER L'INFORMATION

5 Chaque élève ou chaque équipe présente ses pages de manuel scolaire à la classe. La présentation peut se faire dans le cadre d'un cours d'histoire qui porte sur la Mandchourie et sur l'impérialisme japonais.

ÉVALUER LA DÉMARCHE

Ton enseignante ou ton enseignant te remettra un parcours d'évaluation qui te permettra d'évaluer ta démarche de recherche et d'en découvrir les forces et les faiblesses. Cette évaluation te permettra d'améliorer ta prochaine recherche.

Conserve tes pages de manuel scolaire et ton parcours d'évaluation dans ton portfolio.

3 Des soldats japonais entrent dans un village chinois lors de l'invasion de la Mandchourie en 1931.

Le 18 septembre 1931, un attentat a été perpétré par les services secrets japonais contre le chemin de fer d'une compagnie japonaise située à Mukden, dans le sud de la Mandchourie. Les Chinois ont été faussement accusés de cet attentat et les Japonais se sont servis de cet événement pour justifier l'occupation du territoire. Dans l'album *Tintin et le Lotus bleu*, une grande histoire d'amitié entre un reporter belge et un jeune Chinois, on retrouve Tintin en Chine pendant l'occupation japonaise. Dans sa bande dessinée, Hergé fait référence à cet événement et présente une vision de l'impérialisme japonais.

RC

4 Le Japon, «peuple supérieur», contre l'Occident

«Dominer un empire devenait ainsi une sorte d'impératif qui, au départ, n'a pas obéi nécessairement à une exigence économique. [...] Pour les uns, il s'agit d'une mission civilisatrice venue du Ciel... et les colonies sont perçues comme des territoires extérieurs, qu'on traite de façon paternaliste G. Pour les autres, eu égard à la nature asiatique du Japon, il s'agit d'assimiler les populations, de les nipponiser, ce qui est possible, étant donné leurs racines voisines, et juste, en vertu des principes de Confucius qui exigent que l'égalité règne sous la même domination – en l'occurrence celle de l'empereur.

Pourtant, une troisième conception allait bientôt prendre la relève, à la veille de la Seconde Guerre mondiale; les conquêtes coloniales [...] se justifiaient au seul nom de la supériorité du peuple japonais. Cette vision comportait de forts relents de racisme.»

Marc Ferro, *Histoire des colonisations: des conquêtes aux indépendances, XIIIe – XXe siècle*, Seuil, coll. «Points. Histoire», 1996.

5 L'empereur Mutsuhito

RC

Portrait de Sa Majesté impériale Mutsuhito, empereur du Japon (XIXe siècle.)

L'empereur Mutsuhito

(1852–1912)

Mutsuhito a accédé au trône impérial en 1867. En 1868, il a instauré une nouvelle ère: l'ère Meiji. («Meiji» signifie «gouvernement éclairé».) Il a aboli le shōgunat et s'est installé à Edo, qu'il a nommée «Tōkyō». Mutsuhito a été le premier empereur à ouvrir le Japon à la modernité et à instaurer un régime impérialiste à l'image de ceux des grandes puissances européennes. Il a transformé le Japon, qui était fermé au monde extérieur depuis le XVIIe siècle. Le Japon s'est tourné vers l'Occident et s'est industrialisé. Les nouvelles industries avaient besoin de ressources, de matières premières et de main-d'œuvre. C'est pourquoi le Japon a entrepris la conquête de nouveaux territoires.

6 Un passé qui ne passe pas

Un passé qui ne passe pas

de notre envoyé spécial Marc Epstein

«Depuis la Seconde Guerre mondiale, Tōkyō et Pékin entretiennent chacun, sur fond de nationalisme, leur propre vision de l'Histoire. Mais, au-delà des ambiguïtés de la mémoire collective, c'est bien une guerre froide pour la suprématie régionale qui les oppose. Un jeu dangereux.

Après trois semaines de manifestations antijaponaises, à Pékin et dans plusieurs villes de Chine, le Premier ministre nippon, Junichiro Koizumi, a exprimé, le 22 avril 2004, son "profond remords" et ses "excuses sincères" pour les atrocités commises par les troupes de Tōkyō, en particulier pendant la Seconde Guerre mondiale. Ses paroles rappellent le "profond remords" et les "excuses sincères" évoqués par son prédécesseur, Tomiichi Murayama, en août 1995, ainsi que le "remords" éprouvé, la même année, par Hisashi Owada, un ancien diplomate devenu juge à la Cour internationale de justice à La Haye.

Voilà des années que les dirigeants de Tōkyō présentent des excuses pour la barbarie qui a accompagné l'occupation japonaise de la Chine, à partir de 1931, et la colonisation de la Corée, de 1910 à 1945. Mais leurs paroles ne sont pas entendues. Ou plutôt leur sincérité est toujours mise en doute.»

Marc Epstein, «Un passé qui ne passe pas» (extrait), *L'Express*, 2 mai 2005.

7 L'impérialisme japonais: nationalisme et militarisme

«Notre nation a non seulement le droit de se défendre, mais aussi celui de défendre les autres nations contre des puissances oppressives. Elle a le droit d'engager des hostilités pour ces questions d'actualité que sont l'intégrité territoriale de la Chine et l'indépendance de l'Inde. Et aussi contre ceux qui ont accaparé illégalement de vastes territoires sans tenir compte du droit naturel des peuples: autrement dit, le droit de guerre contre les occupants de la Sibérie extrême-orientale et de l'Australie, pour occuper à notre tour ces territoires.»

Kitta Ikki, *Projet de réorganisation nationale*, 1919, cité par Tetsuo Furuya, «Naissance et développement du fascisme japonais», *Revue d'Histoire de la Deuxième Guerre mondiale*, 1972.

8 Le 7 décembre 1941, le Japon attaque les États-Unis à Pearl Harbor, une base militaire dans les îles Hawaii.

Peu après l'attaque japonaise, le mouilleur de mines *Oglala* gît dans la rade, gravement endommagé par une explosion à bord du croiseur *USS Helena* (à gauche), torpillé par un sous-marin japonais. À l'arrière-plan, le navire *USS Shaw* vient d'être détruit par des bombardiers japonais. En attaquant les États-Unis à Pearl Harbor, les Japonais voulaient étendre leur domination dans le Pacifique et en Asie. Les États-Unis sont alors entrés en guerre contre le Japon.

9 La fin de la guerre dans le Pacifique

Un énorme nuage en forme de champignon se forme au-dessus de la ville d'Hiroshima après l'explosion d'une bombe atomique états-unienne.

Le 6 août 1945, les États-Unis ont utilisé pour la première fois dans l'histoire une nouvelle arme: la bombe atomique. Ils ont largué une première bombe sur la ville d'Hiroshima au Japon et une seconde sur celle de Nagasaki.

10 L'Empire japonais en 1942

RC

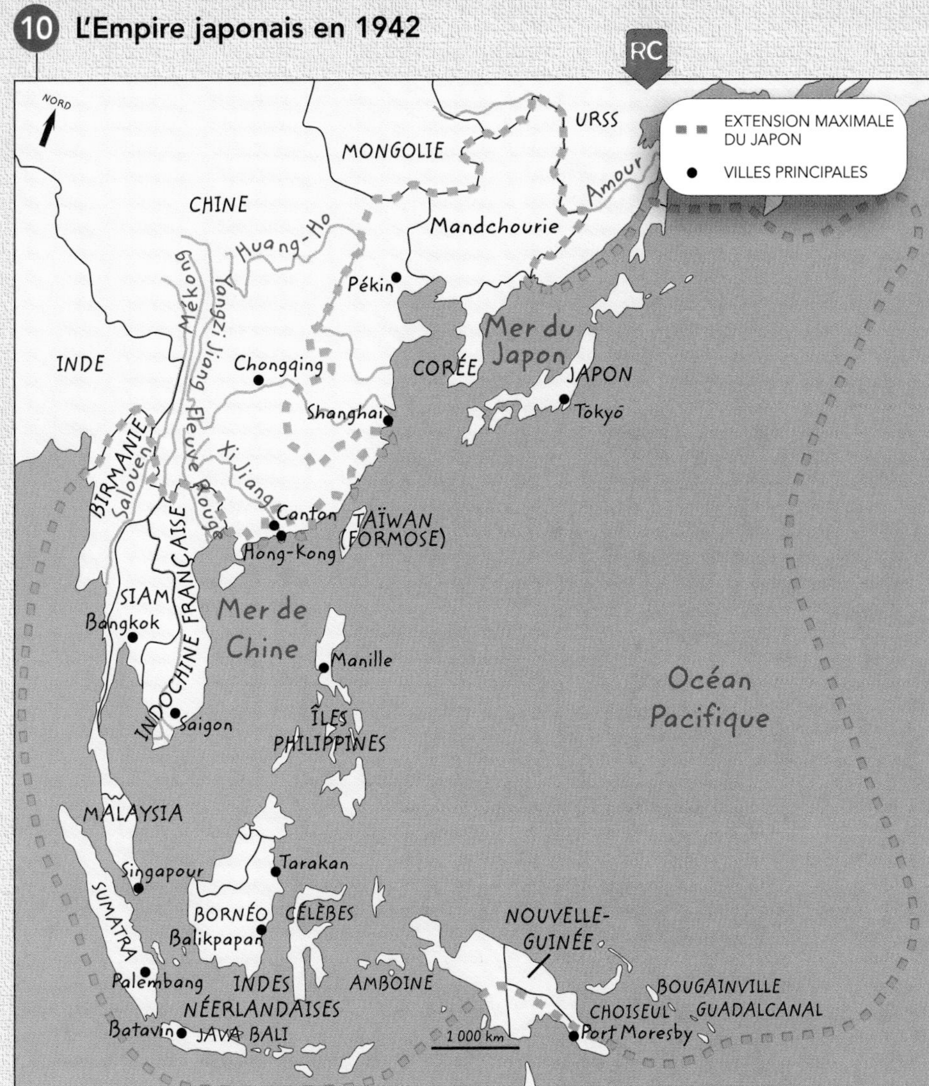

11 La signature de l'armistice le 2 septembre 1945 marque la fin de la Seconde Guerre mondiale.

À bord du *USS Missouri*, ancré dans la baie de Tōkyō, le général états-unien Douglas MacArthur reçoit la capitulation du Japon. Au lendemain de la guerre, les États-Unis ont occupé le Japon. Ils ont imposé une nouvelle constitution interdisant au Japon de posséder une armée.

P

L'expansion du monde industriel

1 Le schéma ci-dessous présente les principales caractéristiques de l'impérialisme européen aux XIXe et XXe siècles.

IMPÉRIALISME

L'EXPANSION DU MONDE INDUSTRIEL

COLONISATION

- Conquêtes militaires par les Européens en Afrique et en Asie.
- Exploitation des ressources commerciales, naturelles et humaines.

MÉTROPOLES

La France, l'Angleterre, la Belgique, le Portugal, l'Espagne, l'Italie et l'Allemagne étaient les métropoles qui contrôlaient les empires coloniaux en Afrique.

DISCRIMINATION

- Les Européens se considéraient comme supérieurs aux Africains.
- Les Africains étaient victimes de discrimination pour des raisons raciales, sociales et culturelles.

NATIONALISME

- Les nations européennes considéraient que leur culture était supérieure à celles des Africains et des Asiatiques.
- Les nations européennes étaient en concurrence pour le contrôle de territoires en Afrique et en Asie.

ACCULTURATION

Les Européens ont imposé leur culture, leur religion et leur langue aux peuples conquis, au détriment des cultures africaines.

Ailleurs

2 Montre que tu connais les caractéristiques de l'impérialisme japonais en reproduisant et en complétant le schéma ci-dessous.

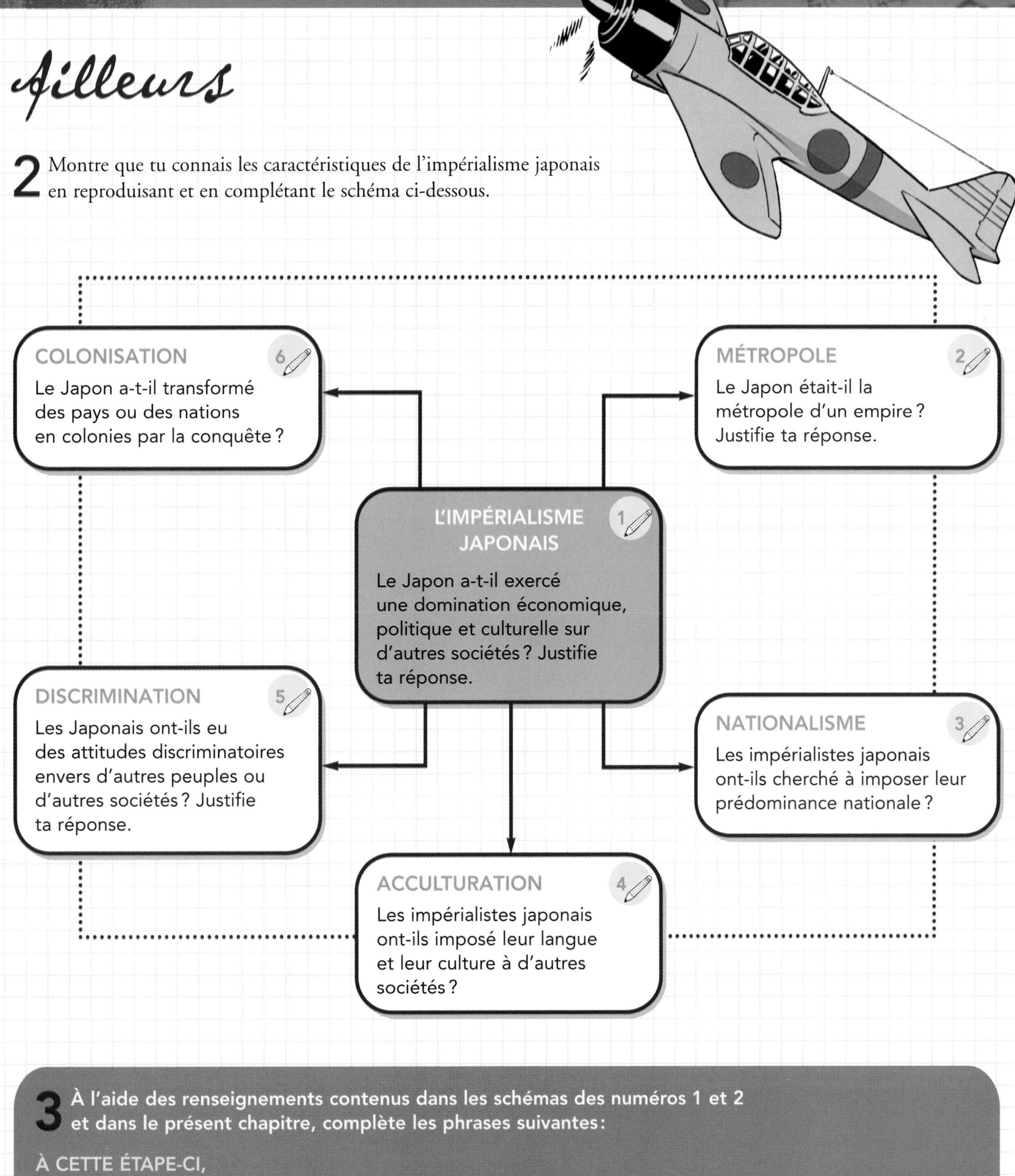

COLONISATION 6
Le Japon a-t-il transformé des pays ou des nations en colonies par la conquête ?
MÉTROPOLE 2
Le Japon était-il la métropole d'un empire ? Justifie ta réponse.
L'IMPÉRIALISME JAPONAIS 1
Le Japon a-t-il exercé une domination économique, politique et culturelle sur d'autres sociétés ? Justifie ta réponse.
DISCRIMINATION 5
Les Japonais ont-ils eu des attitudes discriminatoires envers d'autres peuples ou d'autres sociétés ? Justifie ta réponse.
NATIONALISME 3
Les impérialistes japonais ont-ils cherché à imposer leur prédominance nationale ?
ACCULTURATION 4
Les impérialistes japonais ont-ils imposé leur langue et leur culture à d'autres sociétés ?

3 **À l'aide des renseignements contenus dans les schémas des numéros 1 et 2 et dans le présent chapitre, complète les phrases suivantes :**

À CETTE ÉTAPE-CI,

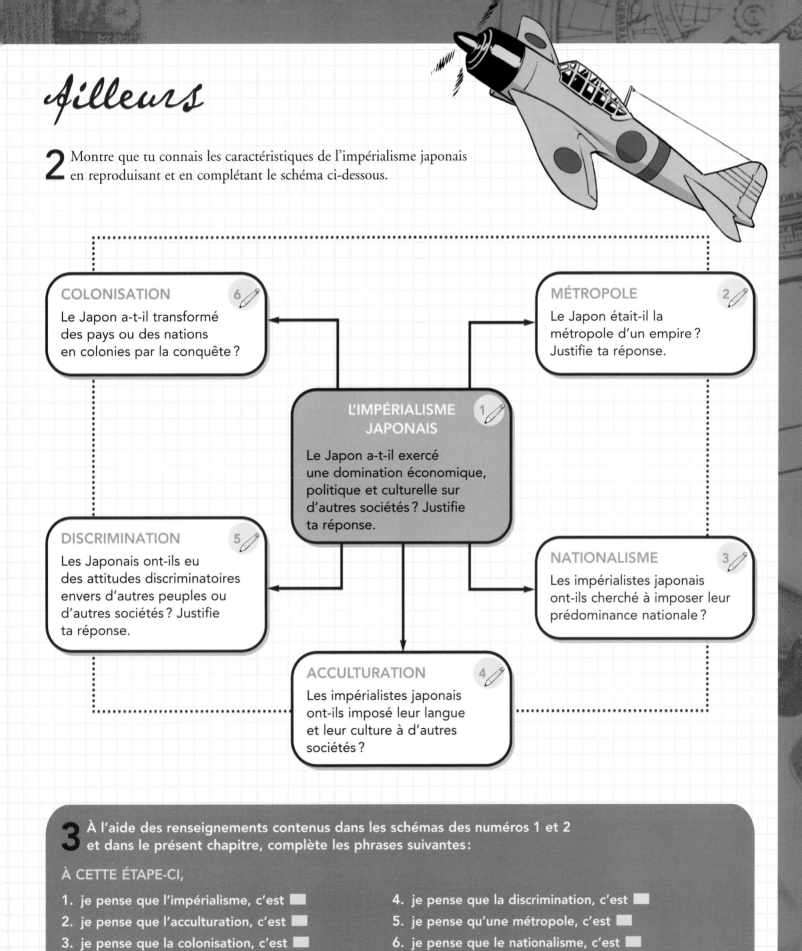

1. je pense que l'impérialisme, c'est ▬
2. je pense que l'acculturation, c'est ▬
3. je pense que la colonisation, c'est ▬
4. je pense que la discrimination, c'est ▬
5. je pense qu'une métropole, c'est ▬
6. je pense que le nationalisme, c'est ▬

L'expansion du monde industriel

Au XXIe siècle, le monde industriel est toujours en expansion. Partout sur la terre, des sociétés entretiennent des rapports économiques, politiques et culturels. Ces rapports ont des répercussions sur les populations de ces pays.

1 *Colonial Mentality*

«Tu étais esclave, ils t'ont certes libéré, mais tu ne t'es pas libéré toi-même.
Tu copies aveuglément les mœurs occidentales
Parce qu'ainsi tu te crois supérieur aux autres, n'est-ce pas?
Ce qui est *black* n'est pas digne de toi, tu préfères ce qui vient d'ailleurs, n'est-ce pas?
Alors tu mets la clim' à fond, n'est-ce pas?
Toi le juge tu sièges au tribunal en enfilant la perruque blonde d'un juge anglais, n'est-ce pas?
Parce que tu as honte de ton nom, tu prends un nom d'esclave que tu exhibes fièrement, n'est-ce pas?
[...]»

Paroles et musique: Fela Anikulapo Kuti, *Colonial Mentality* (extrait),

2 Les pays en développement au XXIe siècle

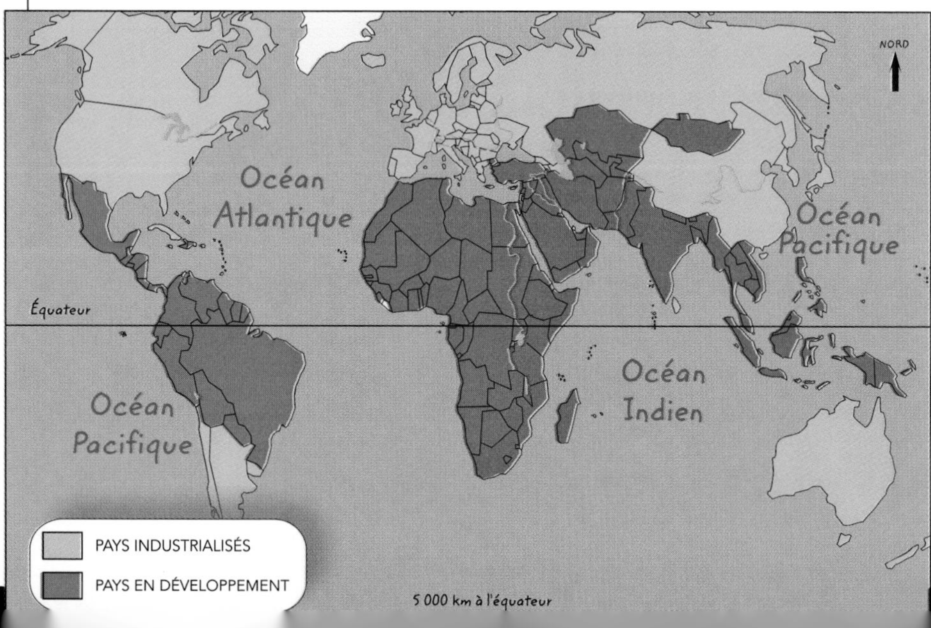

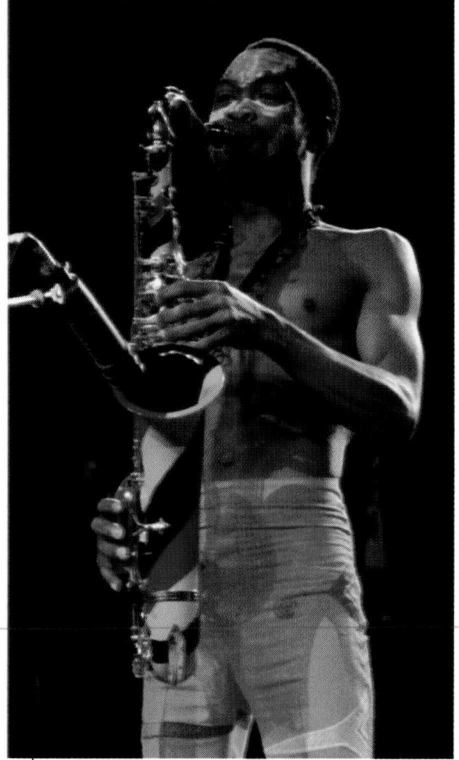

3 Fela Anikulapo Kuti (1938-1997)

Ce saxophoniste de la nation des Yorubas (*doc. 3, p. 196*) est né au Nigeria. Dans les années 1970, il a inventé un nouveau genre musical, l'*afro-beat*, qui mélange le jazz et le soul avec des rythmes traditionnels africains. Fela était un chanteur engagé. Il militait pour de meilleures conditions de vie et pour la liberté de son peuple, et il protestait contre toutes les injustices. Sa musique a été populaire partout dans le monde. Il a influencé beaucoup d'autres musiciens et musiciennes.

4 Chaque année, le Québec accueille des étudiantes et des étudiants de l'étranger.

«Selon les données du ministère de l'Éducation, en 1997, 11 740 étudiantes et étudiants de l'étranger fréquentaient les universités québécoises, soit 5,2 % du total des inscriptions. À la même période, dans l'ensemble des universités canadiennes, on comptait 32 000 étudiantes et étudiants internationaux, soit 4 % des étudiantes et étudiants.

Au Québec, les étudiantes et étudiants étrangers proviennent principalement d'Europe (4 350), d'Afrique (3 100), d'Asie (1 400), d'Amérique latine et des Antilles (1 100), ainsi que des États-Unis (1 100) et du Moyen-Orient (500).

Elles et ils sont surtout attirés par les sciences appliquées (2 100), les sciences de l'administration (1 800), les sciences humaines (1 550), les sciences pures (950) et les lettres (900).»

Mario Bélanger, «Hidetaka, Piedad, Driss et les autres», *Réseau*, magazine de l'Université du Québec, mai 1999. (L'auteur remercie Ginette Lortie, du Bureau de la recherche institutionnelle de l'Université du Québec, et Denis Lebel, de l'UQAR, pour avoir fourni ces données.)

5 Le développement international

«Les projets de développement à l'étranger recèlent souvent d'excellents débouchés d'affaires. Il existe plusieurs programmes à l'intention des entreprises désireuses d'en tirer parti.

Le PCI (Programme de coopération internationale) est un programme de subventions offert par l'entremise de l'Agence canadienne de développement international. Il fournit une aide financière et des conseils aux entreprises canadiennes qui projettent d'investir ou d'obtenir des marchés dans des **pays en développement** et ce, dans plusieurs secteurs. Les subventions couvrent une partie des coûts liés au développement commercial, aux études techniques et de viabilité, à la formation du personnel local et aux questions environnementales. Si votre entreprise envisage un projet commercial dans un pays en développement, le PCI vous fournira l'appui dont vous avez besoin.»

À faire

1. (doc. 1 et 3)
   a) Explique les paroles de la chanson *Colonial Mentality* de Fela Anikulapo Kuti.
   b) Peux-tu nommer d'autres artistes qui défendent des causes sociales ou humanitaires ?
2. (doc. 2) Dans quelles régions du monde trouve-t-on les pays les plus industrialisés ?
3. (doc. 4) D'après toi, pourquoi certaines personnes choisissent-elles d'étudier à l'étranger ?
4. (doc. 5) Pourquoi le gouvernement canadien finance-t-il les entreprises qui veulent s'établir dans les pays en développement ?

Lexique

Pays en développement
Pays qui n'a pas atteint le niveau d'industrialisation des pays plus riches.

Selon moi...

À l'aide des documents, rédige un court texte dans lequel tu expliqueras si, selon toi, il existe un lien entre la colonisation et le sous-développement de certains pays.

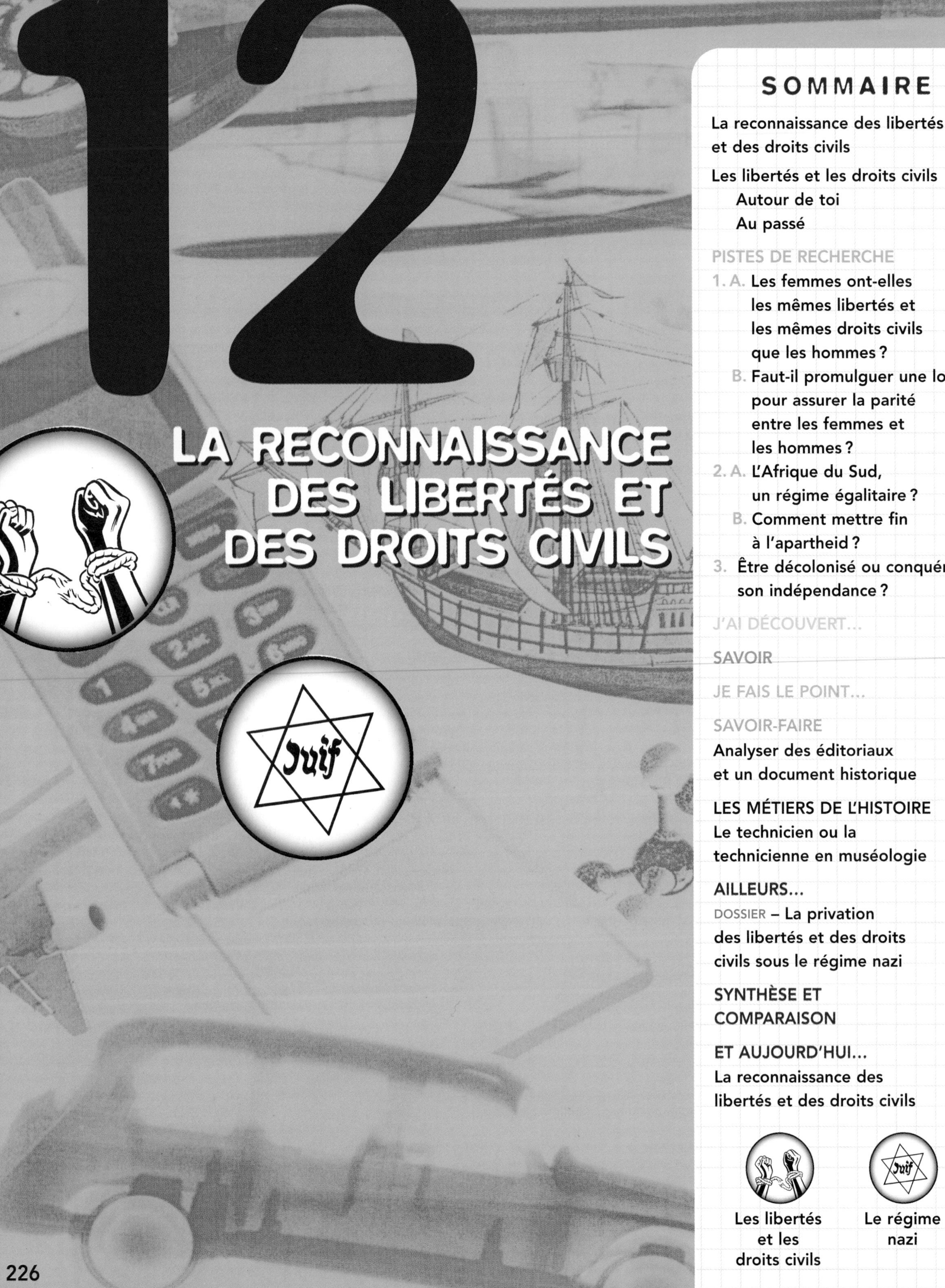

12

LA RECONNAISSANCE DES LIBERTÉS ET DES DROITS CIVILS

SOMMAIRE

La reconnaissance des libertés et des droits civils 228

Les libertés et les droits civils
- Autour de toi 230
- Au passé 232

PISTES DE RECHERCHE
1. A. Les femmes ont-elles les mêmes libertés et les mêmes droits civils que les hommes ? 234
   B. Faut-il promulguer une loi pour assurer la parité entre les femmes et les hommes ? 236
2. A. L'Afrique du Sud, un régime égalitaire ? 238
   B. Comment mettre fin à l'apartheid ? 240
3. Être décolonisé ou conquérir son indépendance ? 242

J'AI DÉCOUVERT… 244

SAVOIR 246

JE FAIS LE POINT… 252

SAVOIR-FAIRE
Analyser des éditoriaux et un document historique 254

LES MÉTIERS DE L'HISTOIRE
Le technicien ou la technicienne en muséologie 256

AILLEURS… 258

DOSSIER – La privation des libertés et des droits civils sous le régime nazi 260

SYNTHÈSE ET COMPARAISON 266

ET AUJOURD'HUI…
La reconnaissance des libertés et des droits civils 268

Les libertés et les droits civils

Le régime nazi

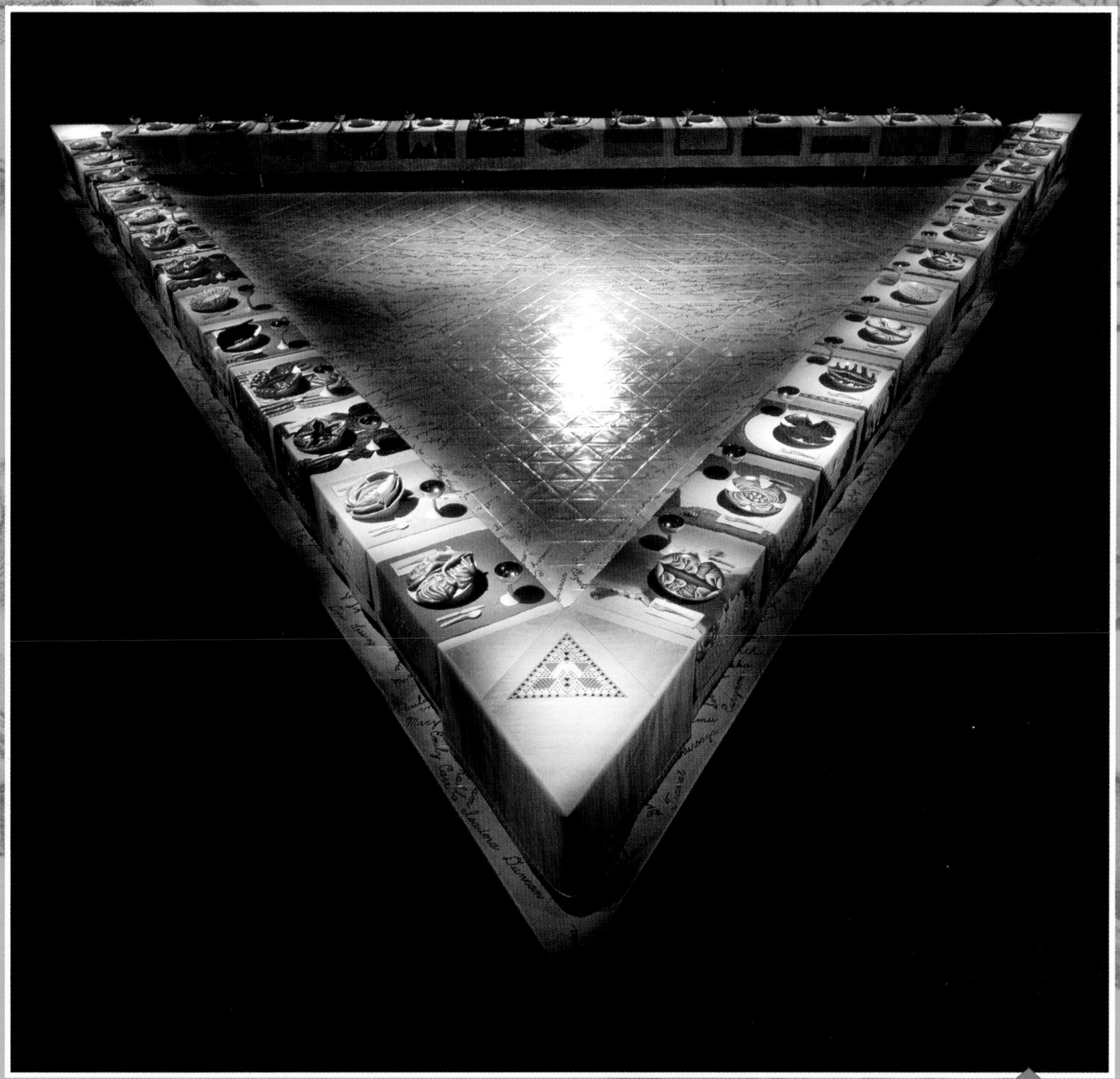

RC

The Dinner Party

(Judy Chicago, 1979, The Brooklyn Museum, New York, États-Unis. © Judy Chicago / SODRAC [2006].)

Cette œuvre de la féministe G états-unienne Judy Chicago représente une table monumentale, de forme triangulaire, sur laquelle on trouve 39 couverts pour 39 femmes qui ont marqué l'histoire. L'artiste voulait ainsi rendre hommage aux femmes ayant œuvré dans divers domaines et lutter contre l'amnésie collective au sujet de la contribution des femmes à la civilisation occidentale.

La reconnaissance des libertés et des droits civils

À la fin du XIXe siècle et au début du XXe, un mouvement de luttes pour la conquête des libertés et des droits civils s'est amorcé dans les pays occidentaux industrialisés et dans les colonies européennes d'Afrique et d'Asie. Divers groupes ont réclamé la reconnaissance des droits civils et le respect des principes d'égalité et de liberté pour tout le monde. Des mouvements semblables existent encore aujourd'hui dans plusieurs pays.

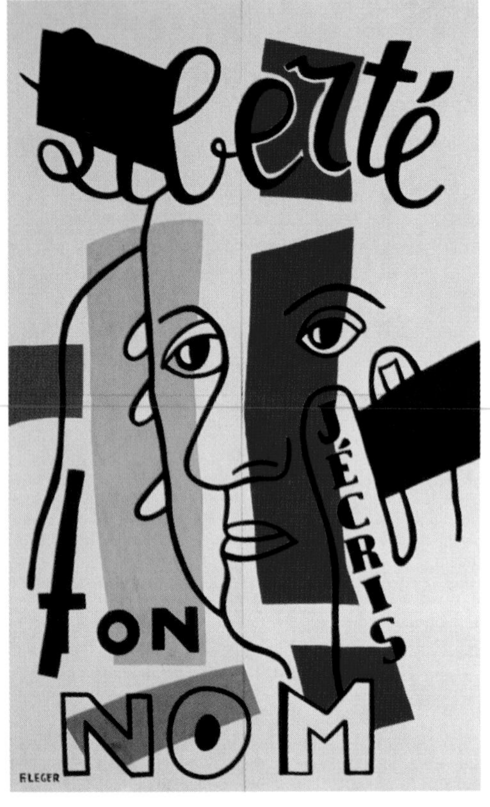

Liberté, j'écris ton nom

(Fernand Léger, *Liberté, j'écris ton nom*, peinture murale inspirée du poème de Paul Éluard, 1953, musée Fernand-Léger, Biot, France.)

Le peintre français Fernand Léger (1881-1955) a illustré le poème «Liberté» de Paul Éluard par un portrait du poète. Léger est l'un des artistes les plus importants du XXe siècle. Tout comme Paul Éluard, il a connu la répression, la discrimination et la perte de libertés et de droits civils.

Liberté

«Sur mes cahiers d'écolier
Sur mon pupitre et les arbres
Sur le sable sur la neige
J'écris ton nom

Sur toutes les pages lues
Sur toutes les pages blanches
Pierre sang papier ou cendre
J'écris ton nom

Sur les images dorées
Sur les armes des guerriers
Sur la couronne des rois
J'écris ton nom

[...]

Et par le pouvoir d'un mot
Je recommence ma vie
Je suis né pour te connaître
Pour te nommer

Liberté.»

Paul Éluard (1895-1952), *Poésie et vérité* (1942), dans *Paul Éluard*, Pierre Seghers, coll. «Poètes d'aujourd'hui», 2002.

EXPANSION DU MONDE INDUSTRIEL

RÉVOLUTION INDUSTRIELLE EN ANGLETERRE

RECONNAISSANCE DES LIBERTÉS ET DES DROITS CI

1885

1900

1918

Obtention du droit de vote des femmes au Canada

ÉPOQUE CONTEMPORAINE

Le Pacte international relatif aux droits civils et politiques (2002)

Ce pacte, ratifié en 1966, est entré en vigueur en 1976. En signant le pacte, les États reconnaissaient aux peuples le droit de disposer d'eux-mêmes et aux individus, le droit de vivre libres et sans discrimination.

«**Article 26** – Toutes les personnes sont égales devant la loi et ont droit sans discrimination à une égale protection de la loi. À cet égard, la loi doit interdire toute discrimination et garantir à toutes les personnes une protection égale et efficace contre toute discrimination, notamment de race, de couleur, de sexe, de langue, de religion, d'opinion politique et de toute autre opinion, d'origine nationale ou sociale, de fortune, de naissance ou de toute autre situation.»

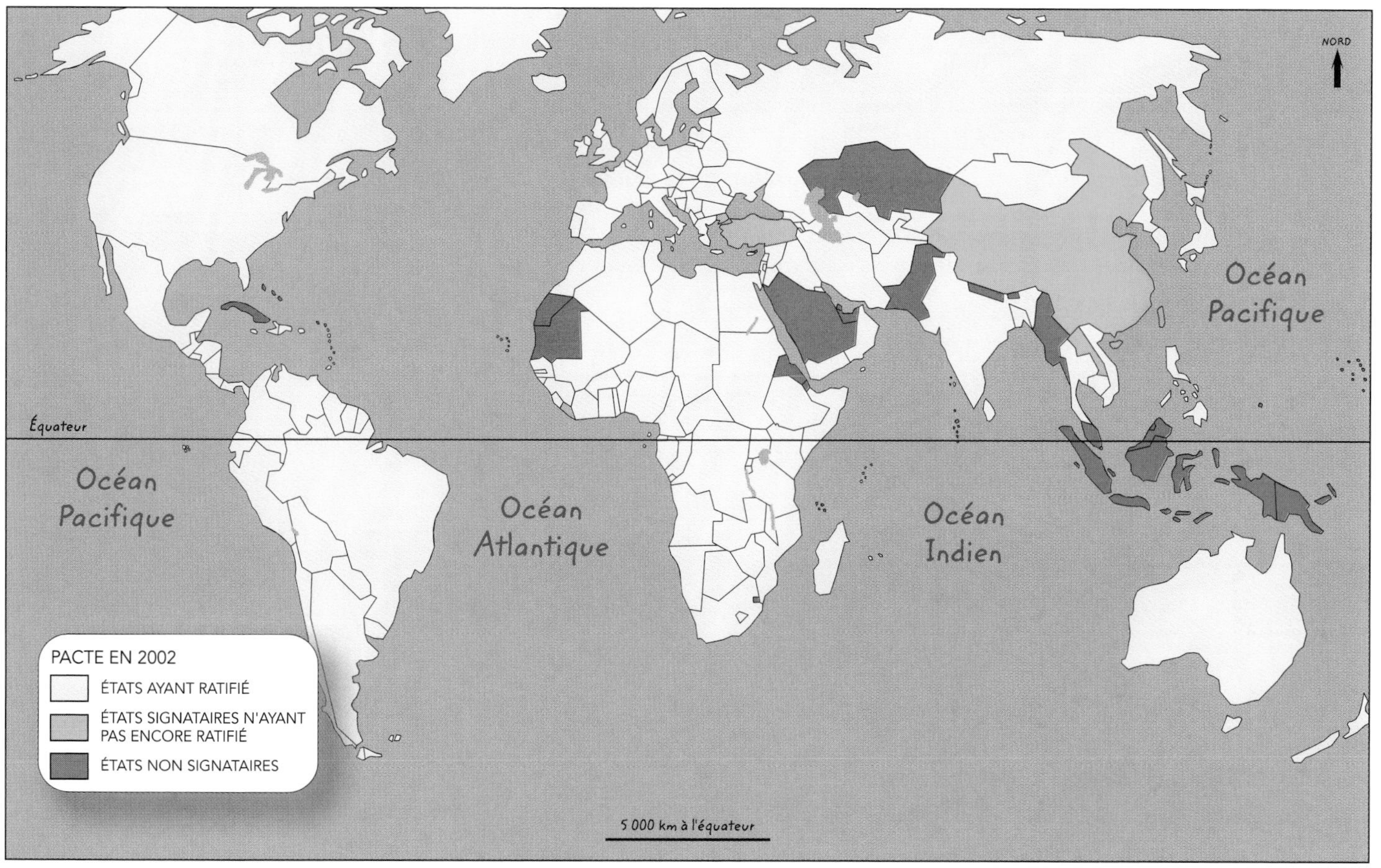

1960

1994
Abolition de l'apartheid en Afrique du Sud

1 En Australie

Un groupe d'aborigènes manifestent contre le bicentenaire de l'Australie. Les aborigènes ou *Koories* («notre peuple») sont les premiers habitants de l'Australie. Ils occupaient le territoire avant l'arrivée des colons anglais. C'est pourquoi ils revendiquent les droits de propriété de leurs terres ancestrales.

2 La Commission des droits de la personne du Québec

«Tout être humain possède des droits et libertés destinés à assurer sa protection et son épanouissement. Et tous sont égaux en valeur et en dignité... C'est ce qu'affirme la Charte des droits et libertés de la personne. Et ce sont de tels droits que vise à protéger la Loi sur la protection de la jeunesse.

Mais ces idéaux peuvent avoir pour revers la discrimination, le harcèlement, l'exploitation, l'exclusion ou, pour des enfants en difficulté, des lacunes dans les services auxquels ils ont droit.

La Commission a pour mission de veiller à la promotion et au respect des droits au Québec. Elle propose donc une vue d'ensemble sur ces réalités et sur les recours prévus en cas d'atteintes aux droits.»

Commission des droits de la personne du Québec.

3 En Afghanistan

Des femmes afghanes vêtues de burkas votent aux élections parlementaires et des conseils provinciaux en septembre 2005. Sur les 249 sièges de la Wolesi Jirga (la Chambre du peuple de l'Assemblée nationale), 68 étaient réservés aux femmes.

4 Au Tibet

Tenzin Gyatso, le quatorzième dalaï-lama, en 2005.

Le dalaï-lama («Océan de Sagesse») est le chef religieux et politique du Tibet. Il vit en exil depuis 1959. Autrefois, le Tibet était un État souverain, mais depuis 1950, les Chinois occupent le territoire. Tenzin Gyatso a reçu le prix Nobel de la paix en 1989 pour avoir sans relâche proposé, toujours dans la voie de la non-violence, la démocratisation de son pays et la liberté de son peuple.

5 Les Prix québécois de la citoyenneté

Décernés depuis 1997, les Prix québécois de la citoyenneté visent à souligner les réalisations de citoyens et de citoyennes, d'entreprises ou d'organismes des secteurs public, parapublic et privé, ainsi que d'organismes à but non lucratif. Ces prix sont attribués dans le but de promouvoir les relations interculturelles, d'encourager la lutte contre le racisme et de mettre en valeur les efforts en matière d'accès à l'égalité en emploi.

En 2004, la ministre Michelle Courchesne déclarait: «Les Prix québécois de la citoyenneté sont pour moi le reflet de la vitalité démocratique de la société québécoise, de sa sensibilité aux grandes valeurs qui lui sont chères: la solidarité, l'engagement social, le respect des droits et libertés de la personne, et l'ouverture à la diversité.»

Ministère de l'Immigration et des Communautés culturelles du gouvernement du Québec, © Gouvernement du Québec, 2005.

L'œuvre d'art remise aux lauréats et lauréates des Prix québécois de la citoyenneté est une sculpture réalisée par l'artiste québécoise Danielle Thibeault.

6 L'affaire «personne», un tournant dans l'histoire des droits des femmes

En 1927, cinq Canadiennes ont demandé à la Cour suprême du Canada de déterminer si le mot «personne» de l'article 24 de l'Acte de l'Amérique du Nord britannique de 1867 comprenait les femmes, leur permettant ainsi d'être nommées au Sénat. La Cour a répondu que le mot «personne» excluait les femmes. Indignées, les activistes ont fait appel à une cour supérieure, le Conseil privé situé en Angleterre. Le 18 octobre 1929, le Conseil a statué que sur le plan juridique, le terme «personne» de la Constitution canadienne incluait les femmes, qui pouvaient dorénavant participer pleinement aux affaires de l'État.

«La femme serait vraiment l'égale de l'homme le jour où, à un poste important, on désignerait une femme incompétente.»

Françoise Giroud

Le Monde, 11 mars 1983.

7 Françoise Giroud (1916-2003)

Née en France de parents turcs immigrés, Françoise Giroud a été journaliste, auteure et première secrétaire d'État à la Condition féminine (1974), puis secrétaire d'État à la Culture (1976-1977).

Activité de discussion

Trouvez cinq mots ou expressions qui décrivent l'ensemble de ces documents et exprimez en une phrase ce qu'ils évoquent pour vous.

1 Martin Luther King explique sa conception de la liberté.

***I Have A Dream* («*J'ai un rêve*»)**

«Il y a un siècle de cela, un grand Américain [Abraham Lincoln] qui nous couvre aujourd'hui de son ombre symbolique signait notre acte d'émancipation.

Mais cent ans ont passé et le Noir n'est pas encore libre. Cent ans ont passé et l'existence du Noir est toujours tristement entravée par les liens de la ségrégation, les chaînes de la discrimination. [...] Cent ans ont passé et le Noir vit encore sur l'île de la pauvreté, au milieu d'un vaste océan de prospérité matérielle. Cent ans ont passé et le Noir languit toujours dans les marges de la société américaine et se trouve en exil dans son propre pays. [...]

Je rêve qu'un jour, cette nation se lèvera et vivra selon le véritable sens de sa foi politique: "Nous tenons ces vérités pour évidentes que les hommes naissent égaux." Je rêve qu'un jour, sur les collines de terre rouge de la Géorgie, les fils des anciens esclaves et les fils des anciens propriétaires d'esclaves pourront s'asseoir ensemble à la table de la fraternité. Je rêve qu'un jour, mes quatre jeunes enfants vivront dans une nation où ils ne seront pas jugés d'après la couleur de leur peau, mais d'après leur caractère.»

Extraits du discours de Martin Luther King à Washington, le 28 août 1963.

2 Gandhi explique sa conception de la désobéissance civile.

Dans la colonie britannique des Indes, les autorités coloniales avaient établi certaines lois dégradantes pour les Indiens, comme celle qui les obligeait à ramper lorsqu'ils passaient devant la maison du gouverneur et celle qui les obligeait à se prosterner devant un militaire anglais.

«Dans le domaine de la politique, lutter dans l'intérêt du peuple consiste surtout à combattre l'erreur manifestée sous forme de lois injustes. [...]

Le criminel enfreint les lois subrepticement et tâche de se soustraire au châtiment; tout autrement agit celui qui résiste civilement. Il se montre toujours respectueux des lois de l'État auquel il appartient, non par crainte des sanctions, mais parce qu'il considère ces lois nécessaires au bien de la société. Seulement, en certaines circonstances, assez rares, la loi est si injuste qu'obéir semblerait un déshonneur. Alors, ouvertement et civilement, il viole la loi et subit avec calme la peine encourue pour cette infraction. Puis, afin d'affirmer sa protestation contre l'action des législateurs, il lui reste la possibilité de refuser sa coopération à l'État, en désobéissant à d'autres lois dont l'infraction n'entraîne pas de déchéance morale.»

Mohandas K. Gandhi, *La Jeune Inde*,
trad. Hélène Hart, Stock, 1924, rééd. 1948.

3 «*J'ai un rêve*»

Martin Luther King prononçant son célèbre discours devant le Lincoln Memorial à Washington, le 28 août 1963. King était à la tête de l'historique marche pour les droits civils à Washington.

Martin Luther King

(1929-1968)
Pasteur noir états-unien, Martin Luther King a milité pour la reconnaissance des libertés et des droits civils des Noirs aux États-Unis. En 1957, il a fondé la Southern Christian Leadership Conference (le Conseil des congrégations chrétiennes du Sud), une organisation qui prône l'action non violente pour dénoncer toute forme de ségrégation raciale. Martin Luther King a obtenu le prix Nobel de la paix en 1964. Le 4 avril 1968, il a été assassiné par un opposant à ses idées.

4 Thérèse Casgrain explique sa conception de la libération de la femme.

«La véritable libération de la femme ne pourra pas se faire sans celle de l'homme. Au fond, le mouvement de la libération des femmes n'est pas uniquement féministe d'inspiration, il est aussi humaniste. Que les hommes et les femmes se regardent honnêtement et qu'ils essayent ensemble de revaloriser la société. Le défi auquel nous, femmes et hommes, avons à faire face est celui de vivre pour une révolution pacifique et non pas de mourir pour une révolution cruelle et, en définitive, illusoire.»

Thérèse Casgrain,
Une femme chez les hommes,
Éditions du Jour, 1971.

5 Une féministe et humaniste québécoise

Thérèse Casgrain à Montréal, en 1961. Tout au long de sa vie, Thérèse Casgrain a participé à des activités sociales et politiques.

Thérèse Casgrain

(1896-1981)
Thérèse Casgrain a été la première femme chef d'un parti politique au Canada, le Cooperative Commonwealth Federation (CCF), l'ancêtre du Nouveau Parti démocratique (NPD). Une grande femme de l'histoire du Québec et du Canada, elle a contribué à la défense des libertés et des droits de la personne, et a milité pour les droits de la femme. Elle a également fait la promotion de la paix dans le monde.

À faire

1. (doc. 1) Quel sens Martin Luther King donne-t-il à la liberté ?
2. (doc. 2) Comment Gandhi propose-t-il d'agir contre des lois jugées injustes ?
3. (doc. 4) Explique pourquoi Thérèse Casgrain est en faveur de la libération pacifique des femmes.

Lexique

Féministe Personne ou organisation qui défend les libertés et les droits civils des femmes, et qui revendique l'égalité entre les femmes et les hommes.

ET TOI ?

À l'aide des documents présentés dans cette double page et de tes connaissances, rédige ta propre définition du concept de liberté.

PISTE DE RECHERCHE 1

A. Les femmes ont-elles les mêmes libertés et les mêmes droits civils que les hommes ?

Depuis la fin du XIXe siècle, des femmes de plusieurs pays industrialisés ont réclamé qu'on leur accorde les mêmes libertés et les mêmes droits civils que les hommes.

1 Une suffragette G française sur le droit de vote

« Mesdames, il faut bien nous le dire, l'arme du vote sera pour nous ce qu'elle est pour l'homme, le seul moyen d'obtenir des réformes que nous désirons. Pendant que nous serons exclues de la vie civique, les hommes songeront à leurs intérêts plutôt qu'aux nôtres. […]

Aimerions-nous moins la liberté que l'homme ? Ne rougissons-nous pas de la situation qui nous est faite ? Nous sommes neuf millions de femmes majeures qui formons une nation d'esclaves dans la nation d'hommes libres. […]

Par le fait qu'on paie l'impôt, on a le droit de participer à l'établissement de l'impôt. Étant contribuable, on doit être électeur. Les droits, les fonctions largement rétribuées appartiennent aux hommes seuls. »

Hubertine Auclert, *Le droit politique des femmes, ou question qui n'est pas traitée au Congrès international des femmes*, 1878.

2 Les suffragettes s'organisent.

Des suffragettes manifestent à New York, aux États-Unis, en 1915. À l'avant-plan, on distingue une délégation canadienne.

Au début du XXe siècle, les suffragettes formaient des associations qui menaient des campagnes pour obtenir le droit de vote des femmes en Angleterre, aux États-Unis, au Canada, en France et dans plusieurs autres pays. Les suffragettes étaient généralement issues des classes bourgeoises de ces pays.

3 Une Anglaise résume les arguments antiféministes du Sénat français.

- «Les femmes jouissent au regard des hommes d'une position et de privilèges qu'elles perdraient en descendant dans l'arène politique.
- La place de la femme est dans son foyer; son émergence dans la vie politique menacerait dangereusement la famille.

[...]

- Le fossé qui sépare la femme de l'homme tant dans le domaine de l'intelligence que de l'éducation interdit leur égalité politique et civique.
- Si les femmes ont été déclarées incapables par le Code civil lui-même, c'est bien parce qu'elles ont besoin d'être protégées. Cette protection n'implique aucune supériorité ni infériorité par rapport à l'homme, mais simplement une différence.
- La majorité numérique des femmes constitue une disparité en cette époque postérieure à la Grande Guerre; il faut donc attendre pour envisager le suffrage féminin des temps où l'équilibre du nombre entre hommes et femmes sera redevenu plus normal.
- Le suffrage ne constitue pas un droit en soi mais un privilège accordé par l'État souverain à ceux qu'Il juge dignes de l'exercer.»

Frances Ida Clark, *The Position of Women in Contemporary France*, Londres, P. S. King and Son Ltd (1937), citée dans Michèle Sarde, *Regard sur les Françaises – Les Françaises... trop aimées?* Stock, 1983.

4 Que faire de cette liberté ?

Léon Blum était un homme politique et un écrivain français membre du Parti socialiste.

«On ne peut encore saisir dans toute leur diversité les problèmes que posera la libération progressive des femmes. Autant que j'en puisse juger, le mouvement révolutionnaire qui doit affranchir leur sexe est presque achevé. Presque toutes les barrières qui contenaient leur liberté sont abattues. Mais si l'œuvre négative est à peu près achevée, le travail de reconstruction commence à peine. Elles sont dans l'état de trouble étrange où se sont trouvés les peuples au lendemain des révolutions. On s'aperçoit qu'on est libre, mais que faire de la liberté ?»

Léon Blum, *Du mariage*, P. Ollendorf, 1907.

5 Une caricature par Albéric Bourgeois en 1935

• • MISSION • •

Vous êtes des suffragettes canadiennes au début du XXe siècle. Vous devez organiser une manifestation pour revendiquer le droit de vote pour les femmes. Fabriquez des pancartes avec des slogans pour votre rassemblement.

B. Faut-il promulguer une loi pour assurer la parité entre les femmes et les hommes ?

Dans la plupart des pays occidentaux industrialisés, les femmes ont obtenu le droit de vote au XXe siècle : en 1918 au Canada (mais seulement en 1940 au Québec), en 1920 aux États-Unis et en 1944 en France. Ce droit est aujourd'hui reconnu dans la plupart des démocraties occidentales.

1 Le Conseil des ministres du gouvernement du Québec en 2005

2 Le pourcentage des femmes dans les assemblées parlementaires de certains pays en 2004

Pays	Pourcentage (%)
Suède	42,7
Danemark	37,4
Norvège	36,4
Allemagne	30,9
Espagne	28,3
Argentine	26,5
Suisse	23,0
Australie	22,4
Chine	21,8
Canada	**19,9**
Royaume-Uni	18,4
États-Unis	12,9
Sénégal	12,1
Colombie	11,8
Tunisie	11,5
France	**10,9**
Inde	8,8
Brésil	5,7
Japon	5,0
Algérie	3,4

3 Le pourcentage des femmes dans la population universitaire de premier cycle inscrite à temps plein au Canada[1]

Années	1920-1921	1930-1931	1940-1941	1950-1951	1960-1961	1970-1971	1980-1981	1990-1991	1997-1998
Pourcentage (%)	16,3	23,5	23,3	21,7	24,9	36,7	46	52,6	55,7

1. La province de Terre-Neuve est comprise seulement à partir de 1951.

4 La présence des femmes à l'Assemblée nationale du Québec : élections générales de 1962 à 2003

Élection générale	Nombre d'élues	Nombre de sièges	Pourcentage (%)
1962	1	95	1,1
1966	1	108	0,9
1970	1	108	0,9
1973	1	110	0,9
1976	5	110	4,5
1981	8	122	6,6
1985	18	122	14,8
1989	23	125	18,4
1994	23	125	18,4
1998	29	125	23,2
2003	38	125	30,4

5 Une nouvelle loi, votée en 1999, assure la parité entre les femmes et les hommes en France.

« Pour la première fois dans le monde, un pays – la France – se dote d'une législation pour réaliser la parité entre les femmes et les hommes. Son objectif est qu'un nombre égal de femmes et d'hommes siègent dans les assemblées politiques. Cette loi va accélérer la modernisation de la vie politique, renforcer la démocratie. »

Observatoire de la parité entre les femmes et les hommes, Paris, France.

6 Pourquoi, aujourd'hui encore, les femmes en France sont-elles désavantagées par rapport aux hommes ?

« Si les femmes sont désavantagées par rapport aux hommes, cela tient au regard porté sur elles par la société. Cependant, il n'est pas sûr que la contrainte puisse imposer un renversement de tendance. »

© La Documentation française.

7 Extrait du préambule de la Constitution française de 1946

« La loi garantit à la femme, dans tous les domaines, des droits égaux à ceux de l'homme. »

• • MISSION • •

Vous êtes des conseillers et des conseillères politiques. Le premier ministre du Québec vous demande de proposer des mesures pour assurer la parité entre les hommes et les femmes à l'Assemblée nationale. Quelles mesures suggérerez-vous ?

PISTE DE RECHERCHE 2

A. L'AFRIQUE DU SUD, UN RÉGIME ÉGALITAIRE ?

L'Afrique du Sud a été colonisée par les Hollandais au XVIIIe siècle, puis par les Anglais au XIXe siècle. Les colons hollandais – les Afrikaners – et les colons anglais ont exploité ce territoire au détriment des populations noires africaines. L'Afrique du Sud est devenue indépendante au XXe siècle. En 1910, les Sud-Africains de descendance hollandaise et anglaise ont créé l'Union sud-africaine, qui est devenue la République sud-africaine en 1961.

RC

1 L'apartheid

En 1948, le gouvernement sud-africain a instauré l'apartheid, une politique prônant le développement séparé des Blancs et des Noirs sud-africains. «Apartheid» est un mot afrikaans (avec l'anglais, la langue officielle de l'Afrique du Sud) emprunté du français «à part».

« **1.** Interdiction de tout mariage interracial.
2. Abolition de toute représentation des Noirs au Parlement.
3. Interdiction des syndicats africains.
4. Contrôle des déplacements des Africains vers les villes.
5. Création de réserves indigènes, baptisées "foyers nationaux" ("*homelands*" ou "bantoustans").
6. Certains emplois seront réservés aux Blancs.»

Jeff Tremblay, *Afrique du Sud – L'apartheid sans masque*, Karthala, 1987.

3 La banlieue noire de Soweto

«Soweto» est un acronyme de *South West Townships*. Les *townships* sont des **ghettos** noirs sud-africains. Soweto se trouve en banlieue de Johannesburg, la capitale de l'Afrique du Sud (*doc. 5*).

2 La répartition de la population et de la richesse en Afrique du Sud en 1975

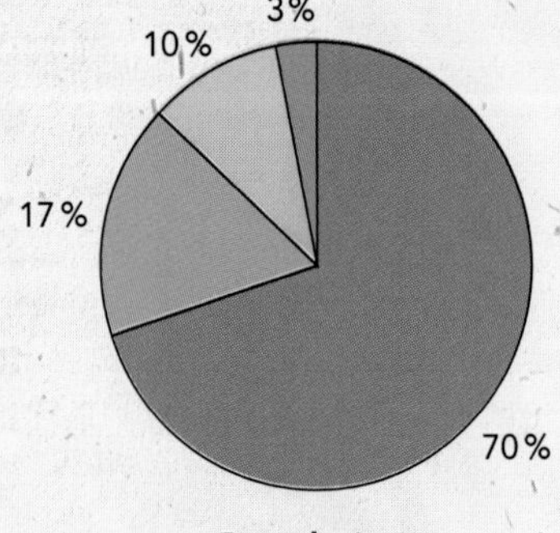

Population

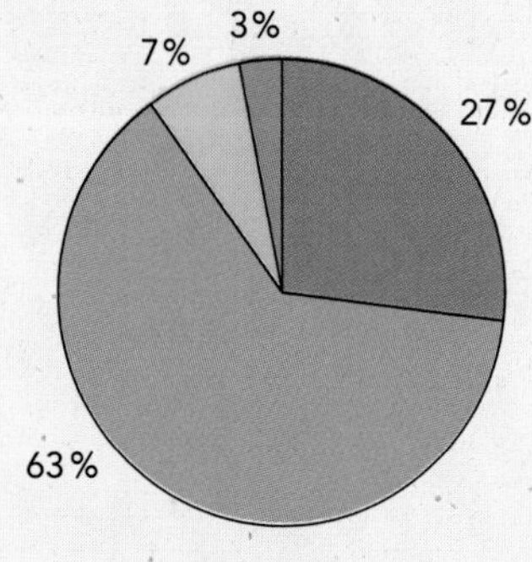

Richesse

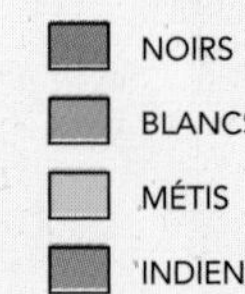

Lexique

Ghetto Lieu où vit une communauté séparée du reste de la société.

4 Un historien blanc sud-africain explique la politique de l'apartheid.

RC

«Cette politique basait son principe sur la conviction que la ségrégation était le seul moyen possible de faire subsister la civilisation blanche en Afrique du Sud, et de laisser aux Blancs le droit de décider eux-mêmes de leur propre sort.

Le Dr H. F. Verwoerd est indéniablement l'architecte d'une réponse créative et plus positive au problème de la séparation des races. D'abord ministre des Affaires indigènes (1950-1958), puis premier ministre (1958-1966), Verwoerd affirmait que son gouvernement allait permettre aux Noirs de se développer avec justice et équité; cette politique fut connue sous le nom de développement séparé.»

Wilhelm Grütter et D. J. van Zyl, *L'histoire de l'Afrique du Sud*, Human & Rousseau, 1982.

5 Une vue aérienne de Johannesburg

La capitale sud-africaine est une ville moderne très développée. Du temps de l'apartheid, les populations noires n'avaient pas le droit d'habiter dans cette ville.

MISSION

Nous sommes en 1980. Vous êtes des historiennes et des historiens d'Afrique du Sud. Vous participez à un congrès international au cours duquel vous devez faire une présentation du régime de l'apartheid en Afrique du Sud. En équipe, créez une affiche ou un dessin, rédigez un texte ou préparez un exposé oral pour expliquer ce qu'est l'apartheid.

B. COMMENT METTRE FIN À L'APARTHEID ?

Plusieurs mouvements se sont opposés à l'apartheid en Afrique du Sud. Certains mouvements prônaient les actes violents, d'autres l'action politique. Des mouvements d'opposition se sont aussi manifestés à l'extérieur du pays.

1 Une émeute à Soweto en 1986

Des étudiantes et étudiants protestent contre l'apartheid dans les rues de Soweto, un ghetto près de Johannesburg. Ces émeutes étaient parfois violemment réprimées par la police et par l'armée.

2 Johnny Clegg à Johannesburg en 1992

Ce chanteur sud-africain a milité contre l'apartheid. L'opposition à cette politique venait parfois de Blanches et de Blancs sud-africains dissidents qui n'hésitaient pas à mettre en cause leurs privilèges pour défendre les principes d'égalité et de justice. Certaines de ces personnes ont été emprisonnées à plusieurs reprises.

3 *Asimbonanga* (Mandela)

«**Refrain**
Nous ne l'avons pas vu
Nous n'avons pas vu Mandela
Là où il est
Là où il est prisonnier

Oh, la mer est glaciale
Et le ciel est gris
Regarde au-delà de l'île
Jusqu'à la baie
Nous sommes tous des îles jusqu'à
Ce qu'arrive le jour
Où nous traverserons l'eau
En flammes.

Refrain

Une mouette survole
La mer
Je rêve de silence brisé

Qui détient les mots
Qui refermeront la distance
Qui nous sépare ?

Steve Biko, Victoria Mxenge
Neil Aggett
Asimbonanga

Nous ne l'avons pas vu
Nous n'avons pas vu notre frère
Là où il est
Là où il est mort

Hé, toi
Et toi et toi aussi
Quand arriverons-nous à notre
Vraie destination ?»

4 La position de l'ANC

L'ANC (le *African National Congress*, en français le Congrès national africain) est un groupement politique qui a combattu l'apartheid en Afrique du Sud.

«L'ANC a été fondé en 1912 pour combattre la discrimination raciale. [...] L'ANC a été frappé d'interdiction en Afrique du Sud en 1960, à la suite d'une puissante série de campagnes de désobéissance aux lois racistes. Après un demi-siècle de résistance non violente, l'ANC a mis sur pied une aile militaire [...] et s'est lancé dans une campagne de sabotage matériel, faute de se voir proposer quelque autre possibilité de changement. [...] Contraint à la clandestinité, l'ANC [a opté], non sans vives discussions internes, pour la lutte armée.»

Jeff Tremblay, *Afrique du Sud – L'apartheid sans masque*, Karthala, 1987.

5 La position de Steve Biko: la conscience noire

Steve Biko, un étudiant noir, est l'un des héros de la lutte anti-apartheid. Il a été arrêté en 1977 et est décédé en prison peu de temps après son arrestation. Selon lui, les Noirs ne pouvaient se libérer de l'apartheid que s'ils cessaient de se sentir inférieurs aux Blancs.

«Je ne cherche pas à être l'égal de l'homme blanc, je cherche à me situer en tant que créature de Dieu. Je dois affirmer *mon existence* en tant que personne humaine. [...] Il nous faut tenir compte des années et des années d'**endoctrinement** qui ont débuté dès la première rencontre entre colonisateurs blancs et tribus noires. Toutes les valeurs se situaient par rapport à l'homme blanc – et pour celui-ci l'individu est classé en fonction de l'argent qu'il possède; cette façon de voir a d'ailleurs été adoptée par les Noirs eux-mêmes. Le plus urgent à l'heure actuelle est de libérer l'esprit de l'homme noir. [...]

La première chose à faire est donc d'amener le Noir à se remettre en cause, de lui insuffler une nouvelle fierté, une nouvelle dignité et de lui rappeler qu'il s'est fait lui-même le complice du crime qui a permis que le démon règne sur le pays de sa naissance.»

Steve Biko, cité dans Donald Woods,
Vie et mort de Steve Biko, trad. H. Grégoire,
© Éditions Stock, 1978, pour la traduction française.

Lexique

Endoctrinement Fait d'imposer des idées ou des principes à une personne ou à un groupe.

6 Un symbole de la lutte anti-apartheid

RC

Nelson Mandela, le président de la République d'Afrique du Sud (1994-1999), en 1994.

Nelson Mandela
(1918–)
Militant pour la reconnaissance des droits et libertés des Noirs sud-africains, Nelson Mandela a été arrêté en 1962 par les autorités blanches de l'Afrique du Sud et condamné à la prison à vie en 1964. Il n'a été libéré que 26 ans plus tard, en 1990. Il a été élu président de la République sud-africaine en 1994.

MISSION

Nous sommes en 1960. Vous êtes Nelson Mandela. Vous devez choisir un moyen d'action contre l'apartheid. Quelle position adopterez-vous: celle de l'ANC ou celle de Steve Biko? Expliquez votre choix dans un court texte.

ÊTRE DÉCOLONISÉ OU CONQUÉRIR SON INDÉPENDANCE ?

Au XXe siècle, les peuples africains et asiatiques, se rebellant contre les conditions que leur imposaient les autorités coloniales, ont formé des mouvements pour revendiquer leur indépendance. Certaines élites des sociétés colonisées qui avaient étudié dans les métropoles G avaient acquis des principes démocratiques.

1 Frantz Fanon, un psychiatre antillais, sur la décolonisation de l'Algérie

«Allons, camarades, il vaut mieux décider dès maintenant de changer de bord. […]

Quittons cette Europe qui n'en finit pas de parler de l'homme tout en le massacrant partout où elle le rencontre, à tous les coins de ses propres rues, à tous les coins du monde.

Voilà des siècles que l'Europe a stoppé la progression des autres hommes et les a asservis à ses desseins et à sa gloire; des siècles qu'au nom d'une prétendue "aventure spirituelle" elle étouffe la quasi-totalité de l'humanité.»

Frantz Fanon, *Les damnés de la terre*, Gallimard, 1991 (Maspero 1961).

2 L'attitude des populations des métropoles face à la colonisation

La majorité des habitants des métropoles européennes comme la France, l'Angleterre et la Belgique étaient peu renseignés sur les conditions qui régnaient dans les colonies. Ces personnes visitaient rarement les colonies et celles qui en revenaient en présentaient souvent une image idéalisée. Plusieurs croyaient sincèrement en la mission civilisatrice de la colonisation et en ses bienfaits. En outre, les États coloniaux avaient souvent recours à la censure pour empêcher les défenseurs des peuples colonisés de se faire entendre. Pour ces raisons, les populations des métropoles, mal informées sur les revendications des peuples colonisés, donnaient peu d'appui aux mouvements de décolonisation et d'indépendance nationale.

3 Un géographe français commente les revendications nationalistes en Afrique.

«Le continent africain n'échappe pas à la même évolution; les idées d'autonomie pénètrent dans la société nègre G. […] Ces indigènes de Gold Coast, de Lagos, de Sierra-Leone, de Bathurst, assimilés presque complètement par la civilisation anglaise, ont la même langue, la même religion, les mêmes lois, les mêmes mœurs que les Anglais […]. Mais ils n'ont pas perdu le sentiment de race et ils soutiennent la cause de leurs frères; ils réclament depuis longtemps des libertés politiques; ils en propagent la notion dans toute l'Afrique occidentale. En 1920, ils réussissaient à réunir des délégués de tous les pays en un congrès qui demanda l'établissement du ***self-government*** dans l'Afrique occidentale et protesta contre l'inégalité des races.»

Albert Demangeon, *L'Empire britannique – Étude de géographie coloniale*, Armand Colin, 1923.

4 Extrait de la Résolution de l'Organisation des Nations Unies sur le droit des peuples à disposer d'eux-mêmes (1952)

«Les États membres de l'Organisation doivent reconnaître et favoriser la réalisation, en ce qui concerne les populations des territoires sous tutelle G placés sous leur administration, du droit des peuples à disposer d'eux-mêmes et doivent faciliter l'exercice de ce droit aux peuples de ces territoires, en tenant compte de l'esprit et des principes de la Charte des Nations Unies en ce qui concerne chaque territoire et de la volonté librement exprimée des populations intéressées, la volonté de la population étant déterminée par voie de **plébiscite** ou par d'autres moyens démocratiques reconnus, de préférence sous l'égide des Nations Unies.»

Lexique

Plébiscite Vote de confiance d'une population.

Self-government
Gouvernement autonome dans lequel les citoyens et citoyennes peuvent décider des affaires qui les concernent.

5 Extrait de la Déclaration de la Conférence des Nations Unies à Bandung, en Indonésie (1955)

«La conférence, après avoir discuté le problème des peuples dépendants du colonialisme et des conséquences de la soumission des peuples à la domination et à l'exploitation étrangères, est d'accord:

- pour déclarer que le colonialisme sous toutes ses formes est un mal auquel il doit être rapidement mis fin;
- pour affirmer que la soumission des peuples à la domination étrangère et à son exploitation est une violation des droits fondamentaux de l'homme, est contraire à la Charte des Nations Unies et empêche la paix et la coopération mondiales;
- pour affirmer son soutien à la cause de la liberté et de l'indépendance de tels peuples.»

Conférence de Bandung, Déclaration en faveur du développement, de la paix et de la coopération internationales, 1955.

Le premier ministre de l'Inde (1947-1964), Jawaharlal Nehru, et sa fille Indira Gandhi, à Bandung en 1955. L'Inde a obtenu son indépendance en 1947.

6 Des soldats franco-marocains à Hanoï, en Indochine française

En 1945, l'Indochine, aujourd'hui le Vietnam, a déclaré son indépendance. La France y a envoyé des troupes, dont certaines qui provenaient d'autres colonies françaises comme le Maroc et l'Algérie. Les Vietnamiens ont gagné la guerre d'Indochine et acquis leur liberté en 1955.

• • MISSION • •

Vous êtes des hommes et des femmes politiques travaillant à l'indépendance de votre pays africain. Vous vous adressez à un groupe de citoyens et de citoyennes d'une métropole coloniale (la France, la Belgique ou l'Angleterre) afin de les convaincre de la justesse de vos revendications. En équipe, créez une affiche politique qui présente votre position.

... la reconnaissance des libertés et des droits civils.

1. Le droit de vote des femmes

À la fin du XIXe siècle et au début du XXe, des femmes se sont regroupées dans plusieurs pays occidentaux industrialisés pour revendiquer le droit de vote et la reconnaissance de leurs libertés et de leurs droits civils. Les hommes politiques et une partie de la population s'opposaient à cette reconnaissance. Encore aujourd'hui, des mouvements de femmes militent pour obtenir la pleine égalité des droits avec les hommes. Dans plusieurs pays, les libertés et les droits civils des femmes ne sont toujours pas reconnus.

2. L'abolition de l'apartheid en Afrique du Sud

En Afrique du Sud, de nombreuses personnes voulaient mettre fin à la ségrégation et à la discrimination raciales dont elles étaient victimes. Cette discrimination était inscrite dans une loi, l'apartheid, qui visait le «développement séparé» des Blancs et des Noirs. Des dissidents blancs se sont joints aux militants noirs pour défendre les droits des Noirs. Des gens de l'extérieur du pays se sont aussi mobilisés pour s'opposer à cette politique. Même si l'apartheid a été aboli en 1994, des hommes et des femmes sont encore aujourd'hui victimes de discrimination dans plusieurs pays à cause de leurs différences ethniques, culturelles ou religieuses.

3. La décolonisation en Afrique et en Asie

Les habitants des colonies européennes en Afrique et en Asie ont revendiqué leur droit à l'indépendance et à la liberté. Des mouvements de libération nationale se sont formés pour réclamer ces droits, que les métropoles ne voulaient pas toujours reconnaître. Les sociétés colonisées ont dû lutter pour obtenir leur indépendance. Certaines l'ont obtenue par des moyens pacifiques et démocratiques, sans avoir recours à la violence, d'autres l'ont obtenue par des guerres de libération nationale.

1 Le siège de l'Organisation des Nations Unies à New York, aux États-Unis

L'Organisation des Nations Unies a été fondée en 1945 pour résoudre les conflits et les problèmes entre les nations. Elle regroupe 191 États membres, soit presque la totalité des États du monde. L'Organisation vise trois objectifs:

- maintenir la paix et la sécurité internationales;
- contribuer au développement des relations amicales entre les nations;
- promouvoir la coopération internationale pour la recherche de solutions aux problèmes économiques, sociaux, culturels et humanitaires, ainsi que le respect des droits de la personne.

À faire

1. (doc. 1) Au siège des Nations Unies à New York, quels objets symbolisent tous les pays et toutes les nations?
2. (doc. 2)
   a) À quelle époque la Déclaration universelle des droits de l'homme a-t-elle été rédigée?
   b) D'après toi, de quel document célèbre cette Déclaration est-elle inspirée?
   c) Selon la Déclaration, quels moyens les États membres devraient-ils utiliser pour développer le respect des droits et des libertés?

RC

2 Extraits de la Déclaration universelle des droits de l'homme

Cette déclaration a été adoptée par les États membres des Nations Unies en 1948.

«**Préambule**

Considérant que la reconnaissance de la dignité inhérente à tous les membres de la famille humaine et de leurs droits égaux et inaliénables constitue le fondement de la liberté, de la justice et de la paix dans le monde.

[…]

Considérant que dans la Charte les peuples des Nations Unies ont proclamé à nouveau leur foi dans les droits fondamentaux de l'homme, dans la dignité et la valeur de la personne humaine, dans l'égalité des droits des hommes et des femmes, et qu'ils se sont déclarés résolus à favoriser le progrès social et à instaurer de meilleures conditions de vie dans une liberté plus grande.

Considérant que les États membres se sont engagés à assurer, en coopération avec l'Organisation des Nations Unies, le respect universel et effectif des droits de l'homme et des libertés fondamentales.

Considérant qu'une conception commune de ces droits et libertés est de la plus haute importance pour remplir pleinement cet engagement.

L'Assemblée générale proclame la présente Déclaration universelle des droits de l'homme comme l'idéal commun à atteindre par tous les peuples et toutes les nations afin que tous les individus et tous les organes de la société, ayant cette Déclaration constamment à l'esprit, s'efforcent, par l'enseignement et l'éducation, de développer le respect de ces droits et libertés et d'en assurer, par des mesures progressives d'ordre national et international, la reconnaissance et l'application universelles et effectives, tant parmi les populations des États membres eux-mêmes que parmi celles des territoires placés sous leur juridiction.»

Extraits de la Déclaration universelle des droits de l'homme adoptée par l'Assemblée générale des Nations Unies dans sa résolution 217 A (III), le 10 décembre 1948.

SAVOIR

Le féminisme et le droit de vote des femmes

Les régimes politiques des États occidentaux modernes sont fondés sur les libertés et les droits civils. Au XIXe siècle, le scrutin universel a été adopté dans la plupart de ces pays, sans que les femmes y participent. Peu à peu, au XXe siècle, celles-ci ont obtenu le droit de vote.

Les femmes s'organisent pour défendre leurs droits.

Jusque dans les années 1960 et 1970, dans plusieurs pays occidentaux, les femmes n'avaient pas les mêmes libertés et droits civils que les hommes. Elles ne pouvaient ni voter ni participer à la vie politique. Très souvent, elles étaient sous la tutelle G de leur père, puis de leur mari après leur mariage.

À la fin du XIXe siècle, des femmes issues de la bourgeoisie et de la classe moyenne ont créé des associations pour revendiquer les mêmes droits politiques que les hommes. Elles réclamaient essentiellement le droit de voter et le droit de participer à la vie politique. Ces groupes de femmes, appelées les «suffragettes», sont d'abord apparus en Grande-Bretagne et aux États-Unis, puis au Canada (*doc. 3*), en France et dans plusieurs autres pays occidentaux.

Les revendications des suffragettes étaient mal reçues par les hommes politiques et les gouvernements (*doc. 1*). On leur refusait le droit de parole dans les assemblées politiques. De plus, elles étaient victimes d'intimidation et de répression dans les grèves et les manifestations.

1 Des arguments misogynes G contre le droit de vote des femmes

«En vain prétend-on que l'égalité civile accordée à la femme a pour [conséquence] nécessaire son émancipation politique. C'est méconnaître absolument le rôle de la femme dans l'humanité. Destinée à la maternité, faite pour la vie de famille, la dignité de sa situation sera d'autant plus grande qu'elle n'ira point la compromettre dans les luttes de forum et dans les hasards de la vie publique. Elle oublierait fatalement ses devoirs de mère et d'épouse, si elle abandonnait le foyer pour courir à la tribune [...] On a donc parfaitement raison d'exclure de la vie politique les femmes et les personnes qui, par leur peu de maturité d'esprit, ne peuvent prendre une part intelligente à la conduite des affaires publiques.»

Émile Morlot, député radical français de 1896 à 1907.

2 Une grande femme de lettres et féministe française

RC

«On ne naît pas femme: on le devient. Aucun destin biologique, psychique, économique ne définit la figure que revêt au sein de la société la femelle humaine; c'est l'ensemble de la civilisation qui élabore ce produit intermédiaire entre le mâle et le castrat G qu'on qualifie de féminin. Seule la médiation d'autrui peut constituer un individu comme un Autre.»

Simone de Beauvoir, *Le deuxième sexe*, vol. II, Gallimard, 1949.

Simone de Beauvoir à Paris, en France, en 1968.

Simone de Beauvoir

(1908–1986)

Romancière, essayiste et philosophe française, Simone de Beauvoir a consacré sa vie à la défense des droits des femmes. Elle a écrit plusieurs romans. Dans *Le deuxième sexe*, elle invite les femmes à se libérer de leur soumission aux hommes. Des historiens et historiennes considèrent ce livre comme l'un des ouvrages fondateurs du féminisme moderne.

Les victoires des mouvements suffragistes

En 1914, la guerre a éclaté en Europe. Le Canada et les États-Unis ont participé à la Première Guerre mondiale en envoyant des forces armées et du matériel. Cette guerre a coûté cher en vies humaines et en matériel. Tous les hommes en âge de combattre ont été appelés au front. Pour assurer l'approvisionnement des troupes et pour éviter l'effondrement de l'économie, il fallait donc remplacer les hommes non seulement dans les usines qui fabriquaient les armes et les munitions, mais aussi dans les secteurs financier, industriel et agricole. Les femmes ont pris la relève, contribuant grandement à l'effort de guerre et à la santé économique de leur pays. Après la guerre, ces femmes émancipées ont revendiqué davantage de libertés et de droits civils. En créant des mouvements et des organisations, elles ont réussi à obtenir gain de cause dans plusieurs pays. Au Québec, les femmes ont obtenu le droit de vote en 1940. Elles pouvaient voter aux élections fédérales depuis 1918, mais elles pouvaient désormais voter aussi aux élections provinciales.

À partir des années 1960, les mouvements des femmes ont revendiqué l'égalité des droits politiques et civils. Jusqu'en 1964, au Québec, les femmes mariées étaient considérées comme des mineures. Elles devaient obéissance à leur mari. Claire Kirkland-Casgrain, la première femme élue députée au Québec, a fait adopter une loi abolissant cette soumission légale de la femme mariée. En modifiant ainsi le statut de la femme, l'État contribuait à la démocratisation des libertés et des droits civils au Québec.

À faire

1. Explique pourquoi, à ton avis, les femmes n'ont pas obtenu le droit de vote en même temps dans tous les pays.
2. Quelle a été la participation des femmes durant la Première Guerre mondiale ?

3 Marie Lacoste-Gérin-Lajoie (1867-1945)

RC

Marie Lacoste-Gérin-Lajoie a été une pionnière du féminisme social au Québec au tournant du XXe siècle. En 1902, elle a publié un ouvrage intitulé *Traité du droit usuel*. En 1907, elle a fondé, avec Caroline Béique, la Fédération nationale Saint-Jean-Baptiste et en a été la présidente jusqu'en 1933. Elle a fait la promotion du droit de vote des femmes et a travaillé à plusieurs réformes sociales. Cofondatrice du comité provincial pour le suffrage féminin, elle a nommé Thérèse Casgrain (*doc. 5, p. 233*), une autre grande femme politique québécoise, comme présidente.

Marie Lacoste-Gérin-Lajoie, première femme à recevoir un diplôme de l'Université Laval de Montréal, la première école technique au Québec. (Archives de l'Institut Notre-Dame-du-Bon-Conseil, Montréal, Canada.)

4 Une militante québécoise

RC

Simonne Monet-Chartrand à Montréal en 1990.

Simonne Monet-Chartrand

(1919–1993)

Écrivaine et journaliste québécoise, Simonne Monet-Chartrand a milité dès son plus jeune âge pour défendre les droits et les libertés des femmes. Mère de sept enfants, elle cherchait à concilier son rôle de mère de famille, son rôle social et son travail. En 1961, elle a participé à la fondation de la Voix des femmes et, en 1966, à celle de la Fédération des femmes du Québec. Elle a été directrice de la Ligue des droits et libertés en 1977.

L'antiracisme et les mouvements d'émancipation des Noirs

Pendant plusieurs siècles, en Afrique et dans les Amériques, des populations noires ont été victimes de discrimination à cause de la couleur de leur peau. Elles n'avaient pas accès aux mêmes libertés ni aux mêmes droits civils que les Blancs.

RC L'apartheid en Afrique du Sud

En Afrique du Sud, les Blancs, bien que minoritaires, détenaient la plus grande part de la richesse (*doc. 2, p. 238*). En 1948, un régime fondé sur la discrimination entre les Blancs et les Noirs a été créé: l'apartheid, une politique de «développement séparé». Les Noirs et les Blancs ne pouvaient pas habiter dans les mêmes régions. Les Noirs ne pouvaient pas se déplacer comme ils le voulaient et ne pouvaient pas s'établir dans les villes.

RC Les Noirs sud-africains se sont regroupés pour revendiquer leurs droits. Des leaders comme Nelson Mandela (*doc. 6, p. 241*) et l'archevêque Desmond Tutu (*doc. 2*), et des Blancs dissidents comme le chanteur Johnny Clegg (*doc. 2 et 3, p. 240*) ont contribué à l'obtention de libertés et de droits civils pour les Noirs d'Afrique du Sud. En 1944, Nelson Mandela a adhéré à l'ANC (le Congrès national africain), un groupe voué à la défense des libertés et des droits civils. En 1962, il a été arrêté par les autorités, puis condamné à la prison à vie en 1964. Libéré en 1990, il est devenu président de l'ANC un an plus tard. En 1994, des élections présidentielles ont eu lieu au scrutin universel. Mandela s'est présenté et a été élu président de l'Afrique du Sud. Il a aboli l'apartheid.

1 L'armée sud-africaine tire sur des manifestants de l'ANC dans le bantoustan de Ciskei en 1992.

Les manifestations étaient souvent réprimées par la police et par l'armée. Les bantoustans étaient des territoires autonomes créés par le gouvernement blanc dans le cadre de la politique de l'apartheid. Ils étaient peuplés exclusivement de Noirs sud-africains déplacés par les autorités.

2 L'archevêque Desmond Tutu

Desmond Tutu est né en 1931 en Afrique du Sud. Il a été le premier Noir à être nommé secrétaire général du Conseil des Églises sud-africaines. Il dénonçait le régime de l'apartheid ainsi que les Noirs qui prônaient la violence et la vengeance. En 1984, il a reçu le prix Nobel de la paix pour souligner son action en Afrique du Sud. En 1986, Desmond Tutu a été le premier archevêque noir du Cap. En 1995, il a assumé la présidence de la Commission de la vérité et de la réconciliation. Il devait faire enquête sur les violations des droits de la personne commises durant le régime de l'apartheid, et encourager les victimes à pardonner. RC

La **discrimination raciale** aux États-Unis

Aux États-Unis, l'esclavage a été aboli en 1865, mais malgré cette mesure, les États du Sud appliquaient des lois ségrégationnistes envers les Noirs. On leur imposait diverses contraintes, par exemple l'interdiction de voter, de travailler dans les mêmes entreprises que les Blancs, de fréquenter les mêmes écoles et de monter dans les mêmes autobus (*doc. 3 et 4*). Les Noirs états-uniens ont formé des associations pour défendre leurs droits. Ils revendiquaient le droit de participer à la vie politique et réclamaient la fin de la ségrégation et l'égalité avec les Blancs. Un pasteur noir états-unien, Martin Luther King (*doc. 1 et 3, p. 232*), était l'un de leurs leaders les plus influents. Il prônait l'action non violente. En 1963, il a organisé une grande marche dans la capitale, Washington. Environ un quart des participants étaient des Blancs dissidents qui appuyaient les revendications des Noirs.

RC

Dans les années 1960, le gouvernement des États-Unis a voté deux lois qui mettaient fin à la discrimination et à la ségrégation: le *Civil Rights Act* (loi sur les droits civils) en 1964 et le *Voting Rights Act* (loi sur les droits de vote) en 1965. Le gouvernement a ainsi démocratisé le droit de vote et les droits civils aux États-Unis.

RC

À faire

1. D'après toi, pourquoi les regroupements de personnes ont-ils permis aux Noirs d'obtenir la reconnaissance des libertés et des droits civils en Afrique du Sud et aux États-Unis ?
2. Les politiques de discrimination et de ségrégation étaient-elles justes à ton avis ? Justifie ta réponse.
3. Explique pourquoi le gouvernement des États-Unis a finalement aboli les lois ségrégationnistes.

3 L'intégration aux écoles publiques

Depuis 1954, une loi interdit la ségrégation scolaire aux États-Unis. Avant l'établissement de cette loi, dans certains États du Sud, les enfants noirs ne pouvaient pas fréquenter les mêmes écoles que les Blancs. Ils et elles devaient parfois parcourir plusieurs kilomètres à pied pour se rendre à l'école. En 1957, la Cour suprême des États-Unis a ordonné que neuf élèves noirs soient admis à l'école secondaire Central High de Little Rock, dans l'État de l'Arkansas. Le gouverneur de l'État, Orval Faubus, a refusé de respecter cet ordre et a utilisé des militaires pour empêcher les élèves d'accéder à l'école. Quelques jours plus tard, le président des États-Unis, Dwight D. Eisenhower, a à son tour fait appel à l'armée, cette fois pour protéger les neuf élèves noirs et leur permettre de se rendre en classe.

Suivie par une foule en colère surveillée par des militaires, Elizabeth Eckford, une élève noire, se rend à l'école secondaire Central High de Little Rock en septembre 1957. Elizabeth était l'une des neuf élèves noirs dont l'admission à l'école avait été ordonnée par la Cour suprême des États-Unis.

4 La ségrégation dans les systèmes de transport

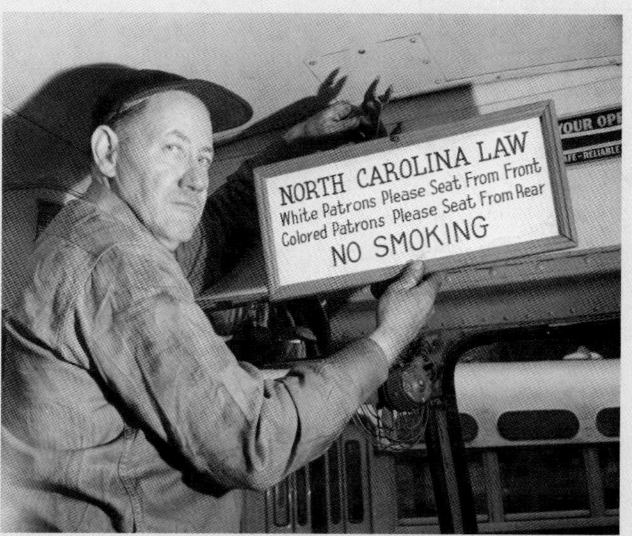

En 1956, à la suite d'une décision de la Cour suprême, un homme retire une affiche sur laquelle on peut lire: «Loi de la Caroline du Nord – Les Blancs sont priés de s'asseoir à l'avant de l'autobus et les Noirs, à l'arrière.» Dans certains États, il y avait même des autobus pour les Blancs et d'autres pour les Noirs. Le 1er décembre 1955, Rosa Parks, une Noire de l'État de l'Alabama, a été arrêtée par la police parce qu'elle refusait de céder sa place à un homme blanc dans un autobus. Elle a amorcé un grand mouvement de contestation et de revendication des droits civiques des Noirs aux États-Unis.

La décolonisation et l'indépendance nationale

Au XXe siècle, plusieurs populations colonisées en Afrique et en Asie ont lutté pour la reconnaissance de leurs libertés et de leurs droits civils. Les métropoles européennes n'acceptaient pas toujours d'accorder à ces populations le droit à l'autodétermination **. Les peuples colonisés réclamaient l'indépendance et la décolonisation. Certains sont arrivés à leurs fins par des moyens pacifiques, mais d'autres ont dû recourir à la guerre.**

Les mouvements d'indépendance nationale

À partir de 1945, des colonies européennes en Afrique et en Asie ont décidé de se libérer et d'obtenir leur indépendance. Certaines élites de ces colonies avaient étudié dans les métropoles européennes et rapporté dans leur pays des idées et des valeurs comme le libéralisme, le communisme, le socialisme et la reconnaissance du droit des peuples de disposer d'eux-mêmes. Les États-Unis et l'URSS défendaient ces revendications et s'opposaient au colonialisme.

Des groupes opposés à la colonisation s'organisent dans les colonies.

Des dirigeants comme Hô Chi Minh en Indochine (aujourd'hui le Vietnam) se sont ralliés aux idées communistes. Hô Chi Minh dénonçait la présence française en Indochine. Il a proclamé l'indépendance du Vietnam en 1945 et a obtenu l'aide de l'URSS. Il a fallu mener une guerre contre la France pour libérer le pays (*doc. 6, p. 243*). D'autres personnes qui s'opposaient à la colonisation, comme le Mahatma Gandhi en Inde (*doc. 2*), ont réussi à obtenir l'indépendance de leur pays sans recourir à la violence.

1 Le fondateur du Sénégal moderne

RC

Léopold Sédar Senghor en 1977.

Léopold Sédar Senghor (1906-2001)

Léopold Sédar Senghor a milité pour l'indépendance du Sénégal, une colonie française en Afrique. En 1960, son pays a accédé à l'indépendance pacifiquement. Il en a été le premier président.

2 Le Mahatma Gandhi (1869-1948)

RC

Le Mahatma Gandhi dans les années 1940. «Mahatma» signifie «grande âme».

Mohandas Karamchand Gandhi était un philosophe et un homme politique indien. Après avoir fait des études en droit en Angleterre, il est retourné en Inde et a lutté pour la défense des droits et libertés, et pour l'indépendance de son pays. Il prônait la non-violence et la désobéissance civile. En 1947, l'Inde a obtenu son indépendance sans recourir au conflit armé. Les minorités musulmanes qui habitaient le nord-ouest et le nord-est du pays se sont séparées de l'Inde indépendante et ont fondé deux nouveaux États: le Pakistan et le Bangladesh.

Les populations des métropoles n'étaient pas toujours très bien informées sur les enjeux de la colonisation et de l'indépendance nationale car les autorités et les États utilisaient la censure pour cacher la vérité. En contrôlant les journaux et les livres qui circulaient parmi la population, les autorités empêchaient les partisans de l'indépendance de diffuser leurs idées et leurs revendications, autant dans les colonies d'outre-mer que dans les métropoles.

La conférence de Bandung

En 1955, les dirigeants de 23 pays d'Afrique et d'Asie se sont réunis à Bandung, en Indonésie, dans le cadre d'une conférence afro-asiatique (*doc. 5, p. 243*). Ils dénonçaient le colonialisme et exigeaient la décolonisation de tous les pays de l'Afrique. Ils ont décidé de ne pas s'allier au régime capitaliste des États-Unis, ni au régime communiste de l'URSS. Ces pays devaient constituer le «tiers monde». La plupart des États africains et asiatiques ont finalement accédé à l'indépendance dans les années 1960 et 1970.

Au-delà des luttes politiques, les mouvements de libération ont parfois été très violents. En effet, les colonisateurs, soucieux de ne pas perdre leurs colonies, considéraient souvent les mouvements d'indépendance comme de véritables mouvements révolutionnaires qu'il fallait réprimer. Ce fut le cas notamment en Indochine, puis en Algérie. Certains pays ont eu beaucoup de difficulté à se relever de ces guerres. Ils en subissent les contrecoups encore aujourd'hui.

3 Un poète antillais décrit l'oppression de son peuple et critique les colonisateurs.

«Et nous sommes debout maintenant, mon pays et moi […]. Et la voix prononce que l'Europe nous a pendant des siècles gavés de mensonges et gonflés de pestilences,
car il n'est point vrai que l'œuvre de l'homme est finie
que nous n'avons rien à faire au monde
que nous parasitons le monde
qu'il suffit que nous nous mettions au pas du monde
mais l'œuvre de l'homme vient seulement de commencer
et il reste à l'homme à conquérir toute interdiction immobilisée aux coins de sa ferveur
et aucune race ne possède le monopole de la beauté, de l'intelligence, de la force
et il est place pour tous au rendez-vous de la conquête […]»

Aimé Césaire, *Cahier d'un retour au pays natal*, © Présence Africaine, 1956.

À faire

1. Pourquoi certaines personnes s'opposaient-elles à la colonisation ?
2. D'après toi, est-il préférable d'obtenir la reconnaissance de ses droits et de ses libertés par la force ou par des moyens pacifiques ? Justifie ta réponse.

4 Habib Bourguiba (1903-2000)

Habib Bourguiba dans les années 1970.

Militant en faveur de l'indépendance de la Tunisie, Habib Bourguiba en a été le président. Il a reconnu les libertés et les droits civils des femmes tunisiennes. En 1970 il a fondé, avec Léopold Sédar Senghor (*doc. 1*) et Hamani Diori, président du Niger, l'Agence de coopération culturelle et technique (aujourd'hui l'Agence de la francophonie). Sous l'aile de cette organisation, pour la première fois, 21 États qui partageaient une langue commune, le français, s'associaient pour promouvoir et diffuser leur culture.

... sur la reconnaissance des libertés et des droits civils.

Le droit de vote des femmes

À partir de la fin du XIXe siècle et au cours du XXe, les femmes des pays industrialisés se sont regroupées pour revendiquer des droits civils et politiques. Dans la plupart des pays, elles n'avaient pas les mêmes droits que les hommes. Elles revendiquaient essentiellement le droit de voter et le droit de participer à la vie politique. Les femmes de plusieurs pays occidentaux ont obtenu la reconnaissance de ces droits et de ces libertés au cours du XXe siècle.

L'antiracisme

Au début du XXe siècle, certaines personnes pensaient que la couleur de la peau justifiait la discrimination et la ségrégation. Dans certains pays comme l'Afrique du Sud et les États-Unis, on appliquait des politiques racistes et la discrimination était inscrite dans la loi. Les victimes de ces inégalités ont formé des groupes et créé des mouvements politiques pour réclamer l'abolition des lois racistes. La ségrégation raciale dans le sud des États-Unis a été abolie dans les années 1950 et 1960. En Afrique du Sud, l'apartheid a été aboli en 1994. Les Noirs sud-africains et états-uniens ont finalement obtenu la reconnaissance de leurs libertés et de leurs droits civils.

L'anticolonialisme

Au XXe siècle, dans les colonies européennes d'Afrique et d'Asie, des intellectuels et des hommes politiques revendiquaient le droit à la liberté et à l'indépendance de leur peuple. Ne leur reconnaissant pas toujours ce droit, les métropoles, dont la France, l'Angleterre et la Belgique, ont parfois utilisé la répression et la censure pour conserver leur pouvoir sur leurs colonies. Les habitants des colonies se sont regroupés et ont créé des mouvements politiques pour réclamer leurs droits et faire pression sur les métropoles. Ils ont finalement obtenu la reconnaissance de leurs libertés et de leurs droits civils, et l'indépendance de leur pays. Certaines colonies se sont libérées en utilisant les armes; d'autres ont plutôt utilisé des moyens politiques. Aujourd'hui, l'Organisation des Nations Unies reconnaît le droit des peuples à l'autodétermination.

ÉPOQUE CONTEMPORAINE

- **1912** Création de l'ANC en Afrique du Sud
- **1918** Obtention du droit de vote des femmes au Canada
- **1920** Obtention du droit de vote des femmes aux États-Unis
- **1940** Obtention du droit de vote des femmes au Québec
- **1947** Indépendance de l'Inde
- **1948** Politique de l'apartheid en Afrique du Sud
- **1960** Indépendance de plusieurs pays africains
- **1962** Arrestation de Nelson Mandela en Afrique du Sud
- **1964** *Civil Rights Act* (loi sur les droits civils) aux États-Unis
- **1965** *Voting Rights Act* (loi sur les droits de vote) aux États-Unis
- **1968** Abolition des lois ségrégationnistes aux États-Unis (1930-1968)
- **1982** Charte canadienne des droits et libertés
- **1994** Abolition de l'apartheid en Afrique du Sud

... sur les concepts liés à la liberté.

Dans plusieurs régions du monde, des gens revendiquent encore aujourd'hui la reconnaissance de leurs libertés et de leurs droits civils. Il est possible d'étudier et de comprendre ce qui se passe dans ces pays à l'aide des concepts suivants.

Quelles LIBERTÉS certains groupes ont-ils obtenues au XXe siècle ?

(Fernand Léger, *Liberté, j'écris ton nom.*)

À partir de la fin du XIXe siècle, plusieurs groupes se sont soulevés contre l'injustice et ont réclamé leur liberté.

Quelles formes prenait la CENSURE ?

- Contrôle de l'information diffusée par les journaux et les ouvrages écrits.
- Interdiction d'exprimer des idées contraires à celles des autorités.

Pourquoi certains groupes réclamaient-ils l'ÉGALITÉ ?

Ils croyaient que tous les êtres humains, peu importe leurs différences, ont les mêmes droits devant la loi, les mêmes responsabilités et les mêmes libertés civiles.

Pourquoi et comment certains groupes subissaient-ils la DISCRIMINATION ?

À cause de leur sexe ou de différences ethniques, culturelles ou religieuses, les libertés et les droits civils de certains groupes étaient limités ou refusés.

Comment certains groupes subissaient-ils la RÉPRESSION ?

- Emprisonnement de personnes qui s'opposaient aux politiques et aux lois de l'État.
- Interdiction de manifester et de diffuser des idées contraires à celles des autorités.
- Conflits armés pour écraser les révoltes.

Qu'est-ce que la DÉMOCRATISATION ?

Processus de création de lois rendant des droits, des privilèges et des libertés accessibles à l'ensemble des citoyens et citoyennes, selon les principes de la démocratie.

Quelles formes la DISSIDENCE prenait-elle ?

- En Afrique du Sud, des Blancs se sont opposés aux politiques de l'apartheid.
- Aux États-Unis, des Blancs ont défendu la cause des Noirs.

Qu'est-ce que les DROITS ?

Les droits définissent, par la loi ou par un code moral, ce qui est permis à des individus ou à des groupes d'individus vivant dans une société.

Pourquoi et comment certains groupes ont-ils subi la SÉGRÉGATION ?

- À cause de leur sexe ou de différences ethniques, culturelles ou religieuses.
- Lois ségrégationnistes aux États-Unis.
- Apartheid en Afrique du Sud.

ET TOI ?

À l'aide des concepts présentés dans cette page, évalue dans quelle mesure certains groupes sont encore aujourd'hui privés de leurs libertés et de leurs droits civils dans ta société ou dans une autre société.

Analyser des éditoriaux et un document historique

En 1954, la métropole française a refusé de reconnaître à l'Algérie le droit à l'indépendance. Des nationalistes algériens ont alors pris les armes et entrepris une guerre de libération nationale. Certains journaux français appuyaient la poursuite de la guerre pour conserver l'Algérie; d'autres proposaient plutôt la paix et l'indépendance de la colonie française.

L'éditorial

L'éditorial est un article d'opinion dans lequel un ou une journaliste prend position sur un sujet d'actualité. L'éditorial a le plus souvent pour but de défendre une idée et d'éveiller la conscience des lecteurs et des lectrices sur une situation ou un sujet d'actualité.

Éditorial de Georges Seguy dans *L'Humanité*

Encore le «dernier quart d'heure»!

«Le gouvernement a beau essayer de jeter de la poudre aux yeux des Français, il ne parviendra pas à tromper les travailleurs et le peuple; ses intentions sont celles de la réaction colonialiste […].

La récente conférence afro-asiatique du Caire aurait dû faire comprendre à ceux qui ont encore la folle illusion de maintenir l'Algérie sous le joug colonial qu'à notre époque rien ne saurait résister au mouvement historique d'émancipation nationale des peuples coloniaux. Beaucoup de mal a déjà été fait mais il est temps encore d'arrêter l'effusion de sang. Nous, communistes, sommes profondément convaincus que le meilleur moyen de ramener la paix, les meilleures conditions de cette paix pour l'intérêt et l'amitié des peuples français et algérien, c'est de répudier les rapports colonialistes entre la France et l'Algérie, de reconnaître au peuple algérien le droit à l'indépendance […].»

Georges Seguy, «Encore le "dernier quart d'heure"!» (extraits), *L'Humanité*, organe central du Parti communiste français, 8 janvier 1958.

Analyse des éditoriaux et du document historique

ÉTAPE 1 – Les objectifs de cette étude

Pourquoi dois-je lire ces textes? Qu'est-ce que j'espère découvrir en les analysant?

ÉTAPE 2 – L'origine des textes

1. **a)** Qui sont les auteurs des éditoriaux?
   b) Quand ont-ils été publiés?
   c) Dans quels journaux ont-ils été publiés?
   d) Que sait-on au sujet de ces journaux?
2. **a)** Qui est la personne citée dans le document 3?
   b) De quel type de texte s'agit-il?
   c) Ce document est-il une source de première main ou de seconde main?

ÉTAPE 3 – L'analyse des éditoriaux et du document

1. Lis les éditoriaux et résume l'opinion des deux éditorialistes sur la question de l'indépendance algérienne.
2. Lis le document 3 et résume les arguments de la personne citée pour ou contre l'indépendance de l'Algérie.
3. Quel lien y a-t-il entre ce document et les éditoriaux?
4. Compare les arguments présentés dans chaque texte. Qui est en faveur de l'indépendance de l'Algérie? Qui s'y oppose?

ÉTAPE 4 – L'interprétation des éditoriaux et du document

Que nous apprennent ces éditoriaux et ce document sur la question de l'indépendance de l'Algérie?

2 Éditorial de Thierry Maulnier dans *Le Figaro*

Pour un engagement national

«Laissons de côté le Parti communiste, pour qui la perte de l'Algérie et de l'Afrique serait une victoire. Tous les autres partis, sans exception, et quels que puissent être leurs désaccords sur les moyens, ont toujours proclamé, depuis trois ans, leur volonté de maintenir des liens organiques et indissolubles entre le territoire de la France métropolitaine et le territoire algérien. [...]

Quels sont donc les points d'unanimité sur lesquels l'accord existe [...] ?

Quoi qu'il arrive, la sécession est exclue: le territoire algérien restera uni au sol français dans la communauté des territoires, sous une souveraineté commune à tous les citoyens de l'un et de l'autre. [...]

La France mettra en œuvre sur le territoire algérien les ressources financières et techniques nécessaires pour tirer le meilleur parti des ressources naturelles et accélérer l'industrialisation, et faire accéder la population musulmane à un niveau de vie comparable au niveau de vie européen.»

Thierry Maulnier, «Pour un engagement national» (extraits), *Le Figaro*, n° 4253, 10 mai 1958.

3 Un député algérien s'adresse aux colonisateurs français.

En 1946, les députés musulmans à l'Assemblée Constituante déposent un projet de Constitution de la "République algérienne" associée à la France. Au cours d'un vif débat, le docteur Ahmed Saadane réprouve les colonisateurs français.

«Vous nous avez apporté votre culture... le ferment qui doit permettre l'affranchissement des hommes. Vous nous avez acheminés, vous nous avez donné le goût de la liberté, et maintenant que nous disons que nous ne voulons pas de l'esprit colonial et de la colonisation... [...] mais que nous voulons être libres, être des hommes, rien que des hommes, ni plus, ni moins, vous nous déniez le droit d'accepter, de prendre certaines formules, et vous vous étonnez, vous, Français, que quelques esprits, chez nous, cherchent l'indépendance.»

Docteur Ahmed Saadane, cité dans Jean Lacouture, *Cinq hommes et la France*, Seuil, 1961.

Méthode

Analyser des éditoriaux et un document historique

ÉTAPE 1 – Les objectifs de l'étude

Déterminer les raisons pour lesquelles on analyse les textes.

ÉTAPE 2 – L'origine des textes

1. **Déterminer qui a écrit les éditoriaux, la date de leur publication et dans quels journaux ils ont été publiés. Décrire ce que l'on sait des journaux, de leur orientation politique, des idées qui y sont véhiculées.**
2. **Déterminer qui est l'auteur ou l'auteure du document historique et de quel type de texte il s'agit. Déterminer s'il s'agit d'un document de première ou de seconde main.**

ÉTAPE 3 – L'analyse des éditoriaux et du document

1. **Lire les éditoriaux et résumer l'opinion des éditorialistes sur le sujet dont il est question.**
2. **Lire le document historique et résumer l'information qu'il fournit sur le sujet dont il est question.**
3. **Établir un lien entre le document historique et les éditoriaux.**
4. **Comparer les arguments contenus dans les éditoriaux et le document historique.**

ÉTAPE 4 – L'interprétation des éditoriaux et du document

Déterminer ce que nous apprennent les éditoriaux et le document historique sur le sujet dont il est question.

LES MÉTIERS DE L'HISTOIRE

Le technicien ou la technicienne en muséologie

ALAIN LALUMIÈRE, TECHNICIEN EN MUSÉOLOGIE

M. Alain Lalumière, vous êtes technicien en muséologie. Parlez-nous de votre profession.

A. L. – Au musée McCord, les techniciens et techniciennes en muséologie exécutent plusieurs tâches qui, en général, tournent autour des objets de la collection du musée: des objets à caractère historique, artistique ou scientifique, ou des artéfacts. Ils et elles voient au transport des objets qui doivent être manipulés avec soin. Les techniciens et techniciennes doivent s'assurer que les objets sont bien emballés et mis dans des caisses de façon sécuritaire s'ils doivent être transportés. Il faut voir à la mise en réserve, soit à la conservation des objets dans un endroit spécialement aménagé appelé «la réserve». Les techniciens et techniciennes sont responsables de l'installation en exposition. Ils et elles doivent alors fabriquer le mobilier d'exposition, concevoir les vitrines, les postes multimédias, les décors et l'éclairage des expositions, installer les équipements multimédias et accomplir quelques autres tâches connexes. Les techniciens et techniciennes sont aussi responsables du suivi des objets dans les banques de données, de leur déplacement si des objets de la collection sont prêtés à une autre institution muséale et de leur catalogage. Tous les objets d'un musée doivent être catalogués, c'est-à-dire que l'on consigne dans un catalogue tous les renseignements disponibles concernant ces objets. Les techniciens et techniciennes sont aussi responsables d'autres tâches comme l'encadrement d'œuvres sur toile ou sur papier et certaines restaurations mineures

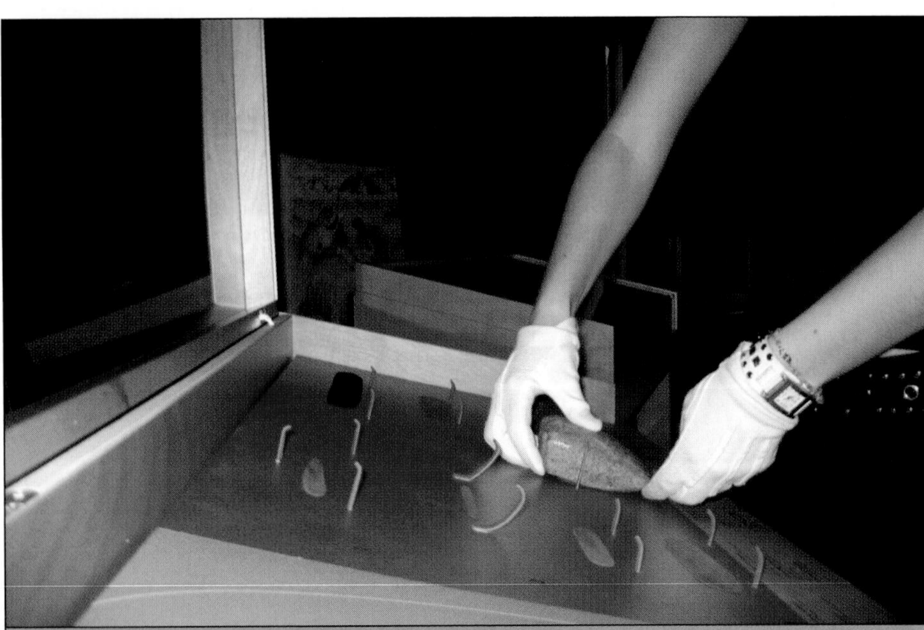

Au musée McCord, à Montréal, une stagiaire en muséologie installe un artéfact pour une exposition itinérante du Musée canadien des civilisations portant sur la pêche autochtone de la côte est du Canada.

« En général, plus le musée est gros, plus les tâches sont cloisonnées et spécialisées, tandis que si le musée est petit, la description de tâches est souvent plus étendue. »

Alain Lalumière

sous la direction d'un restaurateur ou d'une restauratrice d'œuvres d'art. En général, plus le musée est gros, plus les tâches sont cloisonnées et spécialisées, tandis que si le musée est petit, la description de tâches est souvent plus étendue.

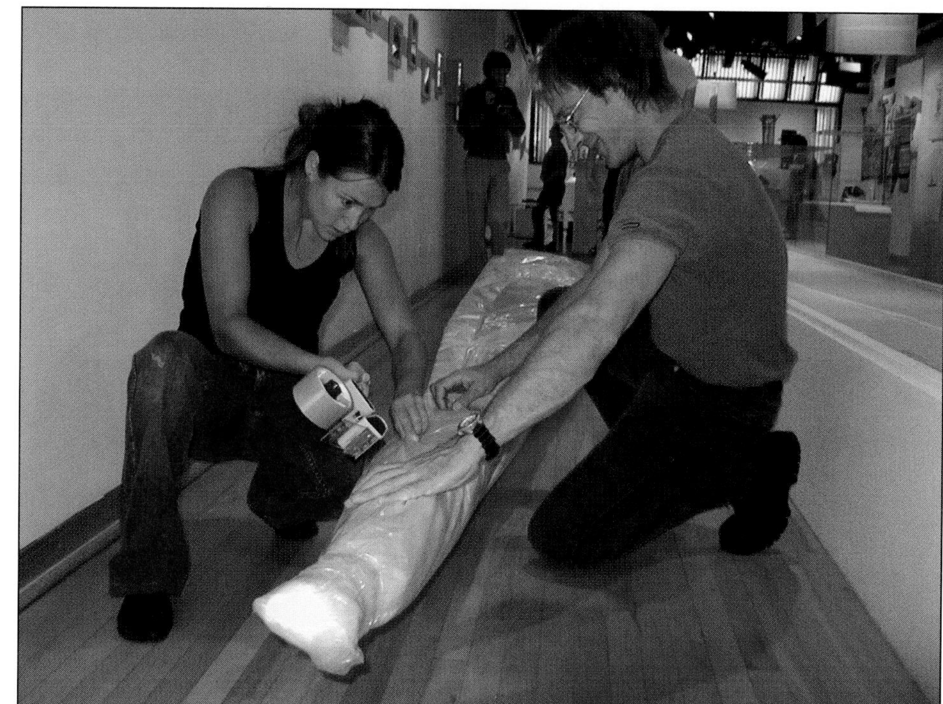

Yasmée Faucher et Alain Lalumière emballent un kayak qui, après avoir été exposé dans une Maison de la culture de Montréal, sera expédié par bateau au Nunavik, dans le Grand Nord.

Au musée McCord, à Montréal, une technicienne montée sur une plateforme ajuste l'éclairage pour une exposition itinérante du Musée canadien des civilisations portant sur la pêche autochtone de la côte est du Canada.

Quelles sont les études nécessaires pour devenir technicien ou technicienne en muséologie ou en conservation ?

A. L. – En général, une technique collégiale en muséologie est suffisante, suivie de séminaires de formation pour approfondir un domaine en particulier. Le Collège Montmorency à Laval offre cette technique. Pour la conservation, les études peuvent se poursuivre à l'université. Plusieurs institutions offrent un programme en muséologie, mais il est possible d'accéder à ce métier par d'autres cheminements professionnels car les tâches sont si diversifiées que toute autre formation (en art, en menuiserie, en éclairage, etc.) est un atout.

Quel a été votre cheminement ?

A. L. – Je n'ai jamais étudié en muséologie. En 1979, j'ai été engagé comme aide technique dans un petit musée (il n'y avait pas de formation dans ce domaine au Québec à cette époque). À force de travail sur le terrain et de séminaires de formation, je suis devenu technicien en muséologie. J'ai travaillé presque 10 ans au Musée d'art de Saint-Laurent (maintenant le Musée des maîtres et artisans), environ un an et demi chez Muséotechni à faire du transport d'œuvres d'art et d'artéfacts par camion sur courtes et longues distances et, depuis 1990, comme technicien puis technicien en chef au musée McCord.

Quels étaient vos rêves et vos ambitions de jeunesse ?

A. L. – Adolescent, j'aurais aimé me diriger vers les sciences, en particulier vers la biologie, mais je me suis rendu compte que les longues et lourdes études qui m'attendaient ne correspondaient pas à ce que j'étais, que j'adorais plutôt bouger, travailler de mes mains et résoudre des problèmes techniques.

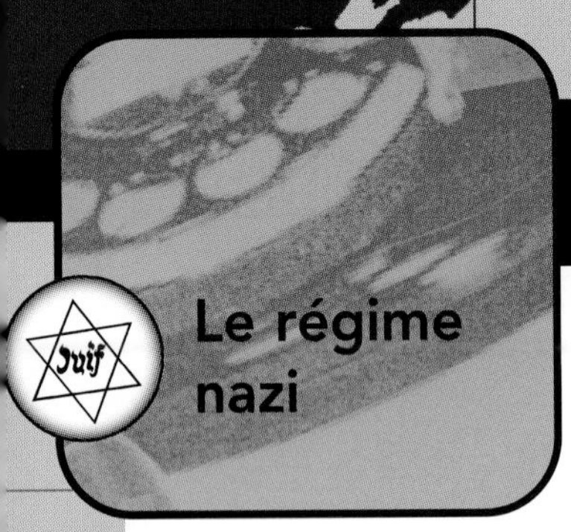

AILLEURS...

En 1933, Adolf Hitler est devenu chef du gouvernement allemand. Il a aboli les libertés et les droits civils de toute la population allemande et est devenu le dictateur de l'État le plus puissant d'Europe. Hitler était chef du parti nazi, le Parti national-socialiste des ouvriers allemands. Le mot «nazi» est une abréviation de l'allemand *Nationalsozialismus* («national-socialisme»). Hitler voulait conquérir l'Europe et exterminer les Juifs, les Tziganes et les homosexuels.

Le 1er septembre 1939, l'armée allemande attaque la Pologne.

En 1939, l'armée du IIIe Reich envahit la Pologne, déclenchant la guerre en Europe. Les Allemands renomment le territoire polonais «Ostland». C'est le début du conflit le plus meurtrier de l'histoire.

Les Allemands voulaient étendre leur territoire vers l'est. Après l'attaque de la Pologne, les pays alliés (l'Angleterre, la France et le Canada) ont déclaré la guerre à l'Allemagne. C'était le début de la Seconde Guerre mondiale. En juin 1940, les Allemands ont conquis la France. Ils l'ont occupée pendant quatre ans. En 1941, les forces allemandes se sont lancées à la conquête de l'URSS. La même année, après l'attaque de Pearl Harbor, une base militaire états-unienne dans les îles Hawaii (*doc. 8, p. 220*), par les Japonais alors alliés des Allemands, les États-Unis sont entrés en guerre.

Le 6 juin 1944, les Alliés débarquent en France.

Le 6 juin 1944, les Alliés ont débarqué sur les plages de la Normandie, en France, pour libérer l'Europe. Les États-Unis, l'Angleterre et le Canada ont envoyé plus de 173 000 soldats pour le débarquement. Les États-Unis ont perdu près de 300 000 soldats, marins et aviateurs, et quelque 6 000 civils en Europe au cours de la guerre. Le Canada a perdu près de 43 000 personnes. Le 8 mai 1945, l'Allemagne a finalement capitulé après de longs combats contre les Alliés et la victoire des Soviétiques à Berlin, la capitale de l'Allemagne. Les Soviétiques ont perdu près de 20 millions de personnes dont 10 millions de civils.

Le débarquement de troupes états-uniennes en Normandie le 6 juin 1944.

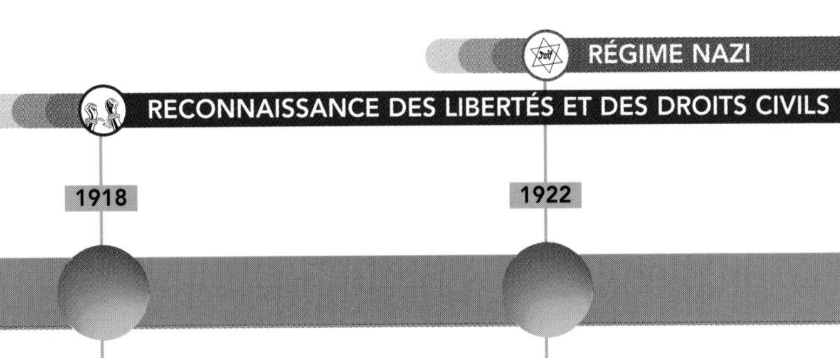

ÉPOQUE CONTEMPORAINE

L'Europe en 1942

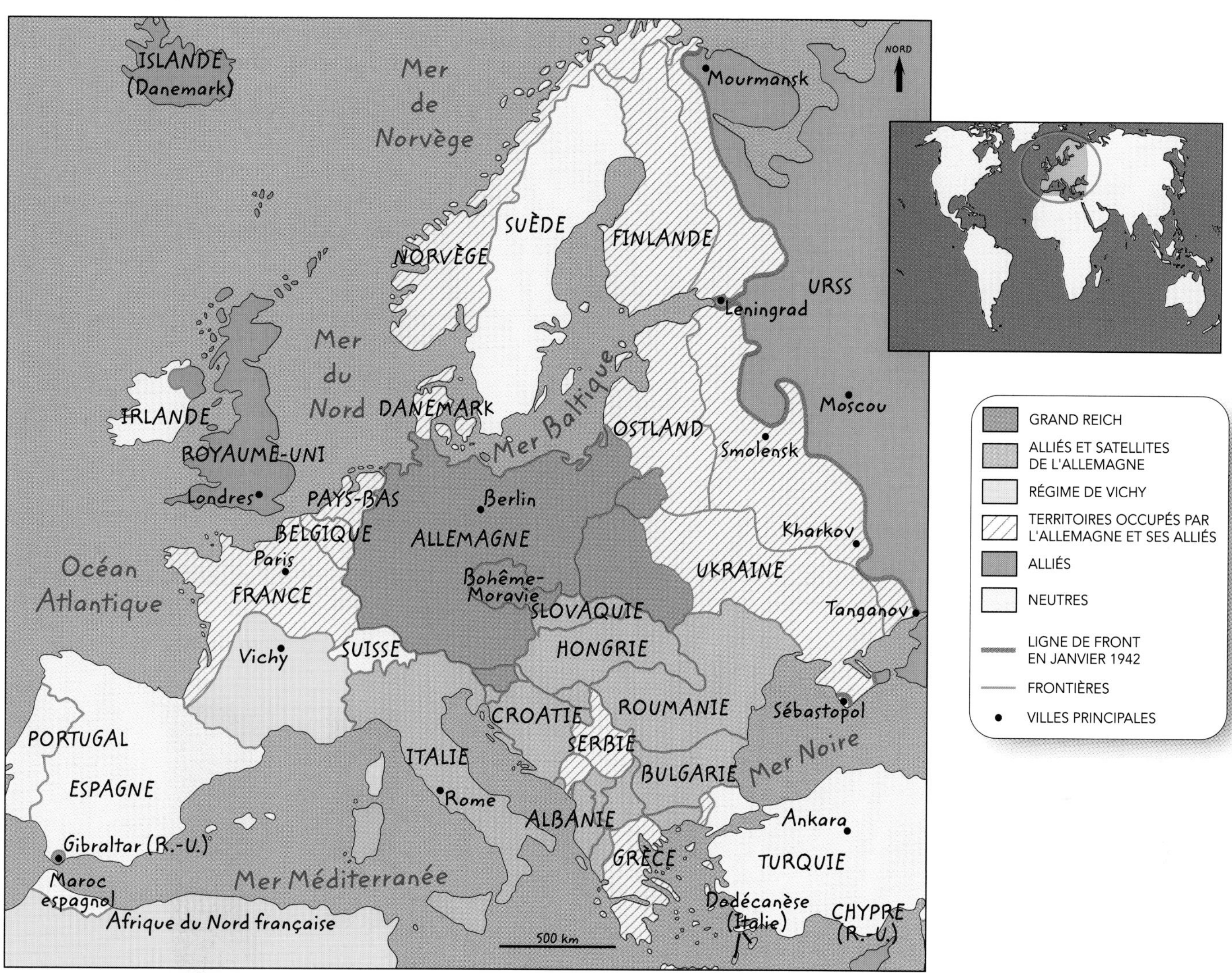

1933 Arrivée au pouvoir des nazis en Allemagne

1935 Lois de Nuremberg pour la protection du sang et de l'honneur allemands

1938 *Anschluss* (annexion de l'Autriche)

1939
- Annexion de la Tchécoslovaquie
- L'Allemagne attaque la Pologne, début de la Seconde Guerre mondiale.

1942 Conférence de Wannsee à Berlin, en Allemagne

1944 Libération du camp de concentration d'Auschwitz-Birkenau

1945 Signature de l'armistice, fin de la Seconde Guerre mondiale

LA PRIVATION DES LIBERTÉS ET DES DROITS CIVILS SOUS LE RÉGIME NAZI

L'antisémitisme et l'idéologie NAZIE

1 *Mein Kampf*, Adolf Hitler

RC

Dans un livre intitulé *Mein Kampf* (*Mon combat*), Adolf Hitler (1889-1945) a décrit sa philosophie. Comme d'autres nazis, il pensait que les Allemands constituaient une race supérieure dont le destin était de dominer l'Europe et le monde. Les autres races étaient considérées comme inférieures; certaines devaient être exterminées, d'autres devaient devenir les esclaves des Aryens (les gens de race pure et supérieure dans la doctrine nazie).

«Ce qui est l'objet de notre lutte, c'est assurer l'existence et le développement de notre race et de notre peuple, c'est de nourrir ses enfants et de conserver la pureté du sang, la liberté et l'indépendance de la patrie, afin que notre peuple puisse mûrir pour l'accomplissement de la mission qui lui est destinée par le Créateur de l'univers.»

Adolf Hitler, *Mon combat* (*Mein Kampf*), Éditions latines, 1934.

Couverture d'une édition française de *Mein Kampf* de Hitler. (XXe siècle, collection particulière.)

2 Anne Frank (1929-1945)

RC

Cette jeune fille juive allemande s'est réfugiée avec sa famille en Hollande vers 1933. Cachée dans un grenier avec ses parents, sa sœur et quelques autres personnes pendant deux ans, de 1942 à 1944, Anne a décrit ses expériences et ses émotions dans son journal intime. Dénoncées par un voisin, toutes ces personnes ont été envoyées dans des camps de concentration. Anne est décédée dans le camp de Bergen-Belsen en 1945.

«**Samedi 20 juin 1942**

À partir de mai 1940, c'en était fini du bon temps, d'abord la guerre, la capitulation, l'entrée des Allemands, et nos misères, à nous les juifs, ont commencé. Les lois antijuives se sont succédé sans interruption et notre liberté de mouvement fut de plus en plus restreinte. Les juifs doivent porter l'étoile jaune; les juifs doivent rendre leurs vélos, les juifs n'ont pas le droit de prendre le tram; les juifs n'ont pas le droit de circuler en autobus, ni même dans une voiture particulière; les juifs ne peuvent faire leurs courses que de trois heures à cinq heures, les juifs ne peuvent aller que chez un coiffeur juif; les juifs n'ont pas le droit de sortir dans la rue de huit heures du soir à six heures du matin; les juifs n'ont pas le droit de fréquenter les théâtres, les cinémas et autres lieux de divertissement [...] les juifs doivent fréquenter des écoles juives, et ainsi de suite, voilà comment nous vivotions et il nous était interdit de faire ceci ou de faire cela. Jacque me disait toujours: "Je n'ose plus rien faire, j'ai peur que ce soit interdit."»

Anne Frank, *Le Journal d'Anne Frank* (1942-1944), trad. P. Noble et I. Rosselin-Bobulesco, Calmann-Lévy, 2001.

3 L'antisémitisme

RC

Image tirée du film de Steven Spielberg, *La liste de Schindler*. Ce film a remporté l'Oscar du meilleur film en 1993.

Selon l'idéologie nazie, les Juifs étaient des êtres inférieurs qui devaient être exterminés. Les nazis pensaient que les Juifs dominaient l'Allemagne alors qu'ils représentaient à peine 1 % de la population. Cette idéologie justifiait la conquête des autres pays d'Europe et leur domination. Sous l'Occupation, partout en Allemagne et en Europe, les Juifs devaient porter une étoile jaune pour être identifiés.

Le film *La liste de Schindler* raconte l'histoire d'Oskar Schindler, un industriel allemand qui, au péril de sa vie, a sauvé des camps de concentration plus de 1 000 personnes juives en leur créant des emplois dans ses fabriques d'obus et d'outils en émail.

4 La Conférence de Wannsee à Berlin, en Allemagne

RC

Le 20 janvier 1942, les dirigeants de l'Allemagne nazie se sont réunis pour formuler une politique qu'ils ont nommée «la solution finale de la question juive». Cette politique visait à établir la procédure à suivre pour exterminer la population juive d'Europe.

«DOCUMENT SECRET DU REICH
30 exemplaires

Protocole de la conférence

III – L'émigration a désormais été remplacée – et c'est une solution envisageable ultérieurement – par l'évacuation des Juifs vers l'Est, avec l'autorisation préalable du Führer [Adolf Hitler]. Cette opération ne devra être considérée que comme option provisoire, mais elle constitue déjà une expérience pratique hautement significative pour la prochaine solution finale de la question juive. Cette solution finale de la question juive européenne concernera environ 11 millions de Juifs [...].

Sous une direction appropriée, les Juifs devront être employés comme main-d'œuvre à l'Est [dans des camps de concentration], ce qui sera un moyen adéquat de la solution finale. En larges colonnes [de travail], sexes séparés, les Juifs aptes au travail seront transférés dans ces régions pour construire des routes, travail au cours duquel un fort pourcentage trouvera certainement une mort naturelle. Ceux qui pourraient survivre recevraient un traitement approprié; comme il s'agirait sans aucun doute de la partie la plus résistante (physiquement), il faudrait effectuer une sélection naturelle dont l'arrêt pourrait porter le germe d'une nouvelle résurrection juive. (L'histoire en témoigne.)»

Extraits du compte rendu de la Conférence de Wannsee, 20 janvier 1942. (Coordination intercommunautaire contre l'antisémitisme et la diffamation.)

5 Extrait des lois de Nuremberg pour la protection du sang et de l'honneur allemands (1935-1938)

Ces lois enlevaient aux Juifs leurs libertés et leurs droits civils.

«**Article 1** – Les mariages entre Juifs et citoyens de sang allemand ou assimilé sont interdits. Les mariages de cette nature célébrés à l'étranger pour contourner cette loi sont déclarés nuls.

Article 2 – Les relations extraconjugales entre Juifs et citoyens de sang allemand ou assimilé sont interdites.

Article 3 – Il est interdit aux Juifs d'employer dans leur ménage des femmes de sang allemand ou assimilé de moins de 45 ans.

Article 4 – Il est interdit aux Juifs de hisser le drapeau national du Reich et de porter les couleurs du Reich.»

D'après Stefan Marc et Gerd Stuckert, *Nationalsozialismus und Zweiter Weltkrieg*, Pb-Verlag, 1998.

D

Le système CONCENTRATIONNAIRE

6 Les camps de concentration et d'extermination en Europe

Les nazis ont construit des camps de concentration en Allemagne dès 1934 et partout en Europe par la suite. Il y avait deux types de camps : les camps de travaux forcés et les camps d'extermination.
Les nazis ont envoyé dans les camps des Juifs, des Tziganes, des homosexuels, des opposants politiques et des prisonniers de guerre.

RC

7 Un amas de corps de victimes d'un camp de concentration vers 1945

À partir de 1942, les Juifs étaient systématiquement envoyés dans des camps spécialement aménagés pour l'extermination.

8 Le nombre de victimes juives de l'Holocauste

Europe de l'Est		
Pologne	environ	3 000 000
Lituanie	environ	130 000
Lettonie		70 000
Estonie		2 000
Roumanie		270 000
URSS	plus de	700 000
Europe centrale et balkanique		
Allemagne	plus de	120 000
Autriche	plus de	50 000
Tchécoslovaquie		260 000
Hongrie	plus de	180 000
Yougoslavie		60 000
Grèce		60 000
Europe occidentale		
France		75 000
Belgique		24 000
Pays-Bas	plus de	100 000
Luxembourg	environ	1 000
Italie		9 000
Norvège	environ	1 000
Total général :	**environ**	**5 100 000**

9 Auschwitz-Birkenau

RC

Le camp d'Auschwitz-Birkenau était le plus important camp de concentration nazi. Il se trouve aujourd'hui en Pologne à 60 km de la grande ville de Cracovie (*doc. 6*). Les personnes déportées arrivaient par train, entassées dans des wagons à bestiaux. Plusieurs mouraient en cours de route. Celles qui terminaient le voyage étaient triées. Un grand nombre d'entre elles – dont la plupart des personnes âgées, des femmes et des enfants – étaient dirigées vers les chambres à gaz. D'autres étaient traitées comme des esclaves et condamnées aux travaux forcés pour de grandes compagnies allemandes.

10 Le témoignage du commandant du camp d'Auschwitz, Rudolf Hoess, au cours du procès de Nuremberg en 1946

RC

«Je dirigeai Auschwitz jusqu'au 1er décembre 1943, et estime qu'au moins deux millions cinq cent mille victimes furent exécutées et exterminées par les gaz, puis incinérées; un demi-million au moins moururent de faim ou de maladie, soit un chiffre total minimum de trois millions de morts. Ceci représente environ 70 à 80 % de tous les déportés envoyés à Auschwitz. Les autres furent sélectionnés et employés au travail forcé dans les industries dépendant du camp.»

Extrait des minutes du procès de Nuremberg (1946) dans Rudolf Hoess, *Le commandant d'Auschwitz parle*, Maspero, Petite Collection Maspero, 1979.

11 Discours d'un chef nazi, Heinrich Himmler

Heinrich Himmler (1900-1945) était chef des SS, les troupes d'assaut nazies, et de la Gestapo, la police. Il était responsable des camps de concentration.

«Le sang de bonne qualité, de même nature que le nôtre, que les autres peuples peuvent nous offrir, nous le prendrons et, si besoin est, nous leur enlèverons leurs enfants et les élèverons chez nous. Il m'est totalement indifférent de savoir si les autres nations vivent prospères ou crèvent de faim. Cela ne m'intéresse que dans la mesure où ces nations nous sont nécessaires comme esclaves de notre culture. Que dix mille femmes russes tombent d'épuisement en creusant un fossé antichar, cela m'est totalement indifférent, pourvu que le fossé soit creusé.»

Allocution de Heinrich Himmler devant les chefs de la SS, 6 octobre 1943. Archives du tribunal de Nuremberg.

RC

12 Des conditions de vie horribles

Des femmes juives à l'intérieur d'une baraque à Auschwitz II-Birkenau, en Pologne, le jour de la libération du camp en janvier 1945.

Les détenus étaient mal nourris et mal soignés. Ils attrapaient souvent des maladies et avaient des infections. On estime que tous les jours, une centaine de détenus mouraient des mauvais traitements infligés et des travaux forcés. Les corps étaient brûlés dans de grands incinérateurs qui ont fonctionné 24 heures sur 24 pendant plusieurs années.

D

13 Les dissidents et les collaborateurs

En Allemagne et dans les autres pays occupés, certaines personnes ont collaboré avec les nazis; d'autres se sont regroupées et ont résisté. En France et dans les autres pays d'Europe, certains groupes organisés ont continué la lutte contre l'occupant allemand.

14 Extraits d'un tract diffusé par le mouvement de la Rose blanche (*Die Weisse Rose*) en janvier 1943

«Il n'est rien de plus indigne d'un peuple civilisé que de se laisser, sans résistance, régir par l'obscur bon plaisir d'une clique de despotes. Est-ce que chaque Allemand honnête n'a pas honte aujourd'hui de son gouvernement?

[...] Quelle somme d'ignominie pèsera sur nous et nos enfants quand le bandeau, qui maintenant nous aveugle, sera tombé et qu'on découvrira l'atrocité extrême de ces crimes? [...]

Nos yeux ont été ouverts par les horreurs des dernières années, il est grand temps d'en finir avec cette bande de fantoches. Jusqu'à la déclaration de guerre, beaucoup d'entre nous étaient encore abusés. Les nazis cachaient leur vrai visage. Maintenant, ils se sont démasqués et le seul, le plus beau, le plus sain devoir de chaque Allemand doit être l'extermination de ces brutes.»

Inge Scholl, *La Rose blanche*, trad. J. Delpeyrou, © Éditions de Minuit, 1955.

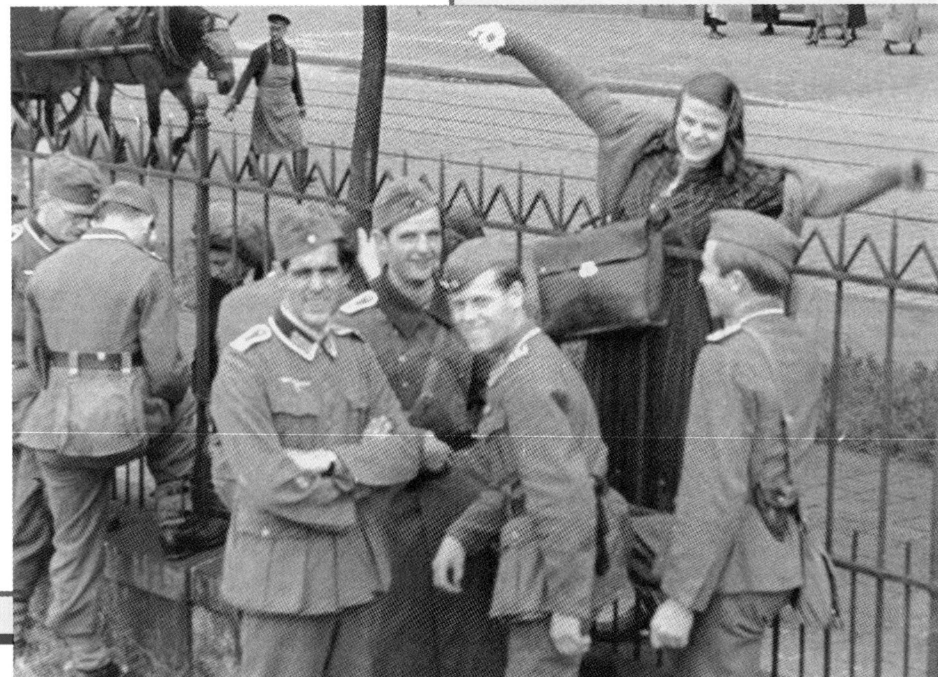

Sophie Scholl, Alexander Schmorell (à droite) et Hans Scholl (bras croisés), trois membres de la Rose blanche, à Munich en Allemagne, en juillet 1942. Ces étudiants dissidents de Munich refusaient la dictature nazie, s'opposaient à ses politiques et défendaient la liberté des personnes persécutées par les nazis. Le mouvement de résistance s'est répandu dans d'autres universités allemandes. Ces membres de la Rose blanche, ainsi que Christoph Probst, Willi Graf et le professeur Kurt Huber, ont été arrêtés et condamnés à mort en 1943. (United States Holocaust Memorial Museum, Washington, États-Unis.)

15 Texte d'un pasteur allemand qui a été interné dans un camp de concentration de 1938 à 1945

«Lorsque les nazis vinrent chercher les communistes, je me suis tu: je n'étais pas communiste.

Lorsqu'ils ont enfermé les sociaux-démocrates, je me suis tu: je n'étais pas social-démocrate.

Lorsqu'ils sont venus chercher les Juifs, je me suis tu: je n'étais pas Juif.

Lorsqu'ils sont venus chercher les catholiques, je me suis tu: je n'étais pas catholique.

Lorsqu'ils sont venus me chercher, il n'y avait plus personne pour protester.»

Pasteur Martin Niemöller (1892-1984), président des Églises réformées de Hesse-Nassau, 1950.

16 Une affiche de propagande du régime de Vichy

Affiche de propagande «La Révolution nationale», 1942.

(Affiche éditée par le Centre de propagande de la Révolution nationale d'Avignon.)

En juin 1940, lorsque la France a perdu contre l'envahisseur allemand, le pays a été divisé en deux. Une partie était occupée par les Allemands. Dans l'autre, un maréchal de l'armée française, Philippe Pétain, a instauré une dictature. Il a pratiqué une politique de collaboration avec les Allemands. Les Français devaient aller travailler en Allemagne pour remplacer les ouvriers partis au combat et ils devaient livrer aux autorités leurs compatriotes de religion juive.

17 Le programme du Conseil national de la Résistance

RC

En France et dans d'autres pays d'Europe, un grand nombre de personnes refusaient l'occupation et les idéologies nazies. Des gens ont formé des groupes voués à la résistance. Certains ont pris les armes pour combattre l'occupant nazi. Le Conseil national de la Résistance (CNR), qui rassemblait différents mouvements de résistance français, a défini son programme prévisionnel pour la Libération le 15 mars 1944.

«Née de la volonté ardente des Français de refuser la défaite, la RÉSISTANCE n'a pas d'autre raison d'être que la lutte quotidienne sans cesse intensifiée.

[…]

II – MESURES À APPLIQUER DÈS LA LIBÉRATION DU TERRITOIRE

Unis quant au but à atteindre, unis quant aux moyens à mettre en œuvre pour atteindre ce but qui est la Libération rapide du territoire, les représentants des mouvements, groupements, partis ou tendances politiques, groupés au sein du CNR, proclament qu'ils sont décidés à rester unis après la Libération:

[…]

4) Afin d'assurer:

- l'établissement de la démocratie la plus large en rendant la parole au peuple français par le rétablissement du suffrage universel;
- la pleine liberté de pensée, de conscience et d'expression;
- la liberté de la presse, son honneur et son indépendance à l'égard de l'État, des puissances d'argent et des influences étrangères;
- la liberté d'association, de réunion et de manifestation;
- l'inviolabilité du domicile et le secret de la correspondance;
- le respect de la personne humaine;
- l'égalité absolue de tous les citoyens devant la loi […]»

Extraits des instructions du Conseil national de la Résistance aux Comités départementaux de Libération, 15 mars 1944.

D

La reconnaissance des libertés et des droits civils

LE SUFFRAGE POUR LES FEMMES

DROIT DE VOTE POUR LES FEMMES

1 Le schéma ci-dessous résume ce que tu as appris au sujet de la reconnaissance des libertés et des droits civils dans divers pays au XXe siècle.

LIBERTÉ

LA RECONNAISSANCE DES LIBERTÉS ET DES DROITS CIVILS

ÉGALITÉ

Tous les êtres humains, peu importe leurs différences, ont les mêmes droits devant la loi, les mêmes responsabilités et les mêmes libertés civiles.

CENSURE

- Contrôle de l'information diffusée par les journaux et les ouvrages écrits.
- Interdiction d'exprimer des idées contraires à celles des autorités.

RÉPRESSION

- Emprisonnement de personnes qui s'opposaient aux politiques et aux lois de l'État.
- Interdiction de manifester et de diffuser des idées contraires à celles des autorités.
- Conflits armés pour écraser les révoltes.

DISSIDENCE

- En Afrique du Sud, des Blancs se sont opposés aux politiques de l'apartheid.
- Aux États-Unis, des Blancs ont défendu la cause des Noirs.

SÉGRÉGATION

- Fait de mettre à part des personnes en fonction de leur sexe ou de différences ethniques, culturelles ou religieuses.
- Lois ségrégationnistes aux États-Unis.
- Apartheid en Afrique du Sud.

DISCRIMINATION

À cause de leur sexe ou de différences ethniques, culturelles ou religieuses, les libertés et les droits civils de certains groupes étaient limités ou refusés.

DÉMOCRATISATION

Processus de création de lois rendant des droits, des privilèges et des libertés accessibles à l'ensemble des citoyens et citoyennes, selon les principes de la démocratie.

DROITS

Les droits définissent, par la loi ou par un code moral, ce qui est permis à des individus ou à des groupes d'individus vivant dans une société.

Ailleurs

2 Montre que tu connais les caractéristiques d'une époque de l'histoire au cours de laquelle de nombreuses personnes ont été privées de leurs libertés et de leurs droits civils en reproduisant et en complétant le schéma ci-dessous.

LA PRIVATION DES LIBERTÉS ET DES DROITS CIVILS (1)
En Allemagne et ailleurs en Europe dans les années 1930 et 1940, de nombreuses personnes ont été privées de leurs libertés et de leurs droits. Quelles sont les principales caractéristiques de cette privation ?

ÉGALITÉ (2)
Pourquoi les personnes juives ne bénéficiaient-elles pas de l'égalité avec les autres citoyens ?

DISCRIMINATION (3)
Comment la discrimination envers les Juifs s'exerçait-elle ? Quels motifs étaient invoqués pour discriminer les Juifs ?

DÉMOCRATISATION (4)
Pourquoi les droits, les privilèges et les libertés n'étaient-ils pas accessibles à tous et à toutes sous le régime nazi ?

DROITS (5)
De quels droits les Juifs étaient-ils privés sous le régime nazi ?

SÉGRÉGATION (6)
Comment la ségrégation à l'égard des Juifs s'exerçait-elle sous le régime nazi ?

DISSIDENCE (7)
Y avait-il des personnes qui manifestaient leur dissidence sous le régime nazi ? Si oui, que contestaient-elles ?

RÉPRESSION (8)
Quels étaient les modes de répression des Juifs sous le régime nazi ?

CENSURE (9)
Comment la censure envers les Juifs s'exerçait-elle sous le régime nazi ?

3 **À l'aide des renseignements contenus dans les schémas des numéros 1 et 2 et dans le présent chapitre, complète les phrases suivantes:**

À CETTE ÉTAPE-CI,

1. **je pense que la liberté, c'est** ▬
2. **je pense que la censure, c'est** ▬
3. **je pense que la démocratisation, c'est** ▬
4. **je pense que la discrimination, c'est** ▬
5. **je pense que la dissidence, c'est** ▬
6. **je pense que les droits, ce sont** ▬
7. **je pense que l'égalité, c'est** ▬
8. **je pense que la répression, c'est** ▬
9. **je pense que la ségrégation, c'est** ▬

ET AUJOURD'HUI...

La reconnaissance des libertés et des droits civils

Encore aujourd'hui, dans plusieurs pays du monde, les libertés et les droits civils ne sont pas reconnus. Des organisations non gouvernementales (des ONG) s'efforcent de sensibiliser les populations et de faire reconnaître ces droits et ces libertés.

1 «À vos plumes», une campagne d'écriture de lettres aux autorités

«Amnistie présente ici le cas de personnes ayant été arrêtées ou harcelées, ayant disparu ou ayant été exécutées, à cause de leurs convictions, de leur origine, de leur sexe, de la couleur de leur peau ou de leur langue. Aucune d'elles n'a employé ou préconisé la violence.

Dans l'intérêt de ceux et de celles dont nous prenons la défense, les lettres adressées aux autorités doivent être rédigées en termes mesurés et courtois, et doivent souligner qu'elles ont pour seul objectif la défense des droits de la personne, sans aucun parti pris politique ou autre.

Toute personne peut donc envoyer des appels en faveur de leur libération ou de l'amélioration de leur sort. En inscrivant vos noms et coordonnées, la fonctionnalité mise en place générera une lettre personnalisée qu'il ne restera qu'à imprimer, signer et poster aux autorités concernées.»

Amnistie internationale, avril 2006.

2 Reporters sans frontières, une association reconnue d'intérêt public

REPORTERS SANS FRONTIERES
POUR LA LIBERTE DE LA PRESSE

«Alors que plus d'un tiers de la population mondiale vit dans un pays où il n'existe aucune liberté de la presse, Reporters sans frontières œuvre au quotidien pour que l'information reprenne ses droits. En 2004, 53 professionnels des médias ont perdu la vie alors qu'ils travaillaient pour nous informer. Actuellement, plus de 100 journalistes sont emprisonnés dans le monde pour avoir simplement voulu exercer leur métier. Au Népal, en Érythrée ou en Chine, un journaliste peut passer plusieurs années en prison pour un mot ou une photo. Parce qu'emprisonner ou tuer un journaliste, c'est éliminer un témoin essentiel et menacer le droit de chacun à l'information, Reporters sans frontières mène son combat depuis près de 20 ans.»

Reporters sans frontières.

3 Human Rights Watch

L'agence Human Rights Watch se consacre à la protection des droits humains des peuples du monde entier.

«Nous nous tenons aux côtés des victimes et des défenseurs des droits humains afin de prévenir toute forme de discrimination, de préserver les libertés politiques, de protéger les gens contre tout comportement inhumain en temps de guerre et de traduire en justice tout coupable de non-respect des droits humains.

Nous enquêtons sur les atteintes aux droits humains, révélons nos conclusions et cherchons à ce que les contrevenants et les contrevenantes soient tenus pour responsables de leurs actes.

Nous appelons les gouvernements et toute personne au pouvoir à mettre fin aux pratiques irrespectueuses des droits humains et à se plier aux règles du droit international en la matière.

Nous invitons le grand public et la communauté internationale à s'engager dans la défense des droits humains pour tous et toutes.»

Human Rights Watch.

4 Le Centre pour la promotion et la défense des droits de l'enfant (CPDE)

«Notre objectif:

Faire des droits de l'enfant, en Afrique et dans le monde, une réalité.

Le Centre pour la promotion et la défense des droits de l'enfant a été créé pour rappeler aux différents dirigeants et dirigeantes des pays membres des Nations Unies que violer la convention relative aux droits de l'enfant n'est plus toléré.»

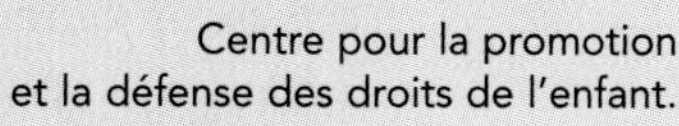

Centre pour la promotion et la défense des droits de l'enfant.

À faire

1. (doc. 1) Selon toi, pourquoi l'action d'Amnistie internationale est-elle bénéfique pour les prisonniers et les prisonnières politiques ?
2. (doc. 2) Quelles libertés l'organisme Reporters sans frontières défend-il ?
3. (doc. 3) Comment l'agence Human Rights Watch défend-elle les libertés et les droits civils ?

Que pourrais-tu faire concrètement pour aider des gens ou des sociétés à faire reconnaître leurs libertés et leurs droits civils ? Choisis une organisation non gouvernementale avec laquelle tu aimerais collaborer et explique ton choix.

Renvois en **bleu**: mots définis dans les lexiques.

G Les mots suivis de ce pictogramme sont définis dans le glossaire.

Aborigène Synonyme d'autochtone, qui habite depuis longtemps un territoire, qui est né ou née sur un territoire. 60, 61

Amérindien, ienne Indien ou Indienne d'Amérique. 59

Anatomique Qui a rapport à l'anatomie, à la structure des organismes humains, animaux et végétaux. 197

Animiste Relatif à l'animisme, une croyance selon laquelle les animaux et les choses ont une âme humaine. 41

Antéchrist D'après la Bible, ennemi du Christ. 28, 29

Archaïsme Caractère de ce qui est très vieux, très ancien. 55

Aristocrate Personne qui appartient à l'aristocratie, un groupe social privilégié. L'aristocratie est une forme de gouvernement où le pouvoir appartient à un petit nombre de personnes. 39

Autodétermination Détermination du statut et du régime politiques d'un pays par ses citoyennes et ses citoyens. 250

Castrat Individu mâle qui a subi la destruction d'un organe nécessaire à la reproduction. 246

Compas Instrument de navigation qui indique le nord. 68, 69

Compassion Sentiment qui rend sensible au malheur et aux souffrances des autres. 46, 47

Comptoir Établissement commercial dans un pays étranger. 67

Conquistador De l'espagnol signifiant «conquérant», désigne un aventurier espagnol parti à la conquête de l'Amérique. 58, 59, 74

Cosmogonie Théorie expliquant la formation de l'Univers et des objets célestes. 197

Décimer Faire périr un grand nombre de personnes. 74, 75

Département Région administrative en France. 114

Despotisme Pouvoir absolu, arbitraire et répressif. 147

Disséquer Couper, ouvrir les parties d'un corps (animal ou humain) pour en faire l'observation et en comprendre le fonctionnement. 25

Doctrine Ensemble des idées, des croyances ou des opinions véhiculées par une religion, une philosophie, un régime politique ou un mouvement artistique. 14, 15, 19, 22, 29

Dogme Point fondamental d'une doctrine G qui est considéré comme indiscutable, qui ne peut pas être critiqué ou remis en question. 28, 29, 31, 44

Droits féodaux Droits qu'avaient les seigneurs du Moyen Âge sur les personnes qui habitaient sur leurs terres. 101

Ducat Ancienne monnaie d'or. 57

Enclosure En Angleterre, procédé par lequel les terres du domaine public passaient aux mains des grands propriétaires. Le terme *enclosure* fait référence aux clôtures qui étaient construites autour des propriétés. 149

Endoctrinement Fait d'imposer une doctrine G (des idées ou des principes) à une personne ou à un groupe. 241

Éthique Synonyme de morale G. Principes que les être humains doivent respecter pour bien se conduire. 12

Exigu, uë Très petit, restreint. 144, 145

Expansionnisme Politique d'un pays qui vise à étendre son territoire au-delà de ses frontières au détriment des autres pays. 180, 192

Expansionniste Qui pratique une politique d'expansionnisme G. 180

Féministe Personne ou organisation qui défend les libertés et les droits civils des femmes, et qui revendique l'égalité entre les femmes et les hommes. 227, 233

Ghetto Lieu où vit une communauté séparée du reste de la société. 238, 239

Girofle Bouton de la fleur du giroflier, utilisé comme épice (clou de girofle). 57

Hérétique Qui ne suit pas la règle ou la doctrine G officielle de l'Église. 14, 15

Indigène Personne née dans le pays où elle habite. 192, 193

Indulgence Pardon des péchés accordé aux fidèles par l'Église catholique en échange de dons. 18, 19, 28

Laïc, laïque Qui n'appartient pas à un ordre religieux. 19

Liturgie Ensemble des règles et des cérémonies d'une religion ou d'un culte. 29

Lucratif, ive Qui procure des profits. 77

Mendicité État de pauvreté qui conduit à mendier, à demander la charité. 28, 29

Métropole État colonisateur, royaume européen. 76, 77, **195, 242**

Misogyne Qui manifeste de la haine, de l'hostilité envers les femmes. **246**

Misogynie Haine, hostilité envers les femmes. **23**

Mondialisation Fait de devenir mondial, de s'étendre à l'ensemble du monde. 52, 53

Morale Ensemble des règles de conduite universellement reconnues comme bonnes; théorie du bien et du mal. 9, **31**

Négoce Activité commerciale. 54, 55

Nègre Du mot espagnol *negro*, «noir». Ce mot, qui désigne une personne de couleur noire, est péjoratif. Autrefois, il désignait un esclave noir. 77, **81, 197, 242**

Obscurantisme De l'adjectif «obscur» («sans lumière»), opposition au savoir, à la connaissance, à la culture et à la raison, et à leur diffusion. **16, 30**

Païen, païenne Adepte des religions anciennes polythéistes. 25

Paternaliste Qui fait preuve de paternalisme, d'une attitude autoritaire et condescendante sous couvert d'agir en «bon père de famille». **219**

Pays en développement Pays qui n'a pas atteint le niveau d'industrialisation des pays plus riches. **129,** 225

Périphérie Surface autour d'un centre. 55

Philanthrope Personne qui cherche à améliorer le sort des autres par des dons monétaires ou par son aide. 46, 47

Plébiscite Vote de confiance d'une population. 243

Polémiste Personne qui aime débattre d'idées controversées, le plus souvent par écrit. **95**

Pouvoir exécutif *ou* **Puissance exécutrice** Pouvoir de faire appliquer des lois. **94, 107**

Pouvoir souverain Pouvoir de gouverner un État, de décider de son avenir. 93, **99, 104**

Précepteur, trice Personne chargée de l'éducation d'un enfant à domicile. **12**

Prédicateur, trice Personne qui prononce des discours religieux. 18, 19

Prolétaire Membre du prolétariat, une classe sociale composée des ouvriers et ouvrières d'usine. 141

Propagande Action exercée en vue d'influencer les opinions politiques, religieuses, sociales, etc., d'un groupe de personnes. **210, 215**

Propagandiste Qui diffuse de la propagande[G]. 18, 19, **210, 215**

Puissance exécutrice *ou* **Pouvoir exécutif** Pouvoir de faire appliquer des lois. **94, 107**

République Forme de gouvernement dans lequel les personnes qui détiennent le pouvoir souverain[G] sont élues, y compris le ou la chef d'État (habituellement un président ou une présidente). 92, 93

Rhétorique Art de bien parler, du discours et de l'argumentation. **12**

Savane En Afrique, vaste prairie herbeuse dénudée d'arbres. **204, 205**

Self-government Gouvernement autonome dans lequel les citoyens et citoyennes peuvent décider des affaires qui les concernent. 242, 243

Shōgun Titre japonais signifiant «général en chef contre les Barbares». 38, 39

Suffragette Militante pour le droit de vote des femmes au début du XXe siècle. **234**

Sujétion État d'une personne soumise à l'autorité de quelqu'un d'autre. 154, 155

Tiers état En France, ensemble des personnes qui ne faisaient partie ni de la noblesse ni du clergé (les bourgeois, les artisans, les paysans et les petits travailleurs des villes). **101, 108, 109**

Tolérance Fait de respecter des attitudes et des manières de penser différentes des nôtres. 9

Tribu Groupement de familles de même origine qui partagent les mêmes croyances religieuses et ont une langue commune 205

Tutelle État de dépendance. Un territoire sous tutelle est un territoire dont l'administration et la protection sont assurées par un autre État. 193, **243, 246**

Usurpation Action de voler un droit. **104, 105**

Utopie Idéal, vue politique ou sociale qui ne tient pas compte de la réalité. 17

Index des repères culturels

 7 – LE RENOUVELLEMENT DE LA VISION DE L'HOMME

La Renaissance européenne 5
Érasme 16
Nicolas de Cusa 15
Montaigne 12
Descartes 23
Pascal 22
Calvin 28, 29
Luther 18, 28
Thomas More 17
Gutenberg 26, 27
Orfeo (Monteverdi) 24
La Joconde (Léonard de Vinci) 24
La Pietà (Michel-Ange) 21
La naissance de Vénus (Botticelli) 25
Pic de la Mirandole 9

Le Japon des shōguns 36
Le sabre shintō 43
Tokugawa Ieyasu 38, 43
Shōgun (James Clavell) 37, 39, 40, 42
Les villes de Tōkyō et de Kyōto 36, 39
Le théâtre nô 43

RC 8 – L'EXPANSION EUROPÉENNE DANS LE MONDE

Le journal de bord (Christophe Colomb) 49, 56, 58, 66
Galilée 69
Kepler 69
Newton 69
Cartier 70, 71
Cabot 70, 71
Magellan 70, 71
Vasco de Gama 70, 71
Le Prince (Machiavel) 65
Le Livre des merveilles (Marco Polo) 66
Très brève relation de la destruction des Indes (Bartolomé de Las Casas) 59, 60, 61
Traité de la révolution des astres (Copernic) 68
Tenochtitlán 50, 59, 73, 74

 9 – LES RÉVOLUTIONS AMÉRICAINE ET FRANÇAISE

Les révolutions
L'Encyclopédie (Diderot et d'Alembert) 94
Voltaire 95
Rousseau 112
John Locke 95
Jefferson 104
La Déclaration des droits de l'homme et du citoyen 92, 98, 103, 110, 114, 115
La Déclaration d'Indépendance américaine 98, 100, 104, 106
La Constitution américaine 99, 103, 104, 106
La Bastille 109
Le château de Versailles 102
Le *Boston Tea Party* 87, 97
La Liberté guidant le peuple (Delacroix) 110

La Russie tsariste 118
La ville de Saint-Pétersbourg 119, 120
Le palais de l'Ermitage 119
Catherine II 119, 124
Le Grand Palais de Petrodvorets 123
La vie pour le tsar (Glinka) 125

 10 – L'INDUSTRIALISATION: UNE RÉVOLUTION ÉCONOMIQUE ET SOCIALE

L'Angleterre 133
La gravure de *La Bourse de Londres* 150
La fonderie de James Nasmyth illustrant le marteau-pilon 136, 149
Essai sur la nature et les causes de la richesse des nations (Adam Smith) 156
Manifeste du Parti communiste (Karl Marx et Friedrich Engels) 147, 153, 154
Filature de coton équipée de mules-jennys 136, 148

Les États-Unis 163
Rockefeller 171
Le travail des enfants dans une usine textile 174
Les émigrants (Tommasi) 171
La première filature de coton à Pawtucket 172
Bateaux à aubes 173
Aqueduc ferroviaire 172
Les Chevaliers du travail 175

La France 162
Les Contemplations (Victor Hugo) 166
Germinal (Émile Zola) 168
La loi de 1841 interdisant le travail des enfants 169
L'Internationale 158, 159
Le manifeste des industriels du 29 avril 1891 contre le 1er mai 167

L'Allemagne 162
Krupp 177
Les usines Krupp à Essen 177
La vallée de la Ruhr 176

 11 – L'EXPANSION DU MONDE INDUSTRIEL

L'impérialisme européen 189
Léopold II 198, 199, 202, 206, 207
L'Almami Samory Touré 206
Henry Morton Stanley 200, 206, 207
Lettre à Sa Majesté Léopold II, roi des Belges et souverain de l'État indépendant du Congo (W. G. Williams) 199
Le fardeau de l'homme blanc (Rudyard Kipling) 194
L'article «nègre» dans le *Dictionnaire universel Larousse du 19e siècle* 197

L'impérialisme japonais 214, 221
Tintin et le Lotus bleu (Hergé) 219
Le shintoïsme 216
L'empereur Mutsuhito (ère Meiji) 219
La mer du Japon (la mer de l'Est) 215

12 – LA RECONNAISSANCE DES LIBERTÉS ET DES DROITS CIVILS

La lutte et la conquête des libertés et des droits
Habib Bourguiba **251**
Léopold Sédar Senghor **250**
Gandhi **232, 250**
Martin Luther King **232, 249**
Nelson Mandela **241, 248**
Simonne Monet-Chartand **247**
Marie Gérin-Lajoie **247**
Asimbonanga (Johnny Clegg) **240**
L'apartheid **238, 239, 240, 241, 248**
The Civil Rights Act **249**
The Voting Rights Act **249**
La Déclaration universelle des droits de l'homme **245**
Le deuxième sexe (Simone de Beauvoir) **246**
The Dinner Party (Judy Chicago) **227**

La privation des libertés et des droits
Le compte rendu de la Conférence de Wannsee, 20 janvier 1942 **261**
Le camp d'Auschwitz **262, 263**
Mein Kampf (Adolf Hitler) **260**
Les lois de Nuremberg **261**
Le Journal d'Anne Frank **260**
La liste de Schindler (Steven Spielberg) **261**
Les instructions du Conseil national de la Résistance aux Comités départementaux de Libération, 15 mars 1944 **265**

OUVRAGES DE RÉFÉRENCE

Atlas historiques

BARRACLOUGH, Geoffrey. *Le grand atlas de l'histoire mondiale*. Paris, Encyclopædia Universalis, 1985. 369 p.

DUBY, Georges (éd.). *Atlas historique: l'histoire du monde en 317 cartes*. Paris, Larousse, 1992. 315 p.

HAYWOOD, John. *Atlas historique du monde*. Cologne, Könemann, 1999. 240 p.

HILGEMANN, Werner, KINDER, Hermann et Pierre MOUGENOT (éd.). *Atlas historique*. Paris, Librairie académique Perrin, 1997. 668 p.

SERRYN, Pierre et René BLASSELLE. *Atlas Bordas géographique et historique*. Paris, Bordas, 1993. 168 p.

Sources des données

p. 63 doc. 3: D'après E. J. Hamilton, dans Roland Mousnier, *Histoire générale des civilisations, les XVIe et XVIIe siècles*, PUF, 1961.

p. 134, doc. 2: D'après l'Enquête de 1999 sur la sécurité financière menée par Statistique Canada, dans Statistique Canada, *L'évolution de l'inégalité de la richesse au Canada, 1984-1999*, 11F0019, n° 187, 2002. (chiffres arrondis)

p. 134, doc. 4: D'après la Table comparative des professions principales par catégorie, Bibliothèque du Parlement, Canada.

p. 140, doc. 2; p. 171, doc. 6; p. 176, doc. 2: D'après G. Bourel et M. Chevallier (dir.), *Histoire 1re L.ES*, Hatier, 2003, p. 19.

p. 150, doc. 1 et 2: D'après Jean-Pierre Rioux, *La révolution industrielle, 1780-1880,* Seuil, coll. «Points», 1989.

p. 152, doc. 2: D'après H. Kaelble, *Vers une société européenne, 1880-1980*, Belin, 1988.

p. 153, doc. 4: F. Bédarida, *La société anglaise, 1851-1975,* Arthaud, 1976.

p. 170, doc. 1: Données du recensement des États-Unis de 1850.

p. 176, doc. 5: D'après A. Madison, *L'économie mondiale, 1820-1992*, Paris, OCDE, 1995.

p. 184, doc. 1: Statistique Canada, *Revue chronologique de la population active 2004*, cat. n° 71F0004XLB; Bureau of Labor Statistics, Current Population Survey.

p. 203, doc. 3: D'après le Tableau général du commerce et de la navigation de la France, Direction générale des douanes, Paris, Imprimerie nationale. À partir de 1896, 2 vol. par an, dans Jacques Marseille, *Empire colonial et capitalisme français*, Albin Michel, 1984.

p. 236, doc. 2: D'après l'Union interparlementaire, Genève, Suisse.

p . 237, doc. 3: Sources diverses, dans Condition féminine Canada, *Trousse de renseignements du Mois de l'histoire des femmes*, octobre 2000, tableau 4, p. 11.

p . 237, doc. 4: Louise Motard et Lucie Desrochers, *Les Québécoises déchiffrées*, CSF, 1995 et site Internet du Directeur général des élections, 2003. Compilation Nathalie Roy.

p. 262, doc. 7: D'après Raul Hilberg, *La destruction des Juifs d'Europe,* Fayard, 1988, p. 1 046.

SOURCES ICONOGRAPHIQUES

(h) haut (b) bas (g) gauche (d) droite (c) centre
(1) numéros de documents

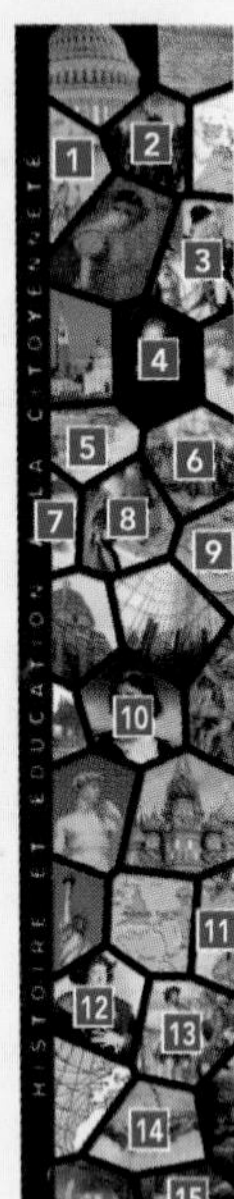

COUVERTURE ET LIMINAIRES

1, 2, 3, 4, 6, 12, 13 (détails) © Library of Congress Prints and Photographs Division Washington, D.C.

5, 11 (détail) © Giovanni Caselli, Universal Library Unlimited.

7 (détail, 30360079), 9 (détail, 14546577), 10 (détail, 7729963), 14 (détail, 15743567), 15 (détail, 15613404): © 2006, Jupiter Images et ses représentants.

8 (détail) © 2005, Marie Frechon, JEMBS (Joint Electoral Management Body Secretariat).

ILLUSTRATIONS

Éric Thériault
72 (2) Giovanni Caselli, Universal Library Unlimited.

PHOTOGRAPHIES

2-3 © Erich Lessing / akg-images; 4 © Jonathan Blair / CORBIS; 6 (1) © Sukree Sukplang / Reuters / CORBIS; (2) Photographie fournie à titre gracieux par Gilles Kègle; (3) © Photographie Julie Durocher, © organisme Dans la rue; 7 (5) © Reuters / CORBIS; (6) © Pete Saloutos / CORBIS; 8 © Fototeca / Leemage; 9 © Scala / Art Resource, NY; 10 (1) © Scala / Art Resource, NY; (2) © Archivo Iconografico, S.A. / CORBIS; 11 (3) © Erich Lessing / akg-images; (4) © Archivo Iconografico, S.A. / CORBIS; 12 (2) Réunion des musées nationaux / Art Resource, NY; (3) © Erich Lessing / akg-images; 13 © CORBIS; 16 © Collection Roger-Viollet / Topfoto / Ponopresse; 17 © Scala / Art Resource, NY; 18 (2) © Art Resource, NY; (3) © Collection Roger-Viollet / Topfoto / Ponopresse; 19 © CORBIS / SYGMA; 20 © Nimatallah / Art Resource, NY; 21 (2) © Araldo de Luca / CORBIS; (3) © Bettmann / CORBIS; (4) © Erich Lessing / akg-images; 22 © Erich Lessing / akg-images; 23 (2) © Erich Lessing / akg-images; (3) © akg-images; 24 (1) © FSN / Leemage; (2) © SuperStock, Inc. / SuperStock; (3) © Gianni Dagli Orti / CORBIS; 25 Electa / akg-images; 26 (1) © Giraudon / Art Resource, NY; (2) © The Pierpont Morgan Library / Art Resource, NY; 27 akg-images; 28 akg-images; 31 © Bettmann / CORBIS; 32 © Sean Sexton Collection / CORBIS; 33 © Vanni Archive / CORBIS; 34 (h) © Pizzoli Alberto / CORBIS / SYGMA; (b) Photographie fournie à titre gracieux par Élisabeth Forest; 35 (g) Photographie fournie à titre gracieux par Élisabeth Forest; (d) Michel Élie / photos Centre de conservation du Québec; 37 (g) © Wally McNamee / CORBIS; (d) © Bettmann / CORBIS; 38 © Michael Maslan Historic Photographs / CORBIS; 39 (4), (5) © Christie's Images / CORBIS; 40 (8) © Sakamoto Photo Research Laboratory/ CORBIS; 41 (9) © Free Agents Limited / CORBIS; (10) Réunion des musées mationaux / Art Resource, NY; 42 Bildarchiv Preussischer Kulturbesitz / Art Resource, NY; 43 (14) © Werner Forman / CORBIS; (16) © Peter Harholdt / CORBIS; (17) © Scala / Art Resource, NY; 46 (3-logo) Fédération internationale des Sociétés de la Croix-Rouge et du Croissant-Rouge; (3-photo) © Bettmann / CORBIS; 47 (5) © Centraide; 49 © Giraudon / Art Resource, NY; 50 SEF / Art Resource, NY; 52 (1) © Diego Goldgerg / SYGMA / CORBIS (2) © Serra Antoine / CORBIS / SYGMA; (3) © Alex Webb / Agence Magnum; 53 (4) © Port de Montréal / photo Louis-Michel Major; 55 © Louis Monier / Gamma / Ponopresse; 56 © Victoria & Albert Museum, London / Art Resource, NY; 57 Bildarchiv Preussischer Kulturbesitz / Art Resource, NY; 58 © Frans Lanting / Corbis; 59 Photographie © Schalkwijk / Art Resource, NY, œuvre © 2005 Banco de Mexico Diego Rivera et Frieda Kahlo Museums Trust. Av. Cinco de Mayo, No. 2, Col. Centro, Del. Cuauhtémoc 06059, Mexico, D.F. / 60 © Collection Roger Viollet / Topfoto / Ponopresse; 65 (1) © The British Library - HIP / Topfoto / Ponopresse; (3) © akg-images / Rabatti – Domingie; 66 (1), (2) © akg-images; 67 © Scala / Art Resource, NY; 68, 69 © akg-images / Erich Lessing; 70 (1) © Scala / Art Resource, NY; (2) © akg-images; 71 Collection de l'Institut Canadien de Québec, Archives nationales du Canada; 72 (1) © Werner Forman / Art Resource, NY; (2) Photographie fournie à titre gracieux par Giovanni Caselli, Universal Library Unlimited; 73 (3) © Angelo Hornak / CORBIS; (4) Smithsonian American Art Museum, Washington, DC / Art Resource, NY; 74 © Giraudon / Art Resource, NY; 76 © The Granger Collection, NY; 77, 79 © Bettmann / CORBIS; 81 Planche reproduite avec l'autorisation de François Bourgeon; 82 (g) © Archives photographiques Notman, Musée McCord d'histoire canadienne, Montréal, bead lot M13482; (d) Photographie fournie à titre gracieux par Claude Chapdelaine; 83 (h) © Jonathan Blair / CORBIS; (b) © Nik Wheeler / CORBIS; 84 © Tony Arruza / CORBIS; 85 © Transfair Canada; 86 © Réunion des musées nationaux / Art Resource, NY; 87 © Erich Lessing / Art Resource, NY; 88 © Bob Krist / CORBIS; 90 Patrimoine Canada; 91 Royalty-Free / CORBIS; 92 © Robert Holmes / CORBIS; 93 © Ferrell McCollough / SuperStock; 94 © akg-images / Erich Lessing; 95 (4) © The Granger Collection, NY; (5), (6) © akg-images / Erich Lessing; 96 © Erich Lessing / Art Resource, NY; 97 © akg-images; 98 © Erich Lessing / Art Resource, NY; 99 © Bettmann / CORBIS; 100 (1) © The Granger Collection, NY; (2) © Giraudon / Art Resource, NY; 101 (3), (4) © The Granger Collection, NY; 102 © Archivo Iconografico, S.A. / CORBIS; 103 (2) © Joseph Sohm, ChromoSohm Inc. / CORBIS; (3) © Archivo Iconografico, S.A. / CORBIS; 104 © Library of Congress Prints and Photographs Division Washington, D.C.; 105 © Bettmann / CORBIS; 108 © akg-images / Erich Lessing; 109, 110 © akg-images; 112 © Archivo Iconografico, S.A. / CORBIS; 113 © CORBIS; 115 © Selva / Leemage; 116 (h) © Université du Québec en Outaouais; (b) Photographie fournie à titre gracieux par Michel Filion; 117 Centre de l'Outaouais des

Archives nationales du Québec, P174, S1, D29906, photographie Champlain Marcil; **119 (h)** © Ludovic Maisant / CORBIS; **(b)** © akg-images; **120** © Steve Raymer / CORBIS; **123 (2)** © akg-images; **(3)** © Dave G. Houser / Post-Houserstock / Corbis; **124 (4)** © akg-images; **(5)** © Bildarchiv Preussischer Kulturbesitz / Art Resource, NY; **125 (6)** © Michael Nicholson / CORBIS; **(7)** © Charles O'Rear / CORBIS; **128** © Sophie Elbaz / SYGMA / CORBIS; **129 (3)** © Peter Turnley / CORBIS; **(4)** © Françoise de Mulder / CORBIS; **131** © Bettmann / CORBIS; **132 (h)** © John Garrett / CORBIS; **(b)** © Sim / TopFoto / Ponopresse; **134 (1)** © Peter Turnley / CORBIS; **(3)** © Tim Graham / CORBIS; **135 (6)** © Royalty-Free / CORBIS; **(7)** © Patrice Bériault / Alpha Presse; **137** © Bettmann / CORBIS; **138** © CORBIS; **139 (4)** © akg-images; **(6)** © Stapleton Collection / CORBIS; **140** Ann Ronan Picture Library / Heritage Image; **141** © CORBIS; **142** © akg-images; **143** © Bettmann / CORBIS; **144** © Museum of London / Heritage Image; **145** © Collection Kharbine-Tapabor; **146** © The Granger Collection, NY; **147 (g)** © Bettmann / CORBIS; **(d)** © akg-images; **149** Ann Ronan Picture Library / HIP / TopFoto / Ponopresse; **150** © The Granger Collection, NY; **152** © Hulton-Deutsch Collection / CORBIS; **153** © The British Library; **154** © Bettmann / CORBIS; **155 (3)** © CORBIS; **(4)** © Hulton-Deutsch Collection / CORBIS; **157** © Hulton-Deutsch Collection / CORBIS; **158** © Collection Kharbine-Tapabor; **159** © akg-images; **160 (g)** © Bibliothèque et Archives nationales du Québec; **(d)** Photographie fournie à titre gracieux par Nathalie Hurtubise; **161** © Lee Snider / Photo Images / CORBIS; **164** © Selva / Leemage; **166, 167** © akg-images; **168** © Archivo Iconografico, S.A. / CORBIS; **169 (7)** Document Écomusée de la communauté urbaine Le Creusot Montceau-Les-Mines / cliché Daniel Busseuil; **(8)** © Bianchetti / Leemage; **170** © Bettmann / CORBIS; **171 (4)** © Bettmann / CORBIS; **(5)** © akg-images / Pirozzi; **172 (8), (9)** © New York Public Library, NY; **173 (10)** Photo Josse; **(11)** © CORBIS; **174 (h)** © Bettmann / CORBIS; **(c)** © Library of Congress Prints and Photographs Division Washington, D.C.; **(d)** © CORBIS; **175 (15)** © CORBIS; **(16)** © Bettmann / CORBIS; **176** © akg-images; **177 (h)** © Bettmann / CORBIS; **(b)** © The Art Archive / Private Collection / Marc Charmet; **178 (9)** Bildarchiv Preussischer Kulturbesitz / Art Resource, NY; **(10)** © Bettmann / CORBIS; **179 (11)** Giraudon / The Bridgeman Art Library; **(12)** © ThyssenKrupp AG; **180 (14)** © akg-images; **(15)** © Collection / Leemage; **(16 g, d)** © Bettmann / CORBIS; **181 (17)** ©Willy Romer / Delius / Leemage; **(18)** © Hulton-Deutsch Collection / CORBIS; **186 (6)** © CPimages; **(8)** © Rémi Lemée / *La Presse*; **187** © Collection Perrin / Kharbine-Tapabor; **188** © Guido A. Rossi / Tips Images; **190 (1)** © Paul Velasco; Gallo Images / CORBIS; **(2)** © Gary Cook / Alamy; **191 (5)** © Christopher J. Morris / CORBIS; **(6)** © Point Du Jour Aviation ltée / photo Jean Daniel Cossette; **192** © Réunion des musées nationaux / Art Resource, NY; **195** © Selva / Leemage; **196** © Werner Forman / Art Resource, NY; **197** © Wolfgang Kaehler / CORBIS; **198** © Studio Patellani / CORBIS; **199** © Collection Roger Viollet / Topfoto / Ponopresse; **200** © Victoria & Albert Museum, London / Art Resource, NY; **201 (2)** © Collection GalDoc-Grob / Kharbine-Tapabor; **(3)** © Collection particulière / Archives Charmet / The Bridgeman Art Library; **202** © Selva / Leemage; **204 (1)** Photo Peter Harholdt © Christie's Images / CORBIS; **(2)** © Photo Josse; **205 (3)** © CORBIS; **(4)** © Sandro Vannini / CORBIS; **206** © Giraudon / Art Resource, NY; **207** © Bettmann / CORBIS; **209** © Selva / Leemage; **210** © CIRIP / A. Gesgon; **211** © Snark / Art Resource, NY; **212 (h), (b), 213 (h)** Photographies fournies à titre gracieux par Martin Lavoie, Centre des Archives nationales du Québec à Québec; **213 (b)** © Société immobilière du Québec; **215 (h)** Photo Jacques Descloitres, MODIS Land Rapid Response Team, NASA / GSFC; **(b)** © CORBIS; **216** © Michael S. Yamashita / CORBIS; **219 (3)** © Hulton-Deutsch Collection / CORBIS; **(5)** © POPPERFOTO / Alamy; **220** © Bettmann / CORBIS; **221 (9)** © CORBIS; **(11)** US Army; **224** © Bernard Bisson / CORBIS / SYGMA; **227** Photographie Donald Woodman © Judy Chicago / SODRAC (2006); **228** © Réunion des musées nationaux / Art Resource, NY; **230 (1)** © Matthew McKee, Eye Ubiquitous / CORBIS; **(3)** © 2005, Marie Frechon, JEMBS (Joint Electoral Management Body Secretariat); **(4)** © Van Tine Dennis / Gamma / Ponopresse; **231 (5)** © Ministère de l'Immigration et des Communautés culturelles, Gouvernement du Québec; **(7)** © Micheline Pelletier / CORBIS / SYGMA; **232** © Bettmann / CORBIS; **233** © CPimages; **234** © Bettmann / CORBIS; **235** Caricature par Albéric Bourgeois, 1935; **236** © Daniel Lessard / Gouvernement du Québec, 2005; **238** © AP Photo / Themba Hadebe / CPimages; **239** © Charles O'Rear / CORBIS; **240 (1)** © David Turnley / CORBIS; **(2)** © Gideon Mendel / CORBIS; **241** © David Turnley / CORBIS; **243 (5)** © Bettmann / CORBIS; **(6)** © Hulton-Deutsch Collection / CORBIS; **245 (1)** © Bob Krist / CORBIS; **(2)** © Organisation des Nations Unies; **246** © Bettmann / CORBIS; **247 (3)** © Archives de l'Institut Notre-Dame-du-Bon-Conseil, Montréal; **(4)** © Robert Mailloux / *La Presse*; **248 (1)** © Greg Marinovich / SYGMA / CORBIS; **(2)** Photographie Benny Gool; **249 (3)** © Bettmann / CORBIS; **(4)** © Jack Moebes / CORBIS; **250 (1)** © Sophie Bassouls / CORBIS SYGMA; **(2)** © Bettmann / CORBIS; **251** © Bettmann / CORBIS; **253** © Réunion des musées nationaux / Art Resource, NY; **256, 257** Photographies fournies à titre gracieux par Alain Lalumière; **258 (g), (d)** © Bettmann / CORBIS; **260** © Selva / Leemage; **261** © Topfoto / Ponopresse; **262** © CORBIS; **263** © Auschwitz Museum / Handout / Reuters / CORBIS; **264** United States Holocaust Memorial Museum, © Photographie Dr George J. Wittenstein, mouvement de la Rose blanche; **265** © Photo12.com / ARJ; **268 (1)** © Amnistie internationale; **(2)** © Reporters sans frontières; **269 (3)** © 2006, Human Rights Watch; **(4)** © CPDE (Centre pour la promotion et la défense des droits de l'enfant).

ANTIGUA-ET-BARBUDA (Saint John's)
BAHAMAS (Nassau)
BARBADE (Bridgetown)
BELIZE (Belmopan)
BÉNIN (Porto-Novo)
BRUNEI (Bandar Seri Begawan)
DJIBOUTI (Djibouti)
DOMINIQUE (Roseau)
É.A.U. : ÉMIRATS ARABES UNIS
ESTONIE (Tallinn)
ÉTATS FÉDÉRÉS DE MICRONÉSIE (Palikir)
GAMBIE (Banjul)
GRENADE (Saint George's)
QATAR (Doha)
ÎLES SALOMON (Honiara)
LETTONIE (Riga)
LIBAN (Beyrouth)
LITUANIE (Vilnius)

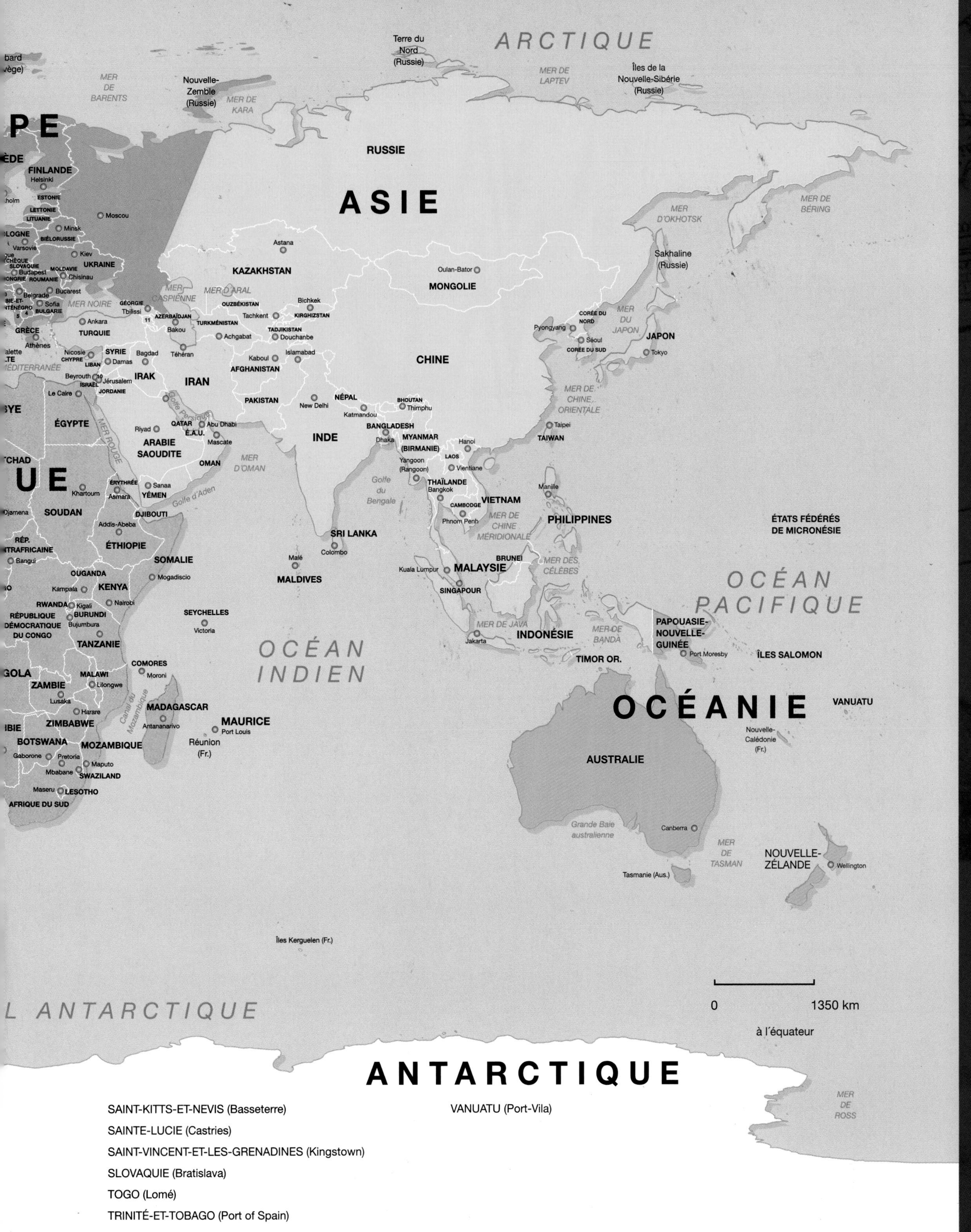

SAINT-KITTS-ET-NEVIS (Basseterre)
SAINTE-LUCIE (Castries)
SAINT-VINCENT-ET-LES-GRENADINES (Kingstown)
SLOVAQUIE (Bratislava)
TOGO (Lomé)
TRINITÉ-ET-TOBAGO (Port of Spain)

VANUATU (Port-Vila)